Directrice des publications   Jacqueline Sanson
Rédacteur en chef   Étienne Hamon

Relectures   Françoise Wiart et Françoise Steimer
Responsable éditoriale   Éliane Vergnolle
Préparation de copie et suivi éditorial   Anne Vernay
Infographie et P.A.O.   David Leboulanger

© **Société Française d'Archéologie**
Siège social : Cité de l'Architecture et du Patrimoine, 1, place du Trocadéro et du 11 Novembre, 75116 Paris.
Bureaux : 5, rue Quinault, 75015 Paris, tél. : 01 42 73 08 07
courriel : contact@sfa-monuments.fr
site internet : www.sfa-monuments.fr

ISBN : 978-2-901837-95-4

Diffusion : A. et J. Picard
62, Avenue de Saxe, 75015 Paris
https://www.librairie-epona.fr/
Tél. 01 43 26 85 82
contact@librairie-epona.fr

En couverture : Gy, église Saint-Symphorien, vue de la nef et du chœur (cl. J.-L. Langrognet).

Congrès Archéologique de France

179ᵉ session

2020

HAUTE-SAÔNE

L'art de bâtir en Franche-Comté au siècle des Lumières

Coordination scientifique : Denis Grisel (†) et Jean-Louis Langrognet

Société Française d'Archéologie

Haute-Saône

L'art de bâtir en Franche-Comté au siècle des Lumières

SOMMAIRE

ÉGLISES PAROISSIALES

L'EAU, LE FER, LE FEU

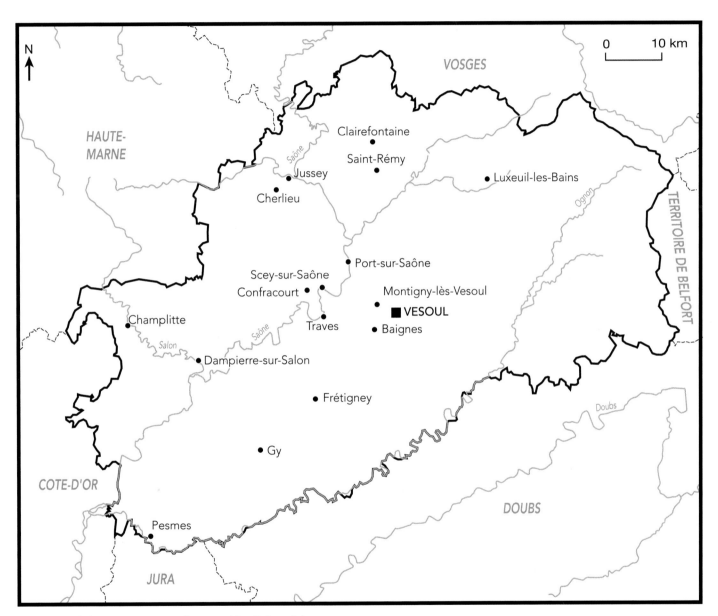

Département de la Haute-Saône, carte des sites publiés (P. Brunello).

Denis Grisel

Un parcours comtois entamé et conclu en Haute-Saône

Gérard Moyse *

* Conservateur général honoraire du patrimoine.

S i l'on a bien voulu me juger digne de rendre à Denis Grisel cet hommage liminaire, c'est en considération de nos parcours respectifs, étroitement entrecroisés. Vésulien de naissance, je fus en effet d'abord l'un de ses camarades d'École des chartes, pratiquement de la même promotion, et, plus tard, son successeur aux Archives départementales de la Haute-Saône, enfin son voisin côte-d'orien quand il officia ensuite en Saône-et-Loire puis dans le Doubs, où je l'avais du reste précédé au début de ma propre carrière, un quart de siècle plus tôt. D'autres bien plus autorisés que moi sauront dire ailleurs ce que fut son rôle hors de la Haute-Saône, tant dans les deux Bourgognes qu'au niveau national, tant en matière de gestion archivistique qu'au regard de la recherche historique. Le cadre même dans lequel j'interviens aujourd'hui et les informations dont je dispose m'invitent à privilégier ici la geste haut-saônoise de notre ami défunt (fig. 1).

Décédé à Vesoul dans sa 74e année, le 13 mai 2020, d'une maladie qui l'emporta en un an, Denis Grisel n'était pourtant nullement originaire de notre département : il était né à Boulogne-Billancourt (le 26 juin 1946). Entré à l'École des chartes en 1968, c'est en 1973, à sa sortie de celle-ci, après soutenance d'une thèse bien parisienne (*Saint-Benoît de Paris. Le chapitre, la paroisse et l'église du XIe siècle à 1854*, restée inédite), qu'il devint Comtois du fait de son premier poste, franchement exotique pour lui, aux Archives départementales de la Haute-Saône, où il héritait d'un bâtiment quasiment neuf (inauguré en 1964). Il devait diriger les Archives départementales jusqu'en 1986 et, peut-être à son insu, y recevoir l'onction comtoise. Ayant hérité de ce service après lui, j'ai pu mesurer l'ampleur de ce qu'il y avait accompli treize ans durant en matière de traitement des fonds, soit comme directeur des travaux de ses collaborateurs (archives notariales, communales, fiscales), soit comme ouvrier lui-même (fonds privés d'Huart-Saint-Mauris ou encore de Ray-sur-Saône). Bien plus, en un délai plutôt bref à l'aune de la tâche à accomplir, il avait aussi trouvé le temps de réaliser le *Guide des Archives de la Haute-Saône* qu'il publia en 1984 (presque au terme de son mandat haut-saônois) : en quelque 256 pages est décrite là par le menu, sous l'angle institutionnel et structurel, chacune des nombreuses séries du dépôt et recensée la grosse centaine des instruments de recherche qui permettaient alors d'y accéder. L'année suivante, il était nommé chevalier des Arts et Lettres.

Après une importante parenthèse bourguignonne de douze ans à la tête des Archives départementales de Saône-et-Loire, il revint en Franche-Comté en 1998, comme directeur des Archives départementales du Doubs cette fois, où il fut promu conservateur général du patrimoine en 2003. L'année suivante, il entamait la dernière étape de sa carrière, comme inspecteur général des Archives de France puis, en 2006, comme directeur du Centre historique des Archives nationales, devenu site de Paris après la création des services à compétence nationale en 2007. Mais, tout en délaissant ainsi, quatre ans durant, la pratique réellement territoriale du métier, il n'en avait pas moins conservé des attaches étroites avec la Haute-Saône où, y ayant fondé une seconde famille, il avait antérieurement déjà élu domicile, à Dampierre-sur-Linotte plus précisément. C'est là qu'il revint s'établir définitivement à l'heure de la retraite administrative au 1er janvier 2008, honoré de la médaille de chevalier du Mérite.

Il fut toujours actif ensuite. Entre autres responsabilités savantes, il présidait depuis 2015 avec doigté et efficacité aux destinées de la Société d'agriculture, lettres, sciences et arts de la Haute-Saône (SALSA) : n'avait-il pas dû, par exemple, assurer d'entrée de jeu la tenue à Vesoul du colloque trisannuel de la Fédération des sociétés savantes de Franche-Comté programmé pour 2016 ? Il était aussi devenu vice-président de l'association des Amis des archives de Franche-Comté, étroitement liée aux Archives départementales du Doubs depuis sa fondation par Jean Courtieu en 1987 et productrice de nombreuses publications historiques reposant sur les sources archivistiques comtoises, auxquelles Denis prêta plus d'une fois la main.

Fig. 1 – Denis Grisel lors de la cérémonie de remise des archives Huart Saint-Mauris à la fondation Saint-Mauris au château de Saint-Aubin (Saône-et-Loire), le 6 juin 2009.

GÉRARD MOYSE

Fig. 2 – *Architectures en Franche-Comté*, Besançon, 1980, première de couverture.

Fig. 3 – *Les fontaines-lavoirs de Franche-Comté*, Besançon, 1986, première de couverture.

Paléographe militant (il initia aux Archives départementales de la Haute-Saône des séances d'apprentissage à la lecture des documents anciens, qu'il poursuivit dans le Doubs et reprit en Haute-Saône après sa retraite), archiviste d'une science inépuisable et d'une puissante activité, Denis Grisel était tout autant un historien d'une grande sûreté de vue, parfait connaisseur des sources, particulièrement dans le domaine de l'architecture et dans celui du monde rural. Dans l'un et l'autre, il était devenu un spécialiste pour l'espace comtois, et d'abord haut-saônois, avec une préférence marquée pour l'Époque moderne et le XIXᵉ siècle. Son expertise dans le premier de ces deux domaines, celui-là même qui nous intéresse ici, ressort clairement de ses nombreuses contributions à l'histoire architecturale et artistique locale. Rappelons-en les trois titres les plus marquants :

– en 1980, la grande exposition *Architectures en Franche-Comté au XVIIIᵉ siècle. […] à Besançon et en Haute-Saône*, d'abord présentée aux Salines d'Arc-et-Senans et dont, avec Jean-Louis Langrognet, il assuma l'ample volet haut-saônois, riche de 314 documents. Le propos en est tout entier dans le titre : « L'architecture publique et religieuse en Haute-Saône au XVIIIᵉ siècle. L'équipement des communes : l'œuvre des architectes, l'action et les rivalités des deux administrations, l'Intendance et la Grande Maîtrise des Eaux-et-Forêts » (fig. 2) ;

– en 1984, plusieurs articles du numéro spécial *Haute-Saône, terre de tradition* de la revue *Vieilles maisons françaises* ;

– en 1986, son livre grand public, *Les fontaines-lavoirs de Franche-Comté*, fut un succès (fig. 3) ; l'objet en était alors assez novateur, et Denis Grisel devait approfondir cette approche en 1998 avec Jean-Louis Langrognet par une étude de ces équipements dans les cantons de Rioz et de Montbozon ;

– publié en 2014 par les Amis des archives de Franche-Comté, on lui doit enfin une large part dans la mise au point du dictionnaire *Sculpteurs et artisans du mobilier religieux comtois au XVIIIe siècle*, dont Jean Courtieu avait accumulé les matériaux durant sa très longue carrière aux Archives du Doubs et ébauché la rédaction durant sa bien courte retraite.

Si savant fût-il, Denis Grisel n'avait pourtant rien d'un intellectuel ne vivant que pour les archives et l'histoire. Il appréciait la bonne table et était grand connaisseur et amateur des produits de la vigne. Surtout, des talents manuels très développés lui étaient un précieux moyen de se délasser régulièrement des travaux de recherche ou des tâches archivistiques : c'est à tel point qu'il rebâtit quasiment et réaménagea de ses mains sa demeure de Dampierre. Il savait aussi faire œuvre de menuisier : il avait, entre autres, façonné certains éléments du mobilier de l'exposition d'Arc-et-Senans de 1980. Quant à sa robustesse physique, elle était impressionnante : il avait par exemple tâté du rugby ; officier de réserve dans l'infanterie de marine, il était assidu aux périodes de préparation militaire, d'où il revenait aux Archives départementales en treillis d'exercice ; son indifférence aux rigueurs météorologiques était surprenante et il déambulait souvent dans la ville (ou la campagne) sans manteau, col de chemise (voire chemisette) et veste imperturbablement déboutonnés ; enfin, chacun se souvient de ses enjambées de géant et de sa rude poignée de main.

Son abord pouvait certes paraître réservé et son contact difficile. Sans doute, dans son service, entendait-il se tenir en dehors des litiges et contingences quotidiennes pouvant affecter les équipes qu'il avait à diriger : son bureau, avertissait-il d'emblée, n'était pas celui des plaintes ! Mais cette attitude traduisait aussi indéniablement une timidité foncière, inattendue chez un gaillard de sa trempe et qui s'estompa au fil de sa carrière, mais qui avait été patente pour ceux qui l'avaient connu au cours de ses années d'études. Notons en revanche le souvenir qu'il laisse à tel de ses proches collaborateurs d'avoir reçu sous sa houlette une formation des plus compétentes. Complétons ce rapide portrait en soulignant que Denis ne s'embarrassait pas de faux-semblants et que les grandes réunions et cérémonies n'étaient pas sa tasse de thé. En revanche, tous ont pu constater qu'on ne faisait pas appel en vain à ses lumières, et ce garçon généralement peu loquace pouvait alors devenir intarissable sur le sujet traité ou dans la discussion lancée, sachant parsemer d'humour ses propos toujours solidement informés.

Avec ce personnage d'autant plus attachant qu'on avait pu pénétrer quelque peu son intimité, c'est assurément l'un de ses historiens adoptifs les plus solides et l'un de ses archivistes les plus efficaces qu'a perdu la Franche-Comté. Inhumé au « nouveau » cimetière de Vesoul, sur les flancs de la Motte emblématique du chef-lieu de l'ancien bailliage d'Amont, Denis repose désormais non loin de ces Archives départementales où il était entré voilà 47 ans dans la vie professionnelle : comment ne pas voir dans ce retour aux sources de sa carrière le symbole de son attachement à la Haute-Saône, dont il aura tant œuvré à approfondir le passé et à révéler le patrimoine ?

Crédits photographiques – fig. 1 : SCN, Archives nationales, Paris, 2009.

Gérard Moyse

BIBLIOGRAPHIE HISTORIQUE INTÉRESSANT LA FRANCHE-COMTÉ ET PARTICULIÈREMENT LA HAUTE-SAÔNE
(établie avec l'aide amicale de Patricia Guyard)

1979

Denis Grisel, « Le bailliage d'Amont entre les deux conquêtes », dans *Mémorial du tricentenaire de la réunion de la Franche-Comté à la France : 1678-1978*, Actes du colloque de Dole, 16 septembre 1978, Académie des sciences, belles-lettres et arts de Besançon et de la Franche-Comté/Institut d'études comtoises, Besançon, 1979, p. 169-188.

1980

Denis Grisel et Jean-Louis Langrognet, « L'architecture publique et religieuse en Haute-Saône au XVIIIᵉ siècle. L'équipement des communes : l'œuvre des architectes, l'action et les rivalités des deux administrations, l'Intendance et la Grande Maîtrise des Eaux-et-Forêts », dans *Architectures en Franche-Comté au XVIIIᵉ siècle du classicisme au néo-classicisme, la production architecturale des créateurs comtois du XVIIIᵉ siècle, à Besançon et dans l'actuel département de la Haute-Saône*, cat. exp. Salines d'Arc-et-Senans, 21 juin-14 septembre 1980, Besançon, 1980, p. 49-124, plus 30 pages d'illustrations non numérotées.

1981

Haute-Saône, textes de Denis Grisel et Guy-Jean Michel, coll. « Richesses de France », 117, Paris, 1981.

1982

Denis Grisel, « Regards sur les fontaines-lavoirs en Haute-Saône au XIXᵉ siècle », *Monuments historiques*, t. 122, 1982, p. 11-16.

1983

Denis Grisel, « Le pont de Port-sur-Saône du XVᵉ au XVIIᵉ siècle », *Bulletin de la SALSA*, nº 16, 1983, p. 37-41.

1984

Denis Grisel (en collaboration avec Éric Affolter et Jean-Claude Voisin), « Discrètes et méconnues : les églises médiévales de Haute-Saône », *Vieilles maisons françaises* (nº spécial *Haute-Saône, terre de tradition*), nº 105, 1984, p. 16-19.

Denis Grisel, « Châteaux et hôtels particuliers des XVIᵉ et XVIIIᵉ s. : l'empreinte de deux grands siècles de prospérité », *Vieilles maisons françaises* (nº spécial *Haute-Saône, terre de tradition*), nº 105, 1984, p. 34-39.

Denis Grisel, « Nymphées et fabriques : les fontaines monumentales des villages », *Vieilles maisons françaises* (nº spécial *Haute-Saône, terre de tradition*), nº 105, 1984, p. 50-55.

1986

Denis Grisel, *Les fontaines-lavoirs de Franche-Comté*, Besançon, 1986, rééd. Lons-le-Saunier, 2022.

1991

Denis Grisel, « Fontaines rurales », dans *Eau vivante en Franche-Comté*, Besançon, 1991, p. 106-123.

1998

Denis Grisel et Jean-Louis Langrognet, *Fontaines monumentales du Pays des 7 rivières. Cantons de Rioz et Montbozon*, Vesoul, 1998.

1999

Denis Grisel, « La vallée de l'Ognon de Luxeuil à Pesmes », dans *Franche-Comté*, coll. « Guides Gallimard », Paris, 1999, p. 146-157.

2000

Denis Grisel et Patricia Guyard, *Trésor des chartes des comtes de Bourgogne et Chambre des comptes de Dole. Documents sur l'administration du domaine et la féodalité du comté de Bourgogne, XIIIᵉ siècle-XVIIIᵉ siècle*, cat. exp. à l'occasion du Congrès mondial de généalogie, Besançon, 2-7 mai 2000, Besançon, Arch. dép. Doubs, 2000.

2001

Denis Grisel, « Aux origines du canal », dans *Le long du canal entre Saône et Rhin*, cat. exp. organisée par les Archives départementales du Doubs au Musée comtois, Besançon, 2001, p. 29-36.

2002

Denis Grisel, « Le Jura au XVIIIᵉ siècle à travers la cartographie militaire », dans *Du paysage à la carte. Trois siècles de cartographie militaire de la France*, cat. exp. Château de Vincennes, Ministère de la Défense, Services historiques des Armées, Vincennes, 2002, p. 96-117.

Geoffrey Duvoy, Jean-Claude Grandhay et Nicolas Vernot, *Prévôté de Jussey, dénombrement de 1593*, préface de Denis Grisel, Vesoul, 2002.

2003

Denis Grisel, « Les statuts des communautés rurales (XVᵉ-XVIIᵉ siècle) », dans *La Franche-Comté*

à la charnière du Moyen Âge et de la Renaissance. *1450-1550*, Laurence Delobette et Paul Delsalle (dir.), Besançon, 2003, p. 187-196.

2009

Roger Crétin-Maithenaz (dir.), *Un raid des Bernois à la frontière du Jura en 1593*, préface de Denis Grisel, Besançon, 2009.

2012

Denis Grisel, « Gilles Cugnier-Cusenier (1925-2011), président de la SALSA, 1963-1983 », *Revue Haute-Saône SALSA*, nº 85, janvier-mars 2012, p. 76-78.

2013

Denis Grisel, « La réforme militaire de 1610-1614 : l'autorité souveraine des Archiducs à l'épreuve du gouvernement de la Franche-Comté », dans *La Franche-Comté et les anciens Pays-Bas, XIIIᵉ-XVIIIᵉ siècle*, t. 2, *Aspects économiques, militaires, sociaux et familiaux*, Actes du colloque tenu à Salins, 8-9 avril 2011, Laurence Delobette et Paul Delsalle (dir.), Besançon, 2013, p. 223-246.

Patricia Guyard, *Les forêts des salines. Gestion forestière et approvisionnement en bois des salines de Salins au XVIᵉ siècle*, préface de Denis Grisel, Besançon, 2013.

2014

Denis Grisel, « Les monuments historiques au milieu du XIXᵉ siècle », *Revue Haute-Saône SALSA*, nº 93, mai-août 2014, p. 12-26.

Jean Courtieu, *Sculpteurs et artisans du mobilier religieux comtois au XVIIIᵉ siècle*, présentation de Denis Grisel, Besançon, 2014.

2015

Denis Grisel, « Note sur les suites du concile provincial de 1281 », dans *Le concile provincial de Besançon, 1281*, Laurence Delobette (dir.), Vy-lès-Filain, 2015, p. 67-75.

2016

Denis Grisel, « La forêt dans les cartes militaires de la fin du XVIIIᵉ s. La carte de la frontière du Jura (1779-1780) », dans *Histoire des paysages forestiers comtois et jurassiens*, Actes de la journée d'étude tenue à Lons-le-Saunier, 4 octobre 2014, Laurence Delobette et Paul Delsalle (dir.), Vy-lès-Filain, 2016, p. 157-165.

Denis Grisel, «Les pratiques collectives de l'élevage dans les statuts des communautés d'habitants, XVIᵉ-XVIIᵉ siècle», dans *Le monde rural comtois. Économie et société paysannes en Franche-Comté, du Moyen Âge à nos jours*, Actes du colloque de la Fédération des sociétés savantes de Franche-Comté, Vesoul, 29-30 avril 2016, Besançon, 2016, p. 37-64.

Denis Grisel, «L'affaire des chanoines de Marast et de leurs concubines (1633)», *Revue Haute-Saône SALSA*, nº 100, septembre-décembre 2016, p. 29-38.

2018
Denis Grisel, «Aperçu sur les vignes communales en Franche-Comté aux XVIᵉ et XVIIᵉ siècles», dans *Vignes, vins et vignerons,* Actes de la journée d'étude tenue à Arbois, 27 mai 2017, Laurence Delobette et Paul Delsalle (dir.), Vy-lès-Filain, 2018, p. 79-95.

Denis Grisel, «Bellevaux et les habitants de ses domaines, XIIᵉ-XIVᵉ siècle», dans *Bellevaux en Haute-Saône. 1119-2019. 9ᵉ centenaire. Fondation et rayonnement d'une abbaye cistercienne*, Actes du colloque de Vesoul, 16-17 mai 2019, Nathalie Bonvalot, Romain Joulia et Félix Ackermann (dir.), Besançon, Presses de l'université de Franche-Comté (à paraître).

Hommage à Catherine Chédeau-Arabeyre

Corinne Marchal * et Christiane Roussel **

C'est avec une infinie tristesse que nous avons appris la disparition de Catherine Chédeau-Arabeyre, le 22 novembre 2020, à l'âge de 56 ans. Formée à l'École du Louvre et à l'université de Paris IV-Sorbonne, elle a été maître de conférences en Histoire de l'art moderne à l'université de Provence puis, à partir de 2004, à l'université de Franche-Comté.

* Maître de conférences en Histoire moderne, université de Franche-Comté.

** Conservateur honoraire du patrimoine, Inventaire général du patrimoine culturel en Franche-Comté.

Ses travaux ont fait d'elle une spécialiste reconnue de la Renaissance, dont elle a éclairé la diffusion par les rapports entretenus entre les grands foyers artistiques proches de la cour de France et ceux dits périphériques. Thème qu'elle a développé dès le début de sa carrière de chercheur dans une thèse très remarquée, soutenue en 1992 et publiée en 1999, sur *Les débuts de la Renaissance à Dijon 1494-1549*. Adaptée également à la Franche-Comté, cette problématique générale lui a permis de souligner la complexité des influences artistiques qui ont traversé cette entité territoriale à la Renaissance, entre autres par l'exemple des tombeaux des Chalon dans l'église des Cordeliers de Lons-le-Saunier, œuvre de Conrad Meit et de l'Italien Mariotto.

Catherine Chédeau s'est également vivement intéressée à l'histoire du goût en mettant l'accent sur les processus de changement d'esthétique et leur évolution. Questions qu'elle a brillamment développées dans un exposé à la Cité de l'architecture et du patrimoine en décembre 2013 sur les ornements dans l'architecture au XVIᵉ siècle. Dans la même veine, elle a été attentive à révéler le processus de création des artistes, consacrant au menuisier-architecte Hugues Sambin (1520-1601), né à Gray, à la personnalité artistique complexe, un colloque international en septembre 2015, où elle a mis l'accent sur Sambin architecte, créateur de flèches et de dômes.

En 2017, pour le 500ᵉ anniversaire de la naissance à Besançon d'Antoine Perrenot de Granvelle (1517-1586), grand prélat et homme d'État de premier plan, mais aussi humaniste, mécène et grand collectionneur, elle a organisé, en collaboration avec Rudy Chaulet (maître de conférences en civilisation hispanique à l'université de Besançon), un symposium international intitulé *Les Granvelle au cœur de la Renaissance* – sa contribution ayant porté sur les architectes comtois au service des Granvelle.

Les membres de la Société Française d'Archéologie, dont elle a été la déléguée régionale pour la Bourgogne, ont fréquemment eu l'occasion d'apprécier sa connaissance très érudite des arts monumentaux. Elle leur a fait découvrir en de brillants exposés l'architecture des églises bourguignonnes de Grignon, de Saint-Michel de Dijon et de Saint-Jean-de-Losne. Elle a aussi activement participé à l'organisation du congrès archéologique qui s'est tenu en Haute-Saône en septembre 2020.

Mais ce serait bien peu dire que de rendre compte uniquement de son abondante activité scientifique. Catherine Chédeau mettait beaucoup d'élégance et de courtoisie dans ses rapports avec ses collègues et ses collaborateurs scientifiques. Ses nombreuses responsabilités

Crédits photographiques – Patrick Arabeyre.

tant à l'université de Franche-Comté (notamment dans l'édition universitaire comme directrice de la série « Histoire de l'art » et co-directrice de la collection des « Annales littéraires » aux PUFC) que comme représentante des instances nationales universitaires étaient une manière d'exprimer son attention aux autres par son sens du service public. Elle plaçait également cet altruisme dans l'encadrement attentif et bienveillant des mémoires de ses nombreux étudiants de master. Elle avait aussi la passion d'enseigner. Dans un registre plus intime, nous garderons d'elle le souvenir d'une personnalité rayonnante, généreuse, et joyeuse compagne des dîners post-colloques ou des dînettes dans les brasseries de la place Granvelle.

UNE VAGUE DE CONSTRUCTION
FAVORISÉE PAR LA RICHESSE FORESTIÈRE

Jean-Louis LANGROGNET *

L a Franche-Comté a été profondément meurtrie par les destructions, les épidémies et la misère provoquées par la guerre dite de Dix Ans (1634-1644) et les deux conquêtes de Louis XIV en 1668 et en 1674 avant son annexion à la France en 1678 par le traité de Nimègue. Avec la paix retrouvée et la mise en place d'une administration française efficace, les progrès de l'économie et le doublement de la population, elle connut durant tout le XVIIIe siècle, jusqu'à la Révolution, une intense campagne de reconstruction de ses équipements publics et privés. Tout visiteur traversant la Franche-Comté ne peut qu'être frappé, encore aujourd'hui, par le nombre et la qualité des édifices militaires, civils et religieux bâtis durant ce fécond XVIIIe siècle. Leur architecture marque non seulement le cœur des principales villes, en particulier de Besançon, mais aussi celui de la plupart des petites cités et de la majorité des bourgs et villages des actuels départements du Doubs, de la Haute-Saône et du Jura.

Organisée à la Saline royale d'Arc-et-Senans en 1980 par les archives départementales du Doubs et de la Haute-Saône, une grande exposition de dessins, plans et correspondances, consacrée à la production architecturale en Franche-Comté au XVIIIe siècle, avait permis de mesurer l'ampleur des transformations du cadre bâti de cette province au cours du siècle des Lumières, notamment durant les trois décennies précédant la Révolution. De nombreuses pièces d'archives contribuèrent alors à faire mieux connaître l'action déterminante des acteurs institutionnels et les réalisations exemplaires d'architectes de talent [1]. Le volet concernant la Haute-Saône, conçu par Denis Grisel, éclaira tout particulièrement l'importance du financement des bâtiments publics (églises paroissiales, presbytères, maisons de maîtres d'école et de pâtres, fontaines, puits et ponts) par la coupe des quarts en réserve des bois communaux qui, convoités par les maîtres de forges, rapportèrent des sommes considérables. Dès 1970, Michel Gallet, dans un article remarqué [2], avait révélé comment l'architecte Claude-Nicolas Ledoux, commis par le grand maître des eaux et forêts d'Île-de-France, parcourut en 1764 le pays langrois et les villages aujourd'hui haut-saônois de Fouvent-le-Haut (Fouvent-le-Châtel) et de Roche-et-Raucourt (Roche-sur-Vannon) – dont les bois dépendaient alors de la maîtrise particulière de Sens – pour dresser les plans de toute une suite d'églises paroissiales [3] (fig. 1), de presbytères, de ponts et de petits équipements communaux.

Ce recours à la vente des bois pour financer les travaux publics dans différentes villes, mais surtout dans les bourgs et villages, permit à l'administration forestière non seulement de nommer les architectes chargés de dresser les projets, mais aussi, dans la majorité des cas, de contrôler le déroulement des chantiers, non sans de rudes conflits à partir de 1770 avec les services de l'intendant de Besançon chargés de la tutelle des communautés d'habitants [4]. Après un siècle de constructions ininterrompues sur l'ensemble du territoire et, notamment, dans l'actuel département de la Haute-Saône, où la plupart des

* Conservateur honoraire des antiquités et objets d'art de Haute-Saône.

1. Lyonel Estavoyer, Denis Grisel et Jean-Louis Langrognet, *Architectures en Franche-Comté au XVIIIe siècle : du classicisme au néoclassicisme, la production architecturale des créateurs comtois du XVIIIe siècle, à Besançon et dans l'actuel département de la Haute-Saône*, cat. exp., Besançon, 1980.

2. Michel Gallet, «La jeunesse de Ledoux», *Gazette des Beaux-Arts*, 1970, p. 65-92.

3. Jean-Louis Langrognet, «L'intervention de Claude-Nicolas Ledoux dans la reconstruction de l'église de Fouvent-le-Haut», *Bulletin de la Société d'agriculture, lettres, sciences et arts de la Haute-Saône*, n° 24, 1992, p. 119-148; *id.*, «La reconstruction de l'église de Roche-et-Raucourt (1765-1776) sur un projet initial de Claude-Nicolas Ledoux», *Revue Haute-Saône SALSA*, n° 73, 2009, p. 2-32.

4. D. Grisel et J.-L. Langrognet, *op. cit.* note 1, p. 58-60. Voir également J.-L. Langrognet, *Anatoile Amoudru (1739-1812) architecte ou les bois devenus pierres*, Dole, 2013, p. 69-70.

congrégations religieuses, des communautés laïques et des grandes familles aristocratiques possédaient d'importantes surfaces forestières, le bilan architectural est impressionnant [5]. À côté de brillantes créations urbaines – les plus connues et les mieux étudiées – et d'ensembles monastiques remarquables, on constate la forte présence dans l'espace rural d'un nombre considérable d'édifices – parfois très modestes mais de qualité – répondant aux besoins de « communautés d'habitants » en expansion démographique.

Fig. 1 – Roche-et-Raucourt (Haute-Saône), église Saint-Didier, sur un projet de Claude-Nicolas Ledoux de 1765.

5. Lyonel Estavoyer, « Évolution et état de l'architecture comtoise de la conquête à la veille de la Révolution », dans *Mémorial du tricentenaire de la réunion de la Franche-Comté à la France, 1678-1978*, Besançon, 1979, p. 281-300.

6. Gérard Louis, *La guerre de Dix Ans (1634-1644)*, Besançon, 1998, p. 263-312.

7. Jean Courtieu, *La Franche-Comté de la conquête française à la Révolution, 1674-1789*, Wettolsheim, 1978, p. 33-55.

8. Roland Fiétier (dir.), *Histoire de la Franche-Comté*, Toulouse, 1977, p. 270. Un courant migratoire de Savoyards, Suisses et Lorrains, commencé dès le milieu du XVIIe siècle et poursuivi jusque dans les années 1720-1730, contribua à repeupler le pays et à doter les premiers chantiers de maçons, tailleurs de pierre et artisans du bâtiment expérimentés.

9. J. Courtieu, *op. cit.* note 7, p. 117-134.

10. Catherine Penfentenyo, *Les bâtiments militaires en Franche-Comté de la conquête à la Révolution,* thèse de doctorat, université de Besançon, 1984. Au lendemain de la conquête définitive par les armées de Louis XIV, la Franche-Comté devint une terre de stationnement d'importants effectifs militaires. La première campagne de travaux ordonnée par Louvois porta d'abord sur le renforcement des fortifications (citadelle et fort Griffon de Besançon, forts de Joux et de Salins notamment) et l'établissement de casernes, en particulier à Besançon. Elle se poursuivit peu après 1730 avec la construction d'écuries, de magasins à fourrage et de chambrées pour la cavalerie au sein des principales villes, dont Dole, Vesoul, Gray et Pontarlier, mais aussi dans les petites cités de Haute-Saône comme Jussey (1730), Champlitte (1738), Faverney ou Luxeuil (1754).

11. Très tôt furent entreprises les constructions d'hôpitaux nécessaires à la population et aux militaires, dont en 1683 le plus important, celui de Besançon. Au milieu du XVIIIe siècle, Baume-les-Dames, Gray, Lons-le-Saunier avaient achevé le leur et, à la fin du siècle, on comptait plus d'une vingtaine d'établissements de ce type dans toute la Comté ainsi que nombre d'établissements de charité.

12. Les intendants successifs, en apportant leur appui aux officiers municipaux ou en exerçant les pressions opportunes, s'attachèrent avec constance à la remise en ordre ou à la reconstruction des hôtels de ville et des édifices nécessaires à la bonne administration du territoire, comme les bailliages, les présidiaux et les prisons. Ainsi, à Vesoul, succédant à un projet initial établi en 1739 par l'ingénieur des ponts et chaussées Jean Querret, un élégant bailliage-présidial dessiné par l'architecte bisontin Charles-François Longin fut inauguré en 1771, à proximité immédiate de la nouvelle église Saint-Georges, contribuant à remodeler le centre de la ville (Arch. dép. Haute-Saône, C 56 et 67).

Jean-Louis Langrognet

La transformation du paysage architectural comtois au XVIIIe siècle

Durant la guerre de Dix Ans, épisode comtois de la guerre de Trente Ans, la Franche-Comté vécut une période particulièrement dramatique [6]. Plusieurs villes furent prises et incendiées, soixante-dix châteaux livrés au feu, les abbayes isolées dévastées, les établissements métallurgiques ruinés, et cent cinquante villages du bailliage d'Amont (comprenant le territoire haut-saônois et une partie du Doubs) totalement rayés de la carte. Aux exactions en tout genre, les épidémies ajoutèrent leur malédiction. On estime à plus de 270 000 le nombre d'habitants disparus au cours de cette période. Mais la contrée n'en avait pas fini avec les difficultés. De 1668 à 1674, entre les deux conquêtes de Louis XIV, l'Espagne, après avoir repris en main la Franche-Comté, l'astreignit à une imposition de 3 000 francs par jour pour financer le rétablissement des places fortes et l'entretien des troupes... Bref, en 1678, au moment de son rattachement définitif au royaume de France, la Franche-Comté était un pays ruiné et profondément affaibli. Tout ou presque était à reconstruire. Lorsqu'ils n'avaient pas été détruits, la plupart des équipements et bâtiments présentaient un état pitoyable, en particulier les églises paroissiales non entretenues depuis de longues années, faute de ressources suffisantes.

Le relèvement ne démarra que lentement. Il fallut près de deux décennies pour que les deux principales administrations royales (l'intendance de la généralité de Besançon et la grande maîtrise des Eaux et Forêts des duché et comté de Bourgogne) se mettent en place et soient en mesure d'encadrer pleinement l'effort de reconstruction. Mais avec l'amélioration progressive des conditions économiques et le développement d'une importante industrie métallurgique, la Franche-Comté bénéficia à partir de 1720, et jusqu'à la Révolution, d'un essor sans précédent [7]. De 1688 à 1790, sa population passa de 320 400 à 775 000 habitants [8]. L'urbanisme des principales agglomérations évolua considérablement [9] avec l'édification de casernements [10], d'hôpitaux et d'institutions charitables [11], d'hôtels de ville et d'édifices judiciaires [12] (fig. 2), d'hôtels particuliers (fig. 3) et d'immeubles à loyer [13]. Plusieurs petites cités connurent une véritable métamorphose [14], la petite ville de Luxeuil bénéficia d'un programme architectural remarquable : la réédification complète de son antique établissement thermal [15]. Dans le même temps, familles d'ancienne noblesse, parlementaires et gens de robe restaurèrent [16] ou construisirent

13. La formule de l'hôtel sur rue s'imposa d'abord. Apparue tardivement, celle de l'hôtel entre cour et jardin devint plus fréquente dans le dernier tiers du siècle, ainsi qu'on le voit à Besançon avec l'hôtel Fleury de Villayer et les majestueux hôtels Terrier de Santans et Pétremand de Valay (voir L. Estavoyer, *op. cit.* note 1, p. 13-20, et Christiane Roussel, *Besançon et ses demeures, du Moyen Âge au XIXe siècle*, Lyon, 2013, p. 157-206).

14. Un bon exemple est donné par Baume-les-Dames (Doubs) dont la population passa de 900 habitants en 1674 à 2 400 en 1789. Au cours du XVIIIe siècle, cette petite ville connut la reconstruction d'une importante abbatiale entourée de demeures de chanoinesses, l'édification d'un nouvel hôpital, d'un haut clocher devant l'église paroissiale, de plusieurs fours banaux, d'écuries pour les troupes de passage, de fontaines, de nombreuses maisons particulières et la réalisation d'un majestueux édifice en pierre de taille pour accueillir les services du bailliage.

15. Voir, dans ce volume, l'article de F. Dufoulon et Ch. Leblanc, « Un établissement thermal d'exception : Luxeuil-les-Bains », p. 337-350.

16. Voir, dans ce volume, l'article de Chr. Roussel et R. Courrier, « Le bourg, le château et l'église Saint-Hilaire à Pesmes », p. 77-98.

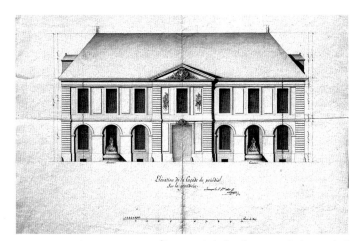

Fig. 2 – Vesoul (Haute-Saône), *Élévation de la façade principale du présidial*, par Charles-François Longin, 1763 (Arch. dép. Haute-Saône, C 67).

Fig. 3 – Besançon (Doubs), hôtel de Fleury-Villayer, architecte J.-Ch. Colombot, 1757-1759, façade sur cour.

Fig. 4 – Choye (Haute-Saône), château, architecte Nicolas Nicole, 1772, façade.

17. Denis Grisel, «Châteaux et hôtels particuliers : l'empreinte de deux grands siècles de prospérité», *Vieilles maisons françaises*, n° 106, 1984, p. 35-39. D. Grisel est également l'auteur de la plupart des notices sur les châteaux comtois dans le volume consacré à la Franche-Comté (dir. Françoise Vignier) du *Dictionnaire des châteaux de France* (dir. Yvan Christ), Paris, 1979.

18. Lionel Estavoyer, «Un chantier de construction sous le règne de Louis XVI», *Mémoires de la Société d'émulation du Doubs*, 2007, p. 255-264.

19. Voir, dans ce volume, l'article de M. Fantoni, «Le château de Saint-Rémy...», p. 145-157.

20. Voir, dans ce volume, l'article de P. Brunet, «Le château de Champlitte», p. 107-143.

21. Voir, dans ce volume, les articles de P. Brunet, «L'architecture des forges de Baignes», p. 351-364, et «La demeure de Claude-François Rochet, maître de forges, à Dampierre-sur-Salon», p. 365-378.

22. Citons en particulier les chantiers de l'abside orientale et du clocher de la cathédrale Saint-Jean en 1730, puis de l'église de la Madeleine à partir de 1742, et enfin celui, plus mouvementé, de l'église Saint-Pierre au centre de la ville, achevé seulement en 1784 au terme d'une succession de difficultés liées aux intérêts divergents des acteurs concernés.

23. Voir, dans ce volume, l'article de C. Debierre, «Deux églises paroissiales construites par Jean-Pierre Galezot : Saint-Georges de Vesoul et Saint-Martin de Scey-sur-Saône», p. 241-254.

24. Jean Girardot, «Promenade dans le vieux Lure», *Revue de la SHAARL*, 1982, p. 53-104.

25. Voir, dans ce volume, l'article de C. Marchal, P. Mignerey et M. Zito, «L'ancien chapitre de dames nobles de Montigny-lès-Vesoul. Une histoire architecturale», p. 223-238.

leurs châteaux à la campagne, dont le nombre alla croissant dans la seconde moitié du XVIIIe siècle [17] (fig. 4). Les premiers bâtis et les plus modestes présentent un simple plan rectangulaire, flanqué parfois de deux pavillons carrés. En élévation, leur composition est le plus souvent rythmée par un fronton couvrant les travées centrales de la façade. Si plusieurs grands châteaux des lignées aristocratiques fortunées du nord de la Franche-Comté ont disparu, comme celui des Bauffremont à Scey-sur-Saône ou celui des Grammont à Villersexel, des réalisations majeures subsistent, comme celles que l'on peut voir à Moncley [18] dans le Doubs, à Saint-Rémy [19], à Ray-sur-Saône ou à Champlitte [20] en Haute-Saône.

D'autre part, la remise en état ou la création de nouveaux établissements métallurgiques s'accompagna de l'édification de maisons de maîtres de forges simples et confortables, comme à Baignes, ou luxueuses, comme celle de Claude-François Rochet à Dampierre-sur-Salon [21].

De leur côté, les archevêques de Besançon, à la suite d'Antoine Pierre Ier de Grammont (1662-1698), «le Borromée de la Comté», s'attachèrent au rétablissement des édifices paroissiaux. Pour ce faire, ils multiplièrent les visites générales du diocèse, prononçant l'interdiction des églises paroissiales «ruineuses», mal entretenues ou dépourvues «des ornements les plus indispensables». Dans ce domaine, une effervescence particulière régna à Besançon tout au long du siècle : plusieurs grands chantiers mobilisèrent clergé, autorités civiles, paroissiens et notables [22]. Il en fut de même à Vesoul dès 1729 avec la reconstruction de l'église Saint-Georges [23] (fig. 5) et à Lure avec celle de Saint-Martin de 1738 à 1745 [24].

Tous les ordres religieux, en milieu urbain et dans les campagnes, remirent en ordre leurs bâtiments. Ainsi, aux portes de Vesoul, les clarisses-urbanistes de Montigny-lès-Vesoul rebâtirent leur chapelle et leurs maisons canoniales [25]. Isolées dans des vallons, les abbayes cisterciennes comtoises qui avaient particulièrement souffert des ravages de la guerre de

Dix Ans furent parmi les premières à se relever dans le dernier tiers du XVIIe siècle, avant même d'engager la reconstruction «à neuf» de leurs quartiers abbatiaux et claustraux au cours du siècle suivant.

Enfin, les bourgs et tous les villages de la province, soumis à une très forte augmentation de leur population, réparèrent, agrandirent ou, le plus souvent, renouvelèrent la quasi-totalité de leurs édifices publics et religieux.

Une telle campagne de travaux exigea des moyens considérables. Nous manquons d'informations précises sur le financement des immeubles et châteaux privés. Pour ceux de la haute aristocratie et des grands parlementaires, il reposa en grande partie sur les revenus de seigneuries, de vastes domaines ruraux et forestiers, et parfois sur les fermages de forges et d'usines dont ils étaient propriétaires [26]. Quant aux coûts des grands monuments urbains et des principaux équipements publics de la province, nous savons qu'ils furent assumés par des montages plus ou moins complexes pouvant associer, selon les cas, contributions royales exceptionnelles, impositions locales, droits d'octroi, legs, emprunts, souscriptions et loteries. Pour payer les travaux du bailliage-présidial de Salins ou de Vesoul, par exemple, des arrêts du Conseil royal des finances ordonnèrent une imposition de plusieurs années sur toutes les communautés de leur ressort [27]. De la même façon, la bâtisse de la majestueuse

26. *La métallurgie comtoise, XVe-XXe siècles* (coll. «Cahiers du patrimoine», n° 33), Besançon, 1994, p. 173-176; François Vion-Delphin, *Les forêts comtoises de la conquête française à la Révolution (1674-fin XVIIIe siècle)*, thèse de doctorat, université de Besançon, 1995, p. 699.

27. Arch. dép. Haute-Saône, C 56.

Fig. 5 – Vesoul (Haute-Saône), église Saint-Georges, voûtes et coupole.

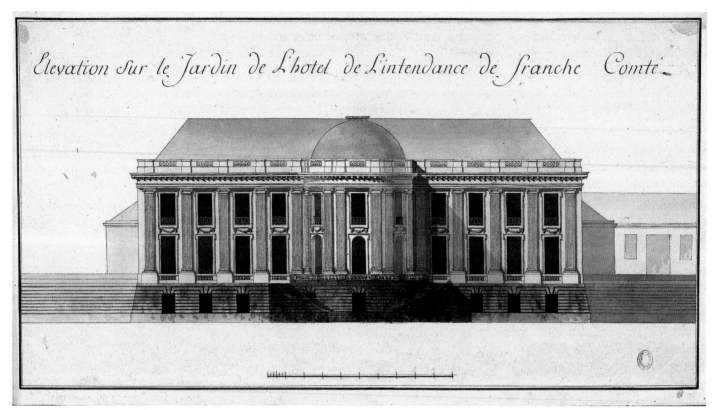

Fig. 6 – Besançon (Doubs), *Élévation sur le jardin de l'hôtel de l'intendance de Franche-Comté*, dessin d'après Victor Louis (Besançon, Bibl. mun., YC.BES. B2.5).

Fig. 8 – Faverney (Haute-Saône), caserne de cavalerie (1755) avant sa transformation récente en restaurant, carte postale des années 1920 (coll. J.-L. Langrognet).

Fig. 7 – Champlitte (Haute-Saône), plan, élévations et coupe d'une caserne de cavalerie, par Claude-François Devosge, 1738 (Arch. dép. Haute-Saône, B 9313).

JEAN-LOUIS LANGROGNET

intendance de Besançon (fig. 6), due à Victor Louis et achevée en 1776 pour plus de 610 000 livres, conduisit à la levée d'un impôt sur l'ensemble des villes et villages de Franche-Comté pendant douze ans [28].

Sans revenus annuels suffisants pour faire face aux dépenses entraînées par les plus gros chantiers, les corps municipaux des villes comtoises se trouvèrent presque toujours dans l'obligation de contracter des emprunts, de faire appel à «un répartement», ou encore de solliciter le bénéfice de droits d'octroi. Ce qui fut le cas à Jussey en 1748 [29] et à Luxeuil en 1741 [30] pour bâtir des casernements destinés à soulager les habitants du «logement des gens de guerre». Mais, si la voie de l'emprunt paraissait la plus simple, elle n'était pas toujours la plus supportable. C'est pourquoi, soucieuse de limiter l'endettement des villes et villages et d'éviter une pression fiscale trop importante, susceptible de nuire à la bonne rentrée des impôts royaux, l'administration autorisa assez facilement les coupes de bois dans les forêts communales. Il en fut ainsi pour la ville de Besançon à plusieurs reprises [31] et pour celle de Champlitte en 1736 [32] (fig. 7) ou de Faverney en 1755 [33] (fig. 8), cités qui ne seraient jamais parvenues à financer leurs casernes de cavalerie sans le secours de produits forestiers.

C'est cet appel à la vente des bois qui permit à la grande majorité des ordres religieux et à celle des habitants des bourgs et villages – aux capacités d'emprunt ou d'imposition limitées – d'assumer des constructions nombreuses et parfois ambitieuses, selon une législation et des modalités introduites peu après la conquête française. En bouleversant les règles d'exploitation des forêts et en régissant autoritairement l'emploi d'une partie du produit tiré, la législation forestière fondée sur l'ordonnance de Colbert de 1669 n'a pas été étrangère à la «fièvre de bâtir» qui s'empara des communautés ecclésiastiques et des communautés d'habitants durant tout le XVIIIe siècle.

FORÊTS COMTOISES ET INDUSTRIE MÉTALLURGIQUE

Sous l'Ancien Régime, les forêts couvraient près d'un tiers du territoire comtois (45 % aujourd'hui). Les enquêtes conduites peu après l'annexion et au long du XVIIIe siècle ne permettent qu'une connaissance imparfaite de la répartition des propriétés forestières, mais un état des bois établi pour chaque subdélégation en 1784 apporte cependant de précieuses informations. Sur un total recensé de 675 717 arpents (soit environ 344 615 hectares, l'arpent valant 0,51 hectare), 473 596 appartenaient alors aux communautés ecclésiastiques et aux communautés d'habitants, c'est-à-dire pratiquement 70 % du domaine forestier comtois ; le roi, les seigneurs et des particuliers se partageaient le reste, soit 202 122 arpents (environ 103 082 hectares) [34].

Les communautés villageoises possédaient de fait la très grande majorité des forêts. Ainsi, les 416 communautés d'habitants de la subdélégation de Vesoul disposaient à elles seules de 144 549 arpents, soit une moyenne de 382 arpents (194 hectares) par communauté, et 70 d'entre elles de plus de 500 arpents [35] ; dans la subdélégation de Gray, les forêts communales représentaient 60 % du total des surfaces forestières (avec environ 45 000 arpents) et dans celle de Baume-les-Dames, 80,7 % (avec 57 755 arpents). Bien évidemment, ces chiffres sont à mettre en rapport avec l'intensité de la campagne de travaux communaux qui transforma complètement le cadre bâti des bourgs et villages de ces trois subdélégations au cours du XVIIIe siècle…

S'il est difficile, en raison du nombre et de la dispersion des sources, de connaître dans le détail les superficies possédées par la trentaine d'abbayes et la quarantaine de prieurés que comptait la province, ainsi que celles des dizaines d'établissements ecclésiastiques,

28. Arch. dép. Doubs, 1C 2367.

29. Arch. dép. Doubs, 1C 344.

30. Arch. dép. Haute-Saône, 311 E, dépôt 118.

31. C. Penfentenyo, op. cit. note 10, p. 284-285.

32. Un arrêt du Conseil autorisa en 1736 la coupe de 233 arpents 30 perches dans les bois de Champlitte pour en employer le produit «à la construction des écuries et casernes au dit lieu», ce qui permit facilement l'édification en 1738 du bâtiment – qui subsiste encore – sur les plans et devis du célèbre architecte graylois Claude-François Devosge (Arch. dép. Haute-Saône, B 9313 et B 9131, fol. 23r).

33. À Faverney, formé d'écuries au rez-de-chaussée et de chambrées à l'étage, le bâtiment fut adjugé en 1754 pour la somme de 19 760 livres, sur un projet du sous-ingénieur des ponts et chaussées Jean-Baptiste Thiéry. Accordées par arrêt du Conseil, deux ventes de bois successives (80 arpents en 1755 et 50 arpents en 1757) rapportèrent 21 800 livres et permirent de couvrir les frais des travaux (Arch. dép. Haute-Saône, 228 E, dépôt 11 et B 9371, fol. 203v).

34. Fr. Vion-Delphin, «Les forêts du nord de la Franche-Comté à la veille de la Révolution», dans La Franche-Comté à la veille de la Révolution, Paris, 1988, p. 44 et 45.

35. Fr. Vion-Delphin, Les forêts comtoises…, op. cit. note 26, p. 689 et 706.

collèges et hôpitaux établis dans les villes, nous avons en revanche une bonne connaissance du patrimoine forestier des principales abbayes. Les mieux pourvues étaient les abbayes bénédictines de Luxeuil (3 064 arpents) et de Lure (4 373 arpents) dans la région sous-vosgienne de la maîtrise de Vesoul. Plusieurs abbayes cisterciennes possédaient également d'importants domaines boisés, notamment celles de Mont-Sainte-Marie (1538 arpents) dans l'actuel département du Doubs, Cherlieu (1414 arpents), Bellevaux (1319 arpents) ou Theuley (1266 arpents) [36] en Haute-Saône. Les forêts royales, anciennes forêts comtales confisquées au souverain d'Espagne, ne représentaient qu'environ 14 % de la couverture forestière totale, et celles des seigneurs et particuliers approximativement 17 %, mais avec de fortes disparités [37].

Constituant la plus grande richesse naturelle de la Franche-Comté, ces surfaces boisées avaient permis, dès la fin du Moyen Âge, l'apparition d'établissements industriels. Dans les siècles suivants, elles favorisèrent, outre les salines, verreries et papeteries, le développement d'une importante activité métallurgique. Grâce à la présence de minerai de fer sur de nombreux sites, l'abondance des ressources hydrauliques et la possibilité de produire d'importantes quantités de charbon de bois, hauts-fourneaux et forges s'implantèrent progressivement le long des principaux cours d'eau. L'expansion de cette industrie connut un coup d'arrêt durant la guerre de Dix Ans. Mais, avant même la fin du XVIIᵉ siècle, toutes les anciennes usines se relevèrent et, durant les quatre premières décennies du XVIIIᵉ siècle, un grand nombre d'établissements nouveaux virent le jour [38]. Une enquête de 1744 dénombra 107 établissements métallurgiques, situés essentiellement dans la vallée de la Saône et de ses affluents. Près de 150 dans les années 1780, ils consommaient alors jusqu'à 40 % de la production annuelle de bois de toute la province [39], l'actuelle Haute-Saône concentrant à cette date, à elle seule, plus de la moitié des sites comtois de production de fonte [40]. À la veille de la Révolution, la Franche-Comté se situait parmi les toutes premières régions sidérurgiques de France [41] avec 17 % de la fonte et 15 % du fer produits dans le royaume [42].

L'ORDONNANCE DE 1669 « SUR LE FAIT DES EAUX ET FORÊTS »

Au lendemain de la conquête, les désordres affectant l'exploitation des bois inquiétèrent les autorités royales. À la suite d'enquêtes conduites entre 1679 et 1687 faisant apparaître le mauvais état général des forêts, livrées presque sans contrôle à des acteurs aux intérêts souvent contradictoires (maîtres de forges, administrateurs des salines, verriers, villageois et citadins), le gouvernement décida de remédier à la situation en introduisant la législation forestière française en Franche-Comté. Non sans difficulté, car ses habitants demeuraient attachés aux modes d'exploitation traditionnelle par « furetage [43] » et aux nombreux droits d'usage. Mais finalement, l'application de cette législation, en instaurant un véritable contrôle des coupes, permit le renouvellement de la ressource et assura des revenus importants aux « communautés ecclésiastiques » et « communautés d'habitants », propriétaires de forêts.

Dans un premier temps, en 1689, il y eut création d'un office de grand maître des eaux et forêts des duché et comté de Bourgogne, Bresse et Alsace, avec rattachement des juridictions comtoises au siège de Dijon, puis, en août 1692, l'installation d'une Chambre souveraine des eaux et forêts à Besançon et la mise en place de sept maîtrises particulières dans les villes de Baume-les-Dames et Besançon (Doubs), Dole, Poligny et Salins (Jura), Gray et Vesoul (Haute-Saône), chacune d'elles dotée de compétences à la fois techniques (visites des bois, ventes et surveillance des coupes) et judiciaires. Ne manquait plus, pour imposer une exploitation rationnelle des bois et réprimer abus et délits, que l'introduction

36. *Ibid.*, p. 692.

37. *Ibid.*, p. 706. Certains grands seigneurs possédaient d'importantes étendues de bois, comme le prince de Bauffremont avec près de 4 300 arpents sur plusieurs subdélégations.

38. *La métallurgie comtoise…*, *op. cit.* note 26, p 119-152.

39. François Lassus, *Métallurgistes francs-comtois du XVIIᵉ au XIXᵉ siècle : les Rochet*, thèse de doctorat, université de Besançon, 1980, p. xxviij-xxx.

40. Fr. Vion-Delphin, *Les forêts comtoises…*, *op. cit.* note 26, p. 886-906. Selon cet auteur, en 1784, les usines à fer représentaient 62,6 % de la consommation de bois de feu dans la subdélégation de Gray et 52,5 % dans celle de Vesoul.

41. Raphaël Favereaux et Laurent Poupard, *Franche-Comté. Terre d'industrie et de patrimoine*, Lyon, 2021, p. 83.

42. Fr. Vion-Delphin, *op. cit.* note 26, p. 898.

43. Méthode qui consistait à enlever çà et là de vieux arbres dépérissants et quelques arbres jeunes en pleine croissance.

officielle de la fameuse ordonnance de Colbert de 1669 « sur le fait des eaux et forêts ». Ce qui intervint par lettres patentes en mars 1694. Vingt ans après son annexion, la Franche-Comté se trouvait ainsi alignée, en matière d'Eaux et Forêts, sur le reste du royaume.

Confiée au réseau des maîtrises particulières, placées sous l'autorité d'un grand maître aux pouvoirs étendus, la mise en œuvre de l'ordonnance provoqua de nombreux changements dans la gestion des forêts comtoises [44]. Réglementant fortement l'exploitation des bois du roi et des particuliers, mais aussi celle des communautés ecclésiastiques (fig. 9) et des communautés d'habitants, elle imposa un système de coupes réglées, c'est à dire définies avec précision et fixées d'année en année. Pour ce faire, elle rendit obligatoire

44. Fr. Vion-Delphin, *op. cit.* note 26, p. 291-304.

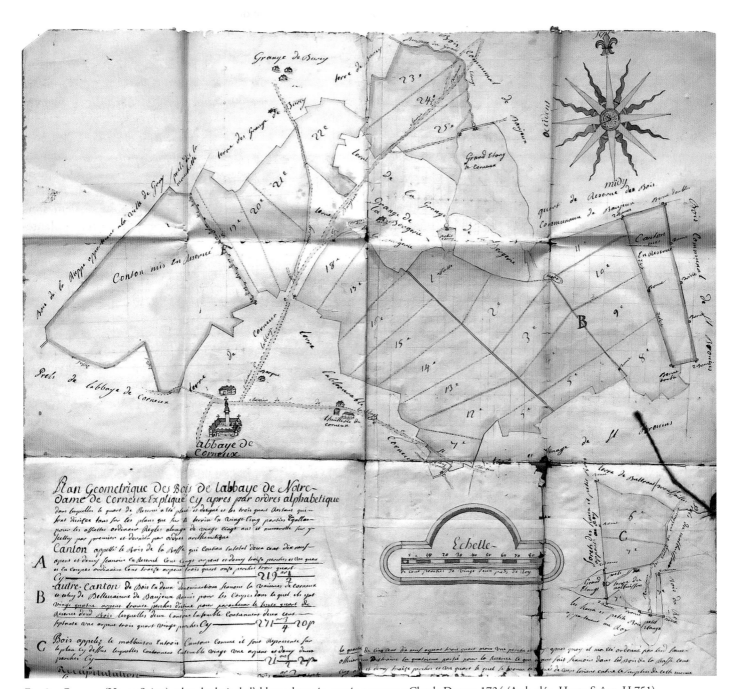

Fig. 9 – Corneux (Haute-Saône), plan des bois de l'abbaye des prémontrés, arpenteur Claude Dausse, 1734 (Arch. dép. Haute-Saône, H 751).

l'arpentage, le bornage et la levée des plans de toutes les surfaces forestières, et elle contraignit les communautés ecclésiastiques et les communautés d'habitants à délimiter un quart de leurs bois «dans les meilleurs fonds» pour être mis en réserve et croître en futaie, le reste étant divisé en assiettes ordinaires à 10 ans (25 ans à partir de 1730). Couper tout ou partie d'un quart de réserve était formellement interdit, sauf autorisation royale. Mesure capitale, l'ordonnance de 1669 prévoyait que cette autorisation ne serait accordée aux communautés ecclésiastiques «qu'en cas d'incendies, ruines, démolitions, pertes et accidents extraordinaires, arrivés par forfait, guerre ou cas fortuit, et non par le fait ou faute des bénéficiers et administrateurs» (article 5 du titre XXIV), et de la même manière aux communautés d'habitants, seulement «en cas d'incendie, ou ruine notable des églises, ports, ponts, murs et autres lieux publics» (article 8 du titre XXV). En fait, comme en témoignent nombre de dossiers, la vente du quart de réserve sera également accordée aux communautés d'habitants pour rembourser leurs dettes ou honorer de coûteux traités d'affranchissement conclus avec leurs seigneurs [45]. L'installation des maîtrises particulières des Eaux et Forêts et l'application des prescriptions de l'ordonnance de 1669 sur l'ensemble du territoire comtois ne se firent que très lentement, en raison de l'ampleur de la tâche et d'un personnel forestier réduit, mais aussi des résistances et de l'inertie des propriétaires.

Commencée très tôt dans la maîtrise de Besançon, dès 1701 dans celle de Gray et plus tardivement dans celle de Vesoul, la campagne d'apposition des quarts en réserve des communautés ecclésiastiques et laïques ne connut son plein développement qu'à partir de 1730 et s'étendit jusqu'en 1760, date à laquelle la majorité des bois fut enfin en règle [46] et le problème particulier des forêts de résineux résolu [47]. Au cours des trois dernières décennies du siècle, la consommation croissante de bois et les craintes d'une disette provoquèrent une forte hausse des prix, procurant *de facto* d'importantes ressources aux communautés ecclésiastiques et laïques les mieux pourvues en surfaces forestières. Dans la maîtrise de Gray par exemple, où le chêne et le hêtre dominaient et où les forges, proches les unes des autres, étaient en concurrence, l'abbaye des prémontrés de Corneux put ainsi vendre, de 1758 à 1762, les 129 arpents de son quart de réserve pour plus de 50 000 livres [48], et l'abbaye cistercienne de Theuley 120 arpents 48 perches en 1767 pour 54 000 livres [49]. Les années suivantes, dans cette même maîtrise, les coupes de bois rapportèrent de petites fortunes à nombre de communautés villageoises : 56 013 livres à Beaujeu en 1770 [50], 55 600 livres à Cresancey en 1774 [51], et même 96 240 livres à Igny en 1776 [52]. Un document récapitulant les revenus tirés des ventes de bois dans de la maîtrise de Vesoul de 1768 à 1790 permet de constater que cinquante-quatre communautés ont obtenu plus 30 000 livres de leur quart de réserve, dont huit plus de 60 000 livres, la palme revenant à la communauté de Dampierre-lès-Montbozon (Dampierre-sur-Linotte aujourd'hui) qui bénéficia en 1782 de la somme importante de 116 869 livres pour 277 arpents adjugés au maître de forges de Scey-sur-Saône [53].

QUART DE RÉSERVE DES BOIS ET COMMANDE ARCHITECTURALE

Pour financer une construction par la vente de tout ou partie de son quart de réserve, une communauté ecclésiastique ou laïque devait obtenir au préalable un arrêt favorable du Conseil d'État du roi, rendu le plus souvent à l'issue d'une procédure assez longue et coûteuse [54].

Tout commençait par une requête argumentée adressée directement au Conseil. L'instruction en était assurée au sein du contrôle général des finances par un intendant des finances chargé du département des Eaux et Forêts. Il recueillait pour ce faire les avis respectifs du grand maître [55] et de l'intendant de la généralité [56] non seulement sur l'état et la

45. La communauté de Genevrey, par exemple, obtint un arrêt du Conseil le 26 mai 1772 autorisant le paiement des 55 000 livres de son affranchissement de la mainmorte sur le produit de la vente du quart de réserve (Arch. dép. Haute-Saône, B 9372, fol. 196r).

46. Fr. Vion-Delphin, *op. cit.* note 26, p. 633-635 et 641.

47. Suzanne Monniot, «Le rôle de la forêt dans la vie des populations franc-comtoises de la conquête française à la Révolution (1674-1789)», *Revue d'histoire moderne*, 12, n° 29-30, 1937, p. 451. L'ordonnance n'ayant pas distingué le cas particulier des forêts de sapins, qui formaient une bonne partie de la province – et exigeaient un autre type d'exploitation que les feuillus –, les coupes brutales et l'apposition de quarts de réserve eurent des effets désastreux. Un arrêt du 29 août 1730 portant règlement des forêts de résineux déchargea alors les communautés de l'obligation du quart de réserve et autorisa à nouveau les coupes par jardinage.

48. Arch. dép. Doubs, B 1333, fol. 65r et 71r.

49. Arch. dép. Haute-Saône, B 9220, fol. 61v, procès-verbal d'adjudication du 23 novembre 1767 à 336 livres l'arpent, puis le lendemain, à 448 livres, par tiercement du sieur Cluny sur la précédente enchère.

50. *Ibid.*, fol. 108v, procès-verbal d'adjudication de 209 arpents 79 perches à raison de 267 livres l'arpent à Jean Dormoy, maître de forges à Beaujeu.

51. *Ibid.*, fol. 176r, procès-verbal d'adjudication le 26 novembre 1774, sur arrêt du 18 janvier précédent, de 173 arpents 65 perches, à raison de 320 livres l'arpent, à Joseph Rossigneux, maître de forges à Pesmes.

52. *Ibid.*, fol. 209v, procès-verbal d'adjudication le 2 décembre 1776, sur arrêt du 29 octobre précédent, de 207 arpents 20 perches, à raison de 464 livres l'arpent, à Pierre Caron, maître de forges à Seveux.

53. Arch. dép. Haute-Saône, C 71.

54. L'envoi d'une requête au Conseil contraignait souvent les petites communautés, sans revenus annuels importants, à emprunter les sommes destinées aux frais de procédures (rédaction de la requête, expertises de gens du bâtiment, déplacement des officiers de la maîtrise, honoraires d'un avocat à Paris). Citons l'exemple des habitants de Courcuire qui sollicitèrent de l'intendant l'autorisation d'emprunter 400 livres en 1754 pour faire face aux frais de l'arrêt (Arch. dép. Haute-Saône, 2 E 2698, délibération du 4 mars 1754) ou de ceux de Lavigney qui obtinrent une avance de 540 livres de leur curé en 1757 pour les mêmes raisons (Arch. dép. Doubs, 1C 168).

55. Pour la maîtrise de Gray, les rapports demandés par le grand maître avant de formuler son avis se trouvent dispersés dans les registres du greffe, mais fournissent de nombreuses informations sur les anciennes églises aujourd'hui disparues (voir notamment Arch. dép. Haute-Saône, B 9200 et B 9203).

valeur des bois de la communauté, mais aussi sur la nécessité ou l'opportunité des constructions demandées. À réception des observations et avis respectifs des deux agents royaux, un projet d'arrêt résumant l'ensemble des pièces du dossier était rédigé et soumis au contrôleur général des finances, puis examiné lors d'une séance du Conseil [57]. En cas de décision favorable, l'arrêt rendu précisait toujours le nombre d'arpents à couper, fixait la liste des constructions autorisées et confiait au grand maître la responsabilité de conduire ensuite toutes les opérations. Ce dernier, par « lettre d'attache » signée au pied de l'arrêt, ordonnait aux officiers de la maîtrise concernée de préparer la coupe et l'adjudication des bois (martelage et balivage, diffusion d'affiches annonçant la vente), mais aussi l'adjudication des travaux prévus, se réservant chaque fois que possible d'en assurer la présidence [58].

Jusqu'à la fin des années 1760, pour rédiger son avis sur la requête d'une communauté, le grand maître s'appuyait sur un procès-verbal de reconnaissance de la situation matérielle des requérants et de leurs bâtiments, dressé sur les lieux mêmes par un architecte nommé par ses soins, ou désigné sur sa commission par le maître particulier [59]. Après avoir constaté l'état défectueux des anciens édifices – en présence des représentants de l'abbé, du prieur et des moines, lorsqu'il s'agissait d'une communauté ecclésiastique, et des échevins et principaux chefs de famille dans le cas d'une communauté d'habitants – l'architecte missionné dressait les plans et devis des réparations nécessaires, mais plus souvent ceux d'une reconstruction « à neuf ». C'était sur ces plans et devis, déposés au greffe de la maîtrise, et dont mention explicite était faite dans le corps de l'arrêt obtenu, que le grand maître par la suite adjugeait les travaux.

Le processus conduisant à la reconstruction de l'abbatiale des prémontrés de Corneux au milieu du XVIIIe siècle illustre parfaitement toutes ces démarches. En 1756, l'abbé, le prieur et les religieux ayant demandé conjointement au Conseil la coupe de

Fig. 10 – Faymont (Haute-Saône), église Saint-Nicolas, architecte A. Amoudru, 1778.

56. Un grand nombre des avis de l'intendant de Besançon, fondés sur les rapports des subdélégués et envoyés au contrôle général des finances, sont conservés dans une suite de liasses de la série C des archives départementales du Doubs (1C 380, 1C 1265 à 1269), du Jura (1C 152 à 156) et de la Haute-Saône (C 46, 47, 266, 267).

57. Voir Michel Antoine, *Le Conseil royal des finances au XVIIIe siècle et le registre E 3659 des archives nationales*, Genève-Paris, 1973, p. XXXVII-LI.

58. Les archives départementales du Doubs et de la Haute-Saône conservent un grand nombre de registres des maîtrises particulières dans lesquels sont transcrits, par ordre chronologique, les arrêts rendus sur requêtes des communautés ecclésiastiques et laïques et suivis des lettres d'attache des grands maîtres successifs. Ces documents rendent compte des vagues successives de travaux autorisés par le contrôle général des finances et de leur diversité.

59. Frère du célèbre Jean-Pierre Galezot, l'architecte Jean-Joseph Galezot écrivait ainsi le 27 janvier 1752 à l'échevin du village de Vadans près de Gray : « [...] j'ay été avec monsieur le grand maître des Eaux et Forêts pour lever le local de votre église et de la maison curiale [...], tous vos plans et devis sont faits, [...] vous scavés qu'il les faut envoyer à Paris incessamment pour pouvoir avoir permission de vendre vos bois, car sans cela l'on ne peut rien obtenir... » (Arch. dép. Haute-Saône, B 9353). En 1763, le subdélégué de Vesoul expliquait au secrétaire de l'intendant qu'il n'avait pas fait dresser de plans de l'église à reconstruire de Gourgeon parce que les habitants « comptoient que leur placet seroit renvoyé à M. le grand maître des Eaux et Forests, qui ne manqueroit pas d'envoyer le géomètre attaché à la maîtrise de Vesoul pour faire toutes ces choses, vous scavés, Monsieur que c'est l'usage de cette juridiction d'en agir ainsy et qu'elle est extrêmement jalouse de ses droits [...] » (Arch. dép. Haute-Saône, C 46).

60. «Les suppliants sont obligés de reconstruire une nouvelle église et de faire rétablir leurs fermes, leur peu de ressources et les charges qu'ils sont obligés d'acquitter les mettant hors d'état de pourvoir à des dépenses aussi considérables, leur seule ressource est la coupe de leur quart de réserve...» (Arch. dép. Haute-Saône, B 9151, fol. 60r).

61. Arch. dép. Haute-Saône, 279 E, dépôt 908, procès-verbal de visite de l'abbaye de Corneux, 6 août 1757, et devis de l'église abbatiale du 21 octobre suivant.

62. Arch. dép. Haute-Saône, B 9151, fol. 60v, arrêt du Conseil du 11 avril 1758, enregistré au greffe de la maîtrise de Gray.

63. Précisions figurant dans le texte d'un second arrêt du Conseil du 20 juillet 1762 qui permettait la coupe du restant de la réserve (soit 24 arpents 30 perches) dont le produit devait être employé à l'achèvement de l'église et à la mise en place du mobilier prévu (Arch. dép. Haute-Saône, B 9151, fol. 138v).

64. Le grand maître Claude-François Renouard de Fleury-Villayer avait résigné sa charge en 1754 au profit de François-Joseph Legrand de Marizy, mais avec retenue de service durant cinq ans. De Marizy n'exerça véritablement ses fonctions qu'à partir de 1759 et les conservera jusqu'à la Révolution (voir Jean-Claude Waquet, *Les grands maîtres des eaux et forêts de France de 1689 à la Révolution, suivi d'un dictionnaire des grands maîtres*, Genève-Paris, 1978, p. 384).

65. Arch. dép. Haute-Saône, B 9373, fol. 55r.

66. J.-L. Langrognet, *op. cit.* note 4, p. 332-333 et 358-359.

67. Parmi les subdélégués les plus virulents de l'intendant Lacoré figurent Gabriel-Joseph Miroudot de Saint-Ferjeux à Vesoul de 1745 à 1764 et son fils Claude-Gabriel, qui lui succéda jusqu'à la Révolution (Arch. dép. Haute-Saône, C 266 et C 267). Voir D. Grisel et J.-L. Langrognet, *op. cit.* note 1, p. 58-59.

68. Installée au sein de la Chambre des Comptes à Dole jusqu'à son transfert à Besançon lors de la création d'un bureau des finances en 1771. Soulignons l'importance des informations fournies par la collection des registres du receveur des domaines et des bois sur l'identité des adjudicataires des bois, le prix des bois par arpent, le produit total des ventes, les sommes versées aux architectes et aux entrepreneurs des travaux réalisés au bénéfice des communautés ecclésiastiques et des communautés d'habitants (Arch. dép. Doubs, B 1313 à B 1346).

69. Arch. dép. Haute-Saône, C 266. Voir aussi J.-L. Langrognet, *op. cit.* note 4, p. 69-71.

70. Voir Jean-Claude Bardet, *Le contentieux de la réparation des églises d'après les dossiers du Contrôle général des finances. Étude d'histoire administrative (1770-1790)*, thèse de doctorat, université de Droit, d'Économie et de Sciences sociales, Paris, 1982.

105 arpents 63 perches du quart de réserve de l'abbaye pour reconstruire un bâtiment de ferme et l'église démolie depuis plusieurs années [60], le grand maître François Renouard de Fleury-Villayer envoya sur les lieux l'architecte bisontin Jean-Charles Colombot. Après s'être rendu à Corneux en août 1757, Colombot reconnut la nécessité de bâtir une nouvelle abbatiale et de la doter d'un mobilier de qualité [61]. Quelques mois plus tard, le 21 octobre, il signa les plans et devis d'un projet évalué à 55 234 livres (41 602 livres pour l'église avec un maître-autel et 13 632 livres pour les stalles et d'élégantes grilles en fer forgé). Après plusieurs mois d'instruction, le Conseil d'État rendit un arrêt le 11 avril 1758 autorisant la coupe des bois demandée et l'affectation de son produit «au paiement des ouvrages à faire pour la reconstruction de l'église de ladite abbaye et le rétablissement des fermes [...] mentionnés au devis estimatif du 21 octobre 1757 [62]». En exécution de cet arrêt, le grand maître présida successivement, le 20 août 1758 en l'auditoire de la maîtrise de Gray, à l'adjudication des bois et à celle des travaux de l'église [63].

Dans le troisième tiers du siècle, la procédure ayant été allégée pour les communautés d'habitants, les projets architecturaux ne furent plus établis qu'après l'obtention de l'accord du Conseil et non plus avant. Ainsi en 1776, les habitants de Faymont, dont l'église apparaissait «trop petite pour contenir les fidèles», sollicitèrent la coupe de cent arpents et l'emploi des deniers en provenant à la construction d'un édifice de plus grandes dimensions, ainsi qu'à son ameublement. Obtenu le 22 juin 1777, un arrêt favorable du Conseil confia le dossier à François-Joseph Legrand de Marizy (1734-1804), grand maître en pleine responsabilité depuis 1759 [64]. Seize jours après la réception de l'arrêt, de Marizy envoya ses instructions aux officiers de la maîtrise de Vesoul pour l'organisation de la vente des bois et, dans le même temps, nomma l'architecte dolois Anatoile Amoudru, en qui il avait toute confiance, pour établir les plans et devis de l'église souhaitée [65]. Amoudru s'exécuta et remit son projet au greffe de la maîtrise – pour lequel il reçut 850 livres d'honoraires. Entreprise peu après pour un montant de 10 500 livres prélevé sur les 22 000 livres des bois vendus, la nouvelle église de Faymont (fig. 10) fit la fierté des paroissiens lors de son achèvement en 1783 [66].

À partir des années 1750, le nombre des chantiers entre les mains du grand maître devint si important que plusieurs subdélégués de l'intendant dénoncèrent avec véhémence l'intervention de l'administration forestière dans le domaine des constructions communales, la considérant comme «préjudiciable aux fonctions et à l'autorité de l'intendant» [67]. En effet, de la fin du XVIIe siècle jusqu'aux années 1730, le contrôle des travaux communaux avait été pratiquement du seul ressort de l'intendant et de ses services, et le demeura jusqu'à la Révolution chaque fois que, faute de ressources suffisantes, échevins et procureurs spéciaux se trouvaient dans l'obligation d'emprunter ou de répartir une imposition locale pour faire face à des travaux impossibles à assumer par d'autres voies. La situation changea considérablement avec la multiplication des arrêts autorisant les communautés à vendre leur quart de réserve et attribuant au grand maître le soin de nommer les architectes chargés des projets de travaux et d'assurer les paiements des adjudicataires sur le produit des coupes consigné à la caisse du receveur des domaines et bois [68].

En 1769 et 1770, de violents conflits surgirent entre l'intendant Lacoré et le grand maître de Marizy à propos de plusieurs dossiers d'églises à construire, dont celle d'Échenoz-la-Méline (Haute-Saône) pour laquelle chacun d'eux avait fait dresser et adjuger des projets concurrents, au grand dam des paroissiens [69]. En fait, cette querelle singulière est à inscrire dans le cadre plus général du contentieux apparu dans certaines généralités du royaume entre intendants et grands maîtres sur la question des «réparations d'églises et de presbytères» [70]. Au sein des bureaux du contrôle général des finances à Paris,

JEAN-LOUIS LANGROGNET

un vif débat opposait depuis 1767 le chef du département des impositions, d'Ormesson, interlocuteur privilégié des intendants, à M. de Beaumont, responsable du département des Eaux et Forêts. Le premier souhaitait réduire la responsabilité des grands maîtres à la seule vente des bois et à la délivrance des sommes dues aux entrepreneurs, le second défendait au contraire farouchement la légitimité des grands maîtres à nommer des architectes et à contrôler les chantiers financés par la coupe des bois, en s'appuyant pour cela sur l'ordonnance de 1669. À l'été 1769, soumis aux pressions contradictoires des deux parties, le contrôleur général des finances, Maynon d'Invau, embarrassé et prudent, ne voulut pas trancher clairement. Il se contenta de déclarer légitime l'administrateur qui serait saisi le premier par une communauté d'habitants [71]. Prenant alors de vitesse les maîtres particuliers, les subdélégués, notamment ceux de Vesoul et Besançon, bien informés des besoins des villageois, s'empressèrent de faire dresser les projets de travaux communaux par des architectes dévoués à l'intendant et les adjugèrent avant même que les demandes de coupes de bois aient été instruites. Selon le succès des manœuvres des uns et des autres au sein du contrôle général des finances, les arrêts rendus par le Conseil d'État confirmaient tantôt les adjudications données «de l'autorité de l'intendant» [72], tantôt les ignoraient totalement et confiaient la conduite des opérations au grand maître [73], lequel faisait dresser aussitôt des projets par ses architectes attitrés, sans considération pour ceux qui avaient pu être préparés ou adjugés récemment par les subdélégués. En raison de ce conflit entre les deux administrations, nombre de communautés firent les frais de doubles plans et d'opérations répétées fort coûteuses [74]. Les incidents se multiplièrent jusqu'à la Révolution, malgré les ordres donnés par l'intendant Lacoré à ses subdélégués en 1773, et rappelés en 1776 [75]. Ils ne prirent véritablement fin qu'avec la suppression des maîtrises en 1790.

Fig. 11 – Aillevillers (Haute-Saône), village et église en vue cavalière sur un plan forestier de 1779 (Arch. dép. Haute-Saône, B 9376).

71. Arch. nat., H1/1537, dossier réunissant toutes les pièces du débat, en particulier le mémoire d'Ormesson et sa correspondance avec Lacoré, le mémoire de Beaumont reprenant les arguments transmis par Marizy, et l'avis final de Maynon d'Invau.

72. Comme en témoigne en septembre 1770 le courrier envoyé par d'Ormesson à l'intendant relatif aux travaux de la communauté de Fresne-sur-Appance (Haute-Marne), relevant alors du diocèse de Besançon et dont les bois dépendaient de la maîtrise de Vesoul : «J'ai fait signer à M. le Contrôleur général l'arrêt dont vous m'aviez adressé le projet qui autorise l'adjudication faite par vos ordres de la reconstruction de l'église, de la refonte des cloches et des réparations à faire au presbytère, aux fontaines et aux ponts de la communauté de Fresne» (Arch. dép. Haute-Marne, C 415). Cet arrêt du 11 septembre, annulant celui du 25 juillet précédent, validait l'adjudication des travaux par l'intendant le 18 mai pour 39 500 livres (le quart de réserve ayant rapporté 47 086 livres) «sans aucun égard aux plans, devis, projet et adjudication des ouvrages qui auraient pu être dressés d'autorité du sr Marizy, grand maître des Eaux et Forêts du Comté de Bourgogne en l'exécution de l'arrêt du Conseil du 25 juillet […]» (Arch. nat., H//1565, fol. 164r).

73. Ainsi l'arrêt homologuant l'adjudication de la reconstruction de l'église de Motey-sur-Saône, faite sous l'autorité de l'intendant, fut-il cassé par un nouvel arrêt du 21 janvier 1772 redonnant la main au grand maître (Arch. dép Haute-Saône, C 42 et B 9152, fol. 109r).

74. Citons par exemple, dans la maîtrise de Vesoul, les dossiers relatifs aux églises et presbytères des communautés d'Ailloncourt, Beaumotte-lès-Montbozon, Chargey-lès-Port, Cendrecourt, Corbenay, Meurcourt, Vy-le-Ferroux…; dans la maîtrise de Besançon, le dossier de Montfaucon et dans la maîtrise de Dole, ceux de Pagney et de Vitreux.

75. Inquiet devant les plaintes des communautés, Lacoré, administrateur éclairé, avait cherché dès 1773 à éteindre le conflit avec le grand maître, mais ses subdélégués poursuivant leurs manœuvres, il les rappela à l'ordre par une lettre circulaire du 15 septembre 1776 : «Il y a longtemps […] que d'après les représentations de M. de Marizy, grand maître des Eaux et Forêts de Franche Comté, je suis convenu avec luy que mes subdélégués ne feraient plus dresser de plans et devis des ouvrages des communautés auxquels le prix de leurs bois est destiné et n'en feroient plus les adjudications […]. J'apprends cependant que M. de Marizy a lieu de se plaindre de ce que la plupart de mes subdélégués suivent toujours [l'usage] où ils étoient de faire dresser ces plans et devis et de faire ces adjudications […]. Comme cet usage est préjudiciable aux droits et aux fonctions de la charge du grand maître […], je vous prie en conséquence, […], d'éviter avec le plus grand soin tout ce qui pourroit donner lieu à des plaintes de sa part à ce sujet et de vous conformer très exactement à mes dispositions.» (Arch. dép. Jura, C 885).

76. Signalons sur ce point l'intérêt de deux registres de la maîtrise des Eaux et Forêts de Gray où figurent de nombreux rapports de visite de 1736 à 1746 (Arch. dép. Haute-Saône, B 9193 et B 9195).

77. Cas de l'église du village d'Aillevillers en 1779 (Arch. dép. Haute-Saône, B 9376).

Missions et responsabilités des architectes

Avant l'établissement d'un projet de réparations ou de «construction à neuf» souhaité par une communauté ecclésiastique ou laïque, l'architecte envoyé par le grand maître ou le maître particulier examinait sur place, comme nous l'avons vu avec l'abbaye de Corneux, les édifices existants et prenait note des besoins exprimés. Il recueillait dans le même temps les informations nécessaires à l'évaluation des coûts (identification des carrières, sablières et tuileries les plus proches), puis dressait peu après les plans et devis des réparations ou reconstructions projetées dont un exemplaire était déposé au greffe de la maîtrise particulière dont dépendait la communauté.

Ces rapports de visites, très nombreux dans les archives, apportent des informations précieuses sur les anciens bâtiments qui avaient survécu aux troubles du XVIIᵉ siècle [76]. On constate ainsi que, dans les maîtrises de Gray et de Vesoul, les anciennes églises des villages possédaient majoritairement un sanctuaire médiéval voûté (en berceau brisé ou plus souvent à croisée d'ogives), une nef plafonnée et un clocher dressé entre sanctuaire et nef [77] (fig. 11), le tout couvert de laves ou d'ancelles; d'autres possédaient parfois plusieurs

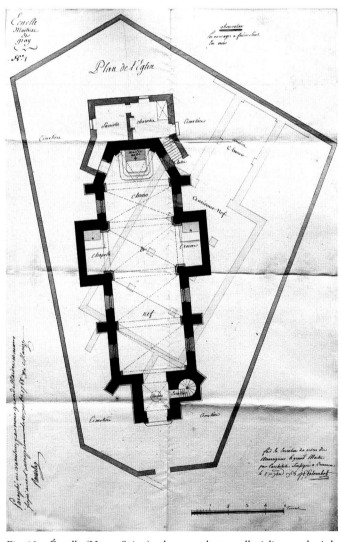

Fig. 12 – Écuelle (Haute-Saône), plan pour la nouvelle église et relevé de celui de l'ancienne, par J.-Ch. Colombot, 1768 (Arch. dép. Haute-Saône, 279 E, dépôt 908).

Jean-Louis Langrognet

vaisseaux, comme en témoigne le plan de l'ancienne église d'Écuelle (fig. 12) relevé en 1768 par l'architecte Colombot [78]. Si, jusqu'au milieu des années 1740, les plans et devis de travaux destinés aux petites communautés rurales étaient dressés par des «gens du bâtiment» ou de modestes architectes locaux [79], ceux des bourgs et villages aisés, ou situés à proximité de Besançon, le furent dès l'origine par des architectes reconnus, comme Jean-Pierre Galezot par exemple, sollicité de 1720 à 1740 tout à la fois par les intendants et les grands maîtres successifs pour des édifices importants ou même de simples réparations [80]. Dans la seconde moitié du XVIIIe siècle, Jean-Charles Colombot (1719-1782) déjà cité, issu de l'agence de J.-P. Galezot et apprécié par les grands maîtres successifs pour son intégrité et ses compétences [81], déploya durant trente ans une intense activité dans les maîtrises de Gray, Vesoul, Besançon et Baume-les-Dames. À partir de 1770, il dut cependant partager les chantiers avec l'architecte Anatoile Amoudru (1739-1812), ancien dessinateur de Victor Louis à Paris [82]. Ami et protégé du grand maître François-Joseph Legrand de Marizy pour lequel il construisit un château dans le Vendômois [83], Amoudru intervint jusqu'à la Révolution dans plus de 300 bourgs et villages de Franche-Comté en qualité d'architecte du «département des Eaux et Forêts» [84].

L'empreinte laissée par ces deux architectes demeure profonde dans le paysage rural comtois. Outre une centaine d'églises paroissiales construites sur leurs plans et ornées souvent d'un mobilier exécuté d'après leurs dessins, ils réalisèrent des dizaines de clochers à toiture à l'impériale, de vastes presbytères et un très grand nombre de fontaines et de ponts pour les communautés villageoises.

Selon les circonstances ou les besoins, d'autres architectes furent sollicités [85] et travaillèrent indifféremment sur commission du grand maître ou de l'intendant, comme le célèbre Bisontin Nicolas Nicole ou le contrôleur-architecte de la ville de Dole, Antoine-Louis Attiret. Les ingénieurs des ponts et chaussées, quant à eux, n'apparaissent que sur quelques chantiers communaux importants et sous l'autorité exclusive de l'intendant [86]. Le grand avantage d'un architecte travaillant pour les Eaux et Forêts résidait dans le fait de recevoir directement ses honoraires des mains du receveur des domaines et des bois sur les produits forestiers des communautés [87], échappant ainsi à la nécessité de les réclamer aux habitants des villages, toujours prompts à en contester le montant, ou d'attendre de longs mois, voire des années, qu'une imposition particulière en permette le règlement, ainsi qu'il arrivait fréquemment aux architectes nommés par l'intendant [88].

Les devis de réparations ou de reconstruction, relativement sommaires jusqu'en 1740, devinrent de plus en plus détaillés dans les années suivantes et atteignirent même avec Amoudru un degré de précision extrême [89], l'objectif étant alors de prévenir tout contentieux avec les entrepreneurs lors de la réception des travaux. La qualité des plans suivit la même évolution. Aux dessins maladroitement colorés des entrepreneurs-architectes locaux de la première moitié du siècle succédèrent, avec Colombot et les architectes suivants, des plans, coupes et élévations soigneusement aquarellés, même pour de modestes maisons de maîtres d'école ou de pâtres. Le nombre et la nature répétitive des programmes architecturaux traités conduisirent cependant Amoudru à renoncer aux brillantes planches lavées du début de sa carrière. Peu après 1773, il se contenta de livrer de simples dessins au trait, abondamment cotés. Une fois déposés et enregistrés au greffe des maîtrises particulières, les plans et devis devenaient consultables avant l'adjudication par les fondés de pouvoir des communautés et les entrepreneurs intéressés. Tant pour les édifices que pour le mobilier, la plupart des devis de ces architectes renvoient, pour tout ce qui concerne la modénature et l'emploi des ordres d'architecture, «aux règles» et «proportions marquées au Vignole». À l'instar de plusieurs architectes bisontins [90], A. Amoudru possédait dans sa bibliothèque, outre une édition de Vitruve de 1684, les traités d'architecture théoriques et

78. Arch. dép. Haute-Saône, 279 E, dépôt 9.

79. Citons François Ducy, architecte à Dampierre-sur-Salon, actif dans la maîtrise de Gray de 1735 à 1750; Antoine Legros, dans celle de Vesoul, ou Melchior Ferrot et Étienne Lime, dans la maîtrise de Baume-les-Dames. Ils étaient presque tous issus du monde des géomètres et arpenteurs.

80. J.-P. Galezot donna ainsi les projets d'églises-halles pour Deluz (Doubs) en 1731, pour Mouthe (Doubs) en 1736, puis pour Scey-sur-Saône en 1738, adaptés de ceux qu'il avait établis dès 1730 pour les églises Saint-Pierre de Besançon et Saint-Georges de Vesoul.

81. Le grand maître Renouard de Fleury-Villayer lui confia en 1757 la construction de son hôtel particulier de Besançon, rue du Perron (26, rue Chifflet aujourd'hui). Voir fig. 3 et note 13.

82. J.-L. Langrognet, op. cit. note 4, p. 20-28. Amoudru travailla sous la direction de V. Louis à la décoration de l'église de Chartres, puis l'accompagna à Varsovie durant l'été 1765 où il multiplia, sous sa direction, des esquisses et projets pour les aménagements du palais du roi de Pologne, Stanislas Poniatowski.

83. Ibid., p. 29-46.

84. Ibid., p. 232-315.

85. D. Grisel et J.-L. Langrognet, op. cit. note 1, p. 110-123.

86. Ibid., p. 103-109.

87. Les registres du receveur des domaines et des bois, conservés aux archives départementales du Doubs, permettent d'évaluer approximativement à 200 000 livres les sommes touchées en vingt ans par A. Amoudru pour ses projets sur le produit des bois communaux (J.-L. Langrognet, op. cit. note 4, p. 80-83).

88. Citons l'exemple de l'architecte Jean Gruier, auquel la communauté de Brotte-lès-Luxeuil devait 507 livres pour ses plans et devis de l'église paroissiale dressés en 1771 sur commission de l'intendant et qui, en 1773, n'avait toujours rien reçu (Arch. dép. Haute-Saône, C 252, fol. 46v). De même, la veuve de l'ingénieur J.-B. Thiéry – auteur d'un projet d'église donné en 1770 pour la paroisse de Cendrecourt – attendait toujours sept ans plus tard le paiement de ce qui était dû à son feu mari (Arch. dép. Haute-Saône, C 254, fol. 96v).

89. Un bon exemple est donné avec son devis de 256 articles établi pour l'église de Rougemont (Doubs) dans la maîtrise de Baume-les-Dames en 1788 (Arch. dép. Doubs, B 17478), ou celui de 299 articles pour de multiples équipements destinés à la communauté d'Aubigney et signé la même année (Arch. dép. Haute-Saône, B 9301).

90. L. Estavoyer, op. cit. note 1, p. 38-39.

91. J.-L. Langrognet, *op. cit.* note 4, p. 15 et 197-198.

92. *Ibid.*, p. 80-81.

93. Voir Philippe Bonnet, *Les constructions de l'ordre de Prémontré en France aux XVIIe et XVIIIe siècles* (Bibliothèque de la Société française d'archéologie, 15), Genève-Paris, 1983, p. 41-47, et Pierre Pinon et Lydwine Saulnier-Pernuit, *Le Sénonais au XVIIIe siècle. Architecture et territoire*, cat. exp. Musées de Sens, 11 juillet-14 septembre 1987, Sens, 1987, p. 43-56.

94. Arch. dép. Doubs, B 17 334, correspondance du grand maître de Marizy avec les officiers de la maîtrise de Baume-les-Dames.

95. Cette condition est constamment rappelée dans les devis d'A. Amoudru.

96. Un cas particulièrement révélateur du désir des communautés de conduire elles-mêmes les chantiers qui les concernaient est celui de Saint-Loup-sur-Semouse. Dirigée par des bourgeois et maîtres de forges influents, cette petite cité parvint à construire une grande église paroissiale « à l'œconomie », sous la direction d'un bureau réunissant plusieurs personnalités locales, après avoir obtenu un arrêt du Conseil en 1781 révoquant celui de 1780 qui avait confié le dossier au grand maître. Ce bureau rejeta les plans déjà dressés par Anatoile Amoudru au profit d'un nouveau projet demandé à l'architecte-entrepreneur de Besançon Michel Antoine Tournier, actif alors sur le chantier de l'église Saint-Pierre de Besançon (D. Grisel et J.-L. Langrognet, *op. cit.* note 1, p. 112-113).

97. En 1770, dans cette seule maîtrise, 614 arpents appartenant à dix communautés produisirent plus de 186 000 livres (Arch. dép. Haute-Saône, B 9220, fol. 110v-118v), et l'année suivante furent adjugés la construction de trois églises-halles (Chargey-lès-Gray, Frasne-le-Château, Leffond) sur les plans d'Amoudru, celle d'une petite église à plan en croix latine (Volon) sur les plans de J.-Ch. Colombot, la reconstruction partielle de deux autres, le rétablissement de plusieurs presbytères ainsi que l'édification de divers ponceaux et fontaines pour une somme totale de 96 169 livres (*Ibid.*, fol. 120r-136v).

98. C'est particulièrement frappant dans la maîtrise de Gray, où l'un des plus gros entrepreneurs de la ville, Jean-Baptiste Champagne, put se faire adjuger en 1771 quatre chantiers sur six, n'hésitant pas pour obtenir le plus important, celui de l'église-halle et de la fontaine de Leffond, à proposer au troisième et dernier feu 40 000 livres sur une mise à prix initiale de 50 000 livres. En vingt ans, il fut l'entrepreneur en Haute-Saône de dix-neuf églises, dont quatre églises-halles, et de plusieurs clochers, en particulier du majestueux clocher en pierre de taille de Pesmes.

pratiques les plus répandus, notamment ceux de A.-Ch. d'Aviler, Bélidor, J.-Fr. Blondel, A. Frézier, J.-B. Delarue [91].

Jusqu'à la fin des années 1760, la responsabilité des architectes du grand maître s'arrêtait à la conception du parti architectural et au chiffrage des coûts, sans réel suivi du chantier adjugé. La bonne réalisation des édifices projetés se trouvait alors fortement dépendante des qualifications de l'entrepreneur et, plus encore, de la vigilance des maîtres d'ouvrage. C'est seulement dans le dernier tiers du siècle que le grand maître, confronté aux contentieux provoqués par les nombreuses malfaçons, décida de mettre fin aux libertés prises par trop d'entrepreneurs. Il demanda alors à ses architectes de visiter périodiquement les chantiers afin de pouvoir délivrer aux entrepreneurs, en toute connaissance de cause, les certificats de bonne exécution des travaux nécessaires à leur paiement [92].

Toutes ces formalités n'ont pas été propres à la Franche-Comté. Elles avaient cours dans les maîtrises d'autres provinces, notamment en Île-de-France et en Champagne [93].

ADJUDICATION DES BOIS ET DES TRAVAUX

Les adjudications des bois et des travaux consécutives à un arrêt du Conseil se déroulaient obligatoirement au siège de la maîtrise particulière dont dépendait la communauté bénéficiaire, selon un calendrier fixé par le grand maître dans le cadre de sa tournée annuelle [94]. Elles étaient annoncées par voie d'affiches et réunissaient, selon l'importance des coupes de bois prévues et des chantiers à entreprendre, toute une foule de négociants, de maîtres de forges et d'entrepreneurs, alliés ou concurrents et le plus souvent cautions les uns des autres.

À l'ouverture de chacune des séances, lecture était faite des arrêts rendus dans l'année pour les communautés du ressort, du nombre d'arpents mis aux enchères et du type de bâtiments à réparer ou à construire sur les plans et devis déposés par les architectes agréés par le grand maître. Toutes formalités accomplies, les bois étaient alors adjugés au plus offrant et dernier enchérisseur, et les travaux, à l'extinction de trois feux, aux entrepreneurs les moins-disants.

Écartant les marchés de gré à gré avec différents corps d'artisans, comme il était de pratique courante dans les premières années du XVIIIe siècle à l'initiative des échevins ou des curés, l'administration forestière, dès sa mise en place, imposa l'adjudication des ouvrages « en bloc et non par le détail » à un seul entrepreneur, « pour être faits et reçus de la manière dite la clé à la main » [95]. Dans certains cas, le grand maître dut cependant accepter des chantiers « à l'œconomie », c'est-à-dire dirigés par un petit groupe de notables ou de chefs de famille choisis par la communauté concernée [96]. À l'issue de leurs adjudications et pour sûreté de l'entreprise, acquéreurs des bois et entrepreneurs se trouvaient dans l'obligation de présenter des « cautions et certificateurs » que les fondés de pouvoir des communautés pouvaient refuser en cas d'insolvabilité notoire.

Illustrant toutes ces procédures, les procès-verbaux des adjudications données en l'auditoire de la maîtrise de Gray de 1762 à 1792 fournissent nombre d'informations précises sur les opérations conduites et permettent d'observer la hausse continue du prix des bois – donc des revenus des communautés – ainsi que la multiplication des travaux et le comportement des différents acteurs [97].

Depuis le début du siècle, les chantiers de construction n'ayant cessé d'augmenter, les effectifs de maçons et de charpentiers, parmi lesquels se comptaient de nombreux savoyards et « italiens de nation », se renforcèrent d'année en année et la concurrence devint de plus en plus vive. Avant même le milieu du siècle, on vit apparaître dans les principales villes et cités comtoises d'importants entrepreneurs n'hésitant pas à proposer des rabais parfois considérables pour emporter les marchés [98].

LES CHANTIERS ET LEURS PAIEMENTS

Le cahier des charges d'une adjudication précisait toujours le délai accordé à l'entrepreneur pour mettre ses constructions en état d'être réceptionnées et le nombre des paiements qui lui seraient versés au cours du chantier. Ainsi l'entrepreneur Claude Jeambard, adjudicataire le 8 décembre 1762 pour 19 800 livres de la petite église de Nantilly près de Gray, mais aussi du presbytère, d'un pont et de grosses réparations à la fontaine, se vit-il accorder deux années pour leur exécution avec l'assurance de trois paiements égaux : « le premier à l'approche de matériaux, le second à la moitié des ouvrages, le troisième après la rendue et perfection d'iceux [99] ». Dans le cas d'un édifice de grandes dimensions, comme l'église-halle de Saint-Hilaire (Doubs) dans la maîtrise de Baume-les-Dames en 1769, l'adjudicataire, Jean-Baptiste Bassignot, disposa de quatre années [100], et pour la construction du grand pont sur le Doubs à l'usage des communautés de La Barre et d'Orchamps (Jura) en 1782, Balthazar Chevalier obtint six années [101].

Avant de lancer les travaux, il était bien entendu nécessaire à l'entrepreneur de passer des marchés avec les différents corps de métiers (tailleurs de pierre, charpentiers, « gisseurs » [plâtriers], menuisiers, serruriers et vitriers) [102], et de veiller au choix des meilleures carrières et à l'extraction de pierres « non sujettes à la gelée ».

Toute modification du projet architectural initial souhaitée par les maîtres d'ouvrage ou apparue indispensable à l'adjudicataire au cours du chantier ne pouvait être autorisée que par une ordonnance du grand maître, sur avis de l'architecte. Cependant, dans la décennie qui précéda la Révolution, les relations de l'administration forestière avec les communautés d'habitants s'étant considérablement assouplies, la plupart des devis précisèrent que les travaux adjugés seraient exécutés « soit en totalité, soit seulement en partie » selon les sommes produites par la vente du quart de réserve et l'avis des « personnes à ce intéressées » [103].

Pour obtenir les sommes dues aux échéances fixées par le cahier des charges de son adjudication, l'entrepreneur était tenu de remettre au receveur des domaines et bois une ordonnance du grand maître autorisant ce prélèvement sur le produit des bois. Cette ordonnance était délivrée après délibération favorable de la communauté propriétaire, accompagnée, à partir de 1770, comme nous l'avons vu, d'un certificat de l'architecte « chargé de la conduite des ouvrages ».

Les chantiers impliquant plusieurs communautés (églises et presbytères co-paroissiaux notamment) eurent beaucoup à souffrir des conflits internes entre les principaux habitants des villages. D'autres connurent les défaillances d'entrepreneurs peu scrupuleux ou trop endettés, ce qui conduisait alors à de nouvelles adjudications, dites « à la folle enchère » [104].

À la fin d'un chantier, les opérations de réception, sous l'autorité du maître particulier commis par le grand maître, mobilisaient généralement deux experts (l'un appelé par les habitants bénéficiaires, l'autre par l'entrepreneur-adjudicataire) et donnaient lieu à de minutieux procès-verbaux [105].

Visites de reconnaissance des anciens édifices, devis instructifs et estimatifs des nouvelles constructions, procès-verbaux d'adjudication, marchés passés par les entrepreneurs avec des artisans, requêtes des adjudicataires au grand maître, procès-verbaux de réception, tous ces documents conservés dans les archives des maîtrises particulières des Eaux et Forêts permettent de suivre un grand nombre de chantiers. Ils apportent également d'éclairantes informations sur l'action des acteurs concernés, la diversité des programmes architecturaux traités et les conditions matérielles de leur exécution.

99. Arch. dép. Haute-Saône, 376 E, dépôt 11.

100. Arch. dép. Doubs, B 17596.

101. J.-L. Langrognet, *op. cit.* note 4, p. 158-162. Détruit au cours de la Seconde Guerre mondiale, ce grand pont sur le Doubs, destiné à remplacer un bac dangereux, avait été demandé par les communautés de La Barre et d'Orchamps qui possédaient en indivision plusieurs centaines d'arpents de bois.

102. Nombre de marchés figurent dans les archives notariales, mais sont parfois aussi transcrits dans les registres des maîtrises, comme les marchés passés en 1771 par l'entrepreneur Léonard Migret pour la construction des murs de l'église de Frasne-le-Châtel (maîtrise de Gray) avec les maçons itinérants de la Haute-Marche (paroisse de Saint-Sulpice des Champs) et pour la pose de la charpente avec un artisan de la région grayloise (Arch. dép. Haute-Saône, B 9152, fol. 132r et 158r).

103. Exemple du devis d'A. Amoudru du 31 mars 1786 pour la communauté de Venère (Arch. dép. Haute-Saône, B 9358).

104. Les registres du greffe des maîtrises abondent d'exemples. Citons, dans la maîtrise de Vesoul, le cas de l'église de Noidans-lès-Vesoul : le sieur Charles Vernier avait emporté l'adjudication des travaux en mai 1776 pour 16 300 livres, soit 600 livres de moins que son concurrent immédiat, Claude Jeambard, mais incapable de mettre en œuvre le chantier et de présenter une caution acceptable, Vernier fut condamné à la folle enchère au profit de son concurrent et dut verser aux habitants la différence de 600 livres (Arch. dép. Haute-Saône, B 9372, fol. 194r).

105. Signalons l'intérêt de deux registres de la maîtrise de Gray réunissant plusieurs dizaines de ces procès-verbaux relatifs aux réparations ou constructions d'églises, presbytères, maisons communes, fontaines, ponts, et autres ouvrages entrepris de 1782 à 1791 (Arch. dép. Haute-Saône, B 9210 et B 9216).

106. De 1660 à 1690, les procès-verbaux de visite témoignent de l'état déplorable dans lequel les destructions de la guerre de Dix Ans et la chute des revenus avaient laissé le patrimoine immobilier des communautés monastiques. Des travaux nécessaires et urgents furent parfois engagés comme à l'abbaye de Mont-Sainte-Marie (Doubs) de 1669 à 1700, ou à l'abbaye d'Acey (Jura) et à La Charité (Haute-Saône), mais pas toujours poursuivis activement faute de ressources et surtout d'accord entre les religieux et les abbés commendataires.

107. Il convient de souligner la part déterminante prise par un bénédictin, dom Vincent Duchesne (1661-1724), dans l'élaboration des projets formés pour de nombreuses maisons religieuses d'ordres différents, au cours des deux premières décennies du XVIIIe siècle, période au cours de laquelle les procédures liées à l'ordonnance de Colbert n'étaient pas encore totalement mises en œuvre. Connaisseur en la matière, collaborant avec plusieurs entrepreneurs et architectes de Besançon, en particulier Claude-Antoine Aillet, Antoine Malbert et Jean-Pierre Galezot, dom Duchesne a multiplié les conseils, expertises, dessins et maquettes sur l'ensemble de la Comté et au-delà (voir Annick Derrider et Patrick Boisnard, «Dom Vincent Duchesne, inventeur et architecte [1661-1724]», *Revue Haute-Saône SALSA*, supplément au n° 60, 2005, p. 15-18).

108. Pierre Gresser *et alii*, *L'abbaye Notre-Dame d'Acey*, Besançon, 1986, p. 119-215.

109. Voir, dans ce volume, l'article d'É. Vergnolle *et alii*, «Heurs et malheurs de l'ancienne abbaye cistercienne de Cherlieu…», p. 195-212.

110. Voir, dans ce volume, l'article de Ch. Leblanc, «Un chef-d'œuvre du XVIIIe siècle : le logis conventuel de l'ancienne abbaye cistercienne de Clairefontaine…», p. 213-222.

111. Patrick Boisnard, «La reconstruction des bâtiments de l'abbaye de Theuley au XVIIIe siècle», *Revue Haute-Saône SALSA*, supplément au n° 44, 2002, p. 57-76.

Le renouvellement des bâtiments monastiques

Après les «malheurs des guerres» du XVIIe siècle, tous les établissements monastiques, notamment les abbayes cisterciennes – les plus nombreuses –, engagèrent des réparations plus ou moins sommaires [106] avant d'entreprendre – une fois les bois mis en règle et les quarts de réserve apposés – la reconstruction «à neuf» de leurs quartiers abbatiaux et claustraux [107]. Grâce essentiellement aux ressources forestières, complétées par les revenus annuels des fermes, moulins, forges ou tuileries, la quasi-totalité des cloîtres ont été reconstruits et leurs galeries à arcades en plein cintre retombant sur des piliers carrés à chapiteau toscan ou dorique devinrent la norme jusqu'à la fin du siècle (fig. 13). Les abbayes d'Acey [108], Bellevaux, La Charité (fig. 14), Cherlieu [109], Clairefontaine [110] ou Theuley [111] (Haute-Saône) édifièrent également des bâtiments conventuels de grande allure.

Dès la fin des années 1720, les opérations conduisant à la reconstruction de plusieurs abbatiales suivirent toutes le cheminement cité dans l'exemple de l'église des prémontrés de Corneux : requête préalable des religieux au contrôle général des finances, arrêt du Conseil permettant la coupe du quart de réserve et l'affectation de son produit au financement des chantiers souhaités, adjudication des travaux sur les plans et devis d'un architecte nommé ou agréé par le grand maître, paiement de l'entrepreneur à la recette des domaines et des bois ou, parfois, directement par les religieux lorsque ces derniers avaient été autorisés à gérer les sommes versées par les acquéreurs des bois.

Fig. 13 – Faverney (Haute-Saône), abbaye bénédictine, vue du cloître depuis le clocher.

Fig. 14 – La Charité (Haute-Saône), entrée de l'abbaye.

La reconstruction de l'église de l'abbaye de La Charité fut ainsi engagée de 1730 à 1735 sur un projet se montant à 26 552 livres, dû à un architecte originaire du Piémont, Antoine Malbert, mandaté par le grand maître Philibert Durand d'Auxy [112]. Elle fut édifiée sur les fondations de l'ancienne, dont elle intégra une partie de la façade « entre deux pilastres corniers surmontés de boules ». Sa nef, composée d'un vaisseau central et de deux bas-côtés entièrement voûtés d'arêtes avec doubleaux en plein cintre, s'étendait sur huit travées, les trois dernières constituant avec une courte abside à trois pans le chœur des religieux. Voûtes et doubleaux retombaient sur des piliers et pilastres à chapiteau ionique portant un entablement. Dressé sur le chœur, un petit clocher en bois revêtu de fer blanc était coiffé d'un dôme à huit pans surmonté d'une flèche. Disparu peu après la Révolution [113], cet édifice s'inscrivait dans la tradition classique des églises à arcades et bas-côtés de la fin du XVIIᵉ siècle (fig. 15), comme celles de Saint-Maurice à Besançon, achevée peu après 1714, ou Saint-Georges de Faucogney, terminée vers 1725. De taille plus modeste, l'église abbatiale de Theuley (fig. 16) présentait une nef unique de deux travées voûtée d'arêtes et se terminait par une abside demi-circulaire supportant un petit clocher à lanternon. Elle avait fait l'objet d'un premier projet signé de l'architecte langrois Claude Forgeot en 1742, mais, en définitive, l'adjudication des travaux fut donnée dix ans plus tard à la maîtrise de Gray, le 17 avril 1753, pour 51 000 livres, sur les plans et devis d'un certain Jacques Ragozzi, revus et améliorés à la demande du grand maître Durand d'Auxy par Jean-Charles Colombot [114]. Achevée en 1758 [115], mais détruite à la Révolution, cette petite église, aux parements extérieurs et intérieurs entièrement en pierre de taille appareillée, possédait une élévation particulièrement élégante (fig. 17 et 18). D'une exécution soignée, comme en témoigne le procès-verbal de réception d'avril 1759, elle bénéficia dès sa mise en service d'un beau mobilier dessiné par Colombot (trois autels et tabernacles, stalles en bois sculpté, hautes grilles en fer forgé fermant le chœur) [116].

112. Un dossier conservé aux Archives nationales fait état de la requête adressée au Conseil par l'abbé commendataire et les religieux de La Charité, pour couper le quart de réserve de l'abbaye et reconstruire l'abbatiale. Le grand maître vint en personne reconnaître, le 2 septembre 1728, l'état des bois et celui de l'ancienne église. Il avait fait venir en qualité d'expert Antoine Malbert, architecte originaire du Val Sezia, qui, cette année-là, s'activait sur le premier chantier de l'église Saint-Georges de Vesoul et sur celui de l'abbaye cistercienne de La Crête, près de Chaumont dans l'actuelle Haute-Marne. À l'issue de cette visite et sur ordre du grand maître, Malbert rédigea le devis de La Charité. En octobre suivant, un arrêt du Conseil permit la coupe des 135 arpents 13 perches du quart de réserve pour le financement des travaux (Arch. nat., Q1/1000). Après la vente des bois à un négociant de Gray le 23 mars 1729, le chantier de l'église commença pour s'achever en 1735 (millésime qui figurait sur la façade). Un procès-verbal de visite dressé par deux architectes bisontins en 1781, André Attiret et Charles Charmet, donne une description précise de l'édifice réalisé, ainsi que du riche mobilier dont il avait été doté (Arch. dép. Doubs, 58 H 5).

113. Seules subsistent aujourd'hui deux travées du collatéral nord, aménagées en chapelle en 1805.

114. Arch. dép. Haute-Saône, B 9351, plans et devis estimatif de l'église de l'abbaye de Theuley par Claude Forgeot, 26 février 1746 ; plans et devis de Jacques Ragozzi paraphés par l'abbé, 18 juin 1752 ; devis de Ragozzi rectifié par Jean-Charles Colombot, 10 avril 1753. L'ancienne église ayant été « interdite » par l'abbé de Morimond, en 1742 les religieux et l'abbé commendataire de Theuley sollicitèrent conjointement la vente de 195 arpents 98 perches du quart de réserve. Après un premier refus, le Conseil du roi, sur l'avis favorable du grand maître, rendit un arrêt positif le 19 décembre 1752 (Arch. dép. Haute-Saône, B 9150, fol. 68). Bois et travaux de l'église (incluant trois arcades du cloître) furent adjugés à la maîtrise de Gray le 17 avril suivant. La vente des bois rapporta plus de 54 000 livres, de quoi faire face au chantier de l'église confié à un entrepreneur graylois, Claude Lucot, qui reçut régulièrement ses paiements à la recette des domaines et bois (Arch. dép. Doubs, B 1332, fol. 64r, 97v ; B 1333, fol. 175v).

115. Arch. dép. Haute-Saône, H 401, procès-verbal de la bénédiction de l'église et de la consécration des autels par l'abbé de Morimont, « père immédiat de l'abbaye de Theuley », 21 novembre 1758.

116. Arch. dép. Haute-Saône, B 9351, procès-verbal de réception du 2 avril 1759 signé de Colombot en qualité d'expert désigné par le grand maître pour assister le maître particulier de Gray dans cette opération.

117. Arch. dép. Doubs, B 17584, «devis des ouvrages […] pour la construction de l'abbaye royale des Trois-Roys», Claude Pierrot, 1er février 1745; B 17135 fol. 107v, arrêt du Conseil du 12 octobre 1745.

De son côté, l'abbaye de Lieucroissant dite des Trois-Rois, à Mancenans (Doubs), reconstruisit son église peu avant le milieu du XVIIIᵉ siècle sur un projet de l'architecte bisontin Claude Pierrot (fig. 19), après qu'un arrêt du Conseil eut autorisé la coupe de 82 arpents 35 perches du quart de réserve et celle d'arbres au-dessus de 40 ans dans les coupes ordinaires. Adjugés à la maîtrise de Baume-les-Dames le 8 juillet 1745 pour 13 540 livres, les travaux furent réceptionnés en décembre 1751 [117]. Cette église à plan en croix latine se composait d'une nef unique de trois travées, fermée par une grille, d'un transept abritant le maître-autel et deux autels latéraux, suivi de deux travées à chevet plat réservées aux religieux et d'une sacristie dans l'axe. Voûtes d'arêtes et arcs-doubleaux retombaient sur de simples pilastres d'ordre dorique en pierre de taille. Un petit clocher octogonal en bois, à dôme revêtu de fer blanc, se dressait à la croisée du transept et dominait une vaste toiture à deux pans et croupes couverts de tuiles plates. Plan et mode de

Fig. 15 – La Charité (Haute-Saône), vestiges de l'abbatiale construite de 1730 à 1735 sur les plans d'Antoine Malbert.

JEAN-LOUIS LANGROGNET

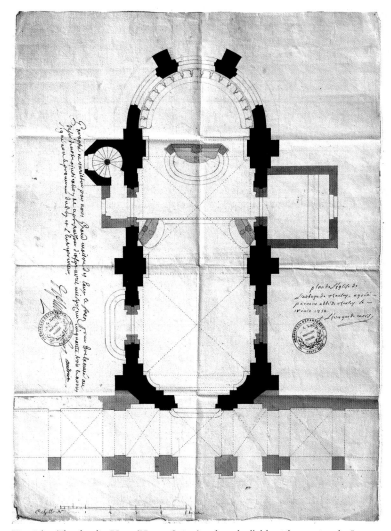

Fig. 17 – Theuley-lès-Vars (Haute-Saône), coupe de l'abbatiale, projet de Jacques Ragozzi vérifié et complété par J.-Ch. Colombot, 1753 (Arch dép. Haute-Saône, B 9205).

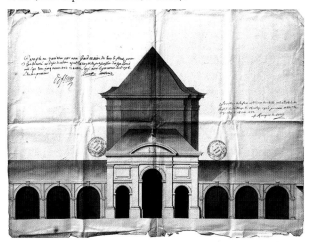

Fig. 16 – Theuley-lès-Vars (Haute-Saône), plan de l'abbatiale, projet de Jacques Ragozzi vérifié et complété par J.-Ch. Colombot, 1753 (Arch. dép. Haute-Saône, B 9205).

Fig. 18 –Theuley-lès-Vars (Haute-Saône), élévation de l'entrée de l'abbatiale par le cloître, projet de Jacques Ragozzi vérifié et complété par J.-Ch. Colombot, 1753 (Arch. dép. Haute-Saône, B 9205).

construction avaient déjà été mis en œuvre par Cl. Pierrot dans plusieurs églises paroissiales rurales [118], et diffèrent assez peu de ceux qu'adopta l'entrepreneur-architecte Jean Gruier en 1767 pour l'abbatiale de Bithaine, dont il fut tout à la fois l'architecte et l'entrepreneur, si ce n'est par l'adoption d'une abside demi-circulaire au lieu d'un chevet plat [119] (fig. 20).

Arrêts du Conseil, coupes des bois, paiements des entrepreneurs font apparaître le rôle tenu par les grands maîtres successifs dans tous ces chantiers. Courtisé par les abbés et religieux, Fr.-J. de Marizy, dont l'influence fut considérable durant les trente années qui précédèrent la Révolution, entretint des rapports suivis avec les communautés monastiques de son département. Il permit ainsi sans difficulté aux moines de Cherlieu de substituer en 1773 un second projet particulièrement soigné de l'architecte dijonnais Saint-Père pour leur quartier claustral en lieu et place de celui qui avait été adjugé deux ans plus tôt à la maîtrise de Vesoul pour 80 000 livres [120].

118. En particulier pour celle de Dammartin-les-Templiers dans le Doubs (Arch. dép. Doubs, 1C 1267, devis du 27 juin 1741; B 17003, fol. 77v, arrêt du Conseil du 14 novembre 1741) et celle de Cresancey en Haute-Saône (Arch. dép. Haute-Saône, 298 E, dépôt 908, plans et devis, 17 janvier 1743; B 9200, fol. 81r, procès-verbal de réception, 14 juillet 1748).

119. Adjugés à la maîtrise de Vesoul le 14 novembre 1767 pour 25 000 livres (Arch. dép. Haute-Saône, B 9373, fol. 179r), les travaux de l'église de l'abbaye de Bithaine, financés par deux coupes d'une centaine d'arpents de bois, ne s'achevèrent qu'en 1778 en raison d'un conflit entre J. Gruier et les religieux.

120. Arch. dép. Haute-Saône, B 9372, fol. 197v.

UNE MULTIPLICATION D'ÉDIFICES ET D'ÉQUIPEMENTS DANS LES BOURGS ET VILLAGES

Peu après le rattachement de la Comté à la Couronne de France, les communautés villageoises, face au mauvais état ou à l'insuffisance des anciens édifices paroissiaux (églises et presbytères) et des équipements publics (maisons de maîtres d'école et de pâtres, fontaines et puits, ponts sur les cours d'eau du finage), se trouvèrent dans l'obligation d'entreprendre les réparations les plus urgentes, d'agrandir les bâtisses trop exiguës pour

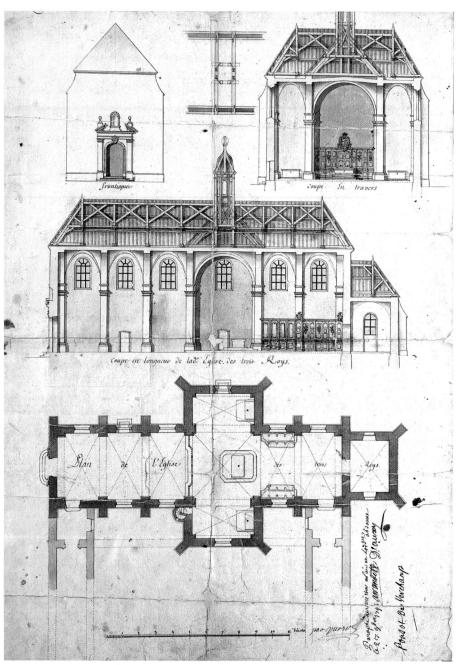

Fig. 19 – Mancenans (Doubs), abbaye de Lieucroissant dite des Trois-Rois, plan et coupes de l'abbatiale, par Claude Pierrot, 1745 (Arch. dép. Doubs, 63H 7/2).

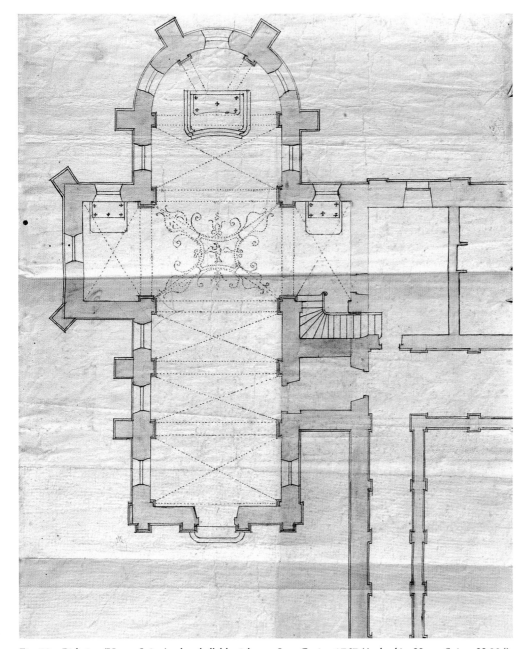

Fig. 20 – Bithaine (Haute-Saône), plan de l'abbatiale, par Jean Gruier, 1767 (Arch. dép. Haute-Saône, H 224).

une population en forte croissance, ou d'édifier de nouveaux bâtiments chaque fois que leurs ressources en offraient la possibilité.

Lancés dès la fin du XVIIᵉ siècle, les chantiers se multiplièrent considérablement au milieu du siècle suivant pour atteindre un rythme inouï de 1770 à 1790. Au cours de cette période, les revenus forestiers des communautés les mieux pourvues en bois devinrent si importants qu'ils permirent, outre la réalisation d'églises ambitieuses et de confortables maisons curiales, l'exécution d'un très grand nombre de fontaines et de ponts. À cet égard, l'une des plus spectaculaires opérations mérite d'être citée : celle dont bénéficièrent quatorze villages composant les « Quatre bâtis de la terre de Colonne » près de Poligny (Jura), riches d'un quart de réserve en indivision de 864 arpents. Après un arrêt du Conseil de janvier 1778, l'adjudication de cette réserve peuplée de chênes et de hêtres à un maître de

121. J.-L. Langrognet, *Anatoile Amoudru…*, *op. cit.* note 4, p. 91-93, 158 et 256. La plus grande partie des constructions prévues reçurent leur exécution et nombre d'entre elles sont toujours visibles.

122. De la fin du XVIIe au début du XVIIIe siècle, les visites des doyens ruraux de Gray, Granges, Faverney, Traves, Luxeuil font état de la situation déplorable de maints édifices, « indignement négligés depuis trente ans », mais relèvent aussi les premiers efforts accomplis par différentes paroisses pour engager des réparations (Arch. dép. Doubs, G 90 à G 94).

123. Des demandes de réfection formulées au cours de ces visites, des annonces ou menaces d'interdiction des églises en mauvais état ou trop petites et dépourvues des « ornements indispensables au service divin » figurent en grand nombre dans les arrêts du Conseil d'État enregistrés aux greffes des maîtrises. Un relevé minutieux de ces mentions permet pratiquement de reconstituer les déplacements annuels de certains prélats.

124. Le manque d'entretien des couvertures en laves ou en ancelles avait souvent entraîné l'affaissement des charpentes et l'écartement des murs ; en outre, le mobilier et les ornements sacerdotaux apparaissent dans un grand nombre de cas détruits ou fortement endommagés par l'humidité.

125. Citons notamment les églises de Blondefontaine, Equevilley, Genevrey, Francalmont, Mélecey, Montcey, toutes situées sur des collines au centre d'un espace paroissial comptant plusieurs communautés, avant leur reconstruction au centre du village principal peu après le milieu du XVIIIe siècle. Signalons cependant des exemples d'églises isolées reconstruites sur leur site d'origine : Molay (paroisse de Laître), Guiseuil (commune de Cenans) en Haute-Saône et Saint-Hilaire dans le Doubs.

126. Cas, par exemple, des habitants de Cemboing (Haute-Saône) au début des années 1770 : « Leur église est […] si petite qu'à peine peut-elle actuellement contenir la moitié des habitants de la paroisse dont le nombre s'est considérablement accru depuis de nombreuses années, […], les suppliants qui n'ont pas à beaucoup près des revenus patrimoniaux en suffisance […] ont été conseillés de recourir à Sa Majesté pour être autorisés à couper et faire vendre la quantité de quatre-vingt-onze arpents trente-quatre perches de bois formant le quart de réserve de leurs bois communaux […] » (Arch. dép. Haute-Saône, B 9373, fol. 45v).

127. Article XXII de l'édit de 1695.

128. Article XXI de l'édit de 1695.

129. Arch. dép. Haute-Saône, 482 E, dépôt 111, requête à l'intendant de Jean-François Nobys, curé de Scey-sur-Saône, au printemps 1744.

130. Au fil des dossiers d'archives apparaissent les noms de nombreux curés directement à l'origine

forges dolois produisit la somme considérable de 184 903 livres. Elle permit à l'architecte Anatoile Amoudru, sous la responsabilité du grand maître des eaux et forêts et moyennant 6 000 livres d'honoraires, d'établir les plans et devis d'une quantité impressionnante d'ouvrages : construction de trois églises, réparation d'une quatrième, rétablissement des cimetières, aménagement de plusieurs presbytères et maisons de maîtres d'école, lancement de trente ponts et ponceaux à une ou plusieurs arches, construction d'édicules de puisage et de bassins pour douze fontaines [121]…

Églises paroissiales et mobilier

Procès-verbaux des doyens ruraux [122], ordonnances des archevêques rendues au cours de leurs visites générales du diocèse [123], requêtes des paroissiens adressées à l'intendant ou au grand maître, expertises d'artisans ou d'architectes missionnés par les administrations royales font tous apparaître l'état « ruineux » d'un grand nombre d'églises rurales [124] et des cimetières qui les entourent, ainsi que l'isolement sur des hauteurs de plusieurs d'entre elles, exposées aux vols et difficiles d'accès en hiver pour les vieillards et les jeunes enfants [125]. Mais la situation la plus fréquemment déplorée est l'impossibilité pour une majorité d'édifices, en raison de leurs faibles dimensions, d'accueillir la totalité des paroissiens dont les effectifs augmentaient d'année en année [126]. Dans le même temps, curés et vicaires dénonçaient les presbytères délabrés ou insalubres en réclamant avec insistance leur reconstruction.

L'édit sur la juridiction ecclésiastique de 1695 avait rappelé la responsabilité des communautés d'habitants dans la construction et l'entretien des nefs des églises [127] – le chœur étant à la charge des décimateurs [128] – et la mise à disposition de maisons curiales au clergé paroissial, mais aussi l'obligation faite aux intendants de soutenir les ordres donnés aux paroissiens par l'ordinaire diocésain pour remédier aux situations insatisfaisantes. Dispositions sur lesquelles nombre de curés s'appuyèrent pour exiger le soutien de l'administration contre des paroissiens jugés inactifs et que rappela par exemple, en 1744, le curé de Scey-sur-Saône pour relancer le chantier de son église [129].

Sous l'impulsion décisive de prêtres entreprenants [130], de nombreux travaux portant sur les églises paroissiales furent réalisés dès les premières décennies du XVIIIe siècle, et bien au-delà, grâce à la contribution de généreux donateurs, aux prestations en nature des paroissiens (charrois de matériaux notamment), complétées – bien souvent avec difficultés – par des emprunts ou des impositions. Mais peu après 1730, chaque fois que les forêts d'une communauté avaient pu être mises en règle et le quart de réserve apposé, le recours à la vente de bois, donnant l'assurance de ressources importantes, devint systématique. Ainsi, dans la maîtrise de Gray, on compte près d'une centaine d'églises rééditées en totalité ou profondément remaniées grâce aux produits forestiers, dont 17 églises-halles ; dans celle de Vesoul, le bilan est plus considérable encore, notamment avec 24 églises-halles, dont plusieurs de très grandes dimensions comme celles de Champagney, Fougerolles ou Port-sur-Saône. Dans cette dernière maîtrise, entre 1770 et 1789, on ne compte pas moins de 205 arrêts du Conseil autorisant la vente de cantons de bois pour réaliser des centaines de travaux communaux de toute nature [131]. Les registres du greffe des maîtrises de Baume-les-Dames [132] et de Besançon [133], ainsi que les avis de l'intendant sur les demandes de coupes de bois formulées par les communautés relevant des maîtrises de Dole et de Poligny [134], révèlent le même phénomène quantitatif et l'implication déterminante de l'administration forestière dans le financement et la conduite des projets d'édifices paroissiaux ou éditaires.

La perspective pour une communauté de disposer de moyens financiers considérables n'a pas été sans influence sur la nature des travaux envisagés (reconstruction plutôt que simples réparations ou agrandissement) [135] et des partis architecturaux adoptés. Bâtir une église neuve, homogène, aux volumes et aux espaces clairement déterminés et articulés, donnait la possibilité de mieux répondre à l'exercice de la liturgie post-tridentine exigée par les autorités diocésaines, mais aussi de mettre un terme aux conflits récurrents qui opposaient habitants des paroisses et décimateurs à propos du chœur et du clocher.

des chantiers dont ils assumèrent parfois la conduite, tels Nicolas Règle à Buthiers, François Loigerot à Amance, J.-Fr. Nobys à Scey-sur-Saône, Sibeau à Tincey, Pierre Humbert à Traves dans l'actuelle Haute-Saône, ou Charles Bouverot dès 1699 à Villevieux (Jura).

131. Arch. dép. Haute-Saône, C 71, B 9371 à 9375.

132. Arch. dép. Doubs, B 17135 à 17143. Voir aussi Jean-Marie Aubert, *Architectes et constructions communales dans le ressort de la maîtrise particulière des eaux et forêts de Baume-les-Dames*, maîtrise d'Histoire de l'art, université de Besançon, 1982.

133. *Ibid.*, B 17001 à 17008.

134. Arch. dép. Jura, 1C 152 à 157.

135. Par exemple, la communauté de Champvans, près de Gray, insatisfaite en 1760 d'un premier projet de J.-Ch. Colombot qui laissait subsister l'ancien chœur de leur église, le dénonça comme «une irrégularité choquante à la vue et à l'ordre de l'architecture» et regretta aussi que l'architecte n'ait pas établi de devis pour le mobilier et les ornements nécessaires. Ils s'adressèrent au grand maître pour «faire rectifier le tout, pris égard à ce qu'il y [aurait] des deniers plus que suffisants pour subvenir à toutes ces reconstructions et ornements» (Arch. dép. Haute-Saône, B 9151, fol. 109r).

Fig. 21 – Bucey-lès-Gy (Haute-Saône), église, élévation et coupe du clocher, par J.-Ch. Colombot, 1765 (Arch. dép. Haute-Saône, B 9312).

136. Voir sur ce point le procès entre les paroissiens de Pesmes et leur curé après l'incendie du clocher en 1773 (Arch. dép. Haute-Saône, B 9344).

137. Voir la requête des habitants d'Avrigney résumée dans l'arrêt du Conseil du 3 avril 1756 (Arch. dép. Haute-Saône, B 9304).

138. Ce clocher de plus de 40 m de haut, en pierre de taille et doté d'une toiture à l'impériale, a été bâti sur des plans et devis de J.-Ch. Colombot datés de 1765, pour une paroisse composée de six villages et hameaux (Arch. dép. Haute-Saône, B 9312 et C 89).

139. Encore assez rares dans les villages dans les premières années du XVIIIᵉ siècle, des horloges à un ou plusieurs cadrans devinrent courantes dans les clochers à partir des années 1750. Comme d'autres, la communauté d'Ovanches employa en 1751 le produit de chênes prélevés par la Marine pour acquérir une horloge pour sa chapelle, ainsi que quatre tableaux. En 1784, les habitants de Chantes obtinrent la vente de 44 arpents de la réserve pour orner l'église neuve et installer au clocher une horloge «qui puisse servir à régler les heures de travail et de repos» (Arch. dép. Haute-Saône, B 9374, fol. 183v). La communauté de Combeaufontaine, village étiré en longueur sur la route royale de Vesoul à Langres, exigea en 1777 une horloge proportionnée à la grosse cloche «afin que la sonnerie des heures soit entendue non seulement par les habitants mais aussi par les nombreux étrangers de passage» (*Ibid.*, B 9373, fol. 67v).

140. Par exemple, lors de la reconstruction de l'église de Leffond, le marquis de Toulongeon, décimateur de la paroisse, ayant refusé de contribuer aux frais du chœur, la communauté, qui venait de vendre 189 arpents de bois pour 53 141 livres, se chargea de la dépense, mais «sans tirer à conséquence pour l'avenir» (Arch. dép. Haute-Saône, 2 E 4234, not. Champion, délibération du 27 janvier 1771); de même, disposant de suffisamment de moyens financiers, les habitants d'Autoreille, face aux dérobades de leur décimateur, l'archevêque de Besançon, décidèrent en 1783 d'assumer seuls le coût du chœur «pour cette fois seulement» (Arch. dép. Doubs, 1C 178).

141. Dans le milieu du XVIIIᵉ siècle, l'abbé de Cherlieu avait déjà pris en charge le coût de six chœurs d'églises paroissiales. Peu après, il dut encore assumer ceux de trois autres églises (Gourgeon, Cornot, Betaucourt) avant d'affronter, à partir de 1774, les poursuites des habitants de Cendrecourt auxquels, après des années de procédures, il concéda finalement en 1781 une somme de 3 900 livres pour le chœur de leur nouvelle église et les ornements nécessaires (Arch. dép. Haute-Saône, 4 E 12049, not. Detroye, 4 mai 1782). Les religieux de l'abbaye de La Charité accordèrent 9 600 livres aux habitants de Mailley pour le chœur de la grande église-halle dessinée par A. Amoudru, mais bataillèrent durement de 1773 à 1783 pour réduire leur participation (initialement fixée à

Fig. 22 – Bucey-lès-Gy (Haute-Saône), clocher, état actuel.

Avant leur reconstruction au XVIIIᵉ siècle, la majorité des églises comtoises possédaient en effet, comme nous l'avons déjà évoqué, un clocher dressé entre chœur et nef. Son entretien et chaque réparation entraînaient depuis des lustres des contestations sur sa position exacte et en conséquence sur les frais à supporter respectivement par les paroissiens et les décimateurs [136]. La solution consista à le remplacer par un clocher-porche en tête de la nef. Les communautés adoptèrent d'autant plus aisément cette formule que l'extension des villages exigeait des sonneries plus puissantes que les précédentes pour être entendues sur l'ensemble du territoire paroissial [137], et qu'il devenait impératif de construire des tours plus hautes et solidement fondées pour supporter le poids et le mouvement de cloches plus lourdes, comme à Bucey-lès-Gy (Haute-Saône) en 1765 [138] (fig. 21 et 22). Ce type de clocher, indispensable à la vie paroissiale proprement dite, devint également un élément important de la vie communale, notamment avec l'installation d'une horloge aux cadrans visibles depuis les principales rues du village [139]. En outre, entreprendre une église nouvelle

JEAN-LOUIS LANGROGNET

plutôt qu'agrandir ou réparer l'ancienne remaniée au fil des siècles permettait de fixer désormais sans ambiguïté les limites de la nef et, après conflit ou non avec les décimateurs, celles du chœur.

Devant l'ampleur prise par cette campagne onéreuse de reconstruction complète des églises paroissiales, nombre de possesseurs de dîmes en Franche-Comté tentèrent de se soustraire à l'obligation de contribuer aux frais du nouveau chœur. Certains y parvinrent [140] ou cherchèrent à réduire fortement leur participation, en contestant notamment le mauvais état de l'ancien sanctuaire ou en minimisant son étendue. Mais face à la détermination de communautés d'habitants fortes de leurs ressources et prêtes à engager de coûteux procès pour obtenir satisfaction, la plupart des décimateurs se résolurent à signer des compromis [141]. Dans le même temps, on prit le parti d'intégrer de manière harmonieuse au sein des nouveaux édifices la chapelle seigneuriale et celles des confréries ou des fondations en leur affectant, selon les cas, des autels dans les bras du transept ou à l'extrémité des collatéraux [142]. Il en a résulté l'unité architecturale remarquable de la très grande majorité des églises paroissiales comtoises du XVIIIᵉ siècle [143]. Leurs plans et dimensions varièrent, bien entendu, selon l'importance du nombre des paroissiens et les contraintes liées aux emplacements disponibles.

Les églises à nef unique et plan en croix latine, couvertes de voûtes d'arêtes contrebutées par des contreforts saillants, dont le modèle se répandit dans les premières décennies du XVIIIᵉ siècle [144], sont les plus nombreuses. De facture très proche, plusieurs d'entre elles possèdent une coupole octogonale à la croisée du transept, comme à Igny [145], Fontenois-lès-Montbozon, Mont-lès-Étrelles [146] (fig. 23) ou Frétigney [147], mais, peu après 1750, une formule plus sobre, telle que celle visible à Champvans [148] (fig. 24 et 25) – diffusée par J.-Ch. Colombot à plus de cinquante exemplaires dans les différentes

11 000 livres) à la reconstruction du chœur et du clocher de l'église de Chariez (Arch. dép. Doubs, G 1253).

142. Lors des travaux engagés pour bâtir l'église de Rupt-sur-Saône, le comte d'Orsay accepta la démolition de son ancienne chapelle seigneuriale sous réserve qu'on le déchargeât, en sa qualité de décimateur, de la dépense du nouveau chœur (Arch. dép. Doubs, 1C 295) ; à Leffond, « pour contribuer à la construction et à l'embellissement de l'église », la famille Noirpoudre abandonna l'emplacement et les matériaux d'une chapelle dont elle était collateur, moyennant la possibilité de poser un autel dans l'extrémité du collatéral de la nouvelle église (Arch. dép. Haute-Saône, 2 E 4234, not. Champion, 26 janvier 1771).

143. Bien évidemment, cette unité a été obtenue au prix de destructions regrettables, comme à Cemboing en 1780, où les experts reconnaissaient que le chœur ancien était solide, mais « formerait une difformité avec la nouvelle architecture » en raison « des différentes moulures gothiques dont [étaient] ornés les chapiteaux » (Arch. dép. Haute-Saône, 112 E, dépôt 6).

144. Citons par exemple les églises de Villevieux (Jura) vers 1700, Marchaux (1717-1719) et Avilley (1728) dans le Doubs, Tromarey (1735) en Haute-Saône.

145. Financée par la vente de 177 arpents 13 perches du quart de réserve se montant à 48 000 livres, la reconstruction de l'église Saint-Pierre-et-Saint-Paul d'Igny a été adjugée à la maîtrise de Gray en 1740, en même temps que le presbytère, pour 35 000 livres, sur les plans de l'architecte graylois Claude-François Devosge (Arch. dép. Haute-Saône, B 9332).

146. Située dans la commune de Villers-Chemin-Mont-lès-Étrelles, l'église Saint Fabien-et-Saint-Sébastien a été bâtie à partir de 1727 sous l'impulsion du curé Louis Drouhard, mais son architecte reste inconnu (probablement J.-P. Galezot). Son décor et son mobilier en stuc marbré exécutés par l'atelier des Marca, stucateurs piémontais, comptent parmi les plus importants et les mieux conservés de la région.

147. Voir, dans ce volume, l'article de L. Hamelin et M. Zito, « L'église Saint-Julien de Frétigney et son mobilier en stuc polychrome », p. 255-269.

148. L'église Saint-Pierre-et-Saint-Paul de Champvans, construite sur des plans de Colombot datés de janvier 1760, se compose d'un clocher-porche à toiture à l'impériale, d'une nef de trois travées, d'un transept formé d'une croisée carrée et de deux bras étroits d'une travée chacun, puis d'un chœur en hémicycle logé dans un massif à trois pans. Voûtes d'arêtes et doubleaux retombent sur des pilastres à chapiteau d'ordre toscan. Adjugés en avril 1761 à la maîtrise de Gray pour 17 334 livres, les travaux ont été financés par le produit de la coupe de 42 arpents du quart de réserve (19 583 livres) et de 27 arpents du village co-paroissial du Tremblois,

Fig. 23 – Villers-Chemin-Mont-lès-Étrelles (Haute-Saône), église Saint-Fabien-et-Saint-Sébastien (aujourd'hui Nativité-de-Notre-Dame), coupole de la croisée.

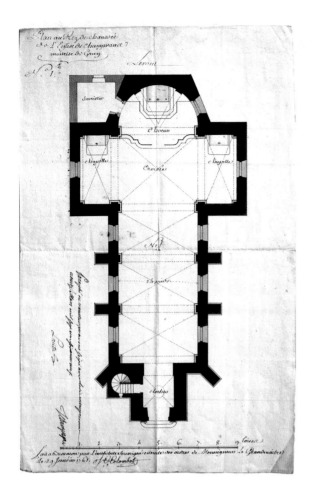

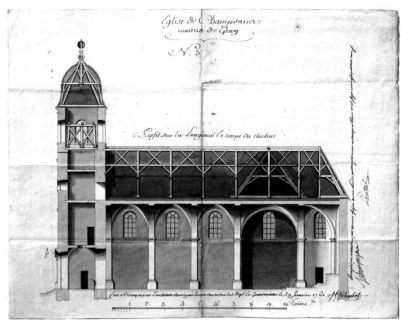

Fig. 25 – Champvans (Haute-Saône), église Saint-Pierre-et-Saint-Paul, coupe longitudinale par J.-Ch. Colombot, 1761 (Arch. dép. Haute-Saône, B 9314).

Fig. 24 – Champvans (Haute-Saône), église Saint-Pierre-et-Saint-Paul, plan par J.-Ch. Colombot, 1761 (Arch. dép. Haute-Saône, B 9314).

ainsi que par une contribution de 4 195 livres de celui d'Esmoulins (Arch. dép. Haute-Saône, 279 E, dépôt 907, et 125 E, dépôt 5).

149. L'analyse des arrêts du Conseil conservés dans les archives de ces quatre maîtrises et un relevé exhaustif des comptes du receveur des domaines et bois (Arch. dép. Doubs, B 1313 à 1346), joints aux informations figurant dans les dossiers des communautés conservés en série B et C, nous ont permis d'établir des dizaines de fiches concernant les travaux très variés exécutés sur les plans et devis de J.-Ch. Colombot.

150. Notamment dans la maîtrise de Baume-les-Dames par les architectes Jean-Baptiste Bassignot et Guillaume Barrand (voir J.-M. Aubert, *Architectes et constructions communales...*, op. cit. note 132, p. 89-98).

151. D. Grisel et J.-L. Langrognet, op. cit. note 1, p. 114 et 121.

152. Construite de 1712 à 1716 par les architectes-entrepreneurs Nicolas Herbert et Damien Couderet et disparue au XIXᵉ siècle. Voir C.-J. Pizard, *Noroy-le-Bourg*, Vesoul, 1888, p. 414-416.

maîtrises [149] – emporta la faveur d'un grand nombre de communautés. Ce type d'église à nef unique, dont il était aisé de fixer le nombre de travées et les dimensions générales selon l'importance de la paroisse, offrit la possibilité de varier la silhouette du clocher (toiture en pavillon ou à l'impériale avec flèche ou lanternon), l'architecture du portail (simplement mouluré avec clé sculptée ou flanqué de pilastres portant fronton), le rythme des voûtements (sur plan barlong ou carré), la forme de l'abside (polygonale ou demi-circulaire) ou du chevet (plat ou aux angles incurvés), ainsi que le système de toitures pour les chapelles de croisée (en appentis ou à croupes). Il fut repris par la plupart des architectes comtois [150] jusqu'à la Révolution, notamment par Anatoile Amoudru, à qui l'on doit la présence singulière de massifs convexes abritant un escalier et un local de service de part et d'autre du clocher. Par ailleurs, certaines églises s'ennoblirent d'une façade architecturée en pierre de taille intégrant le clocher-porche, comme celles d'Equevilley (fig. 26), construite sur les plans du Vésulien Claude-Joseph Bretet (1738-1787) ou de Vauvillers [151], édifice auquel l'architecte Claude-Étienne Chognard (1738-1776) sut donner un caractère particulièrement monumental grâce à de puissantes colonnes doriques engagées (fig. 27).

Adopté de 1700 à 1740 par des paroisses populeuses, comme celles de Faucogney, Pin-l'Émagny et Oiselay en Haute-Saône, ou Vernes et Vercel dans le Doubs, le parti architectural de l'église à bas-côtés séparés par de lourdes arcades fut assez vite abandonné au profit de celui de l'église-halle aux espaces plus fluides et lumineux. À une première génération d'églises-halles précoces, dotées de colonnes massives à fûts droits, comme à Noroy-l'Archevêque (Noroy-le-Bourg aujourd'hui) en Haute-Saône [152] ou encore Levier, Dommartin et Bannans dans le Doubs, vraisemblablement bâties par des maçons du

JEAN-LOUIS LANGROGNET

Fig. 26 – Equevilley (Haute-Saône), église Saint-Germain, architecte Cl.-J. Bretet, 1779.

Fig. 27 – Vauvillers (Haute-Saône), église de La-Nativité-de-Notre-Dame, architecte Cl.-É. Chognard, 1767.

canton suisse de Neuchâtel [153], succédèrent bientôt des édifices à la modénature et aux ordres beaucoup plus canoniques dont l'architecte bisontin Jean-Pierre Galezot et son frère Jean-Joseph paraissent avoir eu l'initiative [154], parallèlement à Nicolas Nicole, architecte de la Madeleine de Besançon (1736) et de Saint-Pierre de Jussey (1749). Au milieu du siècle, Jean-Charles Colombot, surchargé de commandes par l'administration forestière, élabora en 1754 pour la paroisse d'Avrigney un projet d'église-halle (fig. 28 à 30) adapté aux besoins et moyens des communautés rurales fortement peuplées [155]. Il en tira ensuite une dizaine de versions, dont les mieux exécutées se voient à Soing (1758) [fig. 31], Rosey (1759) et Champagney (1773) [fig. 32] [156] en Haute-Saône, ou à Saint-Hilaire (1769) et Bouclans (1775) dans le Doubs [157]. Chacune d'elles possède un haut clocher-porche en pierre de taille donnant accès à une nef formée de trois vaisseaux voûtés d'arêtes sensiblement de même hauteur, séparés par des colonnes ou des piliers à chapiteau toscan ou dorique et suivie d'un chœur fermé par une abside demi-circulaire ou un chevet plat. De son côté, pour la petite cité de Fougerolles, l'arpenteur-architecte Jean Gruier conduisit pour plus de 40 500 livres le chantier d'une vaste église-halle (fig. 33) directement inspirée de Saint-Georges de Vesoul, tandis qu'à partir de 1770, Anatoile Amoudru, chargé par le grand maître d'un nombre de plus en plus considérable de dossiers, tenta dans ses propres

153. Voir Arch. dép. Doubs, G 124.

154. René Tournier, *Les églises comtoises, leur architecture des origines au XVIIIe siècle*, Paris, 1956, p. 317-319.

155. D. Grisel et J.-L. Langrognet, *op. cit.* note 1, p. 87.

156. L'église de Champagney, exécutée en pierre de taille (grès des Vosges), a été adjugée à la maîtrise de Vesoul en janvier 1773 pour 41 500 livres en comprenant le prix d'un petit pont dans le village (Arch. dép. Haute-Saône, C 193).

157. Ces deux églises-halles de Colombot ont été adjugées, la première à la maîtrise de Baume-les-Dames pour 31 000 livres et la seconde à la maîtrise de Besançon pour 23 000 livres, les revenus forestiers des diverses communes co-paroissiales permettant de couvrir aisément tous les frais (Arch. dép. Doubs, B 17480 et 17006).

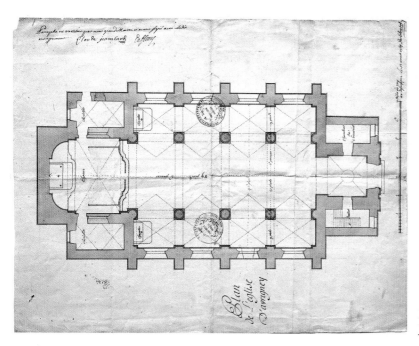

Fig. 28 – Avrigney (Haute-Saône), église, plan par J.-Ch. Colombot, 1754 (Arch. dép. Haute-Saône, B 9304).

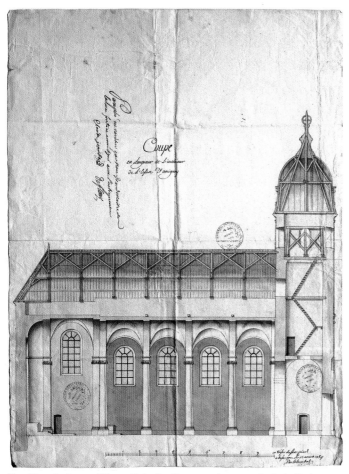

Fig. 29 – Avrigney (Haute-Saône), *Coupe en longueur [...] de l'église*, par J.-Ch. Colombot, 1754 (Arch. dép. Haute-Saône, B 9304).

Fig. 30 – Avrigney (Haute-Saône), *Élévation du flanc de l'église*, par J.-Ch. Colombot, 1754 (Arch. dép. Haute-Saône, B 9304).

Jean-Louis Langrognet

Fig. 31 – Soing (Haute-Saône), église Saint-Férréol-et-Saint-Ferjeux, architecte J.-Ch. Colombot, 1758.

Fig. 32 – Champagney (Haute-Saône), église Saint-Laurent, architecte J.-Ch. Colombot, 1772.

Fig. 33 – Fougerolles (Haute-Saône), église Saint-Étienne, architecte Jean Gruier, 1772.

Fig. 34 – Mailleroncourt-Saint-Pancras (Haute-Saône), église Saint-Pierre-et-Saint-Paul, architecte Cl.-J. Bretet, 1786.

JEAN-LOUIS LANGROGNET

réalisations de faire écho à la modernité néoclassique récemment apparue en Franche-Comté avec l'église basilicale de Gy, dessinée par l'ingénieur Henri Frignet [158]. Amoudru proposa en particulier des parements extérieurs lisses sans contreforts, des voûtes en berceau sur le vaisseau principal et des façades à la géométrie austère. Mais une seule église, celle de Leffond près de Champlitte, reçut une exécution conforme au projet initial. Toutes les autres églises d'Amoudru subirent des modifications exigées par les habitants et par les entrepreneurs attachés aux formes et aux techniques de construction connues et pratiquées depuis des décennies [159]. Parmi la quarantaine d'églises-halles construites dans l'actuelle Haute-Saône et méritant une attention particulière, citons celles de Chariez (1779) due à l'ingénieur des ponts et chaussées Claude-Ignace Lingée [160], de Mailleroncourt-Saint-Pancras (1787) [fig. 34] [161] avec ses colonnes doriques cannelées d'esprit néoclassique voulues par l'architecte Claude-Joseph Bretet, et de Vezet réalisée de 1787 à 1789 sur les plans du fils de J.-Ch. Colombot, Claude-Antoine. Il est à noter que cette dernière construction fut exécutée pour plus de 56 000 livres, malgré les protestations de la communauté qui avait souhaité « une église simple et solide sur le même plan que celle de Soing » et d'un montant « ne dépassant pas 40 000 livres » [162].

Dans quelques villages où l'exiguïté du terrain disponible et les contraintes de voirie ne permettaient pas de bâtir une église en longueur, architectes et habitants adoptèrent la solution d'un édifice aux dimensions réduites et à plan centré. Il en alla ainsi à Traves (1745) [163], Voray-sur-l'Ognon (1774), Cirey-lès-Bellevaux (1776), Noidans-lès-Vesoul (1776), Neurey-en-Vaux (1786), tous peu ou prou en croix grecque [164], tandis qu'à Blondefontaine (1782) [fig. 35], relevant alors du Barrois, l'ingénieur Cl.-I. Lingée imagina une construction de plan octogonal avec espace central circulaire couvert d'une coupole reposant sur huit arcades à colonnes, entouré par un déambulatoire voûté d'arêtes [165].

158. Voir, dans ce volume, l'article de J.-L. Langrognet, « L'église Saint-Symphorien à Gy : une architecture "à la grecque" », p. 297-313.

159. Voir, dans ce volume, l'article de J.-L. Langrognet, « L'église-halle Saint-Étienne à Port-sur-Saône », p. 315-326.

160. D. Grisel et J.-L. Langrognet, *op. cit.* note 1, p. 107-108.

161. *Ibid.*, p. 123. Église adjugée en mars 1787 à la maîtrise de Vesoul pour 30 900 livres et financée par deux coupes de bois qui rapportèrent près de 65 000 livres.

162. Arch. dép. Haute-Saône, 2E 5300, not. J.-F. Narcon, délibération du 21 août 1783 ; B 9216, fol. 102v et 142v, procès-verbal de réception, 7 décembre 1789 et 20 septembre 1790.

163. Voir, dans ce volume, l'article de J.-L. Langrognet, « L'église de la Décollation-de-Saint-Jean-Baptiste de Traves… », p. 271-282.

164. D. Grisel et J.-L. Langrognet, *op. cit.* note 1, fig. 69 à 73.

165. Jean-Louis Langrognet, « Église Saint-Martin de Blondefontaine », *Revue Haute-Saône SALSA*, n° 37, 2000, p. 20.

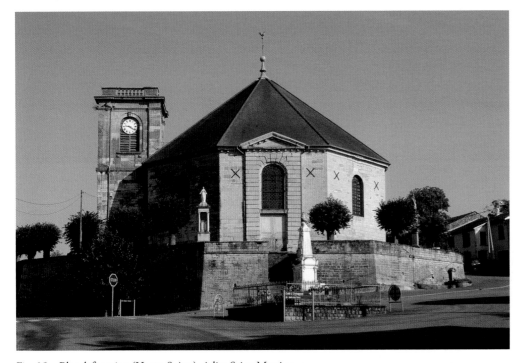

Fig. 35 – Blondefontaine (Haute-Saône), église Saint-Martin.

166. Corinne Marchal, « Le renouveau du catholicisme et la contre-réforme en Franche-Comté (XVIᵉ-XVIIIᵉ siècles) », dans *Splendeurs baroques en pays du Revermont*, Arbois, 2014, p. 26-31.

Au cœur de la « dorsale catholique reliant l'Italie aux Pays-Bas »[166], le diocèse de Besançon était confronté depuis le XVIᵉ siècle à la présence du luthéranisme dans la principauté de Montbéliard et du calvinisme genevois à la frontière suisse. Ses archevêques, dans un esprit de Contre-Réforme prolongé, portèrent durant tout le XVIIIᵉ siècle une vive attention à l'affirmation des grands dogmes catholiques, à la qualité de la vie liturgique et à l'ornementation des sanctuaires paroissiaux, relayés en cela par des cohortes de prêtres bien formés au grand séminaire édifié dans la capitale comtoise dès la fin du XVIIᵉ siècle. Pour prendre vie et sens, les églises neuves ou rénovées devaient donc disposer d'un mobilier permettant de célébrer avec tout le faste voulu l'eucharistie (maître-autel et tabernacle, retable, crédences et lutrin), la prédication (chaire) et l'administration des sacrements (fonts baptismaux, confessionnaux) ; ce mobilier fut complété par des stalles réservées aux célébrants et chantres, ainsi que par des « bancs uniformes » pour les paroissiens et des meubles de sacristie permettant de conserver en sécurité l'orfèvrerie, les vêtements sacerdotaux et linges d'autel.

Fig. 36 – Lavoncourt (Haute-Saône), église Saint-Valentin, retable du maître-autel, vers 1720-1730.

Fig. 37 – Avrigney (Haute-Saône), église Saint-Étienne, retable du maître-autel exécuté d'après un dessin de J.-Ch. Colombot, 1754.

JEAN-LOUIS LANGROGNET

Fig. 38 – Lœuilley (Haute-Saône), projet pour le retable du maître-autel par J.-Ch. Colombot, 1759 (Arch. dép. Haute-Saône, B 9335).

Fig. 39 – Vy-les-Rupt (Haute-Saône), église Saint-Pierre, retable du maître-autel exécuté d'après un dessin d'A. Amoudru, mis en place en 1784.

Jusque dans les années 1740, d'imposants retables (fig. 36) et tout un équipement mobilier furent commandés par les communautés paroissiales, sous l'égide des curés, à des ateliers de menuisiers-sculpteurs installés à Besançon [167], dans le Val d'Usiers près de Pontarlier et dans les principales villes de la Comté [168], parfois aussi à une famille de stucateurs piémontais itinérants, les Marca [169]. Le coût de ces ensembles a été assumé selon des modalités variées (legs de prêtres ou de notables, contribution de décimateurs, quêtes spéciales à l'issue des « missions », ventes des bancs, location de communaux, produits des bois de marine, etc.). Mais passé le milieu du siècle, le recours à la coupe des quarts en réserve des bois communaux ou à la vente de futaies dans les assiettes ordinaires et périodiquement à celle de chablis contribua à modifier le circuit de la commande et son financement. Les éléments mobiliers souhaités par une communauté furent alors le plus souvent dessinés – et leurs coûts évalués – par un architecte désigné par le grand maître ou l'intendant, et ensuite soumis avec d'autres travaux à une adjudication publique [170].

167. Voir Annick Derrider, « Les sculpteurs bisontins (fin XVIIᵉ-début XVIIIᵉ siècles) », *Bulletin du centre de recherches d'art comtois*, nº 8, 1996.

168. Voir Jean Courtieu, *Sculpteurs et artisans du mobilier religieux comtois au XVIIIᵉ siècle*, Besançon, 2014.

169. Mickaël Zito, *Les Marca (fin XVIIᵉ-début XIXᵉ siècle). Itinéraires et activités d'une dynastie de stucateurs piémontais en Franche-Comté et en Bourgogne*, thèse de doctorat, université de Bourgogne, 2013.

170. Jean-Louis Langrognet, « Les retables des églises comtoises au XVIIIᵉ siècle », *Bulletin du centre de recherches d'art comtois*, nº 3, 1991.

171. Citons les retables d'Avrigney (1754) et de Lœuilley. Celui d'Avrigney faisait partie, avec les fonts baptismaux et quatre confessionnaux, de travaux adjugés avec ceux de l'église à l'entrepreneur graylois Claude Jeambard. Ce dernier en assuma la réception en 1761 sans faire mention du sculpteur impliqué dans sa réalisation (Arch. dép. Haute-Saône, B 9306).

172. Voir le devis du 22 mars 1780 d'A. Amoudru pour la fourniture d'un calice et sa patène, trois chasubles, une châsse en argent, trois aubes et trois surplis (Arch. dép. Haute-Saône, 279 E, dépôt 911).

173. Voir Solange Brault-Lerch, *Les orfèvres de Franche-Comté et de la principauté de Montbéliard du Moyen Âge au XIXᵉ siècle*, Genève, 1976, p. 51-54.

174. Par exemple, les murs de l'ancien cimetière d'Oyrières ont été rétablis en 1788 sur un devis se montant à 2 323 livres (Arch. dép. Haute-Saône, 279 E, dépôt 910). Ils subsistent encore, comme ceux de Montot ou d'Autrey-lès-Gray, avec leurs chaperons en pierre de taille bouchardée de grandes dimensions. Pour le bourg de Champlitte, A. Amoudru donna en 1779 le projet d'un nouveau cimetière avec porte monumentale et grille en fer forgé pour un coût total de 5 827 livres (J.-L. Langrognet, *op. cit.* note 4, p 138-139).

175. Ainsi, en 1780, A. Amoudru dressa un devis de « six grandes et belles croix en pierre » destinées au village de Soing pour plus de 1 400 livres (Arch. dép. Haute-Saône, 279 E, dépôt 911). L'une d'elles existe encore devant l'église.

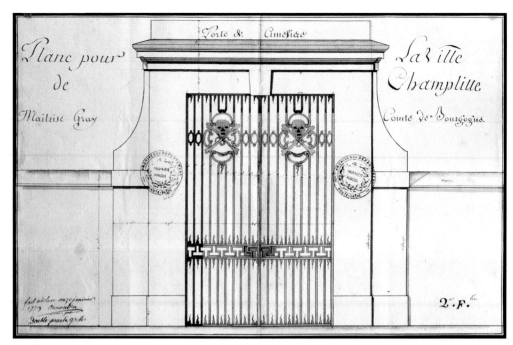

Fig. 40 – Champlitte (Haute-Saône), élévation pour la porte du cimetière par A. Amoudru, 1779 (Arch. dép. Haute-Saône, B 9313).

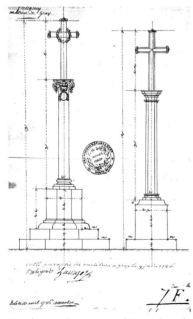

Fig. 41 – Frétigney (Haute-Saône), projet de deux croix, par A. Amoudru, 1786 (Arch. dép. Haute-Saône, B 9328).

Les artisans spécialisés auxquels l'adjudicataire en sous-traitait l'exécution se trouvèrent alors contraints de respecter des projets d'architecte paraphés « *ne varietur* » par l'autorité administrative. Au répertoire décoratif abondant et parfois archaïsant des ateliers de sculpteurs des premières décennies du XVIIIᵉ siècle succédèrent alors des partis ornementaux beaucoup plus sobres et à l'indéniable élégance, comme ceux réalisés dans les années 1750-1770 sur les dessins de J.-Ch. Colombot [171] (fig. 37 et 38), avant l'adoption, au cours des années qui suivirent, de motifs empruntés à l'esthétique et au vocabulaire ornemental néoclassiques (fig. 39). Les archives forestières comtoises conservent des dizaines de dessins de retables, chaires, confessionnaux, stalles, lutrins, clôtures en fer forgé, bancs et meubles de sacristies, mais également un grand nombre de devis très détaillés relatifs à la fourniture d'objets d'orfèvrerie, de vêtements liturgiques et linges d'autel que les adjudicataires ne pouvaient acquérir « qu'en présence et à la participation du sieur curé et des échevins et procureurs spéciaux » [172]. Des églises paroissiales de communautés aux effectifs parfois très modestes, mais au patrimoine forestier important, purent ainsi bénéficier d'un mobilier de grande allure, s'inscrivant parfaitement dans les espaces architecturaux prévus pour les accueillir, et recevoir des « vases sacrés » provenant des meilleurs orfèvres comtois [173].

Murs des cimetières et croix

Reconstruire les portes et murs renversés des cimetières (fig. 40) pour empêcher l'intrusion du bétail ou établir un nouvel enclos lors de la translation d'une église a représenté une charge non négligeable pour les communautés rurales concernées [174], de même que la restauration ou le remplacement complet des croix (fig. 41), en pierre ou en fer forgé, qui ponctuaient les carrefours et limites de l'espace paroissial [175]. Les devis et plans conservés témoignent du très grand soin apporté à la mise en œuvre des matériaux.

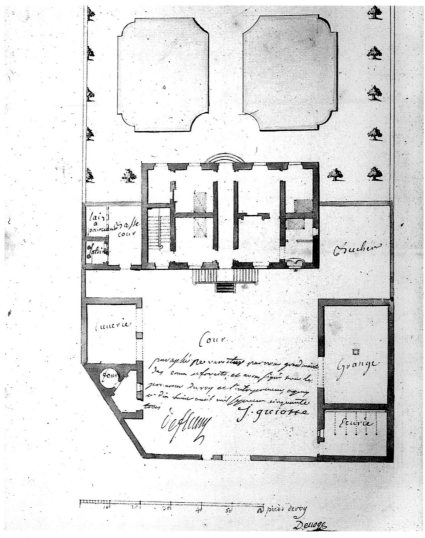

Fig. 42 – Chaumercenne (Haute-Saône), plan du presbytère et de son jardin, par Claude-François Devosge, 1753 (Arch. dép. Haute-Saône, 279 E, dépôt 907).

Fig. 43 – Cugney (Haute-Saône), ancien presbytère, architecte Cl. Pierrot.

176. « Les maîtres et maîtresses d'école ne trouvent qu'avec la plus grande difficulté des logements, aucune maison du village ne possédant des chambres assez grandes pour contenir les enfants » (Arch. dép. Haute-Saône, B 9375, fol 129v, arrêt du 29 novembre 1788).

177. Ce presbytère avec grangeage, écurie, chambre à four et cuverie, a été adjugé à la maîtrise de Gray en 1753, sur les plans et devis de l'architecte graylois Claude-François Devosge, en exécution d'un arrêt autorisant la coupe de 58 arpents de la communauté (Arch. dép. Haute-Saône, 279 E, dépôt 907).

178. Arch. dép. Haute-Saône, B 9320.

179. Arch. dép. Haute-Saône, 979 E, dépôt 910, plans et devis de 10 519 livres, de J.-Ch. Colombot, 10 octobre 1768.

180. Exemple du devis d'A. Amoudru pour la maison commune de Beaujeu, 30 juin 1773 (Arch. dép. Haute-Saône, B 9306).

181. Voir à ce sujet les nombreux plans et devis conservés dans les archives des maîtrises de Baume-les-Dames et de Gray.

182. Cas de Baume-les-Dames, ville pour laquelle J.-Ch. Colombot donna en 1761, sur commission du grand maître, les plans d'une reconstruction complète des deux fours banaux existants pour près de 6 000 livres (Arch. dép. Doubs, B 17585), ou encore du village de Courchaton qui, après avoir vendu 179 arpents de bois pour 64 000 livres, préleva 14 350 livres afin de rétablir ses trois fours banaux (Arch. dép. Haute-Saône, C 46 et C 71).

183. Plans d'eau de trois à quatre pieds de haut en leur milieu, retenus par un muret au bas d'une faible pente et destinés à baigner chevaux et bovidés. Un système de bonde au pied du muret permettait de régler le niveau de l'eau et son évacuation.

184. Plan et devis de J.-Ch. Colombot du 27 novembre 1758 pour 1818 livres (Arch. dép. Haute-Saône, E 769/1).

Presbytères, maisons de maîtres d'école et de pâtres, fours banaux

Hâtivement bâtis ou réparés dès le début du XVIIIᵉ siècle, nombre de presbytères étaient à reconstruire quelques décennies plus tard pour répondre aux exigences d'un clergé paroissial soucieux tout à la fois de son confort et de son statut. Par ailleurs, le recrutement d'un bon maître d'école et d'un pâtre se heurtant souvent à la difficulté de trouver des logis disponibles dans les villages [176], les communautés se résolurent à se doter de « maisons communes », dont les plans furent pratiquement tous établis par les architectes des maîtrises ou de l'intendant et majoritairement financés par la vente des bois.

Les presbytères, dont beaucoup subsistent aujourd'hui, avaient le plus souvent l'allure d'une maison bourgeoise, entre cour et jardin, environnée d'annexes agricoles, comme celui de Chaumercenne [177] (fig. 42), celui de Cugney (fig. 43), bâti en 1749 sous l'autorité du grand maître par l'architecte Claude Pierrot pour près de 9 000 livres prélevées sur le produit d'une centaine d'arpents du quart de réserve [178], ou encore celui de Montureux, dessiné par J.-Ch. Colombot en 1768 avec grange, écurie et citerne pour un coût dépassant 10 500 livres [179] (fig. 44 et 45). La plupart possédaient une cave voûtée et une cuisine dallée, équipée d'une imposante cheminée en pierre de taille avec plaque de fonte au foyer, d'une large pierre d'évier et d'un fourneau-potager à deux ou trois réchauds. Outre une pièce de réception (« le poêle ») contiguë à la cuisine et « échauffée » par le dos de la platine en fonte de cette dernière, le curé disposait de plusieurs chambres ou cabinets (pour lui-même, un vicaire ou les hôtes de passage) ornés de cheminée en pierre marbrière sculptée.

Beaucoup plus modeste, la maison d'un maître d'école n'était composée, dans la majorité des villages, que d'une cuisine avec cheminée, suivie d'un « poêle » faisant office de salle de classe la journée et de chambre du maître le soir. Mais, peu après la seconde moitié du siècle, on ajouta fréquemment une troisième pièce, indépendante des deux premières et destinée « à tenir la classe et les assemblées de la paroisse », justifiant alors l'appellation de « maison commune » donnée dans les devis à ce type de construction [180] (fig. 46). Le logis du pâtre, quant à lui, complété par une écurie, consistait le plus souvent en un petit bâtiment indépendant, établi sur un plan pratiquement identique à celui du maître d'école, ou bien intégré à la maison commune. Une pièce supplémentaire était parfois réservée à un salpêtrier, lors de ses séjours périodiques dans le village. Le coût de toutes ces bâtisses, sobrement dessinées mais exécutées avec des matériaux de qualité (pierre, enduit en sable de rivière, tuiles), variait de 2 000 à 6 500 livres, selon les conditions d'implantation et l'organisation des espaces sur un ou deux niveaux [181].

Enfin, les communautés possédant des fours banaux consacrèrent d'importantes sommes pour leur réparation et plus encore pour leur réédification complète [182] (fig. 47).

Fontaines et puits, ponts et digues, petits équipements communaux

Les besoins en eau potable d'une population en expansion et l'attention nouvelle portée aux questions de salubrité et d'hygiène entraînèrent la remise en état des anciens points d'eau, fontaines et surtout la construction d'un grand nombre de fontaines neuves, avec bassins de lavoir en pierre de taille associés presque systématiquement à des abreuvoirs pour le bétail et parfois à des égayoirs [183]. Chargés là encore, après arrêt favorable du Conseil d'État, de répondre aux demandes pressantes des communautés rurales, les architectes des maîtrises et, dans une moindre mesure, ceux de l'intendant établirent une quantité impressionnante de plans et devis. Le dispositif le plus simple et le plus répandu fut celui que l'on voit à la fontaine de Fallon (fig. 48), construite en 1763 sur un projet de J.-Ch. Colombot : un édicule de puisage suivi de bassins en ligne [184]. Toute une suite de variations portèrent au cours du siècle sur l'architecture même du puisoir, fréquemment en

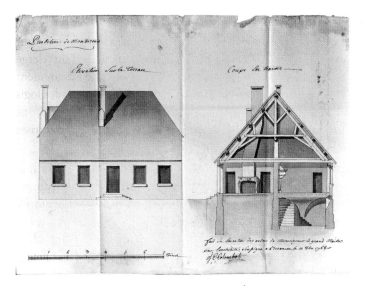

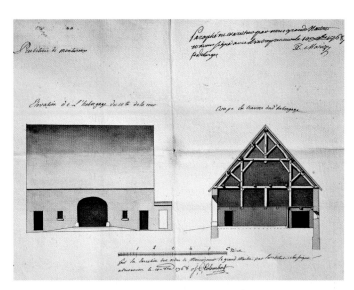

Fig. 44 – Montureux (Haute-Saône), presbytère, *Élévation sur la terrace et coupe en travers*, par J.-Ch. Colombot, 1768 (Arch. dép. Haute-Saône, 279 E, dépôt 910).

Fig. 45 – Montureux (Haute-Saône), presbytère, *Élévation de l'hebergeage du cotté de la cour* et *Coupe en travers*, par J.-Ch. Colombot, 1768 (Arch. dép. Haute-Saône, 279 E, dépôt 910).

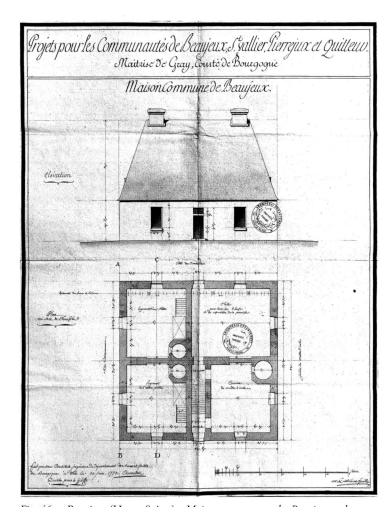

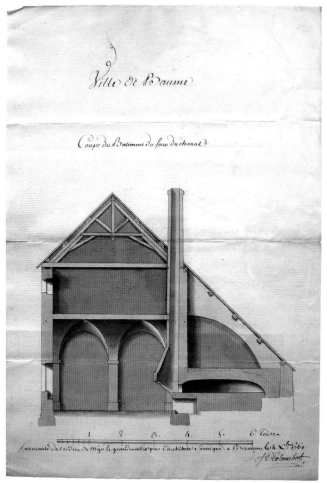

Fig. 46 – Beaujeu (Haute-Saône), *Maison commune de Beaujeux*, plan et élévation par A. Amoudru, 1773 (Arch. dép. Haute-Saône, B 9306).

Fig. 47 – Baume-les-Dames (Doubs), *Coupe du batiment du four du chazal*, par J.-Ch. Colombot, 1761 (Arch. dép. Doubs, B 17585).

Fig. 48 – Fallon (Haute-Saône), fontaine-lavoir construite en 1763 sur les plans de J.-Ch. Colombot.

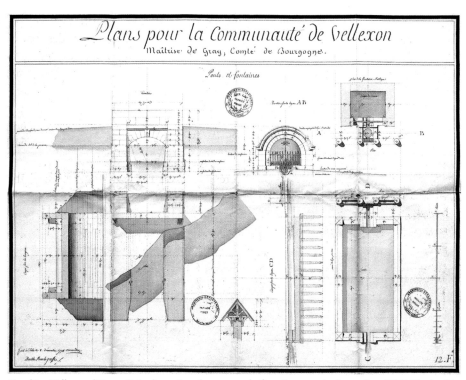

Fig. 49 – Vellexon (Haute-Saône), projets de pont et de fontaine, par A. Amoudru, 1774 (Arch. dép. Haute-Saône, B 9357).

Fig. 50 – Scey-sur-Saône (Haute-Saône), édicule de source et bassin de la fontaine, architecte A. Amoudru, 1774.

Fig. 51 – Moissey (Jura), fontaine de la place, architecte A.-L. Attiret, 1765.

Fig. 52 – Sermange (Jura), fontaine, architecte A.-L. Attiret, 1767.

forme de guérite, de massif voûté en plein cintre [185] (fig. 49 et 50), d'oratoire à fronton surmonté d'une croix [186], mais aussi sur les formes et disposition des bassins, dont A. Amoudru, notamment, multiplia les combinaisons [187]. Se distinguant de la production courante, quelques fontaines prirent l'aspect de véritables petits monuments, comme celles de Moissey et de Sermange, adjugées à la maîtrise de Dole en 1767 et en 1768 et dues au talent de l'architecte A.-L. Attiret. À Moissey [188], un haut pavillon de puisage de plan carré, percé à chaque face d'une arcade dans un enfoncement en arrière-corps, est surmonté d'un imposant massif d'amortissement à angles concaves, sommé d'une croix (fig. 51), tandis qu'à Sermange [189], l'édicule de source, avec ses quatre colonnes toscanes aux tambours alternativement lisses et sculptés de concrétions, n'est pas sans évoquer une fabrique de parc romantique (fig. 52).

Situées majoritairement au pied de sources, sur des terrains humides, toutes ces fontaines en pierre de taille exigèrent presque toujours la mise en place de coûteux pilotis et radiers de chêne pour en garantir la stabilité et plusieurs couches de glaise pour assurer l'étanchéité des bassins. Lorsqu'une fontaine devait être implantée à distance d'une source, le coût des conduites en sapin, en terre cuite ou en fonte augmentait fortement la dépense [190]. En l'absence de points d'eau, ou pour assurer la desserte de quartiers situés en hauteur, la construction de citernes ou de puits communaux s'imposait, comme à Pesmes en 1773 [191] (fig. 53).

Aspirant à franchir en toute saison et sans danger les ruisseaux et rivières de leur territoire pour exploiter champs et prairies ou pour commercer et se rendre facilement dans les villages voisins, les communautés comtoises obtinrent, grâce encore à leurs ressources forestières, le lancement d'un nombre considérable de ponts en pierre de taille retombant sur des piles solidement fondées. Parmi les projets ou réalisations notables, citons le pont de six arches dessiné par Jean-Pierre Galezot en 1741 au profit de la communauté de

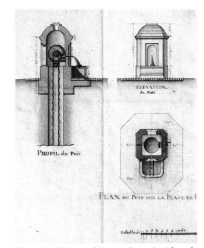

Fig. 53 – Pesmes (Haute-Saône), *Plan du puits sur la place de Pesmes*, par François-Lazare Renaud, 1773 (Arch. dép. Haute-Saône, B 9344).

185. Voir le dessin de 1774 d'A. Amoudru pour la fontaine de Vellexon (Arch. dép. Haute-Saône, B 9357), qu'il donna à nouveau six ans plus tard pour la fontaine de Scey-sur-Saône.

186. Voir le dessin de la « fontaine de l'Ouiotte à Igny », A. Amoudru, 1777 (Arch. dép. Haute-Saône, B 9332).

187. Voir Denis Grisel, *Regards sur les fontaines-lavoirs de Franche-Comté*, Besançon, 1986, p. 7-13.

188. Après un arrêt du Conseil de juillet 1765 permettant la coupe de 72 arpents du quart de réserve de Moissey (vendu peu après pour un peu plus de 18 000 livres), Attiret signa les plans et devis d'une reconstruction de la fontaine et de petits travaux au clocher et à la maison d'école, adjugés deux ans plus tard par le grand maître pour un total de 14 000 livres (Arch. dép. Jura, 5 E, dépôt 167/195).

189. Attiret avait reconnu en mars 1767 la nécessité de rétablir les trois fontaines de Sermange ainsi que trois logements pour les maîtres d'école et le pâtre. La communauté ayant obtenu quelques mois après un arrêt du Conseil accordant la vente de 90 arpents 89 perches du quart de réserve, les travaux furent adjugés sur son devis l'année suivante à l'entrepreneur bisontin Claude-Louis Deroche (Arch. dép. Jura, C 153).

190. J.-L. Langrognet, *op. cit.* note 4, p. 155-156.

191. En exécution d'un arrêt du Conseil autorisant la vente de 74 arpents du quart de réserve de la petite cité de Pesmes, l'architecte Fr.-L. Renaud, nommé par le maître particulier des eaux et forêts de Gray, signa le 14 décembre 1773 le plan d'un réservoir et, pour un coût de 916 livres, celui d'un puits couvert en pierre de taille soigneusement mouluré et équipé d'un mécanisme d'élévation des eaux (Arch. dép. Haute-Saône, B 9344).

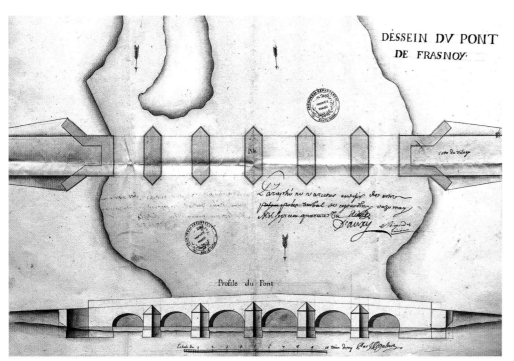

Fig. 54 – Franois (Haute-Saône), plan et profil du pont projeté, par Jean-Pierre Galezot, 1741 (Arch. dép. Haute-Saône, B 9326).

192. Arch. dép. Haute-Saône, B 9336.

193. Tous ces ponts ont été adjugés à la maîtrise de Gray. Celui d'Angirey, d'un montant de 3244 livres, a suivi la vente de 59 arpents du quart de réserve de la communauté (Arch. dép. Haute-Saône, B 9298).

194. Maîtrise de Baume-les-Dames (Arch. dép. Doubs, B 17593 et 17585).

195. Ce traité, dont la première édition à Paris date de 1716, a servi de référence aux architectes et entrepreneurs tout au long du XVIIIᵉ siècle.

196. Arch. dép. Haute-Saône, 279 E, dépôt 910.

Franois (fig. 54) [192], les ponts conçus par J.-Ch. Colombot pour Membrey (1757), Montarlot-lès-Champlitte (1763) et Angirey (fig. 55) en 1767 [193], ou encore Pompierre (1754) et Avilley (1771) [194] dans le Doubs (fig. 56). Au cours du dernier tiers du siècle, Amoudru figure sans doute parmi les architectes qui établirent le plus grand nombre de dossiers concernant ce type de réalisations. Ayant travaillé dans sa jeunesse auprès du sous-ingénieur des ponts et chaussées Charles Normand à Dole et de Pierre-Joseph Antoine à Dijon, et bon connaisseur du *Traité des ponts* d'Henri Gautier [195], il apporta toujours le plus grand soin à la rédaction de ses devis, que ce fût pour un modeste ponceau d'un montant de 1360 livres, comme à Oyrières en 1788 [196] (fig. 57), ou pour un pont à sept

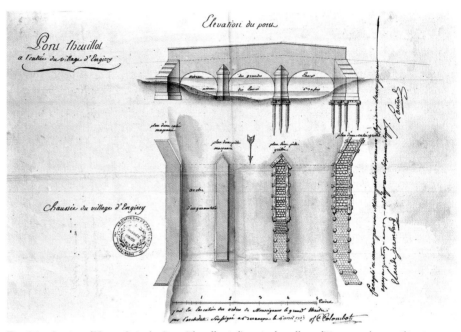

Fig. 55 – Angirey (Haute-Saône), *Pont Theuillot à l'entrée du village d'Engirey,* plan et élévation par J.-Ch. Colombot, 1767 (Arch. dép. Haute-Saône, B 9298).

Fig. 56 – Avilley (Doubs), pont sur le ruisseau de Tallans, architecte J.-Ch. Colombot, 1771, état en 2020.

JEAN-LOUIS LANGROGNET

arches, comme celui d'Orchamps (Jura) en 1782, long de 453 pieds et dont le coût dépassa largement les 50 000 livres prévues initialement [197] (fig. 58).

Signalons aussi les travaux accomplis pour les communautés de la basse vallée du Doubs et de son affluent, la Loue, relatifs à l'établissement de digues, nécessaires à la protection de l'habitat et des prairies contre les crues saisonnières dévastatrices, et d'épis pour contrer l'érosion des berges. Un architecte aussi réputé et sollicité que le Bisontin Nicolas Nicole y travaillait activement en 1776 [198].

Enfin, dans la seconde partie du siècle, les échevins de villages situés dans les maîtrises de Gray et de Vesoul profitèrent opportunément de la forte hausse du prix des bois pour

197. Voir note 101.

198. Voir le dossier concernant le village de Molay dans le Jura (Arch. dép. Jura, 4 C 154).

199. J.-L. Langrognet, *op. cit.* note 4, p. 163-165.

Fig. 57 – Oyrières (Haute-Saône), pont à l'entrée du chemin de Vars, architecte A. Amoudru, 1770.

Fig. 58 – Orchamps (Jura), pont sur le Doubs, architecte A. Amoudru, 1782-1790, détruit en 1940, carte postale Combier (coll. J-L. Langrognet).

200. R. Favereaux et L. Poupard, *op. cit.* note 41, p. 83-103.

201. Emmanuel Chateau-Dutier, *Le Conseil des bâtiments civils et l'administration de l'architecture publique en France, dans la première moitié du XIXᵉ siècle*, thèse de doctorat, EPHE, 2016.

202. Un tableau statistique de l'*Atlas cantonal de la Haute-Saône de 1858*, publié sous la direction du préfet Hippolyte Dieu, nous apprend qu'en trente ans, les communes du département avaient vendu pour 41 322 000 francs de quarts en réserve, somme entièrement investie dans les bâtiments communaux.

203. Voir, dans ce volume, l'article de S. Dalibard, « Le bourg et le château des archevêques de Besançon à Gy », p. 65-75.

204. Voir, dans ce volume, les articles de Ch. Leblanc, « L'église Saint-Georges à Confracourt (1855-1866) », p. 327-334, et de J.-L. Langrognet, « La fontaine monumentale de Confracourt (1835-1836) », p. 379-384.

Fig. 59 – Molay (Haute-Saône), ancien presbytère (1748) de la paroisse de Laître et église-halle Saint-Pierre-et-Saint-Paul d'A. Amoudru (1776).

ajouter à leurs nombreuses demandes la confection ou l'acquisition d'objets les plus divers, notamment celle de matériels destinés à lutter contre les incendies (pompes à bras, seaux en cuir bouilli, échelles et crochets), et parfois de coffres à trois clés pour conserver en sécurité les archives et papiers de leur communauté [199].

Soumise à des formules architecturales types, répétées avec des nuances et variations pendant des décennies, la majorité des édifices civils et religieux construits au XVIIIᵉ siècle dans l'actuelle Haute-Saône témoignent d'un art de bâtir soucieux avant tout de solidité et d'économie, mais s'appuyant sur des références – le plus souvent discrètes – empruntées à l'architecture savante et à ses évolutions stylistiques.

La mainmise administrative sur la chaîne des décisions et un système de financement reposant majoritairement sur les ressources forestières sont à l'origine du caractère quantitatif et de l'unité d'une production architecturale inscrite dans le paysage de zones entières des vallées et plateaux haut-saônois (fig. 59).

À peine suspendue durant les événements révolutionnaires, la campagne de travaux portant sur les églises paroissiales et les équipements publics s'est poursuivie au XIXᵉ siècle, la plupart des communes rurales bénéficiant encore, jusqu'aux années 1860, d'importants revenus tirés de leurs forêts, avant un déclin brutal de l'industrie métallurgique comtoise [200]. Mais le cadre institutionnel ayant changé, les projets d'édifices communaux de quelque importance furent soumis par les préfets, de 1808 à 1852, à l'approbation du ministre de l'Intérieur. Chargé d'éclairer les décisions du ministre, un organisme créé en l'an IV, le Conseil des bâtiments civils, composé d'architectes prix de Rome et de professeurs à l'École des Beaux-arts de Paris, joua dès lors un rôle décisif [201]. Il s'attacha à privilégier les partis architecturaux néoclassiques sobres et élégants apparus en Île-de-France à la fin de l'Ancien Régime et sous le Premier Empire, avant d'accepter peu après 1840, non sans réticences, des projets appartenant au courant néogothique. De beaux témoignages de cette seconde vague d'équipements communaux [202] sont à découvrir aujourd'hui dans les espaces publics de petites cités au passé prestigieux comme celle de Gy [203] ou de villages opulents comme celui de Confracourt [204].

Les congrès de la Société française d'archéologie tenus en 1891 et en 1960 avaient permis d'attirer l'attention sur une partie du patrimoine archéologique ainsi que sur les principales églises et monuments de Franche-Comté. Celui de 2020 s'est aventuré plus particulièrement sur les routes du département de la Haute-Saône à la découverte d'un patrimoine architectural trop méconnu. Les actes du congrès de 2020 sont une invitation à en découvrir tout l'intérêt et les nuances.

Crédits photographiques – Les clichés sont de l'auteur à l'exception de ceux des fig. 3 (Charlotte Leblanc), 12 (cl. Jérôme Mongreville © Région Bourgogne-Franche-Comté, Inventaire du patrimoine, 2012) et 47 (Alain Tournier).

Cités et châteaux

Le bourg et le château des archevêques de Besançon à Gy

Sabrina Dalibard *

Le développement du bourg de Gy est fortement lié au château et à son évolution. Au XIᵉ siècle, les terres de Gy appartenaient aux comtes de Bourgogne. Les gentilshommes qui portaient déjà le nom de Gy au XIIIᵉ siècle (Hugon de Gy en 1281) étaient probablement les châtelains des archevêques. C'est d'ailleurs au milieu de ce siècle que l'archevêque Guillaume de la Tour fit édifier un nouveau château à l'emplacement de l'ancien. Dès le début du Moyen Âge, Gy était l'un des trois grands domaines des archevêques avec Besançon et Mandeure. Face à l'émergence des Oiselay et afin d'asseoir leur pouvoir, Nicolas de Flavigny (1227-1235) et Guillaume de la Tour (1244-1258) firent donc ériger sur les hauteurs de Gy un château fort, aussitôt détruit en 1259 par des barons locaux.

* Conservatrice du patrimoine.

Le développement urbain de Gy

L'enceinte urbaine

Le château fut ensuite reconstruit. Le village de Gy se développa autour de lui et fut fortifié par la construction d'une enceinte reliée au château. Au début du XVᵉ siècle, à l'image de la ville haute, la ville basse fut entourée de murailles et trois portes y donnaient accès.

Vers 1470, à la suite des conflits entre le Roi de France et le duc de Bourgogne, l'archevêque Charles de Neuchâtel décida d'édifier six tours neuves autour de la ville haute de Gy. Les habitants de Gy et des environs furent chargés d'en bâtir trois sur les six. Ces derniers protestèrent, ayant déjà la charge de la défense de la ville basse. Finalement, les tours furent tout de même construites, mais seule l'une de ces six tours subsiste aujourd'hui.

La guerre de Dix Ans (1634-1644) puis la conquête de la Franche-Comté par Louis XIV provoquèrent de nombreuses destructions d'édifices. Dans ce contexte, en 1640, les soldats de Saxe-Weimar incendièrent une partie de la ville basse de Gy.

Après le rattachement de la Franche-Comté à la France à la fin du XVIIᵉ siècle, les murailles de la ville disparurent petit à petit et les fossés furent mis en vente en 1705. Ces transformations permirent aux habitants de réaménager leurs habitations et jardins : c'est le cas, par exemple, de la résidence des « Terrasses », rue du Bourg.

Les établissements religieux, de santé et scolaires

En 1648, quatre capucins s'installèrent à Gy à la demande de l'archevêque Claude d'Achey pour remédier à la pénurie de prêtres, et la construction de leur couvent commença en 1654.

Par ailleurs, dès le milieu du XVᵉ siècle, il existait un hôpital à Gy qui était géré par des institutions charitables, sous la tutelle de l'archevêché, et qui accueillait des pauvres. Ce premier établissement ne semble pas avoir subsisté longtemps. Au XVIIIᵉ siècle,

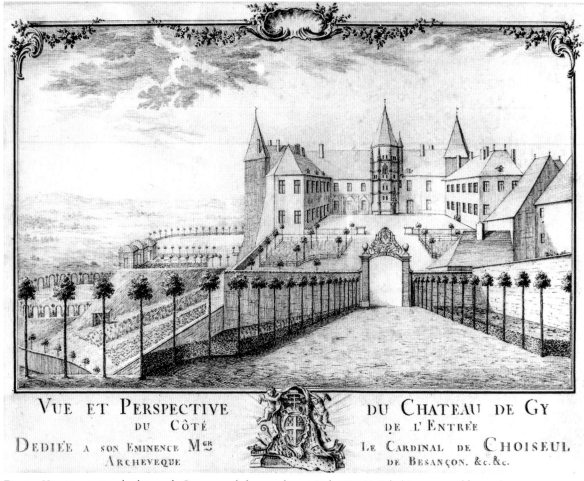

Fig. 1 – *Vue et perspective du château de Gy*, gravure de la seconde moitié du XVIIIᵉ siècle (Besançon, Bibl. mun.).

un nouvel hôpital, tenu par les Sœurs de Sainte-Marthe, s'établit à Gy. Après la Révolution, il fut transformé en hôpital militaire. Les bâtiments de cet ancien établissement sont actuellement occupés par l'école primaire publique.

En 1877, Mme Ménans fonda, avec le curé Rouge, une école qui prit son nom. Le curé Rouge avait le projet de créer une école libre de garçons et, pour cela, il employa la somme d'argent épargnée par la reconstruction du clocher de l'église.

Gy aux XVIIIᵉ et XIXᵉ siècles

Jusqu'au milieu du XVIIIᵉ siècle, les archevêques, qui étaient en paix avec leurs citoyens de Besançon, se désintéressèrent de leur château de Gy. Entre 1754 et 1774, le cardinal de Choiseul-Beaupré entreprit de faire du château un logis princier en y ajoutant des jardins et des parterres (fig. 1). La restauration du château à cette époque et la construction de l'hôtel de ville de Gy par Alphonse Delacroix en 1848 font partie des grandes réalisations architecturales dans la commune, qui comptent même à l'échelle du département. Ces deux bâtiments témoignent d'ailleurs de la prospérité passée de Gy due au vignoble. Les travaux menés sur le château au cours du troisième quart du XVIIIᵉ siècle sont à l'origine de nombreuses autres transformations ou reconstructions dans la commune, en particulier sur les constructions les plus proches de l'édifice, dans la ville haute.

Sabrina Dalibard

L'hôtel de ville

Après la conquête française, l'application de la législation forestière définie par l'ordonnance de Colbert permit la vente des quarts de réserve (le quart des bois des communes, des hospices et autres établissements publics, qui devait être distrait pour croître en futaie). Cette mesure donna la possibilité à de nombreuses communes, dont Gy, de se doter de nouveaux équipements tels que des mairies, des lavoirs, et de faire reconstruire des édifices religieux au cours des XVIIIᵉ et XIXᵉ siècles [1].

À partir du XVIIIᵉ siècle, il exista une maison de ville à Gy (rue Ménans) qui abritait le collège et les réunions du Conseil. Cette maison appartenait à Nicolas, seigneur de Citey, à qui elle avait été confisquée pour cause de trahison. En 1783, le plancher du grenier de la maison de ville s'effondra sur la salle du conseil ; les réparations se poursuivirent jusqu'en 1785.

Un nouvel hôtel de ville néo-classique, possédant une façade de 40 mètres de long, fut construit entre 1846 et 1849 par l'architecte-peintre Alphonse Delacroix. À cette époque, la commune, qui comptait presque 3 000 habitants, était chef-lieu de canton et était dotée d'un tribunal, ce qui explique l'ampleur du projet.

En 1845, le projet d'hôtel de ville fut examiné en conseil municipal. Il devait inclure une salle de conseil, un cabinet d'archives, un petit logement pour le secrétaire de mairie, une salle de justice de paix, des cabinets pour le juge et les témoins, une grande salle de réunions publiques qui servirait aussi pour les fêtes, les représentations théâtrales, les élections...

Cet hôtel de ville néo-classique possède un plan en U composé d'un corps de bâtiment principal et de deux pavillons latéraux (fig. 2). La façade sud du corps de bâtiment principal est composée d'une galerie soutenue par six colonnes cannelées d'ordre dorique au rez-de-chaussée. Sous la toiture se déroule une corniche à modillons en forme de volutes. À l'intérieur, au rez-de-chaussée, deux grandes salles se trouvent dans le corps de bâtiment principal ; elles conservent des boiseries. Un escalier droit, dont la balustrade est en pierre

1. Gy, Arch. mun., 1M11, Biens communaux. Édifices. Hôtel de ville, salle des fêtes.

Fig. 2 – Gy, hôtel de ville, vue générale vers le nord-ouest.

2. Gy, Arch. mun., 3O62, Eaux. Fontaine et lavoir. Fontaine Charles X.

3. Arch. dép. Haute-Saône, 3 O 291, Bâtiments communaux. Lavoirs, fontaines.

calcaire, dessert l'étage. Un vestibule de plan circulaire, décoré de pilastres à chapiteaux corinthiens et d'un plafond à modillons, permet l'accès à la grande salle de l'étage (salle des fêtes).

Les édifices liés à l'eau

Les lavoirs. Ces édifices occupent une place importante dans le bourg. Trois lavoirs ont existé à Gy. Le plus ancien, construit au cours du premier quart du XIXe siècle, se trouve place de la République ; il avait été transformé en marché couvert au début du XXe siècle [2]. Le lavoir circulaire de la place du Lavoir avait été construit à la charnière des XIXe et XXe siècles pour remplacer ce premier lavoir qui était mal alimenté en eau, semble-t-il. Enfin, dans les premières années du XXe siècle (1903), un lavoir de huit places avec rinçoir fut installé dans la partie haute de la ville pour un montant de 5 950 francs. Contrairement aux deux autres, ce dernier lavoir a disparu.

La fontaine de la Grande rue. Au cours du troisième quart du XVIIIe siècle, le cardinal de Choiseul avait fait construire une machine hydraulique, actionnée par des chevaux, derrière la fontaine pour faire monter l'eau au château. En 1785, il existait en effet à cet endroit un édifice à trois bassins à ciel ouvert équipé d'un égayoir ; l'eau s'écoulait à l'époque sous la Grande rue [3].

Fig. 3 – Gy, Grande rue, fontaine, vue générale vers le nord.

SABRINA DALIBARD

En 1824, les notables de Gy souhaitèrent l'édification d'un monument digne de la ville en plein essor. Ils s'adressèrent alors à l'architecte Mielle de Gray. Toutefois, son projet déplut au préfet qui le qualifia de «mauvais goût et pas convenable pour la localité»; il imposa donc l'architecte Ridoux. Ce dernier proposa la construction d'une fontaine à l'emplacement de la source, d'un abreuvoir et d'un lavoir au nord, sur la place des Écuries. Des travaux furent effectivement réalisés par C. J. Valet en 1826 pour un peu plus de 14 000 francs. Malheureusement, Ridoux se révéla incapable de «dompter» la source.

En 1829, l'architecte-ingénieur bisontin César Convert fut donc chargé de maîtriser la source (construction d'un canal pour l'épuiser); deux ans plus tard, il proposa un projet de fontaine avec Alphonse Delacroix, l'architecte de l'hôtel de ville. Suivant une composition pyramidale, l'édifice comprenait un réservoir de plan rectangulaire, surmonté d'un château d'eau en forme de temple dorique contre lequel s'appuyaient trois bassins concentriques en cascade. Les travaux furent adjugés en 1834 à Charles Viey de Gy pour un peu plus de 15 000 francs.

Dans les années 1860-1870, l'architecte Girod de Pontarlier transforma le monument et lui donna son aspect actuel. Les trois bassins furent supprimés et remplacés par un seul. Au centre fut installé un socle en pierre de taille destiné à recevoir une statue ou un groupe sculpté. Les travaux s'élevèrent alors à 8 800 francs.

À l'image de l'hôtel de ville, édifié par les mêmes architectes (Convers et Delacroix), cette fontaine de type urbain visait à afficher la prospérité de la commune à cette époque. Son architecture est en effet quelque peu monumentale; construite au bord d'un axe principal, la Grande rue, elle participe par là même à la mise en scène de l'espace urbain. La fontaine a été restaurée en 1990 (fig. 3).

La distribution en eau des habitants du bourg (partie haute de la ville) resta problématique et, en 1897, un aménagement permit d'acheminer l'eau de la source de la Morthe vers des bornes-fontaines et vers des propriétés privées. La réception de ces travaux, réalisés par l'entreprise Delune de Grenoble, eut lieu en 1900.

LE CHÂTEAU DES ARCHEVÊQUES DE BESANÇON

Le château de Gy est l'ancienne résidence des archevêques de Besançon (fig. 4 et 5).

Son histoire est marquée par la personnalité de ses propriétaires successifs, chacun d'entre eux ayant laissé son empreinte sur l'édifice. Il a également connu de très nombreuses campagnes de constructions, destructions et transformations.

Histoire

C'est au milieu du XIIIe siècle que l'archevêque Guillaume de la Tour fit édifier un nouveau château à l'emplacement de l'ancien. Les comptes de son administration font en effet mention en 1256 de l'acquisition de la tour de Gy et de tous les édifices près du château fort. En 1255, Jean de Chalons, suzerain d'Oiselay, et d'autres gentilshommes s'emparèrent du château et le détruisirent. Après ces événements, celui-ci fut reconstruit et renforcé par les archevêques. Des vestiges de ce château du XIIIe siècle pourraient correspondre à l'angle nord-est de l'aile ouest (près de la galerie). À cette époque, le village fut également fortifié par la construction d'une enceinte flanquée de tours reliées au château. Le XIIIe siècle correspond donc à une étape marquante de l'architecture du château et du village de Gy.

Fig. 4 – Gy, château, vue vers le sud depuis l'entrée de la cour.

Fig. 5 – Gy, château, vue générale vers le nord-ouest.

SABRINA DALIBARD

Les archevêques venaient s'établir dans leur forteresse de Gy lorsque les bourgeois bisontins et les barons comtois les «menaçaient». Ils tiraient une grande assurance de ce château, ce qui déplaisait fortement aux plus puissants. Ce fut le cas du duc de Bourgogne Philippe le Hardi qui, en 1389, à la suite de son conflit avec l'archevêque Guillaume de Vergy, ruina l'édifice. Thiebaud de Rougemont commença à le remettre en état au début du XVe siècle (1404-1429).

En 1448, le château fut restauré par Quentin Ménart de Flavigny qui y adjoignit deux tours carrées : l'une flanquait la porterie au nord et communiquait avec le bourg, l'autre s'élevait au sud entre les écuries et le logis (fig. 5). Puis, en 1477, le château subit un siège et fut endommagé par Georges de la Trémoïlle, sire de Craon, acteur de la politique française, contre le parti de Marie de Bourgogne.

Vers 1500, l'archevêque François de Busleyden (1499-1502), qui résidait à Gy à cause de ses différends avec les Bisontins, fit ajouter un corps de logis et percer des fenêtres. Dans le niveau inférieur de la tour carrée nord (du trésor) furent aménagés un cabinet de travail voûté portant les armes du prélat à la clé de voûte et une chapelle, éclairée par une fenêtre en arc brisé. Cette partie du château existe encore aujourd'hui et correspond au centre (orientation nord-ouest/sud-est) de l'édifice actuel (fig. 6). Ainsi le décor de la tour d'escalier de la façade sud avec les trilobes, les accolades... et l'ornementation de la galerie, percée d'arcs brisés et voûtée sur croisée d'ogives, témoignent-ils bien d'une construction de la fin du XVe ou du début du XVIe siècle (voir fig. 4). Antoine de Vergy (1502-1541) intervint également sur l'aile gauche quelques années plus tard, ce dont attestent ses armes : trois roses posées, deux et une.

En 1570, Claude de la Baume (1545-1584) fit refaire le portail d'entrée du château, qui comporte une grande porte flanquée de deux colonnes et une petite porte adjacente avec un écu portant ses armes au-dessus du plein cintre.

Fig. 6 – Gy, château, façade nord.

Un plan de Gy en 1640 nous permet de connaître l'aspect du château à cette époque (fig. 7). Ce plan représente les différents bâtiments qui composaient alors l'édifice. Ainsi, l'entrée se faisait au sud-est du château actuel, par une « grande cour d'entrée », sorte de basse-cour dans laquelle se trouvaient des bâtiments de dépendances : grange, écurie, cave. Cette première cour donnait accès par l'est (tour Marmet) à la cour du château à proprement parler (cour d'honneur). Les logis du château étaient alors composés au rez-de-chaussée, d'est en ouest, d'un poêle, d'une cuisine, d'une salle, de la tour de la chapelle ou du trésor, de l'ancienne cuisine et, enfin, d'une grange et écurie à l'ouest.

Au sud des bâtiments se trouvait un potager, alors qu'au nord se développaient des « parterres ». Une enceinte ponctuée de cinq tours protégeait le château au nord. L'une de ces tours, au nord-est, abritait un colombier.

Ce plan nous permet de connaître l'emplacement de la chapelle du château qui se trouvait donc dans la tour carrée située au nord de l'édifice. Cette pièce est en effet encore aujourd'hui voûtée sur croisée d'ogives.

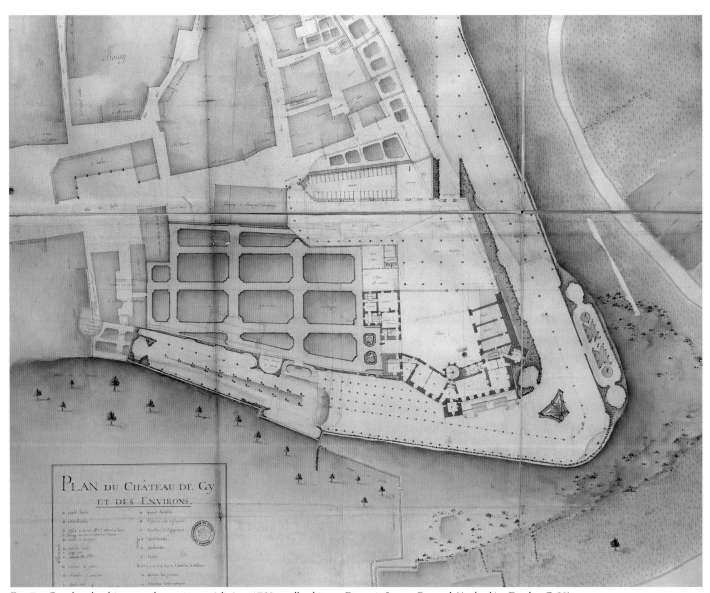

Fig. 7 – Gy, plan du château et des environs réalisé en 1759 par l'architecte François-Lazare Renaud (Arch. dép. Doubs, G 52).

Fig. 8 – Gy, château, partie occidentale de l'aile nord.

À l'intérieur du logis, certaines cheminées en marbre gris sont datables du XIXe siècle et permettent par conséquent de supposer que le château a connu des réaménagements internes à cette époque (fig. 8).

Le 23 janvier 1793, le château et ses dépendances furent vendus comme bien national à Antoine Perrot, riche propriétaire, puis la commune le racheta et en fit une école de garçons. Il fut par la suite revendu ; en 1837, 26 copropriétaires possédaient le château. Cette situation ne fut pas favorable à la bonne conservation de l'édifice. La partie centrale resta affectée à un collège jusqu'en 1976, date à laquelle le château fut vendu à un particulier.

En 1874, la commune refusa le classement Monument historique du château. Seule la tour d'escalier octogonale construite par François de Busleiden fut classée en 1922. En 1909, le maire de l'époque vendit deux statuettes de pierre situées sous le grand escalier et trois belles cheminées à un antiquaire parisien, M. Moretti. En 1991, les façades et toitures furent classées et les lambris et cheminées intérieures furent inscrits au titre des Monuments historiques.

Description de l'édifice

Le gros œuvre du château témoigne de l'usage du matériau local, la pierre calcaire. Les différentes toitures, à longs pans, à croupes, à pans coupés sur la tour d'escalier, sont quant à elles couvertes de tuiles plates.

Les bâtiments du château sont implantés en U autour d'une cour pavée fermée par un mur percé d'un portail central et d'une porte piétonne latérale.

La partie centrale du château, correspondant à la partie la plus ancienne, présente une façade sur cour percée d'une galerie et accolée d'une tour semi hors-œuvre à pans coupés abritant un escalier en vis monumental (voir fig. 4). La galerie qui jouxte la tour d'escalier est composée de trois arcades en arcs brisés. Des baies, dont les linteaux sont ornés

Fig. 9 – Gy, château, galerie, vue extérieure.

Fig. 10 – Gy, château, galerie, vue intérieure.

Fig. 11 – Gy, château, tour d'escalier, culot sculpté : ange tenant un écu.

d'accolades, éclairent une salle située au fond de cette galerie voûtée sur croisée d'ogives (fig. 9 et 10). Le sol de la galerie était, semble-t-il, couvert de terres cuites vernissées bleues ; certaines d'entre elles sont d'ailleurs conservées et sont présentées dans une vitrine à l'intérieur du château. La tour d'escalier témoigne d'un répertoire décoratif exceptionnellement riche : « contreforts » surmontés de pinacles à choux frisés, porte en anse de panier surmontée d'un fronton en arc brisé, lui-même surmonté d'une accolade à fleurons, fenêtres surmontées de trilobes (fig. 11) … Cette tour d'escalier compte 78 marches et la tourelle en encorbellement, 39. Au sommet se trouve une pièce voûtée.

Deux ailes latérales, nord et sud, ferment la cour. Elles sont percées de six travées formées par des baies quadrangulaires.

Enfin, deux tours de plan carré se situent sur les façades postérieures, la première au sud-ouest et la seconde, dans l'alignement de la tour d'escalier à pans coupés de la façade antérieure (voir fig. 5). La première est percée d'une imposante meurtrière canonnière.

Une cave se trouve sous les bâtiments, l'accès depuis la cour se faisant par une porte située à l'ouest.

SABRINA DALIBARD

Fig. 12 – Gy, château, tour carrée nord, cheminée en marbre.

Les pièces du rez-de-chaussée possèdent des cheminées témoignant d'époques, de formes et de matériaux variés. Les cheminées de l'aile sud-ouest sont de petite taille, en marbre gris, avec des lignes de foyer découpées en courbes et contre-courbes et des jambages en gaines pour celle du pignon sud-ouest. Une autre cheminée en marbre gris, de style Louis XV, à linteau à courbes et contre-courbes, jambages gainés et décor végétal, se trouve dans la tour carrée nord, faisant pendant à la tour d'escalier (fig. 12). La cheminée de la salle centrale du rez-de-chaussée de l'aile nord est une cheminée monumentale en pierre calcaire dont le trumeau est orné de corniches et de motifs évoquant des mâchicoulis ; le linteau monolithe repose sur des jambages en dévers…

Certains éléments de confort subsistent encore dans le bâtiment ; c'est le cas de latrines qui se trouvent dans la partie nord-est.

Le caractère hétérogène de l'architecture du château de Gy, dû aux nombreuses phases de constructions et de remaniements, permet difficilement de le rattacher à un style de l'histoire de l'art. La partie la plus lisible de ce bâtiment demeure la partie centrale sur cour, composée de la tour d'escalier et de la galerie dont le décor – arcs brisés, pinacles… – témoigne clairement du style gothique flamboyant.

Crédits photographiques – fig. 1 : cl. Jérôme Mongreville © Région Bourgogne-Franche-Comté, service Inventaire et Patrimoine, 1982 ; fig. 2, fig. 4 à 6, fig. 8 à 12 : cl. Jérôme Mongreville © Région Bourgogne-Franche-Comté, service Inventaire et Patrimoine, 2013 ; fig. 3 : cl. Krzysztof Golik, CC BY-SA 4.0 ; fig. 7 : cl. Jérôme Mongreville © Région Bourgogne-Franche-Comté, service Inventaire et Patrimoine, 1985.

BIBLIOGRAPHIE

Claerr 1986
Christiane Claerr, *Canton de Gy. Haute-Saône*, Besançon, 1986 (Images du patrimoine, 24).

Dodane 1966
L. J. Dodane, *Gy et son château*, 1966.

Grisel 1986
Denis Grisel, *Les fontaines-lavoirs de Franche-Comté*, Besançon, 1986, rééd. Lons-Le-Saunier, 2022.

Sidler 2002
Jean-Claude Sidler, *Gy. Au fil des rues, au fil du temps*, Besançon, 2002.

Suchaux 1866
Louis Suchaux, *Dictionnaire historique, topographique et statistique des communes de la Haute-Saône*, Vesoul, 1866.

Le bourg, le château
et l'église Saint-Hilaire à Pesmes

Christiane Roussel * et Romain Courrier **

Les deux études sur Pesmes présentées dans cet article, l'une sur le bourg castral et le château, l'autre sur l'église, témoignent de manière différente et complémentaire d'une partie de la longue histoire de cette agglomération, située dans une province qui fut longtemps aux marges de la France.

* *Conservateur honoraire du patrimoine, Inventaire général du patrimoine culturel en Franche-Comté.*

** *Doctorant en Histoire de l'art, centre Lucien Febvre (EA 2273), université de Franche-Comté.*

La première contribution traite – à partir d'une documentation archivistique peu abondante qui orienta son parti – d'histoire urbaine et d'architecture civile, c'est-à-dire de l'évolution d'un bourg et de son château du Moyen Âge à la fin du XVIIIe siècle. En ce qui concerne la demeure seigneuriale de la fin du XVIe siècle, dite le «grand pavillon», l'accent a été mis sur la reconstitution de la distribution intérieure et sur la façon dont les seigneurs du lieu s'accommodèrent au siècle des Lumières d'un édifice ancien, tout en l'agrandissant pour loger familiers et services attachés à la demeure; est également mise en lumière la façon dont cet intérieur fut remis au goût du jour, tout en renfermant une collection d'œuvres d'art, notamment de tableaux souvent de grande qualité, qui traduisait le goût de ces personnages nobles.

La seconde contribution expose les premiers résultats d'une recherche menée dans le cadre d'une thèse d'histoire de l'art sur «Denis, Hugues et Jacques Le Rupt. Œuvres architecturales singulières de la Renaissance comtoise» (université de Franche-Comté). En partant des œuvres et en recherchant les modèles, une attention particulière est portée aux superbes réalisations effectuées au XVIe siècle dans l'église Saint-Hilaire avec, en toile de fond, une analyse succincte de l'évolution de son architecture, en grande partie du début du XIIIe siècle. Il y est notamment question de l'éblouissante chapelle funéraire d'Andelot dont l'intérieur fut entièrement réalisé en marbres polychromes au milieu du XVIe siècle. L'historiographie des XIXe et XXe siècles avait, pensait-on, résolu la question des noms d'artistes attachés à sa création (dont Denis Le Rupt). Or, comme nous le verrons, les attributions sont loin d'être réglées, tout comme d'ailleurs – en l'absence de sources – l'identification du nom des maîtres d'œuvre qui bâtirent ou agrandirent le château.

Que retenir encore de cette tranche d'histoire – entre le XVIe et le XVIIIe siècle – à l'aune de cette petite agglomération, au carrefour de voies menant de la Bourgogne au cœur battant de la Comté (Dole, Gray, le grand port fluvial sur la Saône, Besançon et Vesoul)?

Tout d'abord, comme partout en Franche-Comté, un «blanc» dans son histoire : le XVIIe siècle, qui vit l'avènement de l'atroce guerre de Dix Ans et son cortège de destructions et entraîna, de ce fait, la disparition de tous ceux qui, dans la localité, animaient les réseaux de la création artistique. Ainsi s'éteignirent les grandes familles pesmoises de la noblesse d'épée ou de la bourgeoisie anoblie qui tenaient le haut du pavé de la cité au XVIe siècle et faisaient vivre artistes et architectes.

Néanmoins, il suffit de parcourir les rues de la cité pour constater que la création monumentale fut à la Renaissance d'une exceptionnelle ampleur et, en poussant la porte de

1. Voir *infra*, p. 95.

2. Les Grignet appartenaient au XVIᵉ siècle aux notables de la ville. Leur présence sur le tympan (reconnue au XIXᵉ siècle grâce à leur blason peint en bas de la scène) indique sans doute qu'ils avaient participé financièrement aux travaux de rénovation de la façade occidentale au XVIᵉ siècle.

3. Le peintre Jacques Prévost, né à Gray, eut un parcours professionnel entre Bourgogne, Franche-Comté et Champagne. Il a notamment réalisé des œuvres pour les églises de Dole, Gray et Auxonne et fut un familier du cardinal de Givry et de Jean d'Amoncourt à Langres (voir la biographie du docteur Bourdin en 1908 et le catalogue de l'exposition *Langres à la Renaissance*, 2018, notice de Stéphanie Deprouw-Agustin, p. 222-223). Catherin Mayrot (seigneur de Valay et de Mutigney) et sa femme, Jeanne Lemoyne, possédaient une grande demeure dans la rue des Châteaux (voir *infra*).

4. Et apparemment jamais collégiale, malgré la présence dans le chœur de stalles de grande qualité de la fin du XVIIᵉ siècle.

5. Voir Jacques Gardien, *L'orgue et les organistes en Bourgogne et en Franche-Comté au XVIIIᵉ siècle*, Paris, 1943, p. 11, 489 et 528 (pour Pesmes).

6. L'autel et le tabernacle, en raison de leur style, paraissent plutôt dater du milieu du XVIIIᵉ siècle.

7. Arch. dép. Haute-Saône, C 15, requête de Chambert à l'intendant pour le paiement du retable (1725).

8. Auguste Castan, *Notice sur les professeurs et les principaux élèves de l'ancienne école de peinture et de sculpture de Besançon*, Mémoires de la Société d'émulation du Doubs, 1888, p. 99.

9. Voir *infra*.

10. Date et signature sur l'œuvre : «Adrianus Richard Pinxit 1726».

11. Abbé Paul Brune, *Dictionnaire des artistes et des ouvriers d'art de la Franche-Comté*, Paris, 1912, p. 242.

12. Constitué d'un pied très décoré et d'une tige figurée par un ange aux ailes éployées soutenant le soleil, il fut doré au XIXᵉ siècle (Solange Brault-Lerch, *Les orfèvres de Franche-Comté*, Genève, 1976, p. 53, 156; Charles-Henri Lerch, « Le Soleil » de l'église de Pesmes », Mémoires de l'Académie de Besançon, t. 178, 1969, p. 49-57).

l'église paroissiale, de se rendre compte que les commanditaires prirent soin, avant de disparaître, d'œuvrer pour entretenir leur propre mémoire. On retrouve en effet, ancrés dans les murs du lieu saint, les portraits sur différents supports de quelques protagonistes de ce « siècle d'or », permettant en même temps de se remémorer tous les autres : les frères d'Andelot traduits en marbre dans leur chapelle [1], le couple Grignet en peinture murale sur le tympan du portail ouest, encadrant un Christ de Pitié [2], ou les époux Mayrot en peinture à l'huile sur les deux volets du triptyque représentant une Mise au Tombeau peint en 1561 par Jacques Prévost (vers 1505-vers 1580) [3]. En tout cas, si le XVIᵉ siècle est encore actuellement si prégnant, c'est aussi que, protégé par sa topographie, elle-même renforcée par un bon réseau de fortifications, le bourg avait finalement – du moins du point de vue matériel – peu souffert pendant cette guerre de Dix Ans, ce qui eut une incidence certaine au siècle suivant.

Avec le rattachement de la Franche-Comté à la France en 1678, les cartes rebattues aspirèrent les forces vives de la noblesse et de la grande bourgeoisie vers les lieux de pouvoir, tels Paris ou plus couramment Besançon, devenue la capitale régionale et pourvue de nouvelles institutions comme le parlement. Dans le même temps, au XVIIIᵉ siècle, notamment dans les petites bourgades rurales, la construction civile et religieuse prit une ampleur inédite pour combler les traumatismes liés aux conflits du siècle précédent, et accompagner l'essor économique ainsi que l'augmentation de la population. Dans ce contexte, on assista à une montée en puissance des édiles municipaux qui prirent en charge les travaux financés par les coupes de bois communales, les forêts comtoises constituant un véritable « or vert ».

Le bourg de Pesmes n'échappa pas à la reviviscence de tout ce territoire. Néanmoins, la bonne conservation de son architecture privée du XVIᵉ siècle ainsi que la solidité et la grande capacité d'accueil de son église susceptible de faire face à un afflux de population n'occasionnèrent pas – comme dans d'autres villages où se multiplièrent les (re)constructions, de lieux de culte notamment – des campagnes de rénovation ou de construction d'envergure.

Pourtant, autour des années 1725-1730, la commune eut à cœur de renouveler le mobilier de l'église paroissiale [4]. Tout d'abord, l'obsolescence de l'orgue, datant de la fin du XVIᵉ siècle, obligea les échevins à un renouvellement de l'instrument qui fut installé sur une tribune au fond de l'église. Ils se tournèrent vers Guillaume Mourez, un facteur d'orgues d'Auxonne (Côte-d'Or), connu pour avoir aussi travaillé à Beaune et à Dole [5]. Celui-ci fit venir un certain Morey, menuisier dans la même ville, pour réaliser le buffet en chêne en forme de lyre qui fut terminé en 1727, comme l'indique une date portée sur le meuble. Dans le même temps, en 1725, un nouvel et majestueux autel-retable principal fut installé au fond du chœur [6]. Pour ce chantier, les échevins se tournèrent cette fois vers Besançon où fut recruté un sculpteur sur bois de renom, Julien Chambert (1680-1757) [7]. Il est à noter que ce dernier, qui travailla à la fin de sa vie au décor de l'abside du Saint-Suaire de la cathédrale Saint-Jean de Besançon, fut le maître d'apprentissage de Luc Breton (1731-1800), le plus important sculpteur comtois du XVIIIᵉ siècle [8]. Il est intéressant de constater que Breton reçut lui-même commande en 1775 d'un monument funéraire qui prit place dans la chapelle seigneuriale de l'église de Pesmes [9]. Situé non loin du retable, encore d'inspiration baroque, de son maître d'apprentissage, il apportait avec son style « retour à l'antique » un grand souffle de modernité. Quant à la réalisation du grand tableau d'autel représentant saint Hilaire, patron de l'église, elle fut confiée à Adrien Richard (1662-1748) [10], un peintre bisontin très prolifique puisqu'on compte encore à son actif une centaine d'œuvres réparties dans les églises de la province [11]. Au cours du siècle, fut aussi renouvelée la vaisselle liturgique avec des commandes chez les orfèvres bisontins de renom, comme Simon Arbilleur qui réalisa en 1714 un extraordinaire ostensoir soleil en argent [12].

CHRISTIANE ROUSSEL ET ROMAIN COURRIER

Le 7 septembre 1773, un malheureux incendie engloutit dans ses flammes soixante-trois maisons et entraîna la destruction de la tour-clocher de l'église paroissiale, située à la croisée du transept. L'architecte François-Lazare Renaud (1734-1778), qui habitait la localité voisine de Gy et avait déjà donné peu auparavant un projet de restauration de ce clocher, fut à nouveau sollicité par les échevins pour, cette fois, proposer une totale reconstruction de cet élément architectural [13]. Les travaux, sous la direction de l'entrepreneur Jean-Baptiste Champagne, furent menés rondement, comme en témoigne la date de 1774 retrouvée lors d'une récente restauration sur le mur droit de la tour-clocher. Les proportions élégantes de l'ensemble couronné d'un toit à l'impériale – une forme de toiture partagée par presque toutes les églises comtoises reconstruites au XVIIIe siècle [14] – montrent les grandes qualités de dessinateur de cet architecte peu connu [15], mort à l'âge de quarante-quatre ans, dont l'œuvre majeure est constituée par l'église-halle Notre-Dame-du-Mont à Grandfontaine (Doubs). Soulignons que ce geste architectural, dû à un accident imprévu, permit au clocher du XVIIIe siècle de devenir l'un des éléments les plus marquants de l'identité visuelle de l'agglomération [16].

Il est temps maintenant, par les deux études ci-après, que nous dédions à Catherine Chédeau, d'avancer plus avant dans la connaissance de ce bourg considéré comme l'un des plus beaux de France [17].

Christiane Roussel

LE BOURG CASTRAL ET LE CHÂTEAU

La localité de Pesmes est représentative de ces petites bourgades fortifiées, chefs-lieux de châtellenie, qui émaillèrent à partir du XIe siècle la campagne comtoise, notamment le territoire de l'actuel département de la Haute-Saône [18].

À l'origine du bourg, on trouve la puissante famille de Pesmes qui évoluait dans l'entourage des archevêques de Besançon – elle occupait la fonction de maître d'hôtel [19] – et donna son nom à l'agglomération, attestée dès 1127 [20]. Le choix de l'emplacement, un rebord de plateau dominant une rivière (l'Ognon) avec un premier noyau de peuplement autour d'un *castrum*, permettait de surveiller efficacement le point guéable du cours d'eau ainsi qu'un nœud routier important allant de Dole à Gray et de Dijon à Vesoul. Dans le courant du XIIe siècle, support logistique indispensable au château, un bourg marchand de plan quadrangulaire, irrigué par trois principaux axes orientés est-ouest et s'étirant parallèlement à l'abrupt [21], fut adjoint à l'ouest du *castrum*. Sans doute dans le même temps, un quartier bas s'installa au pied de la falaise, face à la rivière (fig. 1). Les trois parties de l'agglomération ainsi constituées furent dotées d'équipements spécifiques : un prieuré de bénédictins dépendant de l'abbaye Saint-Germain d'Auxerre, créé dans la basse-cour du château en 1153 ; dans le bourg marchand, une halle et un marché probablement implantés dans une grande rue sciemment élargie pour accueillir des bancs de marchands (fig. 2) ; dans la partie basse, des moulins et un hôpital sous le vocable de saint Denis, fondé en 1327 [22].

L'église actuelle, dédiée à saint Hilaire, fut érigée au début du XIIIe siècle [23]. Elle se substitua au vieux centre paroissial de Saint-Paul de Tombe, situé sur la rive gauche de l'Ognon, dans un lieu isolé à six cents mètres environ de l'agglomération. Elle occupe, à l'extrémité ouest du bourg marchand, une position inhabituelle, diamétralement opposée au château, peut-être en raison de la présence plus ancienne d'un oratoire et d'un cimetière sur le site d'une villa gallo-romaine, tous deux repérés par des travaux archéologiques sur le parvis de l'église [24].

13. Je remercie Jean-Louis Langrognet pour la communication d'un résumé concernant ces travaux (notice de préfiguration d'un dictionnaire des églises de la Haute-Saône) et des cotes d'archives s'y rapportant, notamment, des plans et devis de la reconstruction du clocher et de plusieurs fontaines, 17 décembre 1773. Le financement s'effectua par la vente par la municipalité de 74 arpents 68 perches de bois communaux pour 11 874 livres (Arch. dép. Haute-Saône, B 9344).

14. On estime à plus de 600 le nombre de clochers du XVIIIe siècle possédant cette forme en Franche-Comté, dont 277 en Haute-Saône, le prototype étant sans doute celui de la cathédrale Saint-Jean de Besançon, reconstruit entre 1729 et 1735 par les architectes Jean-Pierre Galezot (tour) et Nicolas Nicole (clocher).

15. Il ne figure pas, par exemple, dans le catalogue de l'exposition *Architecture en Franche-Comté au XVIIIᵉ siècle*, organisée par les archives départementales du Doubs et de la Haute-Saône en 1980.

16. Pour plus d'informations sur le patrimoine pesmois, voir les dossiers Inventaire/Pesmes/architecture et objets dans la base de données « Inventaire et patrimoine Bourgogne Franche-Comté », ainsi que Christiane Claerr, *Canton de Pesmes*, coll. « Images du Patrimoine », n° 163, Besançon, 1985.

17. D'où une attitude d'extrême prudence et d'humilité qu'il s'agirait de respecter lors de toute nouvelle intervention dans un tissu urbain très ancien qui a été miraculeusement préservé jusqu'à aujourd'hui.

18. Sur la formation du bourg, voir Jean-Claude Voisin, « Pesmes aux origines d'un bourg castral du XIIe siècle », *Le Jura français*, n° 182, 1984, p. 14-15 ; Éric Affolter, André Bouvard et Jean-Claude Voisin, « Pesmes », dans *Atlas des villes de Franche-Comté*, I, *Les bourgs castraux de la Haute-Saône*, Nancy, 1992, p. 162-165.

19. En 1066, le sire de Pesmes était nommé parmi les grands officiers d'Hugues Ier en qualité de dapifer, c'est-à-dire maître d'hôtel (*La Haute-Saône, nouveau dictionnaire des communes. Luxeuil-Poncey*, Société d'agriculture, lettres, sciences et arts de la Haute-Saône [SALSA], t. 4, 1970, p. 343).

20. É. Affolter, A. Bouvard et J.-Cl. Voisin, « Pesmes », *op. cit.* note 18, p. 162.

21. Actuelle Grande Rue encadrée à gauche par la rue des Châteaux et à droite par la rue Gollut.

22. É. Affolter, A. Bouvard et J.-Cl. Voisin, « Pesmes », *op. cit.* note 18, p. 162-163.

23. Maria Bouchard, « Un édifice du début de l'art gothique comtois, l'église paroissiale Saint-Hilaire », *Bulletin du centre de recherche d'art comtois*, n° 8, 1994-1995, p. 5-13.

24. David Billoin, « Pesmes, place du Portail », *Archéologie médiévale*, n° 38, 2008, p. 221 ; Jacques Mourant, « Pesmes du XIIe au XIVe siècle », *Revue Haute-Saône SALSA*, t. 96, 2016, p. 62.

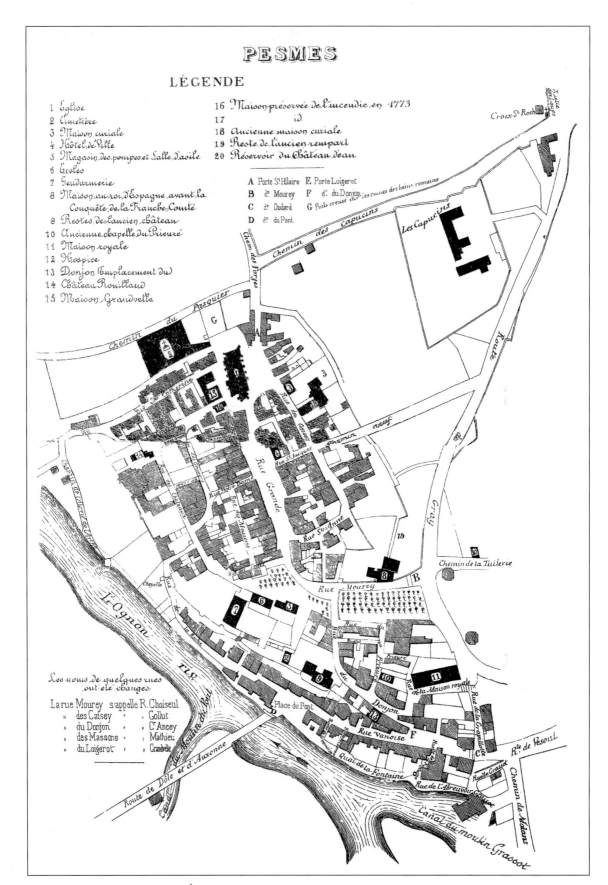

Fig. 1 – Pesmes, plan du village par Étienne Perchet (extrait de *Recherches sur Pesmes*, Gray, 1896).

CHRISTIANE ROUSSEL ET ROMAIN COURRIER

Fig. 2 – Pesmes, vue de la Grande Rue et de l'église.

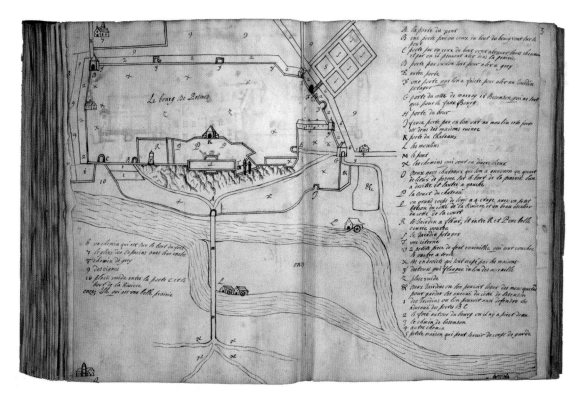

Fig. 3 – Pesmes, plan à la plume du bourg castral, vers 1640 (SHD Vincennes, Département bibliothèque, Génie, Atlas 106, vol. 1, feuille 40, Pesmes).

Fig. 4 – Pesmes, vue de la façade postérieure de la porte Saint-Hilaire.

Le plan dessiné à la plume tiré de l'atlas 106 établi vers 1640, lors de la guerre de Dix Ans, par des ingénieurs français au moment de l'occupation intermittente de la Franche-Comté par les troupes de Louis XIII constitue l'un des rares documents figurés concernant l'agglomération avant la Révolution (fig. 3) [25]. La représentation très précise de l'état de la place en vue d'y effectuer des réparations – elles ne furent finalement pas réalisées [26] – montre une enceinte fossoyée, flanquée de tours, réalisée probablement en pierre au XIVe siècle. Selon le même plan, les murailles entourant chacune des trois parties du bourg étaient percées de huit portes dont deux subsistent – les portes Saint-Hilaire (fig. 4) et Loigerot. Des fortifications protégeaient en outre le château, avec une porterie monumentale donnant accès à la cour antérieure au fond de laquelle l'habitation proprement dite, appelée le «grand pavillon», fut bâtie à la fin du XVIe siècle, peut-être pour Antoine de La Baume (1557-1595) [27]. Elle remplaçait l'édifice primitif situé plus à l'est, qui avait, paraît-il, brûlé.

Ce document montre que la physionomie du bourg a peu changé jusqu'à aujourd'hui, depuis l'empreinte des enceintes jusqu'à ses monuments emblématiques : la trace du «grand pavillon» isolé sur son rocher ; la «maison royale [28]» ; la grande écurie à droite du logis perpendiculaire à l'abrupt (fig. 5), séparant la cour d'honneur du jardin d'agrément ; les six planches du grand potager situé hors les murs dont il subsiste encore deux tourelles d'angle ; les moulins sur l'Ognon ; et même le centre mou du bourg marchand exempt de maisons à cause de l'amplitude de la Grande Rue (mais celles du pourtour sont figurées par des X). L'église Saint-Hilaire à l'ouest, bien à l'abri des remparts, ne figure pas sur le plan, à la différence du couvent de capucins nouvellement bâti (entre 1617 et 1623) [29], très exposé car situé en dehors des fortifications.

25. Atlas 106, Recueil factice, «Collection de plans : France, Flandre, Hollande, Allemagne. Sièges, camps, batailles, XVIIe siècle». Il est conservé à la bibliothèque du service historique de la Défense à Vincennes (SHD Vincennes, Département bibliothèque, Génie, Atlas 106, volume 1, feuille 40, Pesmes).

26. Émilie d'Orgeix et Isabelle Warmoes, «Une "visite" militaire des places de Franche-Comté durant la première conquête de Louis XIV (1668)», Bulletin du Comité français de cartographie, no 167, mars 2001, p. 8, note 5.

27. Jacques Mourant, «Un bourg comtois, Pesmes, du seizième au dix-huitième siècle», Revue Haute-Saône SALSA, supplément au no 60, 2005, p. 99.

28. Grande bâtisse à l'est du château qui était intégrée aux fortifications et servit au XVIIIe siècle de ferme et de magasin à fourrage (Gaston de Beauséjour et Charles Godard, Pesmes et ses seigneurs du XIIe au XVIIIe siècle, Vesoul-Paris, 1919, t. 3, p. 289).

29. Jules de Trévillers, Sequania Monastica, Dictionnaire des abbayes, prieurés, couvents, collèges & hôpitaux conventuels, ermitages de Franche-Comté et du diocèse de Besançon antérieurs à 1790, s. d. [1950], Vesoul, p. 171.

Fig. 5 – Pesmes, vue des grandes écuries.

CHRISTIANE ROUSSEL ET ROMAIN COURRIER

Quant au tissu urbain du bourg, si la période médiévale se dérobe à la lecture dans les parties visibles en élévation, on peut encore observer actuellement une grande continuité dans les pratiques constructives entre le XVIe et le XVIIIe siècle, avec des façades à longs pans sur rue, parfois en pierre de taille, la présence de hauts toits pentus couverts en tuile plate avec des pignons bordés de ruellées et des entrées de caves monumentales donnant sur la chaussée [30] (fig. 6). Malgré tout, une forte empreinte Renaissance a résisté au passage des siècles, en particulier dans les grosses demeures de la rue des Châteaux, construites en ordre lâche au bord de l'abrupt dans le prolongement de la maison seigneuriale et occupées par la noblesse d'épée, comme les Mouchet de Château-Rouillaud, ou encore la *gentry* locale, comme les Mayrot ou les Landriano Je [31] (fig. 7). De part et d'autre de la Grande Rue, dont le parcellaire laniéré datant du Moyen Âge a bien résisté, certaines façades, comme ailleurs dans le bourg, furent néanmoins remises au goût du jour au XVIIIe siècle, étant entendu que peu de maisons furent bâties *ex nihilo* à l'époque.

Le château au XVIIIe siècle

Au XVIIIe siècle, aux seigneurs de La Baume-Montrevel, dont le dernier du nom fut Charles-Ferdinand-François mort en 1736, succédèrent, à partir de 1755 et jusqu'à la Révolution, les Choiseul-La Baume-Stainville [32]. Ces grands seigneurs ne fréquentaient plus leur château qu'épisodiquement en tant que résidence de campagne, mais ils y préservaient encore, outre du mobilier de qualité, des œuvres d'art de valeur témoignant de leur goût et de leur cadre de vie.

Fig. 6 – Pesmes, maison, 6 rue Saint-Hilaire : entrée d'une cave monumentale avec le nom du propriétaire et la date « 1791 » sur le linteau.

Fig. 7 – Pesmes, hôtel de Landriano, 6 rue des Châteaux, façade postérieure.

30. Celle, particulièrement importante, de la maison au n° 6 de la rue Saint-Hilaire porte la date de 1790 et l'inscription «Jean Adam Iaegre M. V». L'un des points forts de l'économie locale était en effet la culture de la vigne et, à partir de 1660, avec la création d'une usine sidérurgique comprenant haut-fourneau et forge d'affinerie, la production de fonte et de fer.

31. L'hôtel des Mouchet de Château-Rouillaud est situé 2 rue des Châteaux, celui des Landriano, 6 rue des Châteaux et celui des Mayrot, 12 rue des Châteaux.

32. Par mariage en 1755 de Diane-Gabrielle de La Baume-Montrevel (1729-1792) à Claude-Antoine-Clériadus de Choiseul (1733-1794), cousin d'Étienne-François de Choiseul, ministre de Louis XV (notamment par sa mère), neveu du cardinal Antoine-Clériadus de Choiseul-Beaupré, archevêque de Besançon entre 1753 et 1774. À son mariage, il dut adjoindre le nom de sa femme (La Baume) à son patronyme; devenu duc en 1787 par l'élévation de la terre de Pesmes en duché-pairie, il prit le nom de Choiseul-Stainville : voir G. de Beauséjour et Ch. Godard, *Pesmes et ses seigneurs…*, *op. cit.* note 28, p. 282-287.

33. Je remercie monsieur du Chatelle-Résie pour la visite de l'aile XVIIIe siècle du château.

34. Voir le rapport de Nathalie Bonvalot, *Pesmes, Haute-Saône, château, sauvetage temporaire*, Service régional de l'archéologie, DRAC de Franche-Comté, 1986.

35. G. de Beauséjour et Ch. Godard, *Pesmes et ses seigneurs…, op. cit.* note 28, p. 339, n. 2.

36. *Ibid.*, p. 338.

Les travaux d'extension du début du XVIIIe siècle. Si l'on en juge par le style, c'est au début du XVIIIe siècle que fut adjointe, à l'est du « grand pavillon » de la fin du XVIe siècle, une grande aile pour accueillir divers services et les familiers du château ; elle fut en partie assise sur un vaste sous-sol voûté d'arêtes, aménagé à la même époque et soutenu par de gros piliers quadrangulaires [33]. Plus à l'est, ce sont les vestiges du *castrum* qui formèrent le soubassement du nouvel édifice, certains recoins de ce sous-sol conservant encore les restes d'une haute cheminée encadrée par deux fenêtres à coussièges datables du XIVe siècle [34]. Furent réaménagées à la même époque les grandes écuries déjà présentes sur le plan de l'atlas 106, derrière lesquelles se trouvait le jardin d'agrément doté, au bord de l'abrupt, d'une gloriette permettant d'admirer le paysage. Deux pavillons de communs furent construits à l'entrée de la cour d'honneur, fermée par une grille en fer forgé qui a disparu à la Révolution. À l'avant des pavillons, le « petit parterre », donnant sur la rue qui conduisait au bourg marchand, fut vendu à la municipalité en 1823 pour créer une place [35]. Le pavillon de droite était prolongé par le bâtiment des remises datant de la même époque. Malheureusement, l'auteur de ces aménagements – probablement amorcés par Charles-Ferdinand-François de La Baume-Montrevel (1695-1736) – n'est pas connu.

En 1796, le château fut vendu comme bien national et le logis seigneurial complètement détruit, l'aile du XVIIIe siècle ayant été sauvée par l'intervention de l'administration centrale du département qui mit fin au saccage le 12 floréal an V (1er mai 1797) [36] [fig. 8].

Fig. 8 – Pesmes, façade sud du château : à gauche, restes du « grand pavillon » de la fin du XVIe siècle ; à droite, partie construite au début du XVIIIe siècle.

CHRISTIANE ROUSSEL ET ROMAIN COURRIER

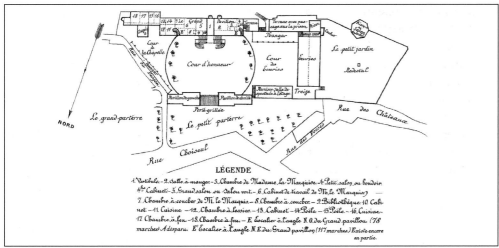

Fig. 9 – Pesmes, plan du château en l'an IV par Étienne Perchet (extrait de *Recherches sur Pesmes*, Gray, 1896).

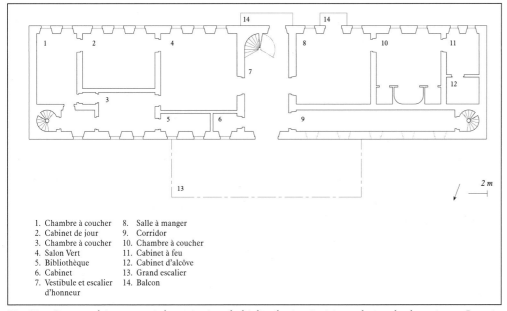

1. Chambre à coucher
2. Cabinet de jour
3. Chambre à coucher
4. Salon Vert
5. Bibliothèque
6. Cabinet
7. Vestibule et escalier d'honneur
8. Salle à manger
9. Corridor
10. Chambre à coucher
11. Cabinet à feu
12. Cabinet d'alcôve
13. Grand escalier
14. Balcon

Fig. 10 – Pesmes, château : essai de restitution de la distribution intérieure du rez-de-chaussée par Romain Courrier, 2020 (d'après les mesures d'Étienne Perchet).

Le « grand pavillon » : essai de restitution de la distribution intérieure. La légende du plan de l'atlas 106 (vers 1640) donne une description de ce corps de logis principal qui apparaissait alors comme un grand bâtiment allongé et isolé sur le rebord de plateau. Elle indiquait que ce « grand corps de logis de quatre étages avec un petit bastion du côté de la rivière » – en réalité un sous-sol et deux étages, ce qui fait effectivement quatre niveaux – possédait aussi un bel escalier extérieur du côté de la cour qui fut matérialisé sur le plan.

En 1896, se fondant sur l'inventaire révolutionnaire de l'an IV (septembre 1795-septembre 1796) précédant la vente du château, un érudit local, Étienne Perchet, fit une description minutieuse de l'intérieur, assortie d'un plan d'ensemble de l'édifice [37] (fig. 9). En revanche, rien n'était dit sur l'aspect des façades extérieures ni sur celui des toitures. Cet édifice de plan massé à deux étages carrés, de 48 m de long sur 11 m de large, présentait une façade sud à l'aplomb de l'abrupt donnant sur la rivière, la façade nord faisant face à la cour d'honneur [38] (fig. 10).

37. Étienne Perchet, *Recherches sur Pesmes*, Gray, 1896, p. 412-422, plan non paginé.

38. Les mesures en pieds et pouces de Perchet ont servi à donner, dans ce texte, une idée du gabarit du bâtiment, du grand escalier et de la superficie des pièces en mètres carrés, et à proposer un croquis sur la disposition supposée des pièces et des escaliers.

Dans le soubassement étaient installés une cuisine, un office, deux caves et la chambre des archives. L'accès au rez-de-chaussée surélevé s'effectuait par le grand degré, déjà en place, nous l'avons vu, vers 1640. De forme symétrique, il mesurait 20 m de long sur 5 m de large.

La porte d'entrée au centre de la façade nord, encadrée de deux pilastres supportant un fronton et décorée de bossages, donnait accès à un large vestibule traversant en profondeur le corps de logis au fond duquel était logé un grand escalier en vis à «limon mouluré»[39]. Construit en pierre de taille et «en viorbe évidée», c'est-à-dire à noyau creux, il distribuait les deux étages du logis et prenait jour, comme le vestibule, par une porte-fenêtre ouvrant sur un petit balcon aménagé sur la roche du promontoire.

À droite du vestibule se trouvaient plusieurs pièces en enfilade donnant au sud. Tout d'abord, une salle à manger de près de 57 m² éclairée par deux fenêtres et une porte-fenêtre vitrée; celle-ci donnait accès à un autre pseudo-balcon formé par un aplat de l'abrupt, muni d'un garde-corps grillagé soutenu par deux montants en fer. Elle était suivie d'une chambre à coucher de 36 m² comprenant deux fenêtres, puis d'un cabinet à feu d'environ 17 m² avec deux fenêtres, et enfin d'un cabinet d'alcôve de 10 m², les deux dernières pièces constituant d'après Perchet l'appartement de madame de Choiseul. Sur

Fig. 11 – Cheminée provenant de l'hôtel Cazenat à Besançon, marbre polychrome, 1565 (Dole, musée des Beaux-Arts, Inv. 627).

CHRISTIANE ROUSSEL ET ROMAIN COURRIER

toute la longueur de cette partie droite, un corridor *intramuros*, donnant au nord sur la cour et éclairé par plusieurs fenêtres, aboutissait à un escalier en vis situé à l'angle nord-ouest du bâtiment, le même existant à l'angle nord-est [40].

À gauche du vestibule, et donnant toujours au sud, on entrait dans un salon (dit « salon vert ») d'environ 63 m², doté d'un « grand fourneau » en faïence et éclairé par trois fenêtres ; lui faisait suite un cabinet de jour de 42 m². Venait enfin la chambre à coucher de monsieur de Choiseul comprenant deux fenêtres et mesurant 30 m². Le long de la façade nord, se trouvait une chambre à coucher de 26 m² prenant jour sur cour par deux fenêtres. Elle communiquait avec une bibliothèque possédant deux fenêtres, à l'extrémité de laquelle était situé un petit cabinet. Depuis les deux chambres à coucher situées à gauche du vestibule, on pouvait aussi accéder à l'escalier en vis de l'angle nord-est.

Au premier étage, toujours dans la partie gauche au-dessus du salon vert, une grande salle de billard de 158 m² occupait toute la profondeur du bâtiment. Elle était éclairée par quatre fenêtres au sud et six sur cour. Sa cheminée dite à l'antique « était ornée de sculptures et de cariatides dans ses jambages et était peinte de différentes couleurs » à l'image de celle de l'hôtel Cazenat à Besançon (fig. 11) [41].

À l'extrémité de cette salle existait une antichambre de 25 m² comprenant deux fenêtres au sud suivie de divers cabinets. Au deuxième étage, encore à gauche, se trouvaient cinq chambres avec cabinets orientées au sud et distribuées par un long corridor sur cour. Dans la partie droite, au premier comme au deuxième étage, des chambres également situées au sud, assorties de cabinets, étaient également distribuées au nord par un grand corridor, réplique de celui du rez-de-chaussée.

Les appellations de chaque pièce en l'an IV faisaient référence à des fonctions propres au XVIIIe siècle. Mais ces pièces n'ayant apparemment pas été divisées, la disposition de la fin du XVIe siècle peut être, sans trop d'erreurs, en partie restituée. Le rez-de-chaussée était vraisemblablement composé, de part et d'autre du vestibule, de deux appartements donnant au sud, avec des pièces de taille décroissante comprenant antichambre, chambre et cabinet (le cabinet d'alcôve droit étant peut-être une garde-robe). À moins que la salle à manger du XVIIIe siècle ne fût à l'origine une sallette, suivie d'un appartement de trois pièces. Sur cour, la suite de trois pièces de taille également décroissante constituait probablement un autre appartement. Quant à la salle de billard à l'étage, elle représentait manifestement la grande salle du château avec sa cheminée monumentale à l'antique.

En résumé, l'organisation générale de la demeure, avec ses organes de circulation très développés assurant l'autonomie de ses différentes parties, était d'une grande clarté. Louis XIV, de passage au château de Pesmes en 1668, ne s'y était pas trompé puisqu'il en avait, paraît-il, admiré la belle ordonnance, la magnifique vue sur l'Ognon, tout en appréciant la commodité des dedans [42].

Le « grand pavillon » : sous-œuvre et décor intérieur. La description de l'an IV abonde encore en détail sur l'aspect des fenêtres et du décor de certaines pièces.

C'est dans le dernier tiers du XVIIIe siècle que certaines fenêtres des pièces les plus importantes furent refaites en « verre de bohême » pour être mises au goût du jour, comme celles de la chambre à coucher de madame, du salon vert, du cabinet de jour et de la chambre à coucher de monsieur. Mis à part celles du salon, formées chacune de dix grands carreaux (de 48 cm de haut sur 38 cm de large chacun), les autres baies comprenaient chacune huit carreaux (de 48 ou 46 cm de haut sur 38 cm de large), sans compter le vitrage de l'imposte de la grande porte d'entrée composé d'un verre circulaire de 62 cm de diamètre

40. Néanmoins, nous ne savons pas si ces escaliers étaient contenus dans des tours ou s'ils étaient dans œuvre.

41. Les cheminées décorées de cariatides étaient assez répandues à la fin du XVIe siècle en Franche-Comté dans les demeures d'un certain standing, peut-être en partie grâce à la diffusion du *Second livre d'architecture* de Jacques Androuet Du Cerceau paru en 1561 qui en présentait un certain nombre à la fantaisie très débridée. La cheminée choisie provenant d'un hôtel urbain n'est probablement pas aussi monumentale que celle d'un château de la même époque, mais elle en préserve l'esprit.

42. G. de Beauséjour et Ch. Godard, *Pesmes et ses seigneurs…, op. cit.* note 28, p. 219 et 289 (note 2).

Fig. 12 – Besançon, hôtel de Ligniville (construit en 1774 pour la comtesse Jeanne-Marguerite de La Baume-Montrevel) : vue de la cheminée du salon.

encadré de deux carreaux. Produits par les nouvelles verreries lorraines de Saint-Quirin et de Baccarat créées respectivement en 1749 et en 1765, ces carreaux de verre de grande taille et d'une exceptionnelle transparence occupaient ici toute la largeur des battants de fenêtres [43]. Produits de luxe rare et coûteux, il n'est pas étonnant qu'ils apparaissent dans l'inventaire révolutionnaire au même titre que les lambris, d'autant qu'ils avaient été utilisés au château avec beaucoup de prodigalité [44].

Nous savons aussi que les plafonds de la salle à manger, de la chambre à coucher droite, du salon vert, du cabinet de jour et de la bibliothèque étaient à poutres et solives. Tandis que le cabinet à feu de madame de Choiseul et la chambre de son mari possédaient des « plafonds sous poutres », c'est-à-dire recouverts d'un enduit, celui de monsieur de Choiseul était décoré en son centre d'une rosace en forme de « corbeille ». Dans cette chambre, les boiseries de hauteur en chêne étaient blanches, mais quantité de détails peints en doré rehaussaient l'éclat de la pièce, depuis les agrafes aux angles du plafond, les moulures de la voussure et ceux des panneaux des boiseries. Les lambris blanc et or, à la mode à partir du dernier tiers du XVIIIe siècle, indiqueraient que le décor de cette pièce aurait été refait à cette époque, ce qui est confirmé par l'aspect de la cheminée en marbre rouge de Sampans (Jura) à décors de marbre blanc, typique de la production locale de cheminées à incrustations de marbres des années 1770-1789 (fig. 12). À l'inverse, les boiseries de hauteur en chêne du cabinet de jour attenant, peintes de couleur « jonquille vernissée » avec des agrafes sculptées au-dessus des panneaux, témoigneraient plutôt d'une rénovation de l'époque Louis XV. Notons que dans les autres pièces importantes, à l'exception de l'antichambre située près de la grande salle du premier étage « boisée dans tout son pourtour et sur toute la hauteur », aucune autre lambrissure n'était signalée. L'absence de boiseries dans certaines pièces parmi les plus importantes s'expliquait par la présence de tapisseries de haute lice. En effet, dans l'inventaire après décès de Charles-Ferdinand de La Baume-Montrevel en 1736 [45], le salon « vert » était par exemple revêtu de quatre pièces de tapisseries des Flandres qui étaient estimées au prix élevé de 396 livres, trois autres pièces de haute lice décorant la « chambre » (future chambre à coucher) située au rez-de-chaussée sur cour.

43. Voir Christiane Roussel, « L'usage du verre à vitre en Franche-Comté aux XVIIe et XVIIIe siècles », dans *Verre et fenêtre de l'Antiquité au XVIIIe siècle*, Actes du colloque international de l'association Verre et Histoire, Paris-Versailles, 13-15 octobre 2005, Paris, 2009, p. 183-184.

44. À titre de comparaison, pour la nouvelle intendance de Franche-Comté construite en 1772 à Besançon, seul le salon en rotonde du premier étage et les « cabinets de monsieur et madame l'intendant » avaient été vitrés avec des verres de Bohème.

45. Arch. dép. Haute-Saône 7 E 3158.

CHRISTIANE ROUSSEL ET ROMAIN COURRIER

Une collection pour le plaisir des yeux. On ne peut évoquer le cadre de vie des seigneurs de Pesmes sans s'attacher aussi aux œuvres d'art dont ils s'étaient entourés. Déjà en 1736, la présence de deux peintres pesmois, Louis Duvigeon (vers 1678-1766) et Charles Guillot (1695-1762) [46], avait été requise, car il se trouvait au château « quantité de tableaux de prix ».

La collection des Choiseul au château de Pesmes fut saisie en 1794 (an III) et envoyée au dépôt du couvent des cordeliers de Gray pour en réaliser l'inventaire [47]. C'est un peintre dijonnais d'un certain renom, Anatole Devosge [48], qui vint de Paris à Gray pour examiner les quatre-vingt-dix-neuf tableaux et les quatorze sculptures confisqués [49].

Ce n'est pas le lieu ici de faire une étude poussée des deux cent huit tableaux décrits en 1736 (hors portraits de famille) ainsi que de ceux répertoriés en 1794. Ces deux inventaires nous permettent néanmoins de savoir quel type de peintures décorait les pièces du château au XVIIIe siècle et de nous interroger sur le goût de leurs occupants, même si leur collection était affaire non pas toujours de choix, mais aussi de legs, comme l'héritage en 1774 du cardinal de Choiseul-Beaupré, archevêque de Besançon, au profit de son neveu Claude-Antoine-Clériadus [50].

En 1736, les natures mortes et les paysages représentaient 46 % de la collection (soit quatre-vingt-quatorze tableaux) : on trouvait ainsi dans le salon vert, outre les tapisseries, huit natures mortes de fruits et de gibier, deux autres de grand format représentant « une table couverte d'un tapis de Turquie », que l'on signalait encore dans l'inventaire de 1794 sous le numéro seize, sans compter trois dessus de porte figurant des paysages. Venaient ensuite trente-quatre tableaux religieux (17 % du total), seize scènes de genre (soit 8 %), douze tableaux mythologiques, le reste se partageant entre quelques scènes animalières, quelques marines ou la représentation des saisons. À noter que, chez ces seigneurs à la vocation guerrière, seuls quatre tableaux figuraient des batailles.

À la même époque, il existait quatre-vingt-quinze portraits de famille, alliés et amis, et vraisemblablement plus à la fin du siècle. À l'exception de quelques-uns, tous furent brûlés à la Révolution [51], dont probablement deux portraits de Louis XIV signalés en 1736. Certains étaient encore décrits dans l'inventaire de 1794, car, pour une raison ou pour une autre, ils avaient échappé à l'autodafé. Le cas du portrait du maréchal Maurice de Saxe (1696-1750) est assez émouvant puisque, nous dit Anatole Devosge, ce beau tableau, signé Frédou [52] et daté 1750, avait été couvert de couleurs à l'huile afin d'effacer le bâton de maréchal et « d'autres signes de féodalité », couleurs qui n'avaient pas encore séché lors de l'inventaire (fig. 13). Envoyé à l'école centrale de Vesoul, il fut, comme une poignée d'œuvres, restitué en 1824 par le Département au duc Claude-Antoine-Gabriel de Choiseul (1760-1838) [53], et l'ensemble fut déposé au château de Ray-sur-Saône (Haute-Saône) chez sa fille Jacqueline Béatrix Stéphanie (1782-1861), épouse depuis 1804 du comte, puis duc, Philippe Gabriel de Marmier (1783-1845). C'est ainsi qu'un buste de Stéphanie enfant en terre cuite sur un socle en granit (tel que décrit dans l'inventaire révolutionnaire au n° 67), signé par le sculpteur François Martin (1760-1804) et daté 1788 [54], se retrouva près de quarante ans plus tard, après un court séjour à Pesmes, dans les collections de la famille de Marmier [55] (fig. 14).

Si l'on revient en 1794, les natures mortes, les paysages et les scènes de genre représentaient plus de 60 % du total, avec une nette diminution du nombre de tableaux religieux (9 %), due probablement à leur destruction récente, notamment ceux de la chapelle [56]. En outre, grâce à la précieuse expertise de Devosge, on est en mesure d'apporter d'autres informations. En ne tenant compte que des tableaux attribuables à un artiste (ou sa copie), une école ou un pays, les œuvres du Siècle d'or des écoles du Nord, représentées par trente-deux

46. Le premier était probablement originaire de Bourg-en-Bresse. On connaît deux tableaux de sa main : un portrait de parlementaire conservé au musée des Beaux-Arts de Besançon et un autre portrait à l'hôpital Saint-Jacques. Le second, originaire de Besançon, semble s'être plutôt spécialisé dans la création de tableaux religieux dont certains sont conservés dans les églises de Bletterans, Oiselay-et-Grachaux et Chemaudin. Il fut aussi expert dans plusieurs inventaires, dont celui de l'avocat Perreciot en 1742 (merci à Yohan Rimaud pour ces précieux renseignements).

47. Arch. dép. Haute-Saône, 1 Q/12, inventaire de 14 pluviôse an III (merci à Jean-Louis Langrognet de m'avoir signalé cet inventaire).

48. Anatole Devosge (1770-1850), élève du peintre Jacques-Louis David, fils de François Devosge, né à Gray en 1732, mort à Dijon en 1811, qui fut le fondateur de l'école de dessin et du musée des Beaux-Arts de Dijon. Il était accompagné du peintre François-Nicolas Mouchet (1750-1814) d'origine grayloise. Ces deux peintres sont qualifiés dans la pièce d'archives de « célèbres artistes de Paris ».

49. Les numéros affectés aux œuvres allaient jusqu'à soixante-neuf, car certaines d'entre elles avaient été regroupées pour former des séries, telles les « douze figures en plâtre d'après l'antique » au n° 68.

50. G. de Beauséjour et Ch. Godard, *Pesmes et ses seigneurs…*, op. cit. note 28, p. 294 et note 4.

51. *Ibid.*, p. 327.

52. Jean-Martial Frédou (vers 1711-1795), peintre et aquarelliste de talent, est un portraitiste connu pour avoir réalisé des portraits de Marie-Antoinette, Louis XVIII et du duc de Bourgogne, ces deux derniers conservés au château de Versailles (voir Emmanuel Bénézit, *Dictionnaire des peintres, sculpteurs, dessinateurs et graveurs*, Paris, 1939, t. 1, p. 895 et t. 2, p. 338).

53. G. de Beauséjour et Ch. Godard, *Pesmes et ses seigneurs…*, op. cit. note 28, p. 338. Claude-Antoine-Gabriel de Choiseul avait épousé sa cousine, Marie-Stéphanie de Choiseul-Stainville (1763-1833), la propre nièce du ministre de Louis XV, François-Étienne de Choiseul.

54. Cette représentation d'enfant eut un grand succès à la fin du XVIIIe siècle, si bien qu'il en existe plusieurs reproductions –tant en plâtre ou en terre cuite qu'en marbre – dans différents musées et collections.

55. Actuellement, ces collections appartiennent par donation au Département de la Haute-Saône. Qu'il me soit donné de remercier monsieur le président du conseil départemental de la Haute-Saône de son intérêt pour mes travaux et madame Marion Lenoir qui a facilité mes recherches.

56. G. de Beauséjour et Ch. Godard, *Pesmes et ses seigneurs…*, op. cit. note 28, p. 336.

Fig. 13 – Portrait du maréchal de Saxe attribué à Jean-Martial Frédou, huile sur toile, 1750 (Coll. Département de la Haute-Saône, Inv. 014-107-31).

Fig. 14 – Buste de Stéphanie de Choiseul, signé François Martin, terre cuite, 1788 (Coll. Département de la Haute-Saône, Inv. 2014-110-15).

peintures, émergeaient de la liste devant les Italiens (au nombre de vingt) et bien loin des Français représentés par sept tableaux, dont un seul attribué à un peintre comtois, Gaspard Gresly (1712-1756), pourtant si prisé au XVIIIᵉ siècle chez les amateurs d'art de la province.

Si, comme nous l'avons dit, il est difficile de départager les achats des héritages, il demeure que, outre les portraits de famille, les natures mortes, les paysages et les scènes de genre, en particulier ceux réalisés par des peintres du Nord, étaient les plus représentés dans les différentes pièces du château, leur petit format – souvent moins d'un mètre – facilitant leur accrochage. Ce goût pour les peintures nordiques n'était pas propre aux seigneurs de Pesmes. Il était partagé au XVIIIᵉ siècle par de nombreux collectionneurs français, en raison notamment du très dynamique marché de l'art des Provinces-Unies et de la publication de part et d'autre de la frontière de listes des meilleurs peintres hollandais que chaque collectionneur se devait de posséder [57].

À titre d'exemple et pour rester dans la famille, il est intéressant de se pencher sur la vente en 1772 de la collection de tableaux du ministre de Louis XV Étienne-François, duc de Choiseul (1719-1785), qui comprenait cent treize œuvres des écoles flamandes et hollandaises contre vingt-trois de l'école française et cinq de l'école italienne [58].

57. Gaëtane Maës, « Le goût "français" pour la peinture hollandaise et flamande au XVIIIᵉ siècle », dans *Les échanges artistiques entre les anciens Pays-Bas et la France, 1482-1814*, Actes du colloque international, Lille, 28-30 mai 2008, Turnhout, 2010, p. 195-213.

58. « Catalogue des tableaux qui composent le cabinet de Monseigneur le duc de Choiseul dont la vente se fera le lundi 6 avril 1772 par J. F. Boileau, peintre de S.A.S. Monseigneur le duc d'Orléans » (Bibl. INHA, coll. Doucet, cote VP/1772/7). Voir aussi Patrick Michel, « Portrait du duc de Choiseul en collectionneur », dans *Chanteloup. Un moment de grâce autour du duc de Choiseul*, cat. exp. Tours, musée des Beaux-Arts, Véronique Moreau (dir.), Paris, 2007, p. 213-223.

CHRISTIANE ROUSSEL ET ROMAIN COURRIER

Fig. 15 – Tableau représentant le temple de Salomon, anonyme, huile sur toile, s. d. [XVIᵉ siècle] (Gray, Musée Baron Martin).

Fig. 16 – Tableau représentant une scène d'intérieur au château de Pesmes vers 1765-1770, anonyme, huile sur toile (Coll. Département de la Haute-Saône, Inv. 2014-107-9).

59. Arias Montanus, *Antiquitatum Judaicarum libri IX*, 1593.

60. *Musée du Baron Martin, Gray : catalogue*, établi par Félix Davoine et Albert Pomme de Mirimonde, Gray, 1993, p. 101-102. D'après la notice de l'œuvre, le tableau proviendrait de la collection de Marmier. Il aurait donc transité par le château de Ray-sur-Saône avant sa donation au musée de Gray.

61. Reproduit en 2019 dans un supplément de *L'Est Républicain* intitulé «Château de Ray-sur-Saône, une histoire, un avenir», il ne figurait pas dans l'inventaire révolutionnaire; il a donc dû arriver à Ray par un autre biais.

62. *Ibid.*

63. *Ibid.*

64. L'enfant, né en 1760, avait sans doute entre six et sept ans.

65. Déjà vandalisé en 1792, détruit complètement en 1793 (G. de Beauséjour et Ch. Godard, *Pesmes et ses seigneurs…, op. cit.* note 28, p. 322, 327).

66. Besançon, Musée des Beaux-Arts et d'Archéologie.

67. Besançon, Bibliothèque d'étude et de conservation.

68. Description du tombeau dans G. de Beauséjour et Ch. Godard, *Pesmes et ses seigneurs…, op. cit.* note 28, p. 260-264.

Parmi les tableaux flamands du château de Pesmes qui se sont volatilisés en 1794, il est possible d'en repérer au moins un au musée Baron Martin de Gray. Il s'agit pour une fois d'un grand tableau flamand anonyme du XVIe siècle (1,23 m x 2,33 m) intitulé *Le temple de Salomon* (fig. 15), dont Devosge avait jugé qu'il avait été peint avec beaucoup d'harmonie et de finesse de ton. Exécutée d'après une gravure de Plantin, datée 1576 et reproduite dans un ouvrage d'Arias Montanus [59] en 1593, cette immense composition au sujet très original n'avait jamais été jusqu'alors rattachée à la collection des seigneurs de Pesmes [60].

Il reste à regretter qu'aucun document figuré représentant l'intérieur du grand pavillon avant la Révolution ne soit connu, à l'exception d'un tableau non signé conservé au château de Ray-sur-Saône, qui, à ce titre, revêt une immense valeur documentaire [61] (fig. 16). Celui-ci met en scène des personnages déjà cités plus haut, soit Claude-Antoine-Clériadus de Choiseul, époux depuis 1755 de Diane-Gabrielle de La Baume-Montrevel (1729-1792) qui lui avait apporté la demeure en dot, et leur jeune fils, Claude-Antoine-Gabriel, occupé à réaliser un château de cartes. Cet instantané de vie montre un intérieur assez luxueux, peut-être la bibliothèque, avec un riche ameublement d'époque Louis XV. Le mur du fond en hémicycle, scandé par des pilastres, est doté d'une grande niche en cul-de-four dans laquelle apparaît la reproduction d'une statue équestre de Louis XV [62]. Les livres de deux bibliothèques situées de part et d'autre de la niche du fond, ceux déposés sur un fauteuil au premier plan sur lesquels est assis un bichon, les pièces d'archives – comprenant un plan – entassées sur un tabouret, le nécessaire à écrire sur le bureau, la guitare au premier plan à gauche indiquent les centres d'intérêt du maître de maison assis sur un canapé face au spectateur; l'enfant jouant aux cartes et le petit chien regardant la scène évoquent, quant à eux, un moment de grâce suspendu. Dans l'embrasure de la fenêtre, le portrait du cardinal de Choiseul, archevêque de Besançon [63], complète ce charmant tableau de la vie quotidienne au château de Pesmes dans les années 1765-1770 [64].

Un monument funéraire « hors les murs » du château

En 1775, Jeanne-Marguerite de Ligniville, née La Baume-Montrevel (1728-1808), et sa sœur Diane-Gabrielle (épouse Choiseul) commandaient au sculpteur bisontin Luc Breton un monument funéraire à la mémoire de leur père Charles-Ferdinand de La Baume-Montrevel qui devait prendre place dans la chapelle seigneuriale de l'église Saint-Hilaire. Il était trop symbolique pour ne pas être livré en 1792, puis en 1793, aux démolisseurs [65], et il ne reste rien de cette œuvre achevée en 1779, à l'exception des terres cuites préparatoires [66] (fig. 17) et d'une aquarelle du peintre Claude-Louis Chazerand datée 1784 [67] (fig. 18). Réalisé en marbre polychrome, il était constitué d'une pyramide en marbre gris et d'un sarcophage en forme de tombeau d'Agrippa en marbre rouge de Sampans encadré des statues de l'Histoire et du Temps en pierre de Tonnerre. L'ensemble reposait sur un soubassement en marbre noir orné de deux amphores sur les ressauts latéraux. Le devant était agrémenté d'un grand panneau rectangulaire en marbre jaune et le dessus d'une plaque en marbre blanc décorée de grecques. Sur la pyramide, dans un cadre ovale en bronze doré, le portrait en camée du défunt en marbre blanc était tenu, à droite, par le génie de la Renommée et, à gauche, par celui de la Guerre. Du sarcophage s'échappaient, dans un vertigineux pêle-mêle traité en bronze doré, tous les attributs, insignes et décorations reçus par les La Baume-Montrevel au cours des siècles : colliers de différents ordres dont celui de la Toison d'or, bâtons de maréchal, ancres d'amiral, crosses et mitres d'archevêques, chapeau de cardinal. Sur la pyramide était aussi inscrit «A Charles Ferdinand de La Baume Montrevel/dernier chef de sa branche/mort le 21 novembre 1736, âgé de 40 ans», ainsi que «Virtute vixit memoria vivet» [68]. Ce monument à l'antique – probablement l'un des plus

Christiane Roussel et Romain Courrier

Fig. 17 – Pesmes, église Saint-Hilaire, tombeau de Charles-Ferdinand de La Baume-Montrevel, terre cuite préparatoire de Luc Breton (Besançon, musée des Beaux-Arts et d'Archéologie, Inv. 849.35.17).

Fig. 18 – Pesmes, église Saint-Hilaire, tombeau de Charles-Ferdinand de La Baume-Montrevel, aquarelle de Claude-Louis Chazerand, 1784 (Besançon, Bibliothèque d'étude et de conservation).

beaux morceaux de sculpture franc-comtoise de la seconde moitié du XVIIIᵉ siècle – rappelait, en plus sobre, celui du maréchal de Saxe, conservé dans l'église protestante Saint-Thomas à Strasbourg, réalisé par le sculpteur Jean-Baptiste Pigalle entre 1753 et 1776, et le portrait de ce grand guerrier accroché sur l'un des murs du château de Pesmes avant la Révolution agit comme un écho entre ces deux monuments.

Christiane Roussel

L'ÉGLISE SAINT-HILAIRE

Contrairement à une idée longtemps admise [69], la construction de l'église semble avoir été entreprise au début du XIIIᵉ siècle [70], entre 1210 et 1240, en réponse à l'expansion démographique du bourg qui ne pouvait plus se suffire de la précédente église de Tombe, située hors les murs [71]. La nouvelle église était à l'origine dépourvue de transept (fig. 19), mais les bas-côtés étaient prolongés à l'est par deux chapelles latérales encadrant un chœur à chevet plat plus long d'une travée [72]. La nef compte trois vaisseaux et s'étend sur quatre travées de largeur inégale rythmées par des supports cruciformes et circulaires couronnés de chapiteaux à crochets [73]. Les bas-côtés sont voûtés d'arêtes ; le vaisseau central est voûté

69. Jules Gauthier et Gaston de Beauséjour, « L'église paroissiale de Pesmes et ses monuments », dans *Congrès archéologique de France, LVIIIᵉ session. Séances générales tenues à Dole, Salins, Besançon et Montbéliard*, Paris, 1891, p. 286-287 et 289. Les auteurs évoquent une première église datant de la fin du XIIᵉ siècle.

70. Maria Bouchard, *L'étude architecturale de l'église paroissiale Saint-Hilaire de Pesmes*, mémoire de maîtrise en histoire de l'art médiéval, 2 t., Éliane Vergnolle (dir.), université de Besançon, 1993, p. 14 ; M. Bouchard, « Un édifice du début de l'art gothique comtois … », *op. cit.* note 23.

71. L'église Saint-Paul, dite de « Tombe », était située au sud de la cité, au lieu-dit de « l'Ermitage ».

72. J. Gauthier et G. de Beauséjour, « L'église paroissiale … », *op. cit.* note 69, p. 286 ; M. Bouchard, *L'étude architecturale…*, *op. cit.* note 70, p. 32.

73. Ces éléments ne sont pas alternés, seuls les deux arcs orientaux reposent sur des colonnes.

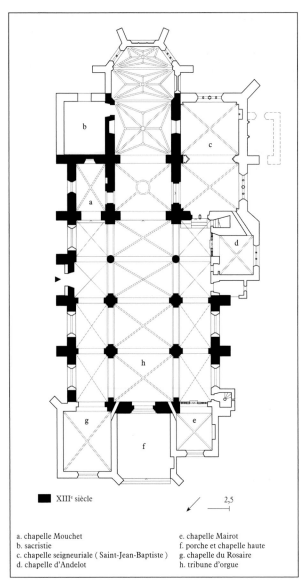

■ XIIIe siècle

2,5

a. chapelle Mouchet
b. sacristie
c. chapelle seigneuriale (Saint-Jean-Baptiste)
d. chapelle d'Andelot

e. chapelle Mairot
f. porche et chapelle haute
g. chapelle du Rosaire
h. tribune d'orgue

Fig. 19 – Pesmes, plan de l'église Saint-Hilaire (dessin de Romain Courrier d'après R. Tournier et Arch. dép. Haute-Saône, 408 E dépôt).

Fig. 20 – Pesmes, église Saint-Hilaire, vue intérieure de la nef, depuis la première travée de chœur vers le porche occidental.

74. J. Gauthier et G. de Beauséjour, « L'église paroissiale … », *op. cit.* note 69, p. 291.

75. Aujourd'hui détruite. La présence de fragments architecturaux à son emplacement atteste l'existence de cet accès relevé sur un plan de 1774.

76. Millésime porté sur les deux contreforts axiaux de l'abside. Entre 1546 et 1548, Antoine Le Rupt, maçon dijonnais, travaillait à la « vote du nouveaul cueur » (Jean-Pierre Jacquemart, « Antoine Le Rupt. Itinéraire d'un architecte sculpteur d'ornement [vers 1490-vers 1570] en Bourgogne et Franche-Comté », *Bulletin monumental*, t. 170-2, 2012, p. 146, note 81).

77. J. Gauthier et G. de Beauséjour, « L'église paroissiale … », *op. cit.* note 69, p. 296.

de croisées d'ogives quadripartites et son élévation à deux niveaux est sensiblement plus haute que celle du chœur (fig. 20).

Une première modification intervint dans la seconde moitié du XIVe siècle, avec la reconstruction de la chapelle méridionale sur un plan plus vaste, tant en largeur (celle-ci fut doublée) qu'en longueur (elle correspond aux deux travées du chœur). Devenue chapelle seigneuriale en 1301[74], elle disposait d'un accès depuis l'extérieur marqué par une construction voûtée[75].

À partir de 1524, le chevet fut augmenté d'une travée de faible profondeur et d'une abside à trois pans[76] ; à l'autre extrémité de l'édifice, deux chapelles furent ajoutées sur la façade occidentale entre 1554 et 1590[77], de part et d'autre du portail, au-dessus duquel fut élevé sur toute la profondeur de la chapelle septentrionale un berceau supportant une chapelle haute. Dans l'intervalle de ces deux grandes phases de construction – et peut-être même avant – fut adjointe au flanc sud de l'église la chapelle d'Andelot[78].

CHRISTIANE ROUSSEL ET ROMAIN COURRIER

Par la suite, une tribune fut érigée sur la première travée de la nef, peut-être au cours du XVIIᵉ siècle – au plus tard en 1728 [79] – et, en 1759, les anciennes baies des collatéraux « en canonnières » furent remplacées par de grandes ouvertures en plein cintre [80]. En 1773, à la suite d'un incendie, le clocher fut reconstruit à la croisée du transept par l'architecte gylois François-Lazare Renaud [81].

La chapelle d'Andelot (vers 1556-1563)

Plutôt que d'avoir fait le choix du modèle de tombeau « libre » [82], placé au centre de la chapelle et autorisant la déambulation giratoire, ou de celui du tombeau « monument » prenant la forme d'une construction verticale accolée à une paroi [83], le tombeau des frères d'Andelot présente une solution hybride qui emprunte à ces deux modèles des éléments significatifs assemblés et projetés par rayonnement sur les parois de la chapelle. L'arcade du banc, dont le dispositif est un renvoi à celui de la chapelle Notre-Dame-des-Sept-Douleurs dans l'église Saint-Nicolas-de-Tolentin de Brou (Ain), trouve son équivalent dans l'architecture des socles de certains tombeaux de la première moitié du XVIᵉ siècle [84]. Dans l'élévation du mausolée, cette arcade porte – indirectement – l'effigie des défunts tandis que la verticalité, la profusion ornementale, le relief et l'étagement des niveaux de lecture propres au tombeau « monument » sont plutôt concentrés sur l'élévation du retable (fig. 21 et 22).

78. Il semblerait assez surprenant, dans l'hypothèse où la structure de la chapelle aurait été projetée en même temps que son décor, qu'une baie à arc brisé et remplages gothiques ait été préférée à un modèle en plein cintre, pourtant déjà adopté à Biarne (Jura, vers 1535) et à Rahon (Jura, vers 1535-1548).

79. Jean-Marie Guéritey, *L'orgue de Pesmes, Guillaume Mourez facteur d'orgues à Auxonne*, juin 2020, p. 4, article en ligne, consulté le 9 septembre 2021 (URL : https://www.orgue-musique-pesmes.com/historique).

80. M. Bouchard, *L'étude architecturale…*, *op. cit.* note 70, p. 21.

81. Arch. dép. Haute-Saône, B 9344.

82. Typologie traditionnelle de dalle surélevée à gisants.

83. Tombeaux de Pietro Mocenigo (Venise, 1481, Pietro Lombardo), d'Ascanio Sforza (Rome, 1505-1507, Andrea Sansovino), de Louis de Brézé (Rouen, 1536-1544, Jean Goujon?) ou de Guillaume de Cröy (Enghien, 1528, Jean Mone).

Fig. 21 – Pesmes, église Saint-Hilaire, chapelle d'Andelot, élévation est, retable.

Fig. 22 – Pesmes, église Saint-Hilaire, chapelle d'Andelot, élévation ouest, monument funéraire.

84. Tombeaux de François II de Bretagne (Nantes, 1502-1507, Michel Colombe), de Louis de Bourbon (Saint-Denis, 1502-1516, d'Aria, di Battista Benzi, di Rovezzano et di Viscardo), d'Artus Gouffier (Oiron, 1532-1537, Jean Juste Ier) ou d'Antoine de Lalaing (Hoogstraten, 1540-1542, Jean Mone). Notons encore que ce décor rappelle tout autant les dosserets de stalles classiques menuisés de décors architecturés puisqu'il est ici employé comme tel.

85. La piste d'un modèle italien pour le retable trouve une légitimité supplémentaire par sa comparaison avec l'œuvre d'Andrea Bregno. Voir en particulier à Rome ses retables pour Guillaume de Pereris (1490-1497).

86. Aujourd'hui exposée au Philadelphia Museum of Art.

87. Sebastiano Serlio, *Regole [...]*, *Quarto Libro*, Venise, 1537, fol. 19v. Toutefois, leur sculpteur put également employer ceux de Jean Martin et Jean Goujon (*Architecture [...]*, 1549, fol. 54v), de Hans Blum (*Les cincq coulomnes [...]*, 1551, fol. 3) ou de Guillaume Philandrier (*M. Vitruvii Pollionis [...]*, 1552, p. 99).

88. Fra Giocondo, *M. Vitruvius [...]*, Venise, 1511, fol. 35.

89. Portrait de Michel-Ange (Giulio Bonasone, 1546), gravures de Bernardo Daddi et de Marcantonio Raimondi révélées par Émilie Barbier, *La chapelle d'Andelot : une chapelle de la Renaissance Comtoise*, mémoire de maîtrise en histoire de l'art moderne, 2 t., Catherine Chédeau (dir.), université de Besançon, 2004, p. 61 *sqq.*

Fig. 23 – Niccolo della Casa, Portrait du duc Cosme Ier de Toscane (détail), d'après Baccio Bandinelli, gravure, 43,5 x 30,5 cm, 1544 (New York, Metropolitan Museum of Art).

En dépit de leurs différences typologiques, on note dans le retable d'Andelot et dans les tombeaux de Louis XII à la basilique de Saint-Denis et d'Artus Gouffier à la collégiale d'Oiron (Deux-Sèvres) – tous deux sculptés par les Italiens Antoine et Jean Juste – de nombreuses similitudes : un même soin dans la facture et l'emploi du pilastre orné, d'une architrave enrichie de perles, et des niches à coquille [85]. Ajoutons encore la possible référence de l'arcade de Pesmes à celle qui forme l'allège de l'ancienne clôture de chœur de la chapelle de Pagny (Côte-d'Or), sculptée en 1538 [86] ; d'autres éléments de la chapelle d'Andelot peuvent également être rapprochés de cette œuvre, tant dans la typologie de la clôture (portail en plein cintre, à colonnes et fronton triangulaire, claire-voie à balustres sur piédestaux) que dans l'attique à panneaux sculptés du banc, emprunté à la frise de la clôture de Pagny.

Quatre des cinq grands ordres d'architecture sont employés dans le décor de la chapelle, non par superposition ou association hiérarchique, mais suivant les différents emplacements : dorique au portail, ionique au banc et au portail de l'oratoire, corinthien aux colonnes flanquant l'autel et, enfin, composite aux pilastres du retable et du décor des orants. Les chapiteaux doriques reproduisent rigoureusement le modèle publié par Serlio dès 1537 [87], quand ceux des colonnes corinthiennes apparaissent comme une traduction très réussie du modèle donné par Fra Giocondo [88].

Si les traités servirent naturellement à la conception des éléments d'architecture, ce sont tout autant les planches des recueils gravés qui furent employées pour l'exécution des ornements et des bas-reliefs : aux références déjà relevées [89], ajoutons celle d'une gravure représentant Cosme Ier de Toscane qui servit de modèle au portrait de l'un des panneaux de l'arcade (fig. 23) [90].

La question de l'attribution de ce décor reste fondamentale : si les différentes hypothèses régulièrement proposées au sujet de Claude Lulier, Denis Le Rupt ou encore Nicolas Bryet restent à ce jour recevables, il convient de noter – outre l'absence de sources probantes – qu'elles furent toutes avancées sur la base d'analyses stylistiques peu convaincantes et trop faiblement étayées. Toutefois, il est désormais convenu que les trois statues du retable sont liées à deux autres, conservées dans la chapelle seigneuriale (un Saint-Sébastien et un Évêque ?), qui présentent une facture identique ; la même observation vaut également pour l'image du Père Éternel qui domine la composition du retable. Un second groupe statuaire, de facture différente, est constitué par une Vierge aux bras croisés et deux anges céroféraires (toutefois, comme pour le groupe précédent, leur appartenance originelle au programme ornemental de la chapelle est incertaine). Enfin, les effigies des deux défunts ont généralement été dissociées des figures du retable en raison de leur exécution mieux maîtrisée, mais – en dépit de la différence d'échelle – certains points communs dans le traitement des étoffes ou des plis des fraises et des manchettes conduisent à nuancer le jugement (on peut notamment rapprocher une mèche de cheveux d'une « sibylle » de celles de la barbe de Jean d'Andelot). Les pilastres du retable, le panneau à cornes d'abondance qui le surmonte [91], les chapiteaux corinthiens et leur console, les frises du banc et du portail de l'oratoire, les chapiteaux des balustres de la clôture présentent la même facture de la surface des motifs, traitée en « facettes » formant des arêtes vives. De même, les bas-reliefs du banc et de l'oratoire sont à rapprocher des saints personnages sculptés sur les piédestaux des colonnes du retable (chevelures en fines ondulations parallèles, orbites rapprochées et bouche pincée en caractérisent la facture). En revanche, tant par sa médiocre facture au regard du reste du décor que par son matériau d'aspect différent, le panneau en perspective feinte placé derrière les deux orants apparaît comme l'œuvre d'un autre atelier et pourrait, malgré la place qu'il occupe dans la composition, appartenir à une phase antérieure de la commande.

CHRISTIANE ROUSSEL ET ROMAIN COURRIER

La chapelle Mairot (vers 1554-1561)

Considérée comme la chapelle sœur de la chapelle d'Andelot du fait de l'analogie évidente de son architecture et de sa date de construction, la chapelle Mairot s'en différencie pourtant par l'ambition de son programme ornemental. Sa clôture est structurellement identique à celle de la chapelle d'Andelot, à la différence de quelques détails ornementaux comme les losanges de son allège, les feuilles et les têtes de *putti* accrochées à son profil supérieur ou encore l'imposte du portail et ses bossages (fig. 24). S'il y a tout lieu d'attribuer la réalisation de ces deux clôtures à un même artiste, il ne fait guère de doute que les consoles de leurs balustres sont l'œuvre de sculpteurs différents [92].

Passé le portail, la chapelle Mairot présente une grande sobriété : les murs sont dénués de tout revêtement de marbre et seules les parois nord et ouest comportent un banc aux boiseries sculptées d'arcs et de pilastres. La table d'autel, fort simple, est portée par deux colonnes d'aspect rustique ; une petite niche de même esprit l'accoste à sa droite. C'est au-dessus de cet autel que se présentait depuis 1561 le triptyque peint par Jacques Prévost, désormais accroché sur le mur nord de la première travée de chœur [93] : le couple fondateur y est représenté sur les volets latéraux, de part et d'autre d'une Mise au tombeau occupant le panneau central.

Fig. 24 – Pesmes, église Saint-Hilaire, chapelle Mairot, clôture.

90. De cette gravure est encore extrait le modèle de mufle de bélier que le duc porte en genouillère, sculpté au premier bas-relief gauche de l'élévation ouest.

91. Il existe au dépôt lapidaire du musée des Beaux-Arts de Besançon un fragment d'écoinçon sculpté provenant d'un monument non identifié en tout point identique à ce panneau.

92. Ces consoles, d'inspiration hispanique, sont communément appelées « *zapatas* ». Voir à ce sujet Christiane Roussel, « Un hispanisme en Franche-Comté. La zapata revisitée », dans *Le génie du lieu. La réception du langage classique en Europe, 1540-1650 : sélection, interprétation, invention*, Monique Chatenet et Claude Mignot (dir.), actes des sixièmes Rencontres d'architecture européenne, Paris, 11-13 juin 2009, coll. « De Architectura », 14, Paris, 2013, p. 153-162.

93. L'œuvre a été déplacée au cours du XXe siècle, avant 1982.

94. Dole (vers 1565-1570?) et Saint-Jean-de-Losne (1604).

95. Cette chaire fut commandée sur volonté testamentaire non datée du chanoine Jehan Picard (Dole, Arch. mun., FA 1305). Celui-ci vivait encore en juillet 1562 (Arch. dép. Doubs, B 1079).

96. Gray, cheminée de la tour de l'hôtel Gauthiot dite « saint Pierre Fourier » ; Filain, cheminée du château.

Fig. 25 – Pesmes, église Saint-Hilaire, chaire à prêcher.

Crédits photographiques – fig. 2, 4, 7 : cl. Yves Sancey © Région Franche-Comté, Inventaire du Patrimoine, ADAGP, 1985 ; fig. 3 : cl. Yves Sancey © Région Franche-Comté, Inventaire du Patrimoine, ADAGP, 1980 ; fig. 5, 6 : cl. Bernard Lardière © Région Franche-Comté, Inventaire du Patrimoine, ADAGP, 1981 ; fig. 8 et 18 : cl. Yves Sancey © Région Franche-Comté, Inventaire du Patrimoine, ADAGP, 1981 ; fig. 11 : © Musée de Dole ; fig. 12 : cl. Yves Sancey © Région Franche-Comté, Inventaire du Patrimoine, ADAGP, 2009 ; fig. 13, 14, 16 : © Xavier Spertini/Département de la Haute-Saône ; fig. 15 : © Brigitte Olivier/Musée de Gray ; fig. 17 : © Mickaël Zito/Musée des Beaux-Arts et d'Archéologie de Besançon ; fig. 20, 22, 24 et 25 : Romain Courrier ; fig. 23 : Metropolitan Museum of Art, New York, Domaine Public, CC0.

La chaire à prêcher

Adossée à l'origine au deuxième pilier nord de la nef, la chaire fut déplacée à l'entrée du chœur vers 1970. Elle doit probablement être considérée comme le premier exemple d'un groupe de trois chaires comtoises [94]. Elle est sans conteste la moins élégante d'entre elles : sa vasque godronnée écrasée, son court piètement et l'absence d'un disque entre la frise et sa cuve lui donnent un profil plus ramassé que celui des autres (fig. 25). Il est difficile de la dater avec précision, mais on peut supposer qu'elle fut commandée en parallèle de l'aménagement des chapelles d'Andelot et Mairot avec lesquelles elle partage d'évidents caractères. La chaire de Dole – traditionnellement datée de 1555 – dut pour sa part être sculptée au plus tôt après 1562 [95]. On remarquera enfin, dans ces trois cas, l'emploi singulier de pilastres gainés à piédouche qui semble avoir trouvé un développement particulier en Haute-Saône au cours de la seconde moitié du XVIe siècle [96].

Romain Courrier

L'ARCHITECTURE CIVILE DE PRESTIGE À LUXEUIL-LES-BAINS
(XVᵉ-XVIᵉ SIÈCLE)

Nicolas BOFFY * et Matthieu LE BRECH (†) **

La situation géographique et politique de Luxeuil-les-Bains explique en partie la richesse de son architecture médiévale et moderne. Cette terre abbatiale jouit d'une relative indépendance jusqu'en 1534, date de son incorporation au comté de Bourgogne. L'abbaye devint alors le troisième bénéfice ecclésiastique le plus lucratif de la région. Cette situation d'autonomie, sous la protection de seigneurs plus ou moins menaçants – comtes de Champagne et de Bourgogne notamment –, autorisa le développement du commerce et la formation précoce d'un pouvoir municipal très revendicateur face à des abbés peu coopératifs. L'histoire de cette terre est finalement mal connue, la disparition massive de ses archives ayant sans doute dissuadé nombre de chercheurs [1]. La documentation des monuments qui seront évoqués ici repose majoritairement sur des études du XIXᵉ siècle, dont il est nécessaire de réévaluer les interprétations parfois erronées.

Les trois bâtiments flamboyants les plus remarquables de la ville – tour des Échevins, maison du cardinal Jouffroy et hôtel Thiadot – sont liés à la famille Jouffroy : Perrin († 1458), riche drapier anobli en 1445, et ses trois fils, Pâris († 1466), Henry et Jean (1412-1473). Ce dernier, qui fut entre autres conseiller de Louis XI, abbé de Saint-Denis, évêque d'Albi et cardinal, illustre la réussite fulgurante de la famille.

La tour des Échevins est un bâtiment de 8 x 12 m de côté, dont les deux façades sur rue sont en grand appareil de grès vosgien (fig. 1). Chacun de ses trois étages dispose d'une salle qui donne sur la rue principale par une fenêtre à croisée surmontée d'un gâble en accolade orné de crochets en feuilles de chou. Dans l'angle nord-ouest, une tourelle d'escalier couronnée d'une plateforme crénelée culmine à plus de 30 m de hauteur. Des échauguettes cantonnent les trois autres angles, tandis qu'une quatrième, accessible depuis le deuxième étage, orne la façade principale. La tour est complétée, à l'arrière, d'une annexe comptant deux niveaux. Sur la clé de voûte du rez-de-chaussée, les armes des Jouffroy, brisées par un lambel, sont celles d'un cadet, très probablement Henry [2]. En 1452, ce dernier reçut de son père presque tout ce que celui-ci possédait dans la ville [3] : sans doute est-ce après cette date qu'il fit élever cette annexe. Il est en revanche difficile de préciser la date de construction de la tour elle-même.

La tour est mentionnée pour la première fois en 1552, lorsque Guillaume Horry, marchand de Luxeuil, l'acheta avec une grange attenante aux héritiers de Jean et Thiebault Jouffroy, bourgeois de Luxeuil, pour la somme de 635 francs. La même année, la ville convainquit Horry de lui revendre la tour « pour la ville et communaulte dudit Luxeul et pour en faire leur hostel de ville et maison de ville [4] ». Il s'agit bien de la tour des Échevins, puisqu'elle est mentionnée sur la rue principale, près de la Porte de la Corvée et contre une maison voisine de l'église Saint-Martin.

G. R. de Soultrait supposait que la tour avait été louée aux Jouffroy dès l'origine et doutait de son rôle résidentiel en raison du caractère défensif du vocabulaire architectural

* Docteur en Histoire de l'art, université de Lorraine (EA 3945).

** Docteur en Archéologie, université de Franche-Comté (EA 2273).

1. La contribution la plus complète sur Luxeuil au Moyen Âge reste le travail de Philippe Kahn, *Luxeuil au Moyen Âge. Recherches sur la topographie ancienne de la ville*, mémoire de maîtrise, Jean Schneider (dir.), université de Nancy, 1971.

2. « Fascé d'or et de sable, la première fasce de sable chargée de deux croissettes d'argent » ; ces dernières sont parfois fleuronnées ou pattées.

3. Georges Richard de Soultrait, « Les monuments civils de Luxeuil », *Académie des sciences, belles-lettres et arts de Besançon*, 1882, p. 196-197.

4. Arch. dép. Haute-Saône, 311 E dép. 286, pièce 1 (25 juillet 1552) et pièce 2 (9 août 1552). G. R. de Soultrait (« Les monuments civils... », *op. cit.* note 3, p. 178-207) propose une édition tronquée et une interprétation erronée de ces documents.

Fig. 1 – Luxeuil-les-Bains, tour dite des Échevins : façade ouest, élévation générale.

XVᵉ siècle
XVIᵉ siècle
XVIIᵉ siècle

Fig. 2 – Luxeuil-les-Bains, tour dite des Échevins : façade ouest, proposition de phasage de l'élévation (cl., phasage et DAO Matthieu Le Brech).

NICOLAS BOFFY ET MATTHIEU LE BRECH

de la partie supérieure, qui aurait fait concurrence au pouvoir abbatial [5]. Toutefois, une rupture dans les assises du troisième étage et le traitement de la modénature des baies montrent que la partie haute de l'escalier avec ses créneaux a été entièrement reprise. Ces travaux doivent dater de la transformation du bâtiment par la ville, qui orna toute la partie supérieure de la façade de créneaux dont l'arrachement reste visible contre la tour d'escalier – ils ont été remplacés, probablement en 1625 [6], par les échauguettes couvertes de dômes à l'impériale [7]. Vers 1552 également, la municipalité aurait – entre autres? – ajouté le garde-corps de l'échauguette de façade pour aménager un balcon. C'est du moins ce que suggèrent les diverses reprises du mur et les réseaux flamboyants tardifs, identiques à certains de ceux du garde-corps qui couronne l'escalier. Ces réseaux contrastent avec ceux de la partie basse, trilobés, manifestement plus anciens (fig. 2).

La construction d'une tour aristocratique urbaine au point dominant de la ville manifestait le récent anoblissement de la famille Jouffroy. Celle-ci possédait aussi «une maison, appelée la Tour, sise à Luxeuil, près l'église Notre-Dame [8]», qui revint à Pâris. Depuis G. R. de Soultrait, celle-ci a été identifiée à l'hôtel Thiadot dit maison du Bailli (fig. 3) qui comprend une tourelle d'escalier sur la cour [9]. Toutefois, non seulement cette tourelle ne suffit pas à qualifier de «tour» l'ensemble du bâtiment, mais elle pourrait être liée à une restructuration de cette partie de la demeure à la fin du XVI siècle : le balcon aux consoles

5. G. R. de Soultrait, «Les monuments civils…», *op. cit.* note 3, p. 195.

6. Cette date est inscrite sur un écusson aux armes de la ville au-dessus de la porte de la façade latérale.

7. La plateforme reçut une couverture similaire qui a été supprimée vers 1865, lorsque l'hôtel de ville fut converti en musée.

8. G. R. de Soultrait, «Les monuments civils…», *op. cit.* note 3, p. 196-197 (l'auteur ne précise pas l'origine de sa source). Notre-Dame était située contre le transept nord de l'abbatiale.

9. *Ibid.*, p. 195.

Fig. 3 – Luxeuil-les-Bains, hôtel Thiadot dit maison du Bailli : cour.

Fig. 4 – Luxeuil-les-Bains, hôtel Thiadot dit maison du Bailli : façade place de la Baille.

10. Patrick Boisnard, «L'hôtel dit du cardinal Jouffroy à Luxeuil-les-Bains (Haute-Saône)», dans *Le goût de la Renaissance italienne. Les manuscrits enluminés de Jean Jouffroy, cardinal d'Albi (1412-1473)*, Matthieu Desachy et Gennaro Toscano (éd.), Milan, 2010, p. 25-31.

11. Datés des années 1520. Lyonel Estavoyer et Jean-Pierre Gavignet, *Besançon : ses rues, ses maisons*, Besançon, 1989, p. 211.

12. Château de Valleroy, hôtel Thomassin de Vesoul, etc.

13. Jean-Pierre Jacquemart, «Antoine Le Rupt, itinéraire d'un architecte sculpteur d'ornement (vers 1490-vers 1570) en Bourgogne et en Franche-Comté», *Bulletin monumental*, t. 170-2, 2012, p. 139-151. Voir, dans ce volume, l'article de Romain Courrier sur l'église Saint-Hilaire de Pesmes, p. 93-98.

14. Matthieu Le Brech, *Topographie monastique : l'évolution de l'abbaye de Baume-les-Messieurs (Jura)*, thèse de doctorat, Philippe Plagnieux (dir.), université de Besançon, 2021, p. 328 *sq.*

classiques porte la date de 1573 – date rappelée sur la grille moderne –, mais son garde-corps reprend le modèle de celui de la maison du Cardinal qui, nous le verrons plus loin, doit dater de 1520-1530. Quant aux façades, qui évoquent de manière fantaisiste des formes flamboyantes, elles datent aussi vraisemblablement de la fin du XVIᵉ siècle. L'ensemble relève d'une pensée résolument historiciste dont témoigne également l'important remaniement de la façade principale du XVᵉ siècle, donnant sur la place de la Baille, opéré également sans doute vers 1573 (fig. 4). Finalement, on ignore où se trouvait la tour de Pâris et si elle existe encore.

La maison qui fait face à la tour des Échevins est attribuée soit à Perrin Jouffroy, soit à son fils Jean [10], ce qui lui vaut d'être couramment désignée comme la maison du cardinal Jouffroy (fig. 5). Cette attribution est pourtant erronée. En effet, les moulures entrecroisées aux angles externes des linteaux des fenêtres ne se développèrent pas avant le premier quart du XVIᵉ siècle (maison des Invités à l'abbaye de Luxeuil, hôtels Maréchal et Jouffroy de Besançon [11], monastère de Brou). Les bases torsadées connurent pour leur part une grande vogue dans le bailliage d'Amont au tout début de ce siècle [12], même si celles de la façade luxovienne, à pénétrations virtuoses, suggèrent une datation plus tardive. De même, les culots de l'imposant balcon sont décorés d'essences végétales (chêne, vigne, houx) qui supplantèrent les traditionnelles feuilles de chou du XVᵉ siècle. Une sirène et un centaure peuvent par ailleurs être rapprochés du bestiaire employé par Antoine Le Rupt [13] et diffusé dans la région au début du XVIᵉ siècle (chevet de l'église Saint-Hilaire de Pesmes, porche de Notre-Dame d'Auxonne et collégiale de Dole) [14].

NICOLAS BOFFY ET MATTHIEU LE BRECH

On peut donc situer la construction des deux premiers niveaux de la maison au début du XVIe siècle, vers 1520-1530. L'acte de vente de 1552 de la tour des Échevins parle d'ailleurs de la « maison neufve desdicts Joffroy [15] ». Tout semble effectivement indiquer que les héritiers d'Henry Jouffroy firent construire une nouvelle demeure, plus conforme aux évolutions des modes résidentielles et destinée à remplacer la tour, à la distribution verticale, malcommode et désuète. L'horizontalité de la bâtisse est soulignée par le balcon ouvragé, signe évident d'une architecture élitaire.

Un second état de la maison est très clairement visible au deuxième étage et dans la travée gauche de la façade, ornée d'un oriel. Les moulures des fenêtres, en doucine, sont assez communes dans la seconde moitié du XVIe siècle à Luxeuil, notamment à l'hôtel Pusel. Jean-Pierre Jacquemart a montré qu'elles n'apparurent en Franche-Comté que dans les années 1550-1560 [16]. À cette période, l'ensemble de la maison fut réaménagé et étendu, probablement en partant de structures anciennes (des remplages gothiques ont été mis au jour à l'extrémité sud de l'aile ouest). Le grand escalier rampe-sur-rampe fut construit sur les fondations, conservées dans les caves, d'une vis peut-être contemporaine de la façade

15. Arch. dép. Haute-Saône, 311 E dép. 286, pièce 1.

16. Jean-Pierre Jacquemart, *Architectures comtoises de la Renaissance*, coll. « Architecture », Besançon, 2007, p. 63.

Fig. 5 – Luxeuil-les-Bains, maison dite du cardinal Jouffroy : façade est.

17. Comparaison documentée au palais Granvelle de Besançon.

18. Modèle de cheminée dans Sebastiano Serlio, *Regole generali [...]*, Venise, 1537, fol. 36r.

19. L'une, figurant *Adam et Ève chassés du paradis*, est encore en place ; l'autre (*L'ivresse de Noé*) se trouve aujourd'hui au château de Cléron (Doubs).

20. J.-P. Jacquemart, *Architectures comtoises*, *op. cit.* note 16, p. 265. Des modifications du XVIIIe siècle perturbent notre appréhension actuelle de la façade de l'hôtel Pusel, notamment le rétrécissement des fenêtres et la suppression de leurs meneaux.

21. Les généalogies anciennes font bien sûr tout leur possible pour trouver une origine chevaleresque à ce genre de familles : Nicolas-Antoine Labbey-de-Billy, *Histoire de l'Université du Comté de Bourgogne [...]*, Besançon, 1814, t. 2, p. 311-312 pour les Pusel, des juristes distingués.

22. Cette maison a été manifestement très restaurée dans sa partie basse en raison de la friabilité de ses pierres, du grès des Vosges.

23. Ludmila Virassamynaïken (dir.), *Lyon Renaissance. Arts et humanisme*, cat. exp. Lyon, musée des Beaux-Arts, 23 octobre 2015-25 janvier 2016, Lyon-Paris, 2015, p. 292-305 et cat. 244 ; Paulette Choné (dir.), *L'art et le modèle. Les chemins de la création dans la Lorraine de la Renaissance*, Bar-le-Duc, 2013, p. 46-47.

Fig. 6 – Luxeuil-les-Bains, maison dite du cardinal Jouffroy : détails de l'oriel de la façade est.

gothique. Les cheminées, tant au premier qu'au deuxième étage, suivent des modèles des années 1530-1540 [17] – l'une d'entre elles paraît dériver de Serlio [18] –, mais la qualité de leur ornementation accuse une réalisation tardive. Sont-elles contemporaines des deux cheminées monumentales du premier étage [19] ? L'oriel de la façade présente quant à lui une ornementation bellifontaine exubérante (fig. 6). Ces réaménagements, qui furent peut-être réalisés en plusieurs étapes, pourraient dater des années 1570-1580 environ et être donc plus tardifs que ce que l'on croyait jusqu'à présent.

On peut en dire autant de deux autres maisons, datées traditionnellement des années 1530-1550 [20] : l'hôtel Pusel (fig. 7), du nom d'une famille de notables luxoviens anoblis [21], et la maison à arcades marchandes dite de François Ier (fig. 8), qui n'a de l'abbé François Ier de la Palud (1534-1541) que le nom. Les nombreux points communs entre ces maisons (étagement des trois ordres, colonnes en saillie de la façade, entablements en simple ressaut, fûts légèrement tronconiques des colonnes, simplification des moulures) les rattachent à un même milieu artistique.

L'ornementation et les jeux sur la profondeur de la façade de la maison François Ier (fenêtres et tables en avancée, colonnes nichées, stylobates réinterprétant l'entablement antique) en font un ouvrage particulièrement raffiné. Au moins deux des quatre mascarons ornant les arcs paraissent d'origine (celui du centre de la façade principale et celui isolé sur l'un des deux côtés courts) [22]. Ils sont tout droit issus d'ornements réinterprétant les modèles bellifontains, à la manière de Pierre Woeiriot, artiste lorrain [23], ou d'Hugues Sambin (porte dite du Scrin du palais de justice de Dijon, 1583 ; cabinet Gauthiot d'Ancier, 1581) [24]. Enfin, les gousses charnues flanquant les tables placées sous les fenêtres évoquent des modèles langrois datés des années 1570-1590 [25]. Les chapiteaux ioniques de l'hôtel Pusel ont sans doute été dessinés suivant De l'Orme [26] plutôt que Serlio, tandis que ceux de la maison François Ier sont de pures fantaisies (tout comme les chapiteaux corinthiens). Par ailleurs, la simplification fluide des ordres montre l'assimilation poussée du langage à l'antique de la part des sculpteurs. Ces éléments orientent la datation de ces deux maisons, malgré l'absence de millésime et de constructions comparables bien datées, vers les années 1570-1590.

Ces deux maisons documentent un second « âge d'or » de la terre de Luxeuil à la fin du XVIe siècle. Comme dans le reste du comté – à Gray, à Champlitte, à Dole –, les modèles français, transmis par la Champagne et la Bourgogne, connurent un franc succès [27]. Ils sont réinterprétés ici d'une manière « locale » que l'on pourrait attribuer à un maître maçon actif dans le nord de la Haute-Saône – peut-être l'auteur des façades sur cour du château de Filain dans les années 1570 [28]. Alors que circulaient déjà de nouveaux modèles, notamment ceux de Serlio et de De l'Orme, ce maître maçon aurait travaillé avec le canon, déjà vieilli, de la façade principale du palais Granvelle de Besançon (commencé en 1534) [29]. Peut-être faut-il voir là une intervention des commanditaires, cultivés, riches et en recherche de légitimité sociale, dans le choix de la superposition ostentatoire des ordres.

24. Alain Erlande-Brandenburg *et alii*, *Hugues Sambin. Un créateur au XVIe siècle (vers 1520-1601)*, cat. exp. Écouen, musée national de la Renaissance, 24 octobre 2001-21 janvier 2002, Paris, 2001.

25. Olivier Caumont (dir.), *Langres à la Renaissance*, Langres, 2018, cat. 21, p. 117-118.

26. Philibert De l'Orme, *Le premier tome de l'Architecture*, Paris, 1567-1568, fol. 164v.

27. J.-P. Jacquemart, *Architectures comtoises*, *op. cit.* note 16, p. 90-116 et *passim*.

28. *Ibid.*, p. 98-99, 258-259.

29. Christiane Claerr-Roussel, *Besançon et ses demeures du Moyen Âge au XIXe siècle*, Lyon, 2013, p. 110-123.

Crédits photographiques – fig. 1 et 6 : Matthieu Le Brech ; fig. 3 et 4 : Office de Tourisme de Luxeuil-les-Bains ; fig. 5 : Jean-Louis Langrognet ; fig. 7 : Sylvie Boffy.

Fig. 7 – Luxeuil-les-Bains, hôtel Pusel : façade principale.

Fig. 8 – Luxeuil-les-Bains, maison dite de François Ier : façade principale (photographe anonyme, vers 1890, coll. part.).

Le château de Champlitte

Pascal Brunet *

* *Historien de l'architecture ; responsable des collections patrimoniales des Bibliothèques de l'université de Franche-Comté.*

La ville de Champlitte est située au nord-ouest de la Haute-Saône, à mi-chemin entre Gray et Langres, à la frontière entre la Franche-Comté, le duché de Bourgogne et la Champagne. Le château est construit sur un promontoire rocheux qui domine la rivière Salon à 240 m d'altitude [1]. Héritière d'une longue et tumultueuse histoire débutant à la fin du XIe siècle [2], la majestueuse demeure actuelle est celle que les Toulongeon ont fait reconstruire dans la seconde moitié du XVIIIe siècle. La façade sur la cour d'honneur conserve, réemployé, le décor foisonnant de la galerie Renaissance commandée par François de Vergy vers 1565.

Les nombreux incendies et destructions qui ont affecté le château aux XVIIe et XVIIIe siècles rendent très complexe l'étude architecturale du bâtiment antérieur à la reconstruction. Cette complexité est accentuée par l'absence de représentations précises de la demeure du Moyen Âge et de la Renaissance. Ainsi, jusqu'au diagnostic archéologique mené en janvier 2010 par une équipe de l'Inrap [3], seuls la vue cavalière représentant la ville de Champlitte, exécutée par Claude Bonjour, « géographe du roy d'Espagne » entre 1620 et 1633 [4], et un procès-verbal de visite daté de juillet 1652 [5] permettaient d'imaginer, de façon très sommaire, l'apparence du château. Cette vue cavalière (fig. 1) nous offre la vision d'un château d'aspect encore médiéval dominant une ville ceinte de remparts et de fossés. Il était entouré de douves que l'on franchissait par un pont-levis. L'ensemble était dominé par un donjon accosté d'une tourelle carrée et composé de plusieurs corps de bâtiment qui encadraient deux cours de surfaces inégales. Une galerie séparait ces deux cours en reliant les ailes nord et sud.

Le diagnostic archéologique a notamment permis de confirmer cette vue et de découvrir la conservation *in situ* de vestiges de la demeure dans son état du XVe siècle. Ainsi, dans son rapport de fouilles, Véronique Brunet-Gaston révèle :

> « L'ensemble des fondations mises au jour, soit deux corps de logis en retour d'angle flanqués d'une tourelle d'escalier et une salle voûtée semi-enterrée, correspondent au grand château médiéval (dans son état le plus remarquable aux XIVe-XVe s.). Il n'est pas impossible que des traces du premier ensemble castral, sur une protubérance du plateau qui commande un passage sur la rivière, puissent être décelables, puisque de la céramique Xe-XIIe siècle a été mise au jour dans les remblais percés par la tourelle d'escalier. Cette tourelle pourrait donner accès aux cuisines et la pièce voûtée pourrait faire partie des caves du château [6] ».

Le château de François de Vergy et sa galerie Renaissance

Dans son étude sur les bourgs castraux de Haute-Saône, Éric Affolter rappelle également que « l'illustre famille de Vergy, l'une des plus puissantes familles du duché de Bourgogne, acquiert la terre de Champlitte en 1228 et la conserve jusqu'au XVIIe siècle. Le bourg se développe au XIIIe siècle dans la vallée, entre le château et le pont, les halles et les murs sont mentionnés dès 1252 [7] ».

1. Le château est classé au titre des Monuments historiques depuis 1909.

2. Dans son *Atlas des villes de Franche-Comté, Série médiévale, I, Les bourgs castraux de Haute-Saône* (3e édition, Nancy, 1992, p. 74-77), Éric Affolter estime que l'ensemble castral, bien qu'attesté en 1255 seulement, a peut-être été mis en place « à la fin du XIe ou au début du XIIe siècle » et se compose alors de deux parties, le château et « une basse-cour en arc de cercle autour de la chapelle Saint-Christophe, qui est à l'origine de l'église paroissiale et collégiale fondée en 1439 ».

3. Les sondages ont été menés par les archéologues Véronique Brunet-Gaston et Christophe Meloche avec leur équipe, du 18 au 21 janvier 2010.

4. Besançon, Bibl. mun., fonds Chifflet, ms. 28, fo 224 ; Arch. dép. Haute-Saône, 4 F 12.

5. Arch. dép. Haute-Saône, E 792, procès-verbal de visite des « château, maisons et autres dépendances du comté de Champlitte pour veoir et recongnoistre l'estat auquel tout est présentement » effectué par Pierre Arvisenet, lieutenant au bailliage du comté de Champlitte, juillet 1652.

6. Véronique Brunet-Gaston *et alii*, *Champlitte, Haute-Saône, Sur les traces du château-fort* [rapport de recherche], Inrap Grand Est sud, 2010, p. 85.

7. É. Affolter, *Atlas des villes de Franche-Comté…*, *op. cit.* note 2.

Congrès Archéologique de France. Haute-Saône, 2020, p. 107-143.

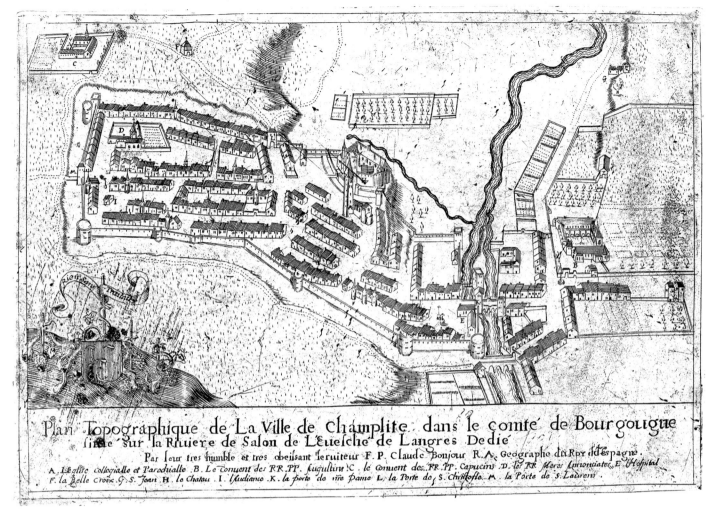

Plan Topographique de La Ville de Champlite dans le comté de Bourgougne sitte sur la Riuiere de Salon de L'Euesche de Langres Dedié
Par leur tres humble et tres obeissant leruiteur F. P. Claude Bonjour R. A. Geographe du Roy d'Espagne.
A. L'Eglise colloqialle et Paroduialle .B. Le Conuent des RR. PP. Augultins .C. le Conuent des RR. PP. Capucins .D. le RR. Merès Annonciates E. L'Hospital
F. la Belle Croix .G. S. Joan .H. le Chatau .I. L'audiance .K. la porte de nre Dame L. la Porte de S. Christofle M. la Porte de S. Laurens.

Fig. 1 – Claude Bonjour, *Plan topographique de la ville de Champlitte*, gravure, vers 1620-1633 (Arch. dép. Haute-Saône, 4 F 12). On distingue le château derrière l'église.

8. Jean-Pierre Jacquemart, *Architectures comtoises de la Renaissance, 1525-1636*, Besançon, Presses universitaires de Franche-Comté, 2007, p. 99.

9. Nicolas Vernot, « La galerie Renaissance du château de Champlitte, un programme iconographique à la gloire des Vergy », dans *Champlitte, place forte du comté de Bourgogne XIIIᵉ-XVIIᵉ siècle*, Laurence Delobette et Paul Delsalle (dir.), Vy-lès-Filain, Éd. Franche-Bourgogne, 2016, p. 187-205.

10. Lucien Febvre, *Philippe II et la Franche-Comté : étude d'histoire politique, religieuse et sociale*, Paris, 1970, p. 105-106.

Compagnon d'armes des souverains Charles Quint, Maximilien II et Philippe II, mais aussi d'Ottavio Farnèse, de Sforza Sforza et de Pietro Colonna, François de Vergy (1530-1591) fut également proche de Nicolas et d'Antoine de Granvelle. En 1560, il fut fait capitaine, « gouverneur & lieutenant général pour Philippe II en son comté de Bourgogne », puis, en 1574, comte de Champlitte, enfin chevalier de la Toison d'or en 1584. Si le siège du gouvernement militaire du comté se trouvait alors à Gray, il résida régulièrement à Champlitte entre 1560 et 1570 [8]. C'est vers 1565 qu'il fit construire une galerie afin de transformer l'ancienne forteresse médiévale de Champlitte en demeure plus adaptée au mode de vie de la Renaissance. Ces travaux furent contemporains de ceux commandés par Gaspard de Saulx, lieutenant général du duché de Bourgogne, en son château du Pailly près de Langres. Comme le rappelle Nicolas Vernot dans son brillant article consacré à la symbolique des décors de la galerie [9], « il n'est pas exclu qu'elle soit la manifestation concrète de la gratification de 6 000 francs que Philippe II avait versée à François de Vergy "tenant le gouvernement" [10] ».

Une description rédigée vers 1645, à la suite des destructions de la guerre dite de Dix Ans (1634-1644), par François Bacquet, « advocat au souverain Parlement de Dole », nous apprend que « la grande galerie haulte et basse » avait été construite « entre la porterie et

PASCAL BRUNET

l'escalier de Vergy ». Elle indique que son « front et [ses] fenestrages [sont] tout remplye de figures et d'ouvrages », et précise qu'elle « n'a souffer aulcun embrasement, seulement elle est à moitié descouverte et le reste entier » [11].

11. Besançon, Bibl. mun., ms. 1599. Nous remercions M. Christian Jouffroy de nous avoir signalé cette source inédite.

12. Haute-Saône actuelle.

13. Rue Victor Genoux.

Composition architecturale et ornementation sculptée

En Franche-Comté, les changements de goûts et l'adoption des formes de la Renaissance se manifestent, dans la première moitié du XVIe siècle, sous l'impulsion de Ferry Carondelet, à Besançon et à Montbenoît, puis par les commandes de Granvelle et de son épouse. Construit à Besançon par Nicolas Perrenot de Granvelle (1485-1550), ambassadeur puis garde des sceaux de l'empereur Charles Quint, le palais Granvelle constitue la première construction civile de la Renaissance comtoise inspirée de l'Italie et des Pays-Bas méridionaux. Il fut bâti entre 1531 et 1542 environ, vraisemblablement par un architecte flamand. Durant la seconde moitié du XVIe siècle, dans l'ancien bailliage d'Amont [12], certains maîtres d'œuvre établirent la synthèse des façades sur rue et sur cour du palais Granvelle en employant tout à la fois des arcades pour le niveau inférieur de leurs façades et des colonnes superposées sur deux niveaux. C'est le cas, entre 1535 et 1541, de la façade principale de la demeure de François de la Palud à Luxeuil [13], vers 1564 et 1568, des façades de la galerie du château de Champlitte et de l'hôtel de ville de Gray, puis, vers 1570-1575, des galeries des châteaux de Filain et de Frasne-le-Château. Initialement ouvertes, les arcades des galeries de ces châteaux ont été refermées aux XVIIIe et XIXe siècles. Comme au palais Granvelle de Besançon, outre leur fonction de communication entre deux ailes, ces galeries constituaient sans aucun doute des promenoirs, ouverts derrière les arcades du rez-de-chaussée et fermés à l'étage.

La façade de l'ancienne galerie du château de Champlitte est structurée par des ordres superposés (fig. 2). Les sept travées sont constituées par la superposition de colonnes ioniques et corinthiennes adossées, et sont recoupées horizontalement par les entablements

Fig. 2 – Champlitte, château, la galerie Renaissance de l'ancien château remontée dans la façade du XVIIIe siècle.

de chaque ordre. La travée axiale se distingue par une plus grande largeur. Chaque arc en plein cintre du rez-de-chaussée est surmonté à l'étage par une fenêtre divisée en deux par un meneau.

Chacun s'accorde à remarquer la forte ressemblance entre cette façade et celle de l'hôtel de ville de Gray. Comme l'affirme Jean-Pierre Jacquemart dans sa thèse de doctorat, « l'unité de style entre Champlitte et Gray va dans le sens de l'attribution des deux œuvres [...] à Nicolas Moris, masson demeurant à Champlitte [14] ». Les recherches de ce spécialiste indiquent que ce Moris a été appelé à Gray le 27 février 1567 pour « dessiner un autre pourtraict [projet] » de la façade de la nouvelle maison de ville. Le maçon a signé le marché le 31 mars 1567 puis visité le chantier en 1568. L'édifice a ensuite été achevé par François Moris, sans doute son fils.

Au-delà de la composition architecturale, l'un des charmes de la façade de Champlitte réside dans la richesse et dans l'importance de son ornementation sculptée composée de rinceaux, de branches de fleurs et de fruits. Les guirlandes de lauriers enrubannés, cornes d'abondance, tables aux cadres richement sculptés, métopes ajourées en nid d'abeille, modillons et denticules, oves et rais-de-cœur, fils de perles dérivent de modèles antiques. Les allèges des fenêtres de l'étage ainsi que les tables qui les encadrent sont ornées de lambrequins richement sculptés de rinceaux, de fleurs, et de fruits. Le sommet des fenêtres et des tables est également enrichi de feuillages en candélabres, de rinceaux et de cornes d'abondance. Au sommet de la façade, les consoles de la corniche viennent mordre sur la frise de l'entablement. Ces consoles sont ornées d'un semis de « feuilles étroites » qui rappellent, selon J.-P. Jacquemart, celles de Langres ou du Pailly.

Depuis l'étude de Paul Brune [15], les historiens de l'art comparent cette riche ornementation avec celle de la tribune de la collégiale de Dole, œuvre de Denys le Rupt (1559-1562), ou avec celle du portail de cette même collégiale, œuvre d'Antoine II le Rupt (1565). La ressemblance de composition et d'ornementation est en effet frappante, notamment dans les écoinçons des arcs et les feuillages de la frise. Si l'ornemaniste de Champlitte demeure à ce jour anonyme, les archives révèlent que le tailleur de pierre, payé le 23 octobre 1568 pour avoir exécuté la « taille et fasson des armoyries de la ville de Gray posées à la maison nouvellement construite de la ville », se nomme Richard Buyans ou Buhansse [16]. La consonance flamande de ce nom conforte la théorie selon laquelle les sculpteurs ornemanistes de la façade de Champlitte seraient septentrionaux. Il convient de rappeler que, par sa jeunesse militaire au service de Charles Quint et son rôle auprès de Philippe II, François de Vergy était familier des décors de la Renaissance flamande.

C'est à Nicolas Vernot que revient le mérite d'avoir décrypté les allusions héraldiques ainsi que les riches significations allégoriques des décors sculptés de la façade de l'ancienne galerie. En effet, dans son article publié en 2016 [17], l'historien expose que « le choix des espèces végétales qui ornent les paires d'écoinçons qui surmontent les sept arches du rez-de-chaussée obéit à des considérations non seulement esthétiques, mais aussi symboliques ». Après avoir rappelé que les armes des Vergy sont « de gueules à trois roses d'or de cinq feuilles chacune » et qu'au Moyen Âge les mots « Vergy » et « verger » se prononçaient de manière quasiment identique, il assure que le choix de la rose repose sur la volonté des Vergy d'adopter des armes parlantes, « car comme la rose est réputée royne des jardins et vergers, et le rosier appelé par excellence virgultum, d'où le mot verger tire son étymologie, aussi ceux de cette famille illustre, qui les premiers se sont surnommez de Vergy, non seulement ont prins des roses pour leurs armes, mais ont représenté le rosier mesme, ou des brins et verges d'iceluy, en leurs seaux et cachets [18] ». Ainsi, pour N. Vernot, « ce sont des rinceaux de rosiers qui viennent orner les deux écoinçons surmontant le portail » et

14. Jean-Pierre Jacquemart, *L'architecture comtoise au second seizième siècle : classicisme renaissant et maniérisme*, thèse de doctorat, université de Franche-Comté, 2007, p. 97-103.

15. Paul Brune, *La Renaissance en Franche-Comté : l'atelier dolois de sculpture ornementale*, Paris, 1911.

16. En 1525, un certain Pierre Buyens d'Anvers signa les travaux de la voûte de l'église abbatiale de Montbenoît. Il semble ensuite avoir été actif à Lyon en 1533. Voir Marcel Grandjean, *La Renaissance en Savoie*, Musée d'art et d'histoire de Genève, 2002, p. 50.

17. N. Vernot, « La galerie Renaissance du château de Champlitte… », *op. cit.* note 9, p. 187-205.

18. André Du Chesne, *Histoire généalogique de la maison de Vergy*, Paris, Sébastien Cramoisy, 1625, p. 14-15.

PASCAL BRUNET

«on peut considérer la quintefeuille des Vergy comme un emblème parlant [...] le symbole générique des plantes et fleurs qui s'épanouissent dans un verger ». Pour lui, « les lauriers et le lierre qui viennent parer deux autres paires d'écoinçons sont également à mettre en relation avec des éléments des armoiries des comtes de Champlitte ». Ils ont été choisis pour signifier la devise des Vergy, *sans varier*. Enfin, le même auteur souligne également la présence dans le décor de nombreuses grenades qui, à la Renaissance, étaient le « symbole d'un idéal politique d'unité ou d'union par-delà les différences ». Pour lui, « cet idéal de concorde semble tout à fait approprié pour évoquer François de Vergy en tant que lieutenant général et gouverneur des pays et comté de Bourgogne, c'est-à-dire celui à qui incombent aussi bien la cohésion du pays que sa défense militaire, par analogie avec l'écorce ferme du fruit qui en défend le contenu ».

19. Jean-Christophe Demard, *Histoire de Champlitte et de sa région*, Langres, Guéniot, 2006, p. 150.

20. Arch. dép. Haute-Saône, E 792, transcription de Chr. Jouffroy.

LE CHÂTEAU DE CHAMPLITTE AU XVIIᵉ SIÈCLE ET AU DÉBUT DU XVIIIᵉ SIÈCLE

Clériadus de Vergy, second fils de François de Vergy, mourut sans héritier en 1630. Comme de nombreux autres sites en Comté, le château et la ville de Champlitte subirent les destructions et les incendies de la guerre de Dix Ans. La ville fut assiégée par le prince Henri d'Orléans le 22 août 1638 et tomba le 27 août. Le prince ordonna alors « aux manans et habitans des villages, bourgs et communautés de l'élection de Langres [...] d'enuoier promptement ceux d'entre eux qui sont en eage pour travailler au camp de Champlite, pour démolir et mettre par terre les murailles et fortifications tant du chasteau que de lad. ville de Champlite » puis, le 1er septembre, le château et plusieurs quartiers de la ville furent incendiés [19].

Le 18 juillet 1652, à la demande des dames de Cusance, héritières de Clériadus de Vergy et comtesses de Champlitte, un « procès-verbal de visite des châteaux, terres et dépendances du comté de Champlitte [20] » fut dressé par Pierre Arvisenet, « lieutenant au bailliage du comté de Champlitte ». Il rend compte de l'état de ruine du château :

« Tous les parapets du fossé, tant à dedans que dehors d'iceluy, sont entièrement abattuz, y ayans quatre breches en la muraille [...] [Il n'y a plus] aucun pont ny pont-levy pour entrer aud. chasteau moings aucunes grandes portes ny petites, tant à l'entrée que ès tout le dedans d'iceluy où estoit les logements ou ès tours dudit chasteau.

Que le logement du portier estant à l'entrée dudit chasteau se va ruynant pour n'y avoir aucune couverture sur iceluy, les voultes duquel se pourrissent. Que les chambres estants sur la porterie dudit chasteau cy devant couvertes de thuilles sont entierement à decouvert, mesme la petite tournelle y joignant, en sorte que la voulte qui joinct ladite porterie se pourrit par tel moyen, signamment le dessus du pignon de lad. porterie que tenoit à couvert les armoiries de fut heureuse mémoire Son Excellence monseigneur le comte de Champlite lesquel dessus est ja entierement esgelé [...]

La muraille faisant entrée au jardin du costé des vignes de la Doix est abattue et la porte de celle faisant entrée au parterre devers l'église. Que la grande tour dudit chasteau estans à l'entrée dudit parterre est crevée au pied devers le petite court et fendue dois [depuis] le pied jusques au faite, menaçant grande ruyne, icelle tour estant entierement descouverte sans aucun plancher dessus ny dessous. Que la petite tournelle qu'avoit esté construict à dessein d'une chapelle est aussy descouverte n'y estant qu'une partie de la charpenterie qu'est l'esguille et les chevrons, avec quelques planches y servans de doublure où estoit attaché le fer blanc, au dessoubs de laquelle chappelle, il y a une bresche au dedans ledit chasteau et soubs la gallerie. Que au dessoubs du pignon de la dite gallerie et un peu plus bas que la porte de la cave la superficie d'iceluy est ruynée et les pierres esgelées, menaçant audit endroict la ruyne dudit pignon.

21. St Heerenberg (Pays-Bas), Archives du château de Bergh, dossier 873. Ce document inédit m'a été amicalement signalé et transcrit par M. Chr. Jouffroy, que je remercie.

22. Arch. dép. Haute Saône, E 798.

23. Lydie Fourotte, *Deux aristocrates provinciaux dans la France du XVIIIᵉ siècle : Hipppolyte-Jean-René et Emmanuel-François de Toulongeon*, mémoire de maîtrise, université de Franche-Comté, 1999, p. 112-116.

Qu'il ny a aucuns sommiers, cranaux ni planches en tout ce que faisoit le planché de la salle estant sur ladite gallerie, non plus qu'au second de ladite salle dois le cinquième pillier des arcades jusques au dessoubs d'icelle gallerie, dois lequel aussy il n'y a aucune couverture au tect, ny aucuns bois.

Que dans la partie du tect de ladite salle regardant en la grande court dudit chasteau, il y a quantité de goutières dois lequel cinquième pillier de ladite arcade d'icelle gallerie les pignons sont entièrement descouverts et par ce moyen dépérissent journellement par les injures du temps.

Que l'escaillier qu'estoit en la tournelle au dessoubs de ladite galerie est entièrement perdu, et n'y reste que ladite tournelle aussy toute à descouvert comme et mesme tout le logement qui estoit au dessoubs de ladite gallerie auquel il ny reste que les pignons. Et après que tous les logements à prendre dois ladite tournelle jusques à celle faisant l'entrée de la cuysine dudit chasteau sont entièrement ruynez et n'y restent que les pignons aussy entièrement à descouvert et qui par ce moyen se ruynent grandement une partie des fenestrages desquels sont bruslez. La tour estant au dehors et proche les vignes de la Doix en ruyne entière dois le pied. Au pignon devers lesdites vignes s'y treuvent deux bresches et la croysée des fenestrages bruslée. L'escaillier de la tournelle faisant l'entrée de ladite cuysine est entièrement perdu et icelle à descouvert comme de mesme le logement qu'estoit sur ladite cuysine, auquel moyen la voulte d'icelle cuysine se ruyne.

Que le celier joignant ladite cuysine est entièrement ruynée. Dois laquelle tournelle jusque à l'escaillier joignant à ladite grande tour, tous les logemens et offices sont aussy entièrement ruynez, n'y restans que les pignons à descouvert, le dessus duquel escaillier est pareillement à descouvert et les degrez d'iceluy dois le sixième fenestrage jusques au dessus rompuz, le fenestrage du dessus estant aussy rompu. Toute la gallerie estant entre lesdites deux tournelles regardant devers l'église dudit Champlite est entièrement descouverte et se ruyne par ce moyen aussy bien que les voultes des caves estanz au dessoubz des dits logementz comme de mesme la voulte de la cave estant soubs le jardin, lesquel est en désert.

Que les margelles du puys sont perdues. Que la grande court dudit chasteau est remplye de ronces et buissons. Que le lieu où logeoit le jardinier estant au parterre au devant de ladite église est aussy entièrement ruyné et n'y reste que les pignons qui sont à descouvert, lequel parterre est aussy en désert. »

Un autre document témoigne de la volonté de Marie-Henriette de Cusance (1624-1701), vers 1666, de sauver ce qui pouvait l'être encore, en particulier la galerie et son riche décor sculpté :

« Dans la ville dudit Champlite que l'on nomme Champlite le Chastel il y a un chasteau qui ayant esté bruslé entièrement par les François en l'an 1633 a esté laissé en cet estat à cause qu'il ne pouvoit se reparer et remettre en celuy qu'il estoit avant l'embrasement pour cent mille francs. Seulement pour conserver une galerie a-on fait recouvrir icelle, et faire racommoder la porterie dudit chasteau [21]. »

D'une famille à une autre

Le 18 avril 1674, profitant de la seconde conquête de la Franche-Comté par Louis XIV, Louis de Clermont d'Amboise, marquis de Reynel, descendant de la sœur de Clériadus de Vergy, fit valoir ses droits sur l'héritage et prit possession du château [22]. Après sa mort au service de Louis XIV, en 1677 devant Cambrai, puis celle de son frère François en 1684, l'ensemble échut finalement à sa nièce Marie Françoise Justine de Clermont d'Amboise (vers 1675-1741). Désormais comtesse de Champlitte, celle-ci épousa Jean-Baptiste de Toulongeon en 1700. Leur fils, Jean François Joseph, naquit en 1702, mais son père mourut dès 1703, à l'âge de 26 ans. À la mort de sa mère en 1741, Jean François Joseph de Toulongeon d'Emskerque (1702-1780) reçut l'entière jouissance du comté de Champlitte. Comme ses ancêtres, le nouveau comte de Champlitte fut un officier, « mestre de camp de cavalerie, cornette des chevau-légers de la garde du Roy », puis « brigadier de cavalerie » en 1743 avant de devenir l'un des aides de camp du roi Stanislas Leszczynski, duc de Lorraine [23].

Il avait épousé, le 13 octobre 1736, Anne-Prospère Cordier de Launay (vers 1715-1782), fille d'un trésorier de l'Extraordinaire des guerres, qui lui donna trois fils, dont les deux cadets naquirent au château.

Il semble que ce mariage ait été l'occasion d'une reconstruction du château afin de réparer les nombreuses dévastations du XVIIᵉ siècle. En effet, dans un procès-verbal dressé le 20 mars 1751 après l'incendie du château, il est indiqué que «depuis quinze années on n'a cessé de faire des augmentations en bâtiment et en meubles et que tout y était fait dans un goust nouveau et à grand prix d'argent», et que l'incendie de «cette maison qui etoit batie à neuf pour la plus grande partie et qui formoit un des plus beau et des plus grand château de la province cause une perte irreparable […] et qui se monte à plus de cent mil ecus» [24].

Le même document précise que le château, estimé «à plus de cent mille écus», «comportait quatorze appartements de maître complets, tous superbement meublés, sans compter les autres chambres de commodité et quantité de garde-robes». Il était alors «de notoriété publique que tout y etoit batit à neuf excepté l'ancienne galerie, que tout y etoit meublé et parqueté dans le dernier gout et que cela doit avoir couté des sommes considérables. […] Il n'y avoit rien à ajouter dans l'éléguence des meubles, dans le choix des trumeaux et dans la magnificence des boiseries et des parquets. Le cabinet d'assemblée était un des plus beaux et des plus grands morceau du royaume dans son genre. Toutes les salles étoient ornées d'une boiserie du dernier gout, et la totalité de la maison renfermoit une galerie magnifique, quatorze appartements de maîtres complets, tous meublés superbement, quantités de gardes-robes, d'entresols et d'autres chambres de commodité dont un plus grand détail ne serviroit qu'à exciter les regrets […] ».

L'incendie de 1751

Cette même enquête permet de comprendre les événements ayant abouti à la catastrophe survenue le 19 février 1751. Au printemps 1750, le comte de Toulongeon se plongea dans ses papiers de famille afin de trier «ceux qui étoient nécessaires pour la reception d'un de ses fils à Malthe [25] ». Ayant rencontré à Troyes Adrien Florand Morin, un bourgeois de Paris dont il avait reconnu «les talents pour l'arrangement des papiers et les inventaires», il l'invita à venir au château et, avec lui, s'employa à les rassembler, à les «mettre en ordre et en état» et à les conserver dans un «un buffet garnit d'estain» de son cabinet de travail sis au rez-de-chaussée du corps central du château. Un certain nombre de documents ayant souffert de l'humidité, il convenait de les faire sécher. Dans ce but, il portait chaque jour du feu dans cette pièce et demanda à son maître d'hôtel nommé Ruelle de poursuivre cette tâche lorsqu'il dut s'absenter en février 1751 pour rejoindre «la cour de Lunéville».

C'est ainsi que le 19 février 1751, vers six heures du soir, des gens de Champlitte qui travaillaient dans les vignes virent soudain du feu jaillir du corps central du château. «Ils coururent aussitôt, mais inutilement parce que ce cabinet etant placé dans le millieu du grand corps de logis, le feu poussé avec impetuosité se portat partout et l'on ne pût rien sauver que quelques fauteuils au nombre de huit et quatre tableaux qui étoient dans une salle à manger miraculeusement épargnée». Le maître d'hôtel expliqua que «[le] vent impetueux qui donnoit ce jour là fit que l'on ne put y porter aucun secours, le feu fit meme un progrès si prompt que dans moins de six heures tout le château […] fut réduit en cendres à l'exception seulement des cuisines, de l'office et d'une chambre du commun qui formoient un petit corps de logis séparé du château». Le procès-verbal du 20 mars 1751 indique ensuite que «led. s.r Ruelle nous ayant conduit sur le terrain où etoit placé le grand corps de logis du château de Champlitte et qui avoit de face 155 pieds de long [26] et de

24. Arch. dép. Haute-Saône, G 1909, procès-verbal du 20 mars 1751, enquête sur l'incendie arrivé au château de Champlitte le 19 février 1751.

25. Il s'agit d'Anne Edme Alexandre, né en 1741.

26. Soit 50,35 m.

27. Soit 9,75 m.

28. Abbé de Mangin, *Histoire ecclésiastique et civile, politique, littéraire et topographique du diocèse de Langres […]*, tome second, Paris, chez Bauche, 1765, p. 71. L'abbé était doyen et archiprêtre d'Is-en-Bassigny.

29. L'un est conservé au château de Talmay (Côte-d'Or) et le second au château de Champlitte. Je remercie Patrick Boisnard qui m'a signalé l'exemplaire de Talmay ainsi que Philippe Bonhoure qui m'a communiqué l'ensemble.

profondeur 30 pieds [27] dans œuvre, nous avons reconnu qu'il étoit totalement incendié, qu'il n'y a plus ny plafond ny planchers, que jusqu'aux murs sont calcinés et entrouverts en plusieurs endroits ; après cette observation nous avions passés à l'aile gauche et à la grande gallerie dud château, où il n'y reste plus que des murs calcinés, tout etant brulés sans exception, n'y restant meme pas aucune chose dont nous puissions faire mention que les murs dont nous avons parlés, ce qui nous aparait une perte inexprimable tant par les connaissances particulières que nous avons dud château que par l'etendue immense des vestiges qui existent encore… »

LA LONGUE RECONSTRUCTION DU CHÂTEAU

Le projet de Jean-Antoine Caristie

À la suite de cette catastrophe, décision fut prise de reconstruire la demeure. Les archives conservées gardent le souvenir des étapes et de l'identité de certains des architectes et artisans qui travaillèrent sur ce chantier jusqu'à la veille de la Révolution, d'abord pour le comte de Toulongeon jusqu'à son décès, puis pour son fils aîné le marquis. Il semble que les travaux furent pourtant différés de quelques années. En effet, dans son ouvrage publié en 1765 [28], l'abbé de Mangin donne la précision suivante : «comme [le château] a été brûlé depuis quelques années, on le reconstruit à la moderne. Le dessein en est admirable, et annonce beaucoup par la grandeur et l'étendue de ses bâtimens». Cet auteur, hélas, ne donne pas le nom de l'architecte, mais le «dessein admirable» auquel il fait allusion pourrait être de la main de Jean-Antoine Caristie. En effet, deux dessins d'«Elevation et face du coté de la grande cour du château de Champlitte», signés de cet architecte et du comte de Toulongeon, sont aujourd'hui conservés [29] (fig. 3).

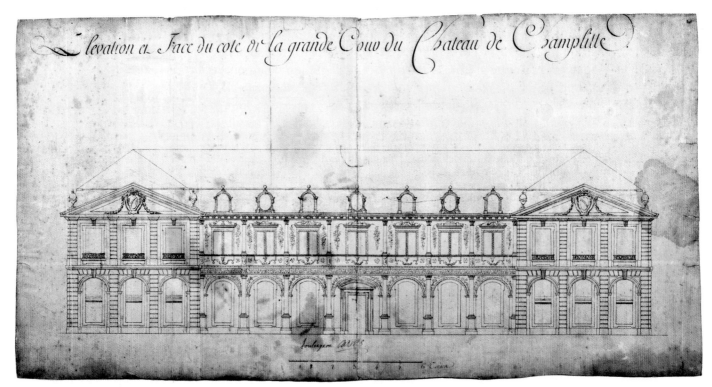

Fig. 3 – Jean-Antoine Caristie, *Elevation et face du coté de la grande cour du château de Champlitte*, s. d. (Champlitte, Musée départemental Albert et Félicie Demard).

PASCAL BRUNET

Membre d'une dynastie d'architectes d'origine piémontaise installés en Bourgogne au XVIIIᵉ siècle [30], le Dijonnais J.-A. Caristie (1719-1770) a participé à d'importantes réalisations ou restaurations à Dijon, Auxonne, Saulieu, Talmay, mais également à Langres et à Piépape (Haute-Marne). En 1765, il travailla comme entrepreneur à la construction du château de Talmay, lieu de conservation d'un de ces deux dessins, mais également à Cîteaux et à Auxonne [31].

Ces dessins indiquent la volonté de l'architecte de conserver et de remonter les vestiges de la façade de l'ancienne galerie du XVIᵉ siècle afin qu'elle devienne le décor principal de l'élévation du côté de la cour. Cette nouvelle utilisation imposait la fermeture partielle des arcades de la galerie qu'il dotait, de part et d'autre d'une porte surmontée d'un fronton curviligne supporté par des consoles, de deux groupes de trois fenêtres cintrées à crossettes.

En avant, et de chaque côté de cette façade recomposée, Caristie prévoyait la construction de deux pavillons surmontés de frontons triangulaires, tandis qu'une toiture à la Mansart coiffait l'ensemble. Hormis la présence d'arcades au rez-de-chaussée, les pavillons latéraux, larges de trois travées sur deux niveaux, ne reprenaient pas l'élévation du XVIᵉ siècle. Ils présentaient en effet un décor de bossages en refends qui encadrent les arcades plaquées du rez-de-chaussée et strient les pilastres de l'étage. Le rez-de-chaussée de ces deux pavillons serait entresolé. À l'étage, les garde-corps seraient en fer forgé. Les agrafes de toutes ces nouvelles baies à crossettes contribuaient au nouveau jeu plastique proposé. Les tympans des deux frontons triangulaires présentaient chacun un écu couronné, flanqué de guirlandes. Les armes figurées sont de convention, elles n'évoquent pas celle des Toulongeon. Des vases de pierre ornés de serviettes étaient posés à la naissance des rampants de ces deux frontons. Le brisis du nouveau toit serait éclairé par sept lucarnes aux dessins alternés et surmontées de sphères de pierre, posées au droit des travées de l'ancienne galerie.

Il est très intéressant de mettre ce projet de Caristie en parallèle avec un devis, hélas non signé et non daté, conservé dans le fonds Toulongeon des archives départementales de Haute-Saône [32]. Celui-ci est intitulé «devis generalles des ouvrages de fouilles, massonneries, tailles, charpentes, couvertures, gisseries qui sont affaires pour une partie du chataut que monsieur le comte de Toulongeon veut faire batir à l'enciens emplacement de sont chataut de la ville de Champelite, comme aucy le logement du fermier, remises et autres de la chambre de la tourelle qui joint actuellement l'enciene gallerie pour remplacer cette gallerie de même niveaus». Il envisage plus loin des travaux «consistant à remplacer une ensienne gallerie avec contre-murs par derrier de même que deux murs en retour et le mur parallele pour faire ladite galleries avec toute les chambres et mansardes dans icelle».

Le parallèle que l'on se propose d'établir entre ce devis et le dessin d'élévation de Caristie est favorisé par la mention des ailes et de leur décor, «aux deux murs de retours du coté de la cour, il sera commencée des partie des ayles de trois pieds en avans de plus que le nud du mur de la galleries dans lesquelles ils cera fait des pilastres en refend», ainsi que des lucarnes du toit. Il est possible que ce devis ait été rédigé par un entrepreneur à partir des dessins élaborés par Caristie [33]. Il se monte, pour les travaux du corps central du château, à 13 305 lt.

Au vu du bâtiment existant, notre hypothèse est celle de la réalisation partielle du projet de Caristie, c'est-à-dire la reconstruction du corps central de la demeure jusqu'au toit, avec remploi du décor sculpté de la galerie de la Renaissance, mais abandon du dessin des ailes en retour sur la cour d'honneur. Dans cette hypothèse, ce devis a bien été en grande partie exécuté, et il comprend en outre la reconstruction des communs [34].

30. Léone Pia-Lachapelle, «Une dynastie d'architectes : les Caristie», *Mémoires de la commission des antiquités de la Côte-d'Or*, 1974-1975, p. 219-238.

31. Travaux au polygone d'artillerie, 1764-1766.

32. Arch. dép. Haute Saône, E 798.

33. Le devis précise que «tous les dit ouvrages seront bien et dument fait autant que l'ar de chaque espese d'ouvrages le permet, conformement aux plans, elévations, coupe et profil en petit et en grand et au present devis de constructions et destimations […]».

34. Devenus hôtel de ville de Champlitte.

Le devis commence par prescrire les modalités du démontage de la galerie du XVIe siècle afin qu'elle soit reconstruite en accrochant les éléments anciens aux blocs neufs de la nouvelle façade :

« L'encienne gallerie existante faites de sept portique avec un étage au dessus composé de deux corps d'architectures avec beaucoup d'ornements sera entierement démontée pour la replacer entre les deux angles de batiment à faire du cotée de la cour. La plus large arcades ou portique sera remplacée [replacée] au milieux ; pour faire la auteur du rez de chaussée conforme au desseint et aux mesures cy dessus, l'on fera un socle sous les pieds destaut qui seront de hauteur sufisante pour qu'il ay six pouce enterrer ; ces socles feront saillies dans le pourtour des pieds destaut d'un pouce et auront quinze pouces hors de terre. En comencent à poser cette encienne architecture, on montera à même tems un contre-mur par derriere en pierres de tailles de même assises en profilans les même socle, même imposte et les même sintre que les enciennes, en fesant des pierres de liaysont autant qu'il ce pourra, et où l'apareilles ne permettra pas, pour pouvoir remplacer [replacer] cette encienne architecture, l'on cranponera les pierres de ce contre-mur avec celle de cette architecture. Ce contre-mur sera en pierre de taille jusque au premier etage et aura quinze pouce d'épaisseur sans y comprandre la salies des pilastres contre le dit mur semblable à ceux qui sont encore existant. Les pieds ont saize pouce de largeur sur trois pouces de saillie, les basses et chapitaut y seront pareillement observés ; les pilastres seront montés de quinze pouces plus haut qu'ils ne sont presentement pour que les chapitau des dit pilastres soit plus haut que le sintre des portique de trois pouces. Ce contre-mur continura jusque au-dessus du premier etage en bonne massonnerie avec pierres de tailles qui face parpin de deux à trois pieds, lesquel seront cranponée avec celles des enciennes. Les ecoinsont et couvertes pour rejoindre aux fenaitres seront aucy de pierres de tailles cranponée de deux assises l'une.

Le remplacement de l'encienne gallerie pour la démonter et la remonter em place en y fesant toutes les parties d'architecture et sculptures qui y manqueront estimée à la somme de deux mil deux cent livres »

Il précise également que les « parties d'ouvrages que l'on doit démolir » sont « la granges et le mur paralelle à la gallerie jusque contre la petite tour à cotée de la porte sous la galleries ». En outre, l'entrepreneur « poura remploier tous les materiaux de la dites démolitions qui seront reconut bon en conformité du devis ». Le devis précise ensuite la nécessité de compléter les éléments du XVIe siècle qui ont été endommagés par le temps ainsi que par les incendies : « à cette encienne gallerie l'on fera toutes les partie d'architecture et sculptures qui y manqueront et qui se trouveront cassées. »

Ensuite viennent de nombreuses précisions techniques qui nous renseignent sur la reconstruction :

« Les murs au ré de chaussé paralelle à la gallerie en portique avec les deux retours de chaque cotée seront fait en pierres de tailles par l'intérieur avec pilastres, tablau, croisée et autre conforme au dessent de plans et elévations ; le surplus des dits murs au rez-de-chaussée sera de deux pieds pour la grande face et les retours auront deux pieds deux pouces d'épaisseur […] Le grand mur paralelle à la gallerie sera de vingt et un pouce monté […] »

Parmi ces précisions, celle de l'emploi du fer pour consolider l'ensemble est particulièrement intéressante :

« Ce batiment fait en portique et arcades par les cotée n'etant poin butée comme ils le seroit s'yl étoit envelopée des batiment projetée et que le cas peut arrivé que ces portique et arcades pouroit poucé par la charges qu'elle recoives, ils sera fait pour eviter cette accident quatres tirans de fer qui ce poseront dans les murs aux dessus des arcades et portiques dont deux seront posé pour retenir les quatre engle et les deux autres ce poseront aux engles du coté de la cour et traverceront le premie portique de chaque cotée jusque à l'endroit de la seconde colonne, les goujon de ces tirans de fer entreront de six pouce dessous et dessus dans de fortes pierres de tailles posé expres dans les engles. »

PASCAL BRUNET

En outre, le rédacteur ne manque pas de préciser plusieurs « Cotes e dimantions » :

« La longeur de la galleries sera de quatre vingt six pieds huit pouce [35] sur la largeur de saize pieds [36] à mesurer du nud des murs ; la hauteur sous poutres sera dix huit pieds six pouce à mesurer sur le tablement qui est dans la dite gallerie, lequelle nivaux et [est] ranvoyés au plein pied de la chambre de la tourelle qui joint actuellement l'encienne gallerie pour remplacer [replacer] cette gallerie de meme nivaux. »

Le devis indique l'emplacement des carrières de pierre utilisées pour la reconstruction :

« Les pierres mureuses ce tirera aux carieres ordinaires de Champlite et sera sennes [saines], de bonnes calitée, bien esemilée, pozé à pla en bonnes liaysons, et l'on emploiera une parties des pierres de démolitions avec les pierres neuves. La pierres de tailles pour les socles de tous les batiments se tirera à la quarriere des Suisses proche Champelite à droite en sortant de la dite ville sur le chemin de Gray, l'entrepreneur n'etant poin aublige de dédomager le proprieter de ladites quarrieres. »

Il est précisé que la nouvelle toiture sera en ardoise : « quatre vingt six toises de couvertures en ardoises », et qu'elle comportera sept lucarnes :

« Le combles estant tous chevronée, ils sera fait un couvers en ardoises et pour recevoir l'ardoises l'on lembriechera tous le dit comble avec des lembris de sapin de sept à huit lignes d'épaisseur [...] les ardoises seront bien cloués à l'échantillon que monsieur de Toulongeon donnera et posé en conpartiements... Sur la faces de la galleries du cotée de la cour sera fait sept louvres pour les mansardes en pierres de tailles dont l'épaisseur du parpein sera de quinze pouce et faits semblables au desseint. »

Pour le sol de la galerie, il est prévu que :

« Le pavé en tables de pierres noires et blanches serat relevé pour remplacer [replacer] toutes les tables noires et blanches qui ce trouveront nettes et sennes et l'on asortira toutes la gallerie de cette même fasont de pavez, de même que les platebendes tous autour jusqu'à l'alignement des socle extérieurs. »

En conformité avec l'élévation extérieure, sept travées d'arcades symétriques seront disposées en vis-à-vis. Elles seront rythmées par des pilastres toscans. Ainsi, à chaque baie de la façade répondra une porte ou une fenêtre feinte.

Le devis prévoit enfin le traitement du plafond de la galerie : « le plafond sous [*sic* pour au-dessus de] la gallerie sera fait en inperialle avec corniche portant sur les chapitaut des pilastres de pierre de tailles et une moulure au dessus de l'inperialle », ce qui ne correspond pas à l'état actuel de ce dernier sans que l'on puisse établir si cette impériale a été réalisée puis détruite ou si le projet a été finalement abandonné.

Les chambres à l'étage du corps principal

Malgré de nombreux remaniements ultérieurs, le château conserve encore, au premier et au second étage du corps principal, plusieurs chambres et une belle suite de cheminées, dans le goût rocaille et en pierres comtoises polies [37], mises en place lors de la reconstruction supervisée par le comte. Un inventaire du château dressé le 5 décembre 1780 [38], soit deux jours après le décès du comte de Toulongeon, permet de connaître le détail de la distribution et de l'ameublement des pièces à cette date.

Les deux principales chambres du premier étage donnent sur la cour. Elles sont symétriquement disposées de part et d'autre d'une antichambre desservie par un corridor [39]. L'inventaire précise bien qu'elle sert « à deux apartemens » et qu'il s'y trouve « deux grands bancs longs couverts de tapisserie et deux caisses à mettre le bois ». Chacune de ces chambres

35. Soit plus de 28 m.

36. Soit environ 5, 20 m.

37. Certains documents parlent de pierre de Fouvent.

38. Arch. dép. Haute Saône, B 1918.

39. Transformé ultérieurement par les travaux d'Alexandre Bertrand.

dispose d'une belle alcôve aux riches sculptures rocaille. Elles sont désignées par le type du lit abrité dans l'alcôve :

« Dans la chambre qu'on nous a dit s'apeller la Romaine, il s'y est trouvé quatre fauteuils et deux chaises garnies de moquette rouge cramoisi, une bergère garnie de ses coussins de damas cramoisy, un lit à la romaine [40] assorti de ses rideaux et bonne grace de damas de serge cramoisy garni de son sommier, deux matelats, le traversin de plume, une couvert de laine, une piquée d'indienne et sa courtepointe de damas cramoisy, une table à écrire, une commode sans garniture, les rideaux de fenêtre de cottonne rayée en soye avec leur tringle de fer, une tapisserie de moitte blanche et rouge, un feu de fer poly garni de cuivre, pesle, pincettes et tenaille de même, deux petits souflets, un écran en tapisserie doublé de damas. »

« [...] dans l'appartement qu'on nous a dit s'apeller Pologne, nous avons trouvé un lit à la Pologne [41] garni de ses rideaux, couverture et bonne grace de camelot moiré jaune assorti, d'un sommier, deux matelats, lit et traversin de plume, couverture de laine, une autre d'indienne piquée, deux bergeres, deux fauteuils et deux chaises garnies d'étoffe semblable au lit, un trumeau sur la cheminée, un grand miroir à cadre doré composé de deux glaces, une petite table à écrire, une autre de toilette assortie d'un encrier, les rideaux de fenêtre garnis d'indienne, une commode à trois tiroirs [...] garnie en cuivre, un écran en tapisserie de damas jaune [...] »

L'aile des communs

Comme il a été dit plus haut, ce devis non daté précise également les modalités de construction de l'aile des communs le long de la cour d'honneur :

« Devis de constructions des ouvrages de la bas cour que monsieur le compte de Toulongeon veut faire construire en sont chataut de la ville de Champelite conssistant à une grandes ayles de batiment qui aura en longeur de dix neuf [?] pied sur la largeur de vingt pieds [42] sous lequelles ils sera fait une quave de toutes la longeur. La voutes sera faite à berseau et surbaissé de trois pied de sont plein cintre, cette voute aura dix pieds [43] sous clef avec un pied de pendent ce qui fera le nivaux des cours. Sur cette voutes sera fait une distributions qui sera, du cotée du chataut, un passages pour distribuer d'une cour à l'autre, ensuite une granges, des remises, un escaliers, une chambre et une cuisine pour le logement du fermier, dans lesquelles longeur il y aura sept murs de refend y compris les deux extremitée et deux piliers avec des arcque pour les remises. La hauteur des quaves sera de onze pieds [44] y compris les pendent de pierre d'un pied. Les fondations seront creusés jusqu'au bon, solide terrens, les terres des excavations de ce batiment seront conduit dans les enciennes quaves qui ne seront plus d'usages et le surplus posé contre les murs de therasse. [...] Les pied droit et les sintre des arcades figuré du coté de la cour du chataut seront seulement de doites bien piquée, le renfoncement de ces arcades sera de six pouces, les plintes, impostes et corniche seront de pierre de taille. »

En contraste avec le corps de logis principal, ces communs seront couverts de tuiles : « Les thuilles necessaires pour les batiment de la basses cour ce prandra à Teuillés ou autres de bonnes calitée, bien gironée, poin gauche et bien cuites, randant bon son ; les quarraux pour les cloisont ce prandron à la même thuilleries et seront du moule ordinaires et bien cuites. »

L'abbé Briffault signale en outre : « En 1770, le chapitre intenta un procès contre le comte de Toulongeon qui avait dénaturé une quantité considérable de vignes soumises à la dîme pour disposer devant son château une avenue spacieuse et très longue faisant suite à la promenade du Sainfoin [45]. »

Un document mentionne une autre campagne de travaux concernant les communs, réalisée entre le 23 mai et le 22 juillet 1774, pour un total de 2378 £ 3 sols 7 deniers : « Rolle des journees et depance faite au chateaus de Champlite pour la reconstruction de l'aille du coté de la base-cour conduit par Blancheville, aparaillieur, à comancé le 23 May 1774 [46]. »

40. Lit « dont le baldaquin, rectangulaire ou carré, est porté seulement par l'arrière et adossé à la muraille » (Pierre Verlet, *Les meubles français du XVIIIᵉ siècle*. I. *Menuiserie*, Paris, 1956, p. 33).

41. À la polonaise : lit dont « les colonnes qui portent le baldaquin se poursuivent en fers courbes que dissimule le mouvement des rideaux » (P. Verlet, *ibid.*).

42. Soit 6,50 m.

43. Soit 3,25 m.

44. Soit 3,60 m.

45. Abbé Claude-Jules Briffaut, *Histoire de la seigneurie et de la ville de Champlitte*, Langres, J. Dallet, 1869, p. 142, note 1.

46. Arch. dép. Haute Saône, E 798.

Pascal Brunet

L'aile sud d'Antoine Colombot

En 1806, l'architecte bisontin Antoine Colombot exposa une « Vue d'une aile du château de Champlitte [...] avec colonnes ioniques au rez-de-chaussée et corinthiennes à l'étage[47] ». Cette source, pour l'instant unique, permet d'identifier le deuxième architecte choisi par le comte de Toulongeon pour la poursuite des travaux commandés par son père. Fils de Jean-Charles Colombot, architecte très actif dans le bailliage d'Amont où il dessina notamment un grand nombre d'églises, Antoine Colombot (1747-1821) fut l'un des plus talentueux architectes comtois de la seconde moitié du XVIIIe siècle. D'abord formé par son père à Besançon, il a ensuite séjourné à Paris, où il a pu bénéficier de l'enseignement de Louis-Jean Desprez. La construction de l'aile sud du château est traditionnellement datée de 1768[48]. Si cette date est retenue, son intervention à Champlitte serait l'une de ses premières réalisations, au retour de son séjour de formation à Paris.

Rompant avec le projet de Caristie, Colombot décida d'arrondir l'angle reliant son aile neuve à la façade de la galerie héritée de la Renaissance. Par souci d'unité, mais sans vouloir rivaliser avec ces dernières, il reprit à son tour les grandes lignes de l'architecture du XVIe siècle : des arcades surmontées par les fenêtres de l'étage, des bandeaux horizontaux et une corniche (fig. 4). Il fit de même avec les apports récents de Caristie : les chambranles à crossettes et les linteaux en arcs segmentaires délardés du rez-de-chaussée de l'ancienne galerie. En revanche, il abandonna les colonnes, les meneaux des fenêtres de l'étage ainsi que les décors sculptés. Comme dans ses réalisations à Besançon, l'architecte utilisa des balustres de pierre comme garde-corps des fenêtres de l'étage, et celles-ci conservèrent leurs proportions du XVIe siècle. Le motif des colonnes superposées est cependant repris pour le décor de l'extrémité de l'aile.

47. Besançon, Bibl. mun., *Notice des productions des trois départements, en peinture, sculpture et architecture, exposées dans la grande salle d'audience de la cour d'appel de Besançon, depuis le 6 jusqu'au 13 décembre 1806.* Ce dessin est perdu.

48. Cette date, peut-être trop précoce, est reprise de publication en publication. Elle n'est malheureusement étayée par aucun document.

Fig. 4 – Champlitte, château, aile sud côté cour.

49. Fille de Louis-Henri d'Aubigné dit «le marquis d'Aubigné», colonel au régiment de la Marine-Infanterie (1737), brigadier des armées du roi en 1745, maréchal de camp en 1748, et de Marie-Louise de Boufflers de Remiencourt. Elle ne semble pas avoir eu de réels liens familiaux avec Madame de Maintenon, née d'Aubigné.

50. Arch. dép. Haute-Saône, E 798.

51. Collaborateur de Bertrand pour plusieurs de ses chantiers dont le clocher de l'église Saint-Pierre de Besançon. Sa maison, 27, rue de la Préfecture à Besançon, a été construite en 1777 sur un dessin d'A. Colombot.

52. Arch. dép. Haute-Saône, E 798. Les quatre colonnes sont en fait les deux paires de colonnes superposées à l'extrémité de l'aile nord, visibles sur la fig. 6.

Au revers de la cour d'honneur, la façade sud de cette aile neuve donnait autrefois sur une petite cour à présent disparue. Elle est composée verticalement par cinq travées de fenêtres placées dans des tables en renfoncement. La travée axiale est mise en valeur par des fenêtres aux chambranles moulurés, une balustrade en garde-corps de la baie de l'étage ainsi qu'une lucarne en œil-de-bœuf. Un niveau d'entresol est perceptible au travers des baies du rez-de-chaussée.

Les travaux d'Alexandre Bertrand

Le comte J. F. J. de Toulongeon mourut le 3 décembre 1780 et son fils aîné, Hippolyte Jean René (1739-1804), hérita du château. Comme son père, c'était un militaire : colonel du régiment Dauphin-Cavalerie pendant la guerre de Sept Ans, aide de camp du duc de Randan en 1762 (date de sa présentation à la cour), maréchal des camps et armées du roi en 1781, puis chargé d'une mission militaire en Prusse en 1786. Par contrat du 21 juin 1765, il avait épousé, au château de Versailles et en présence de la famille royale, Marie Joséphine Marguerite d'Aubigné (1746-1805) [49]. En cette occasion, le roi Louis XV lui avait accordé, à titre personnel, le titre de marquis.

Pour la poursuite des travaux de reconstruction du château, il se tourna assez vite vers l'architecte néoclassique bisontin Alexandre Bertrand (1734-1797), collègue et concurrent d'A. Colombot, lequel signa, dès le 1er mai 1781, un «devis instructif et estimatif, marché et convention de tous les ouvrages de maçonnerie à faire pour la construction du château de Champlitte [...] suivant les plans, profils, coupes et élévations et détails de construction [50]». Ce devis, fait en double à Besançon, fut également signé par Jean-Pierre Guyet, entrepreneur bisontin [51]. À cette date, Bertrand, excellent dessinateur, était à l'apogée de sa carrière. Il avait déjà beaucoup construit tant à Besançon qu'en Franche-Comté ; on lui doit notamment certains des plus beaux hôtels aristocratiques de la ville. Il était architecte contrôleur adjoint de la ville de Besançon et dirigea trois chantiers d'importance dont deux à Besançon, l'église Saint-Pierre et la salle de comédie, sur les dessins de Claude-Nicolas Ledoux, ainsi que le château de Moncley.

À Champlitte, Bertrand dut tenir compte de la dernière campagne de travaux. Pour achever la façade sur la cour d'honneur, il reprit donc textuellement l'élévation de l'aile de Colombot :

«Les quatre colonnes de la façade du bout de l'aile seront exécutées de même que celles de l'autre aile ainsi que tous les avant-corps, corniches, plinthes, balustrades & parfaitement semblables aux deux faces intérieures de la cour d'entrée du château tels qu'ils sont exécutés dans l'autre aile [52].»

Il en fut de même pour les lucarnes :

«Il sera fait de même en pierre de taille pour éclairer les mansardes des louvres qui seront posées au bas des versants du comble et à plomb du mur extérieur des murs de façade et exécutés conformément aux plans et élévations. Pour ceux qui se trouveront à faire à la façade du côté du parterre et à celle du côté de la terrasse et ceux à l'intérieur de la cour dans l'aile à faire, [ils] seront conformes à ceux de l'aile opposée.»

En revanche, pour les deux autres façades du château, au nord et à l'est, l'architecte reprit sa liberté de création. À l'est, du côté du parterre, la nouvelle façade est composée à partir d'un hémicycle central surmonté d'un dôme (fig. 5). Depuis son emploi par Le Vau à Vaux-le-Vicomte en 1656, ce motif architectural était devenu un des traits majeurs de l'architecture française. Dans la seconde moitié du XVIIIe siècle, il inspira notamment Charles de Wailly au château de Montmusard près de Dijon, vers 1763-1769, Pierre-Adrien Pâris pour les hôtels Tassin à Orléans en 1771 ainsi qu'au château de Colmoulins

PASCAL BRUNET

Fig. 5 – Champlitte, château, façade est du corps central avec son hémicycle.

près du Havre en 1787, ou encore Cl.-N. Ledoux à l'hôtel Thélusson en 1778. En Franche-Comté, cet hémicycle marque la façade sur le parc du palais de l'Intendance de Besançon, dessiné en 1770 par Victor Louis et achevé en 1778. Il inspira A. Colombot pour la construction du château d'Avilley en 1773 [53], ainsi qu'Al. Bertrand pour la façade sur jardin du château de Moncley qu'il dessina pour le marquis Terrier de Santans en 1778. Dessiné en 1781, l'hémicycle du château de Champlitte s'inscrit à son tour dans cette suite de variations créées à partir du modèle bisontin. À la lecture du devis de 1781, il semble que Bertrand avait tout d'abord prévu de l'enrichir de colonnes, sans doute engagées, à la manière de celles qui ornent celui de l'hôtel de Salm à Paris [54] :

> «La mieux value des colonnes du péristile en rotonde ainsi que les quatre du bout de l'aile, la corniche de péristile ainsi que l'appuy, socle et balustre *idem* de la galerie du côté de la terrasse, des cannelures, des modillons et denticules sera estimée par l'architecte.»

La façade de Bertrand donnant sur le parterre comprend neuf travées de fenêtres. En raison de la présence d'un ancien mur de refend, l'une de ces travées est constituée de deux fenêtres feintes. Les baies du rez-de-chaussée – niveau de réception de la demeure – sont les plus hautes. Les allèges et les garde-corps des fenêtres sont des balustrades. Les allèges de l'étage sont soulignées par un «appui et un socle» soutenus par deux petites consoles. Des corniches surmontent les fenêtres. Celles du rez-de-chaussée sont enrichies de petites frises à la grecque.

L'hémicycle se distingue par le cintre des trois baies du rez-de-chaussée ainsi que par une frise richement sculptée de rinceaux [55], repris de la galerie du XVIᵉ siècle. Les trois baies du rez-de-chaussée étaient initialement des portes-fenêtres qui permettaient l'accès à la terrasse puis au parterre par un perron de six marches. Inachevés, leurs écoinçons sont

53. Située près de Rougemont (Doubs), cette demeure a été totalement détruite au début de la Révolution.

54. Construit par Pierre Rousseau de 1782 à 1787.

55. Une tradition, non étayée par les archives, donne l'exécution de cette frise au sculpteur Luc Breton.

Fig. 6 – Champlitte, château, aile nord, face extérieure.

restés des pierres d'attente. Dans le prolongement vertical des fenêtres, neuf petites lucarnes hérissent la toiture d'ardoise. Elles sont coiffées d'une corniche supportée par des petites consoles glyphées avec goutte et perle.

Au nord, la façade très sobre domine la vallée du Salon (fig. 6). Dotée de huit travées de fenêtres qui la rythment verticalement, elle présente un avant-corps médian large de quatre travées. Le décor des fenêtres est le même que sur la façade est. Traité comme un balcon avec un garde-corps en fer forgé, un étroit passage longe les fenêtres du rez-de-chaussée de cette aile. Il permet de relier la cour d'honneur et le jardin, à l'est.

Le salon d'été et sa grotte d'entrée. En raison de la forte déclivité du terrain, cette face latérale repose sur un haut soubassement en talus. Alexandre Bertrand a su transformer cette contrainte en une création forte et unique en Franche-Comté, sans aucun doute l'un de ses chefs-d'œuvre, un salon d'été ou de fraîcheur destiné au délassement des promeneurs du parc pittoresque qui se développait à ses pieds jusqu'à la rivière (fig. 7). L'entrée de ce salon est conçue comme celle d'une grotte et a été réalisée en collaboration avec le sculpteur bisontin Luc Breton (1731-1800) :

PASCAL BRUNET

« Il suffira dans les souterreins de faire sous le sallon d'hyver un sallon de grandeur et de forme pareille. M. Bertrand disposera en conséquence entre les deux jours convenus dont l'exemple est sur le modèle fait par M. Breton une porte ornée de 2 colonnes et de rochers dont il donnera les proportions à l'entrepreneur, en raison de l'élévation du soubassement[56]. »

La complicité artistique entre Al. Bertrand et L. Breton a été fructueuse. On leur doit notamment la fontaine des Dames, achevée en 1785 près de l'Intendance de Besançon, ainsi que, sans aucun doute, l'une des fabriques, en forme de temple dorique, construites dans le parc du château de Scey-sur-Saône.

Suivant le goût naturaliste de l'époque, le mur du soubassement est fait de blocs grossièrement taillés et de pierres en bossages. Il est percé de deux fenêtres en demi-lune composées de claveaux à bossages :

« M. Bertrand a oublié de désigner quelle profondeur et largeur doivent avoir les refends du sous-bassement rustique. Il est nécessaire qu'il fasse beaucoup d'effet, et je pense que chaque pierre ne doit pas avoir, au-dessus du trait de ciseau, moins de six pouces de saillie en bossage et même souvent plus toutes les fois que les pierres le comporteront[57]. »

En réponse ou en hommage à la grotte d'entrée de la saline royale de Chaux créée en 1775 par Cl.-N. Ledoux, la grotte de Champlitte se compose de faux rochers[58] et de deux colonnes, doriques, rustiques et hexagonales.

L'accès à ce salon, utilisé l'été pour sa fraîcheur, se faisait par l'extérieur, depuis le parc. On y prenait vraisemblablement des collations et le service se faisait depuis le château par l'escalier ovale.

Il avait été conçu par le marquis et l'architecte pour surprendre les visiteurs qui pensaient entrer dans une grotte et se retrouvaient dans une sorte de chapelle gothique au sol dallé de pierres de Champlitte. Car une fois le seuil franchi, le visiteur est confronté à une sorte d'ermitage d'inspiration médiévale coiffé d'une voûte sexpartite. En apparence voûtée d'ogives, cette pièce oblongue est en fait surmontée d'une voûte d'arêtes. Les ogives, les arcs-formerets, la clef tombante et les culots feuillagés ne sont que des décors réalisés en stuc. Le pittoresque résidait également dans l'alternance, sur les murs, de cinq

56. Arch. dép. Haute-Saône, E 798.

57. *Ibid.*

58. Cela fait également penser au bosquet des bains d'Apollon créé à Versailles par Hubert Robert entre 1776 et 1778. Voir Hervé Brunon et Monique Mosser, *L'imaginaire des grottes dans les jardins européens*, Paris, 2014.

Fig. 7 – Champlitte, château, grotte d'entrée du salon d'été.

Fig. 8 – Champlitte, château, intérieur du salon d'été.

culots néogothiques avec cinq culots néoclassiques cannelés terminés d'un gland (fig. 8). L'inventaire dressé le 7 mai 1792 [59] indique que ces culots néoclassiques supportaient « cinq figures en terre cuite », et l'on ne peut que regretter amèrement de n'en pas connaître l'iconographie. Il est possible qu'il se soit agi de portraits de membres de la famille exécutés par Luc Breton.

Les gradins de pierre ménagés dans l'ébrasement de la fenêtre étaient peut-être, quant à eux, destinés à supporter la vaisselle utilisée lors des collations [60]. Nous savons qu'en 1792 la pièce était meublée de « quatre banquettes, une table ronde à dessus de marbre et une lanterne garnie ».

Cette pièce si originale doit être mise en parallèle avec la cuisine du château de Moncley construite par Bertrand dans le même esprit et au même moment. Au-delà des changements de goût et de la volonté de surprendre les visiteurs, l'irruption de formes

59. Arch. dép. Haute-Saône, 1Q 325.

60. Un parallèle peut être fait avec la Laiterie de la reine dans le parc du château de Rambouillet.

PASCAL BRUNET

néo-médiévales dans les châteaux à la fin de l'Ancien Régime n'est pas un choix anodin. Comme à Moncley, et pour les mêmes raisons, il convenait alors pour l'architecte d'exprimer ainsi l'ancienneté de la noblesse des propriétaires.

Le parc pittoresque et ses fabriques. Dans son ouvrage de 1765, l'abbé de Mangin évoque ainsi la beauté du parc :

« Les ailes [*sic*, lire l'une des ailes] du corps de logis aboutissant sur le bord de la côte, on a été obligé de prendre les jardins et dépendances du château dans la pente même de cette côte et dans le vallon entouré de petites monticules. L'art y a tellement ménagé le terrain que ces jardins forment depuis le haut en bas un amphithéâtre charmant. Les terrasses sont soutenues par des murs de distance en distance. Et l'on descend par des rampes symétriques de droite et de gauche. Les vergers, les bosquets ou promenades suivent les jardins. D'espace en espace on trouve des salles et des cabinets de verdure, et enfin l'on va aboutir dans une prairie délicieuse, mouillée par le Salon, où l'on a pratiqué des canaux d'eaux vives pour y conserver différentes espèces de poissons. Des saules qui bordent la rivière achèvent de terminer ces dehors d'une part ; des coteaux de vignes à perte de vue les bordent de l'autre, et dans le plain-pied c'est le Salon qui sert de rempart, de fossé et de muraille à toute cette vaste enceinte. La situation de ce château autrefois faisoit sa force et le rendoit redoutable ; aujourd'hui elle fait son plus bel agrément et le rend infiniment délicieux [61]. »

Il est intéressant de mettre cette belle description en relation avec le plan du parc figurant sur un plan de masse de la ville datant de 1781 (fig. 9) [62] à l'occasion du percement

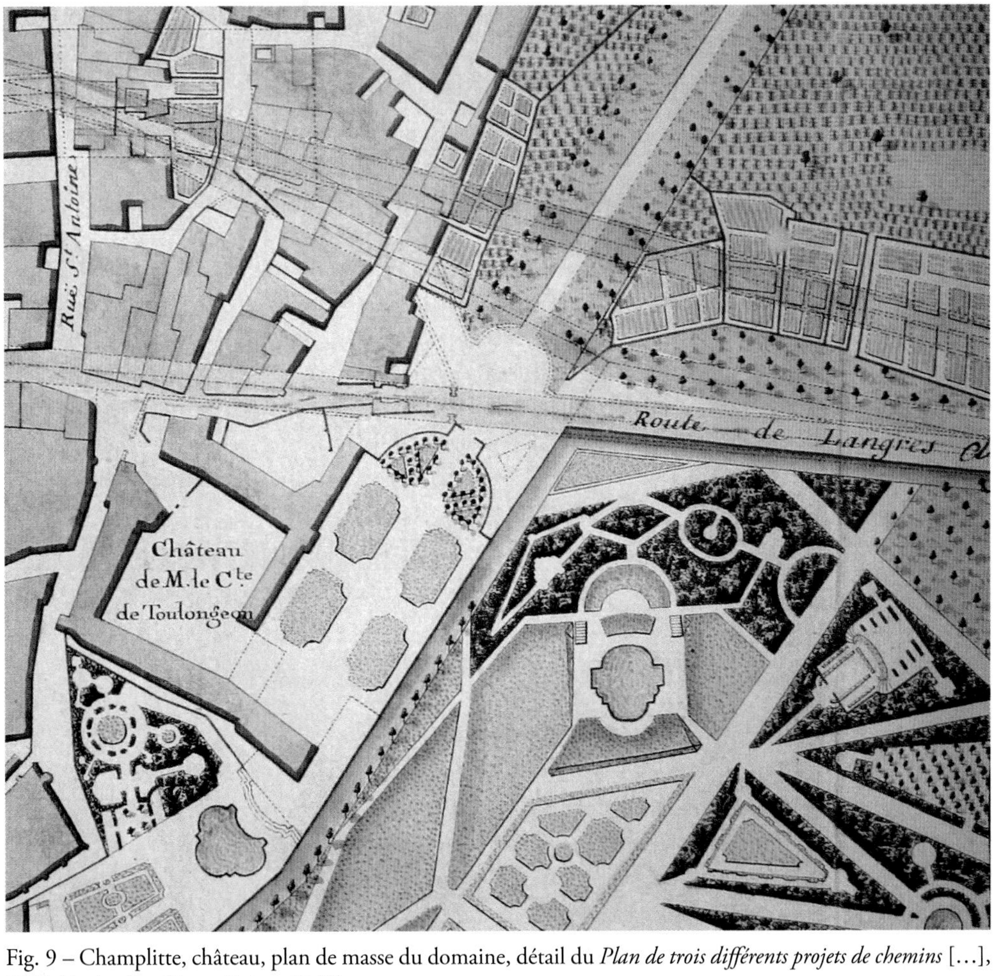

61. Abbé de Mangin, *Histoire ecclésiastique et civile, politique…*, *op. cit.* note 28, p. 72.

62. Arch. dép. Haute-Saône, C 58, Philippe Bertrand, Plan de trois différents projets de chemins faits dans la traverse de Champlitte, 1781.

Fig. 9 – Champlitte, château, plan de masse du domaine, détail du *Plan de trois différents projets de chemins* […], 1781 (Arch. dép. Haute-Saône, C 58).

Fig. 10 – Anonyme, *Vue des jardins de la Doye*, huile sur toile, s. d. (coll. part.).

63. Au vu des masses du château représentées sur ce projet de route, il est tentant de penser qu'il a été exécuté à partir d'un relevé antérieur aux travaux de la seconde moitié du XVIIIe siècle.

64. Arch. dép. Haute-Saône, 2 O 1303/11, dessin non daté et non signé.

65. Arch. dép. Haute-Saône, 2 O 1303/4.

d'une nouvelle route, même si les sondages archéologiques de janvier 2010 ont permis de supposer que cette vue présentait probablement un projet et non un relevé (en tout cas en ce qui concerne le bassin du parterre) – ou plutôt un projet figuré sur un relevé obsolète [63].

Un tableau conservé par des descendants des Toulongeon et intitulé *Vue des jardins de la Doye* (fig. 10) garde également le souvenir de la beauté du parc du château. Il présente, au premier plan, environné par une meute de chiens et des chasseurs, un obélisque au décor cygénétique. Celui-ci, haut d'un peu plus de 8,30 m et aujourd'hui disparu, reposait sur un socle de quatre marches. Il a fait l'objet d'un dessin préparatoire [64] présentant le détail de ses éléments constitutifs et de son assemblage ainsi que celui des protomés et des dépouilles de sangliers qui ornaient les angles et les faces du piédestal (fig. 11).

Les archives départementales de la Haute-Saône possèdent également l'esquisse aquarellée d'un pavillon gréco-chinois conçu pour servir de serre, sans doute un projet pour l'une des fabriques disparues du parc [65] (fig. 12). Cette construction au décor de briques et de pierres devait être dotée d'une large porte en anse de panier, de grandes fenêtres ovales, et d'un toit en pagode qui reposait en partie sur des colonnes toscanes. Des châssis vitrés, disposés de part et d'autre de la porte, étaient destinés à favoriser la croissance des semis. Cette architecture évoque le goût gréco-chinois très à la mode au XVIIIe siècle,

PASCAL BRUNET

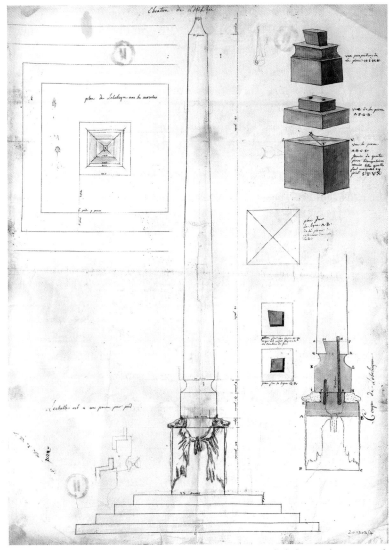

Fig. 11 – Champlitte, château, dessin préparatoire pour l'obélisque du parc, s. d.
(Arch. dép. Haute-Saône, 2 O 1303/11).

Fig. 12 – Champlitte, château, projet pour une serre dans le parc, aquarelle, s. d.
(Arch. dép. Haute-Saône, 2 O 1303/4).

66. Inscrit au titre des Monuments historiques en 1972.

67. Situé face à ce petit temple dorique.

dont les plus beaux exemples sont la pagode de Chanteloup, construite pour le duc de Choiseul (1775-1778), et la « maison chinoise », construite vers 1777-1778 pour M. de Monville au Désert de Retz.

L'orangerie-théâtre. Une dernière fabrique s'élève en face de l'hémicycle de la façade est. Il s'agit d'un petit temple à portique toscan dont les quatre colonnes en façade supportent un fronton triangulaire [66] (fig. 13). Les deux fenêtres et la porte trapézoïdale à l'antique sont surmontées de bas-reliefs en stuc, hélas ruinés, sculptés d'urnes, d'une serviette et de masques de théâtre, sans doute l'œuvre d'un membre de la famille Marca. Nous proposons de voir en cette fabrique une orangerie-théâtre, un pavillon à double usage selon la saison. Cette hypothèse est étayée par le décor des tables de stuc de la façade, mais également par certains indices trouvés dans l'inventaire du 7 mai 1792 :

> « Étant […] passé chez le jardinier, [ils ont] trouvé chez lui neuf orangers dont un en pot et les autres en caisses. De là, dans le parterre [67] [ils ont également] trouvé dix-huit caisses dans lesquelles existent des arbrisseaux de différentes espèces et quarante-cinq pots dans lesquels sont de petits arbrisseaux et fleurs de toutes espèces, deux pommes en pierre de Sampans et un vase pareille. »

Quant à la pratique du théâtre au château, ces mêmes commissaires indiquent avoir trouvé « dans un vieux garde-meuble […] plusieurs autres vieilles pièces de bois qui servoient autrefois de décoration pour jouer la comédie ». Enfin, dans la garde-robe du marquis se trouvait, en 1792, « un habit pour la comédie en satin blanc ».

Il faut mettre cet édicule en parallèle avec d'autres réalisations d'Al. Bertrand à Besançon, les corps de garde de la rue de l'Intendance et de la rue Neuve (1782), ainsi que le pavillon du limonadier construit en 1789 au fond de la promenade Granvelle.

Fig. 13 – Champlitte, château, orangerie-théâtre.

Fig. 14 – Champlitte, château, grille d'entrée de la cour.

La grille d'entrée et de nouveaux travaux aux communs. En 1787, en même temps qu'il créait le très beau portail et la grille d'entrée du château, Al. Bertrand transformait et complétait les communs d'éléments aujourd'hui disparus. Cette dernière campagne de travaux est éclairée par un beau plan paraphé le 16 août [68]. Utilisant plusieurs couleurs, l'architecte y indique ce qu'il fera démolir, ce qu'il conserve et ce qu'il fera construire.

Outre le portail d'entrée, les constructions prévues étaient les suivantes : logements du concierge et d'un «garde des écuries», «écuries à vaches», poulailler, «basse-cour rustique», «cour» et «abri des poules», deux autres logements de gardes près de la «fontaine publique» et trois entrepôts appelés «grangeage».

D'inspiration antique et militaire, le portail d'entrée est particulièrement soigné et adapté à la demeure d'un officier supérieur (fig. 14). La grille, plusieurs fois remaniée dans son couronnement, est encadrée par deux colonnes très originales. Leurs fûts, surmontés de

68. Arch. dép. Haute-Saône, E 798.

pommes de pin, sont entourés par deux rangs de piques liées, dans leurs parties haute et basse, par de feintes ceintures de cuir dont les boucles sont précisément détaillées. Des sangles feintes entrecroisées semblent lier ensemble les piques. Côté rue, et sur chacune des colonnes, elles maintiennent également une table ornée d'un bouclier richement sculpté. Les grilles reprenaient la thématique en alignant d'autres piques aux pointes dorées à la feuille. Nous n'en conservons qu'un fragment. En effet, celles-ci se poursuivaient initialement tout le long du mur en hémicycle fermant la cour. Des piliers couronnés de pyramidions supportaient chaque segment de la grille. Lors de la dépose de la grille et des piliers, les pyramidions furent conservés et posés sur le mur-bahut.

La distribution intérieure

Selon l'usage des châteaux du XVIIIe siècle, le rez-de-chaussée était le niveau de réception de la demeure (fig. 15). De la galerie jusqu'au grand salon, Alexandre Bertrand a su orchestrer une hiérarchie progressive dans la richesse des décors ainsi que dans le choix des matériaux utilisés pour leur création.

La galerie

Depuis la cour d'honneur, le visiteur pénètre dans une longue galerie qui sert de vestibule. Celle-ci distribue les pièces principales, permet d'accéder aux deux ailes ainsi qu'à l'escalier d'honneur du château, situé au sud. Dans la continuité de l'élévation extérieure, sept travées d'arcades rythmées par des pilastres toscans sont disposées en vis-à-vis. À chaque baie de la façade répond une porte ou une fenêtre feinte. L'entablement

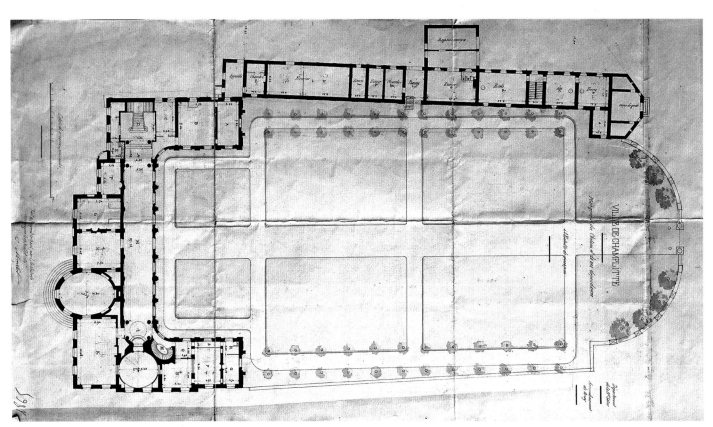

Fig. 15 – Champlitte, château, plan du rez-de-chaussée du château en 1865 (Arch. dép. Haute-Saône, 122 E dépôt 157). Le nord est à droite.

Pascal Brunet

Fig. 16 – Champlitte, château, porte de l'antichambre dans la galerie-vestibule.

couronnant les pilastres et les colonnes de la galerie est incomplet. Il ne comprend en effet qu'une architrave complétée par des groupes de gouttes [69]. La travée médiane est celle de l'entrée de l'antichambre. Sa porte (fig. 16) est couronnée par un fronton triangulaire supporté par deux consoles ornées de perles et de pommes de pin. Le tympan de l'arcade est richement sculpté d'un trophée d'armes évoquant la carrière militaire du marquis de Toulongeon. Le relief en stuc peut être attribué, sans trop de risque, aux frères Marca, qui travaillaient très régulièrement avec Al. Bertrand, notamment au château de Moncley, et auxquels on doit certainement l'ensemble des ornements en stuc du château. Autour de deux boucliers, décorés du T rayonnant des Toulongeon pour l'un et d'un *gorgoneion* pour l'autre, se dressent des drapeaux, des fusils à baïonnettes, un carquois rempli de flèches, une épée, un poignard, un faisceau de piques, un sabre et le fût d'un canon avec ses boulets. Un vide au centre du décor révèle apparemment la perte d'un élément complémentaire, peut-être un buste du marquis.

69. Cette licence est également présente sur la façade de l'hôtel Petremand de Valay construit en 1774 par A. Colombot à Besançon.

Les extrémités de la galerie sont fermées par quatre colonnes toscanes composant des sortes de tétrapyles à l'antique. Leur fonction est de supporter les paliers de l'étage, et leurs architraves sont décorées en soffite de caissons sculptés de feuillages. Ouvert sur le grand escalier d'honneur, le tétrapyle sud présente deux portes en vis-à-vis surmontées de frontons triangulaires sur consoles : l'une donne accès à l'aile sud et l'autre est feinte. Le plafond est orné d'une grande couronne de chêne enrubannée.

L'escalier d'honneur est presque identique à ceux de l'Intendance de Besançon et du château de Moncley. Le garde-corps en métal orné de postes aux décors de tôles estampées est similaire à celui de l'hôtel Henrion de Magnoncourt, érigé par Bertrand en 1776 dans la rue Neuve à Besançon [70]. La volée tournant vers la droite en montant permet de rejoindre le premier étage de l'aile sud tandis que celle tournant vers la gauche rejoint le palier distribuant les pièces du premier étage du corps central.

Les portes du tétrapyle nord (fig. 17) sont quant à elles surmontées de corniches sur consoles et de tableaux ovales ornés de guirlandes de chêne accrochées à une patère.

Fig. 17 – Champlitte, château, tétrapyle nord avec ouverture au plafond vers la chapelle de l'étage.

Ces portes mènent, d'un côté, à l'appartement de la marquise dans l'aile sud et, de l'autre, au grand salon. Au milieu, une baie vitrée sépare la galerie du petit salon. Un décor à l'antique en stuc orne son tympan : un brûle-parfum complété par des guirlandes de fleurs repose sur une frise au décor géométrique. Le plafond est percé d'une ouverture circulaire ornée de cannelures dont chacune est rudentée d'une perle.

Les dalles composant le sol de la galerie sont carrées et posées sur pointe. Elles sont alternativement faites d'un calcaire bleu-gris et d'un autre de couleur crème, deux pierres locales.

L'inventaire nous apprend qu'en mai 1792 le mobilier de la galerie se composait de « six banquettes couvertes en tapisserie, deux réverberts, six vases de philtration avec leur pieds en pierre de Champlitte, deux figures en pierre bronzées, deux autres figures aussi en marbre avec leur genne [sic pour gaines], huit cassolettes en fer blanc bronsées en or garnies de leurs lampes en fer blanc dont quatre enchaînées, deux tables de sapin avec leurs traiteaux, trois échelles de médiocre hauteur ». Les « vases de philtration » présents en grand nombre au château de Champlitte lors de l'inventaire désignaient des vases de fonte façonnés par coulage.

L'antichambre

L'enfilade des pièces de réception débute par une grande antichambre ayant « entré par la gallerie et vue sur le parterre » par une seule fenêtre. Le dallage de la galerie se poursuit dans cette pièce qui est sobrement décorée de grands panneaux de stuc surmontant une boiserie d'appui. L'inventaire de 1792 signale la présence de « quatre grands tableaux de la hauteur de quatre pieds et demi [71] sur six de longueur environ [72] avec quadres dorés représentant des chasses ». La niche du poêle est l'élément fort de la pièce. Placée en saillie au centre de son panneau, elle est couronnée d'un fronton supporté par des consoles glyphées avec gouttes. Des urnes à l'antique ornées de postes sont posées sur les rampants du fronton et l'ensemble est surmonté d'une guirlande de fleurs sculptée sur le panneau rectangulaire. En 1792, cette niche accueillait « un fourneau de fayance avec une colonne de fayance et entouré d'une grille de fer ».

Les quatre portes latérales se répondent deux à deux de façon symétrique. Celles du côté de la fenêtre permettent la circulation en enfilade. Une troisième donne accès à un placard triangulaire où l'on devait conserver le bois alimentant le poêle, et la dernière donnait accès au petit escalier conduisant à l'entresol situé au-dessus de la chambre du marquis. Les dessus-de-porte sont de simples panneaux moulurés dont les angles sont sculptés de feuillages. Une frise cannelée constitue la corniche. La rosace de stuc est sculptée de feuillages. En 1792, la pièce était meublée de « trois petites tables en bois, cinq chaises tapissées, quatre en paille, et une lampe en verre ».

L'appartement du marquis de Toulongeon

À droite de la fenêtre de l'antichambre, une porte donne accès à la chambre du marquis. Cette pièce prend le jour par une fenêtre située en face de l'alcôve. Les murs étaient tendus de tissu ou de papier peint au-dessus d'une boiserie d'appui. Les lignes encore rocaille de l'alcôve et des boiseries qui l'accompagnent permettent de comprendre que, pour sa chambre, le marquis avait sans aucun doute conservé certains décors mis en place pour son père qu'il a cependant modernisés en faisant changer la cheminée. Celle-ci, l'une des plus belles du château, est en pierre de Champlitte. On remarque les perles et les entrelacs à la grecque ornant le linteau ainsi que les chutes de pilastres des piédroits.

71. Soit 1,46 m.
72. Soit 1,95 m.

L'inventaire du mobilier de la chambre du marquis indique que l'alcôve était « garnie en rideaux de damas cramoisi » et que la pièce comportait

« quatre fauteuils et deux chaises, pareilles au dit lit, une bergère en velours d'Utrecht garnie d'un coussin pareille, un grand fauteuil garni de cuir, trois commodes en placage […], une toilette en placage, une petite table en bois, deux glaces, une de deux morceaux et l'autre de trois, douze tableaux représentant différents objets, un baromètre doré ainsi que les [cadres des] tableaux à l'exception d'un feu doré avec pelle et pincette, sur ladite cheminée deux vases de philtration, deux chandeliers en cuivre argenté et un portrait du roy de Prusse enchâssé de verre, un athelas relié en carton ».

À gauche de l'alcôve, la porte donne accès à un petit cabinet de toilette tandis que celle de droite donne sur un escalier menant à une petite pièce en entresol servant de garde-robe au marquis et de chambre pour son valet. Basse de plafond, elle était facilement chauffée par une cheminée à la prussienne [73] placée entre les fenêtres.

L'inventaire indique également la présence, dans l'entresol, d'une petite pièce réservée au billard. Celle-ci existait déjà en 1780, à la mort du comte :

« ensuite étant dans la salle du billard avons trouvé une table de billard sans tapis, quatre grands tableaux représentant des guerres enquadrés de cadres dorés et dans le corridor à côté six autres tableaux dont quatre à quadre doré et les autres à baguette, une lanterne, un fourneau de fayance avec une colonne aussi de fayance. »

La chambre du marquis donnait sur une petite pièce, aujourd'hui dénaturée, qui, selon l'inventaire, abritait son cabinet. Elle a conservé sa belle cheminée néoclassique en calcaire poli.

La salle à manger

L'antichambre donnait également accès à la salle à manger dotée de l'hémicycle sur le jardin. Un projet de Bertrand pour le décor intérieur de cette pièce est apparu, en 2009, sur un site internet de vente en ligne, ce qui a permis à l'Association des Amis des Musées départementaux d'en faire l'acquisition. Ce dessin est intitulé « Esquisse d'élévation, coupe et profil de la décoration de la salle à manger du château de Champlitte sur plan ovale » (fig. 18). Bertrand y précise que « le socle et l'embrasement des croisées est en bois » et que « le parement des murs, pilastres et entablement sont en stuc ».

L'un des intérêts de ce projet est qu'il présente de nombreuses variantes avec la pièce réalisée. Comme dans le grand salon de l'Intendance de Besançon, des pilastres étaient prévus pour être placés entre les arcades afin de créer un rythme vertical et de soutenir un entablement dorique. Ils sont jumelés et cannelés aux deux tiers. Le choix de l'ordre dorique était en cohérence avec celui de la galerie. Les ornements des chapiteaux sont très proches de ceux créés par Bertrand pour le vestibule de l'hôtel Henrion de Magnoncourt à Besançon. Non exécutés, ces pilastres ont été remplacés par de grands panneaux moulurés. Les métopes de l'entablement étaient sculptées alternativement de bucranes et de patères. Comme dans le grand salon de l'Intendance à Besançon, les dessus-de-porte de l'enfilade étaient ornés de bas-reliefs à l'antique sculptés de *putti* : ceux de Champlitte étaient guerriers. Les portes de l'enfilade étaient faites de huit petits panneaux carrés aux angles abattus. À la manière du grand salon de l'Intendance de Besançon ou de celui, non exécuté, du château de Moncley, les arcades aveugles de ce projet étaient des « portes à glaces imitant celles vitrées » destinées à donner l'illusion d'une rotonde entièrement ouverte sur l'extérieur. Enfin, dans l'intrados des arcs, les caissons descendaient jusqu'à terre. Ce projet présente en outre un modèle de poêle très original, avec des lances et des boucliers romains déposés sur un autel circulaire, décoré à l'antique de guirlandes et de bucranes, et abritant le foyer.

73. Poêle à face de céramique intégré dans la paroi.

Pascal Brunet

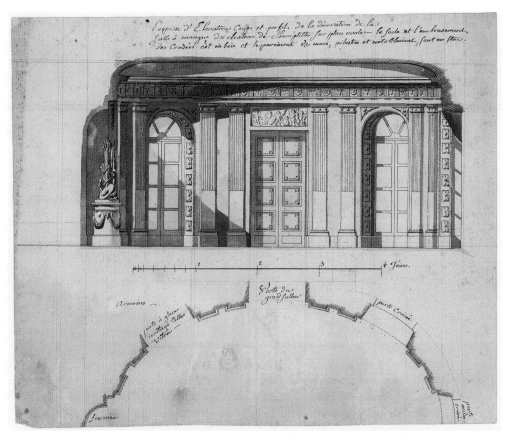

Fig. 18 – Alexandre Bertrand, *Esquisse d'élévation, coupe et profil de la décoration de la salle à manger du château de Champlitte sur plan ovale*, s. d. (Champlitte, Musée départemental Albert et Félicie Demard).

74. Ces matériaux étaient très certainement ceux des vasques aujourd'hui disparues. Celle de marbre appartenait à la seule fontaine fonctionnelle.

75. Le dossier de protection de la DRAC parle, sans citer de sources, de la disparition de décors durant la guerre de 1870.

La salle à manger réalisée est structurée par huit arcades. Les décors en stuc sont, sans aucun doute, l'œuvre des frères Marca. La pièce s'inscrit dans le sillage du grand salon de l'Intendance de Besançon, alors tout juste achevée (1777), et dialogue également avec celui du château de Moncley que Bertrand construisait parallèlement à celui de Champlitte. Aux trois arcades ouvrant sur le parterre répondent, en vis-à-vis, les trois autres qui accueillaient autrefois « un fourneau en pierre de Champlitte garni en cuivre » dans celle du centre et « deux fontaines dont une en marbre et l'autre en platre[74] » de part et d'autre. Les arcades des fontaines ont conservé leur superbe décor sculpté en stuc. Il se compose pour chacune d'elles d'une urne à l'antique posée sur un culot orné de feuilles (fig. 19). D'autres feuilles décorent la panse de ces urnes et servent d'anses. Un serpent les enserre chacune, et l'une des deux a conservé la vanne qui permettait de faire jaillir l'eau de la fontaine.

Face à face, les deux dernières arcades encadrent les portes de l'enfilade. L'intrados de chacun des arcs est doté de caissons circulaires, ornés en alternance de rosaces et de fleurs de tournesol. Des feuillages épousent les triangles des écoinçons. Sur quatre des tympans (portes de l'enfilade et arcades des fontaines), on distingue l'emplacement d'un médaillon ovale enrichi de rinceaux d'acanthes. Il s'agit d'éléments disparus[75] qui pouvaient être des initiales entrelacées, des armoiries ou encore des portraits en médaillons. Le tympan de l'arcade du poêle est, quant à lui, décoré d'un vase lui aussi complété par des rinceaux d'acanthes. Comme la galerie et l'antichambre, la salle à manger est pavée de pierres alternativement gris-bleu et crème. Trois portes-fenêtres donnaient accès au perron et à l'ancien parterre ; deux d'entre elles ont été modifiées et sont désormais des fenêtres (fig. 20).

Fig. 19 – Champlitte, château, console du vase-fontaine de la salle à manger ovale.

Fig. 20 – Champlitte, château, portes-fenêtres de la salle à manger ovale.

Dans cette pièce, l'inventaire indique la présence de « dix-neuf chaises et quatre fauteuils garnies en velours d'Utrecht, une lanterne en verre, trois douzaine de petits verres et une de grand, vingt sceaux en grosse porcelaine, huit lampes en fer blanc, trois grands rideaux en toile de coton, trois tables de jeu ».

Le grand salon

La salle à manger s'ouvre sur le grand salon. Celui-ci, rectangulaire, est placé dans l'angle nord-est du château (fig. 21). Il est baigné par la lumière de cinq fenêtres : trois ouvrent sur l'ancien parterre et les deux autres sur le parc pittoresque situé en contrebas. Des rosaces ornent les angles abattus des grands panneaux qui décorent la pièce, de part et d'autre de la cimaise. Une riche corniche à denticules, oves, rais-de-cœur et feuilles d'acanthe supporte la voussure à l'impériale du plafond, lui-même encadré par une riche guirlande de chêne enrubannée. Au centre de ce plafond peint d'un ciel nuageux, trois cupidons célèbrent la victoire de l'Amour (fig. 22). Il s'agit peut-être d'une œuvre du peintre bisontin Claude Louis Alexandre Chazerand, talentueux élève de Melchior Wyrsch et collaborateur de Bertrand à l'hôtel de Camus de Besançon ainsi qu'au château de Moncley.

Les dessus-de-porte, sculptés dans le goût antique, évoquent également le marquis de Toulongeon et son épouse sous une forme allégorique. On y voit en effet, au cœur de rinceaux d'acanthe, un bouclier avec *gorgoneion* menaçant en sautoir avec un sabre auquel répond une torche enflammée complétée de flèches entrecroisées, tandis que la lyre d'Apollon dialogue avec le carquois orné du croissant de lune de Diane, sa jumelle. La cheminée en pierre de Champlitte et son trumeau qui s'inscrit dans une arcade aux écoinçons sculptés constituent l'axe de symétrie des décors de la pièce. L'inventaire nous apprend qu'elle était meublée de «cinq chaises, douze cabriolets, trois fauteuils, deux bergères, deux petits sophats, une bergère le tout couvert en indienne, deux veilleuses garnies de même, deux chiffonniers, un écran, une table à tric-trac, deux commodes avec leur dessus en pierre de Champlitte, un secrétaire à dessus de marbre, une table de piquet, deux lanternes en verre, une grande et l'autre petite, deux lustres avec leurs pieds dorés, une pendule enquadrée en verre, deux vases en verre garnis de cuivre doré, deux vases de philtration, un autre vase en pierre de Champlitte, un feu doré avec pelle et pincette».

Les commissaires révolutionnaires remarquèrent également «quatre figures en marbres sur leur pied d'estal de même matière». Dans son étude consacrée à Luc Breton [76], mais sans préciser sa source, Marie-Lucie Cornillot indique qu'on lui «confia le soin d'ériger un monument en témoignage de l'union de la famille de Toulongeon : une colonne réunissait des médaillons aux effigies des trois fils Toulongeon et de leur mère» [77]. La liste des meubles se poursuit ensuite par «un buste de Lovendal [78] et un de Duguesquelin, le premier en terre cuite et l'autre tête en marbre, le pied en philtration et le reste en terre cuite», portraits qui ne surprennent guère dans le grand salon d'un officier du roi. Venaient ensuite «sept tableaux tant ronds que quarrés représentant les hauteurs [sic] dudit Toulongeon et enquadrés en bois doré, cinq paires de rideaux pareils aux chaises et fauteuils, une glace sur la cheminée en deux morceaux, une boëte renfermant un jeu de lautot». Le trumeau de la cheminée a perdu son miroir.

Le grand salon ouvre ensuite sur l'ancien appartement de la marquise de Toulongeon qui débutait par le petit salon ou «salon d'hiver».

76. Marie-Lucie Cornillot, *Le sculpteur bisontin Luc Breton 1731-1800*, Besançon, 1940, p. 52-53.

77. Cette œuvre, hélas, n'est pas localisée.

78. Ulrich Frédéric Valdemar, comte de Lowendal, né le 6 avril 1700 à Hambourg, décédé le 27 mai 1755 à Paris, maréchal de France en 1747. Son buste en marbre, sculpté par Jean-Baptiste Lemoyne fils, a été exposé au Salon en 1750. Il est conservé au Louvre (RF 1768). L'étude de la tête est conservée au musée Cognacq-Jay tandis qu'une réplique en terre cuite figure dans les collections du musée d'Angers (MA 5 R 691).

Fig. 21 – Champlitte, château, grand salon.

Fig. 22 – Champlitte, château, grand salon, détail du plafond peint attribué à Claude Louis Alexandre Chazerand.

79. La cheminée d'un salon contemporain situé au rez-de-chaussée du château d'Ollans (Doubs) présente la même configuration.

80. *De gueules à trois jumelles d'argent écartelées de trois fasces ondées d'or* pour les Toulongeon et *d'azur à trois harengs mis en face l'un sur l'autre* pour les Emskerque.

L'appartement de la marquise de Toulongeon

Comme au château de Moncley, un petit salon, ou « salon d'hiver », jouxte le grand salon et précède l'appartement de la marquise de Toulongeon auquel il se rattache. La pièce est éclairée, d'un côté, par une fenêtre donnant sur l'ancien parc pittoresque et, de l'autre, par un grand vitrage au-dessus de la cheminée donnant sur la galerie. Un riche entablement repose sur deux colonnes corinthiennes en pierre de Champlitte, aux fûts cannelés et aux chapiteaux dorés (fig. 23). De façon très originale, le tiers inférieur de ces fûts présente des cannelures torses et constitue les piédroits de la cheminée. Les cordons ornant le linteau se poursuivent sur les fûts des colonnes puis forment la cimaise des boiseries d'appui. Le conduit de fumée a été dévoyé afin de permettre la présence de la vitre remplaçant le miroir habituel [79]. Sur la plaque de cheminée, les armes des Toulongeon d'Emskerque [80] sont surmontées d'une couronne de marquis. Jusqu'à la Révolution, les boiseries d'appui étaient surmontées par « quatre pièces de tapisserie » auxquelles répondaient celles des « quatre bergères, dont deux grandes et deux petites en tapisserie d'Aubusson » et des « quatre cabriolets, deux fauteuils en tapisserie, six chaises de même étoffe ». Au centre du plafond, d'une très belle rosace de stuc ornée de grosses feuilles d'acanthe et de bouquets de fleurs pendait « un lustre garni en cuivre doré ».

Fig. 23 – Champlitte, château, cheminée du salon d'hiver.

Sous l'Ancien Régime, les rideaux des fenêtres étaient en taffetas vert, tissu également utilisé dans le boudoir et dans la chambre de la marquise, tous deux placés dans l'enfilade du *salon d'hyver*. Le mobilier se composait de

«quatre cabriolets, deux fauteuils en tapisserie, six chaises de même étoffe, deux petites bergères garnies en damas cramoisis, deux autres bergères garnies en dauphine bleue, deux écrans, l'un garni en damas l'autre en tapisserie, une table à tric-trac, une table de jeu ronde, une petite table ronde en bois de noyer, un dévidoir en bois de cerisier, une commode en placage et avec un dessus de pierre de Champlitte, deux vases en philtration garnis en or moulu avec trois bobèches sur chacun aussi en or moulu, un autre vase de même matière, deux vases de terre de Champlitte, un lustre garni en cuivre doré, trois métiers à tapisserie, un feu doré garni de pelle et pincettes, deux grandes glaces en deux morceaux chacune».

Une porte mène ensuite vers un «petit cabinet» ou boudoir dans lequel se trouvait, en 1792, «un poil de fayance, un forte-piano, quatre chaises, deux fauteuils garnis de dauphine bleue, deux chaises de paille, quatre tableaux à baguette noire». Ce boudoir communiquait avec le cabinet de toilette de la marquise dans lequel on trouvait «une table de toilette, un fauteuil garni de jonc, deux petites encoignures à dessus de marbre, une boîte à tabac, deux rideaux en toile de coton garnis d'indienne».

La chambre

Située au cœur de l'aile nord, la chambre de la marquise est éclairée par une fenêtre donnant sur le parc. Les boiseries de la pièce sont très sobres, les dessus-de-porte sont sculptés de belles guirlandes de fleurs suspendues à des piastres par des rubans. Le cadre de l'alcôve est sculpté de perles et une étroite frise souligne le pourtour du plafond.

Sa situation au nord la rendant difficile à chauffer, cette chambre ne possède pas de cheminée, mais un poêle placé dans une niche ornée d'une arcade. L'inventaire de 1792 offre la vision de son ameublement :

«avons trouvé un lit […] dans une alcove garni de taffetas vert pareil aux deux rideaux, une bergère, deux chaises et deux cabriolets garnis d'etoffe pareille, deux autres cabriolets aussi en tapisserie, deux rideaux de croisée en taffetas vert, un écran garni de pareil taffetas, un feu doré avec pelle et pincette, une chifonnière à dessus de marbre, trois tasses de porcelaine, deux flambeaux de cuivre argenté, deux vases de philtration, deux [bras de lumière à la?] cheminée à deux bobèches chacun en cuivre doré, une commode en placage avec son dessus de pierre de Champlitte, une tagère [sic] en cuivre peinte en brun, un petit cabaret en terre de pipe, un baromètre, un Christ encadré doré sur velours noir, quinze tableaux en quadre doré représentant différents objets.»

Dans la garde-robe à côté de la chambre, on trouvait «une table de nuit, une bassinoire, un bidet, un sceau de fayance, deux rideaux de toile de coton bleue et blanche».

Abondamment éclairée par trois fenêtres, la petite pièce à l'extrémité de l'aile nord abritait la bibliothèque de la marquise. La pièce est chauffée par une belle cheminée néoclassique en pierre de Champlitte. Le linteau et les piédroits sont cannelés. Le motif sculpté au centre du linteau – un arc et un carquois liés par un ruban à des drapeaux – est une nouvelle évocation de l'amour et du couple Toulongeon. La pièce était meublée avec «un secrétaire à dessus de marbre à placage, six cabriolets en toile bleue brodée en blanc, une petite armoire servant de bibliothèque, trois petits vases en gy [sic], un autre en [?] garni en cuivre doré, un baromètre, un feu garni d'une pincette et une paire de tenaille, cinq petit quadres dont quatre dorés et l'autre peint en noir».

Si la marquise et ses proches se déplaçaient d'une pièce à l'autre de l'appartement par l'enfilade côté parc, le service, quant à lui, utilisait un étroit corridor longeant l'aile côté cour et relié à l'escalier de service puis à la galerie.

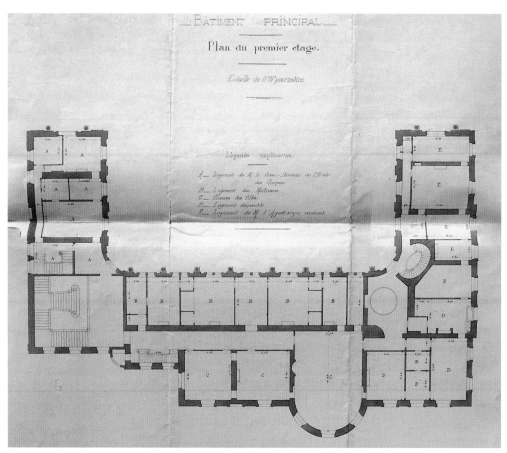

Fig. 24 – Champlitte, château, plan du premier étage en 1886 (Arch. dép. Haute-Saône, 122 E dépôt 157). Le nord est à droite.

Le premier étage

Le premier étage est accessible au sud par l'escalier d'honneur et au nord par un escalier de service en vis inscrit dans une cage ovale, en pierre. Ce dernier, utilisé par les domestiques pour le service de la demeure, relie tous les niveaux du château, du salon d'été placé dans le souterrain jusqu'au grenier.

Un additif anonyme au devis de construction de 1781[81] précise que «Guyait [l'entrepreneur Jean-Pierre Guyet] aura atention de tenir les plus minces qu'il sera possible les murs de l'escalier ovale tant dans les souterains qu'en montant à l'étage afin que la cage de l'escalier puisse avoir la plus grande proportion qu'il sera possible. Il parait qu'il ne pourra point y avoir de socle tout le long de laisle sur le soubassement».

Comme au château de Moncley et dans de nombreuses autres demeures, le premier étage est celui des chambres, celles de la famille et celles des invités (fig. 24). L'inventaire de 1792 en dénombre dix et les distingue par leur numéro selon l'usage encore adopté au château de Moncley. Celles du corps central sont disposées en enfilade de part et d'autre d'un corridor dallé.

La chapelle

C'est également au premier étage qu'était installée la chapelle. La pièce, chauffée par une belle cheminée rocaille en pierre du Jura, a été agrandie au XXe siècle dans le cadre des aménagements du musée. Nous bénéficions toutefois d'une description précise, faite en 1782 à l'occasion d'une visite effectuée par Claude Guyot, official de l'évêché de Dijon[82] :

81. Arch. dép. Haute-Saône, E 798.

82. Arch. dép. Haute-Saône, E 799, procès-verbal de visite.

« […] ladite chapelle, placée sur la grande galerie, vis-à-vis l'aile neuve, étoit un endroit convenable, n'y ayant personne au-dessus et au-dessous pour y coucher, que la porte d'entrée boisée proprement et fermante bien étoit au levant, la dernière du corridor et éloignée du bruit de la maison. Ensuite étant entrés dans la chambre de ladite chapelle qui nous a paru longue d'environ seize pieds [83], large de huit [84], et d'une hauteur proportionnée, nous l'avons trouvée plafonnée en gis très proprement et éclairée très suffisamment par deux grandes fenêtres bien boisées dont l'une au couchant prend jour sur la cour d'entrée dudit château et l'autre au nord sur une galerie du bâtiment neuf. »

Cl. Guyot est entré dans la chapelle par la porte du corridor. Il ne signale pas celle du nord qui côtoie l'ouverture percée dans le sol du premier étage, mais précise qu'« au-dessus et aux deux côtés de cette dernière galerie sont différents attributs ecclésiastiques analogues [convenant] à la place, très pieux et très décents ». Il évoque sans aucun doute l'allégorie de la Foi, jeune femme assise sur des nuées, drapée d'un manteau recouvrant sa tête et portant dans ses mains une croix et un calice à l'hostie rayonnante, sculptée au tympan de la porte principale de la chapelle [85] (fig. 25). De part et d'autre de l'arc, les écoinçons sont sculptés de palmes et de couronnes de fleurs.

83. 5,20 m.

84. 2,60 m.

85. Ce bas-relief est tout à fait similaire à celui qui orne une chaire à prêcher néoclassique désormais conservée dans l'église Saint-Pierre de Besançon.

Fig. 25 – Champlitte, château, porte de la chapelle.

Cl. Guyot décrit ensuite le mobilier liturgique :

« Nous étant approchés de l'autel fait en bois et en forme de tombeau, nous l'avons trouvé décoré d'un crucifix en relief doré, d'un tableau très grand et très beau représentant l'Annonciation de la Sainte Vierge, renfermé dans un cadre entre deux pilastres de bois qui règnent jusqu'au plafond. »

Les archives nous apprennent que Joseph-François de Vogüé (1740-1787), évêque de Dijon, « après lecture du procès verbal de Claude Guyot, a accordé à M. de Toulongeon l'autorisation de célébrer les saints offices dans sa chapelle ». Par la suite, le 21 avril 1782, Mgr de Vogüé vint faire une visite pastorale à Champlitte et logea au château à l'invitation du marquis, qui voulait alors faire détruire l'église afin que le vieux clocher du XVe siècle ne dominât plus son château neuf et pour pouvoir étendre le parterre. Le prélat fut invité à se prononcer sur la reconstruction de l'église Saint-Christophe et son éventuel déplacement. L'opposition des habitants et du chapitre à ce projet mena à un procès long de deux ans devant le parlement de Besançon, de 1784 à 1786.

Les pièces de l'aile nord et de l'aile sud

Au cœur de l'aile nord, une belle chambre Louis XVI à alcôve surmonte la chambre de la marquise. Elle possède une cheminée néoclassique en pierre de Champlitte. L'alcôve fait face à la fenêtre. Malgré de nombreuses transformations, les pièces du premier étage de l'aile sud possèdent toujours trois belles cheminées néoclassiques en calcaire. La plaque de l'une d'entre elles porte la date de 1781. Dans les combles mansardés, l'inventaire dénombrait sept chambres, dont une qualifiée de « chambre de maître ». Il y est précisé que certaines possédaient des lits à baldaquin.

LE CHÂTEAU ET LES TOULONGEON PENDANT LA RÉVOLUTION

En 1789, Hippolyte de Toulongeon fut élu député de la noblesse du bailliage d'Amont aux États Généraux tandis que son frère, François-Emmanuel, la représentait pour le bailliage d'Aval. En mai 1790, le marquis fut nommé commandant général, puis, le 30 juin 1791, après sa démission de l'Assemblée constituante, lieutenant-général des troupes de la province de Franche-Comté. Le 16 juin 1790, il prêta serment de fidélité « à la Nation, à la loi et au Roi », puis, le 14 juillet 1790, lors de la Fête de la Fédération organisée au polygone de Besançon, le « serment civique » [86].

Le 20 avril 1792, l'Assemblée législative déclara la guerre à l'Empire. Nommé commandant des troupes du Haut-Rhin, le marquis prépara le passage de certains régiments de cavalerie dans le Brisgau. Mais à la fin du mois d'avril, il émigra, passa le Rhin près d'Huningue et s'installa à Fribourg. En conséquence, ses possessions, dont le château de Champlitte, furent déclarées « biens nationaux » et des scellés furent posés sur la demeure en mai 1792. Entre le 26 septembre et le 17 novembre 1792, les officiers du directoire du district de Champlitte firent procéder à la vente de ses meubles [87]. L'empereur nomma le marquis lieutenant-général. Il ne porta pas les armes contre la France, prit sa retraite au printemps 1793 et mourut à Vienne le 2 octobre 1804, sans avoir revu ni la France, ni son épouse, ni son château.

LE CHÂTEAU D'ALEXANDRE DE TOULONGEON

Second fils du comte de Toulongeon, Alexandre de Toulongeon était né au château de Champlitte le 30 décembre 1741. Chevalier de Malte dès l'enfance, il avait embrassé, comme son père et son frère aîné, une carrière militaire. Capitaine de dragons en 1762,

86. Sur le château et les Toulongeon pendant la Révolution, voir L. Fourotte, *Deux aristocrates provinciaux dans la France du XVIIIe siècle…*, *op. cit.* note 23.

87. Arch. dép. Haute-Saône, 122 E dépôt 81 et 1 Q 181.

PASCAL BRUNET

chevalier de l'ordre de Saint-Louis en 1780, colonel en second du régiment de Rouergue à partir de 1781, il devint général de brigade le 6 février 1792, affecté à l'armée de Moselle, mais démissionna le 20 avril 1792. Il n'a pas émigré, mais s'est réfugié dans une famille de l'Yonne et y a vécu discrètement jusqu'au coup d'État de Bonaparte le 18 Brumaire. Devenu colonel, il fut alors autorisé à revenir à Champlitte et nommé maire de la ville le 1er juillet 1808.

Son retour au château fut suivi de travaux de transformation qui touchèrent notamment le petit salon. En ce temps d'explosion de la mode des papiers peints, les tapisseries d'Aubusson du XVIIIe siècle, vendues en 1792, furent remplacées, autour de 1804, par plusieurs panneaux du papier peint panoramique édité par la manufacture Dufour et consacré aux voyages de James Cook.

Le comte mourut le 15 février 1823 au château de Diant (Seine-et-Marne), qui lui venait de sa mère. Il laissa ses biens à ses trois enfants, qui décidèrent de mettre le château et des terres en vente. La ville de Champlitte en fit l'acquisition le 5 novembre 1825, «moyennant la somme de cinquante mille francs, espèces d'or ou d'argent». Avec le château, «MM. de Toulongeon cèdent un jardin de dix-sept ares, situé le long de l'eau, pour l'usage de la maison curiale, la montagne de Mont-Jain, la fontaine de la Doye [88] ».

Il fut décidé alors que la maison des gardes serait destinée à l'école des garçons, que les remises et granges longeant la cour d'honneur deviendraient des halles couvertes et que l'orangerie serait rasée pour faire place à la construction d'un presbytère. Le château, quant à lui, était «destiné à servir d'hôtel de ville, de logement aux curé et vicaire, à la justice de paix, aux écoles de jeunes filles et à l'habitation du grammairien». C'était le début d'un nouveau destin pour la demeure.

88. Abbé Cl.-J. Briffaut, *Histoire de la seigneurie et de la ville de Champlitte*, op. cit. note 45, p. 160-161.

Le château de Saint-Rémy (commune de Saint-Rémy-en-Comté) Une résidence princière sous le règne de Louis XVI

Matthieu Fantoni *

Rebâti durant les années 1760 sous l'impulsion de la comtesse Jeanne-Octavie de Rosen, le château de Saint-Rémy se distingue par l'ambition et l'originalité de son programme (fig. 1). Bien qu'il ait subi depuis la Révolution plusieurs phases d'abandon et de transformations ayant notamment entraîné la perte de ses décors intérieurs et de son mobilier, ce monument reste un exemple singulier de la création architecturale du XVIIIe siècle, sans équivalent dans le département de la Haute-Saône.

* Conservateur des monuments historiques, DRAC de Bourgogne-Franche-Comté, site de Besançon.

LES ACTEURS DE LA RECONSTRUCTION

Le château de Saint-Rémy est attesté depuis le XIIIe siècle [1]. Incendié par les Écorcheurs en 1437, il aurait été reconstruit en 1447. À nouveau pris en 1475 puis en 1480, il semble avoir échappé aux destructions engendrées par les campagnes de Louis XI dans le comté de Bourgogne [2]. Le domaine fut encore régulièrement occupé par les troupes françaises en 1579, en 1595 et finalement en 1641, lors de la guerre de Dix Ans (1634-1644), alors qu'il était entré dans le patrimoine de la famille des Vaudrey depuis 1637.

Malgré cette histoire mouvementée, le château fortifié était encore debout au début du XVIIIe siècle. Le premier chapitre de l'histoire de sa reconstruction fut écrit par Nicolas-Joseph de Vaudrey qui, dans son testament daté du 30 mars 1728 [3], institua sa seconde fille, Jeanne-Octavie, comme l'héritière du domaine [4]. Le document prévoyait de transformer le château de Saint-Rémy en garde-meuble de l'hôtel particulier bisontin des Vaudrey durant la minorité de Jeanne-Octavie qui, durant cette période, devait être placée sous la double tutelle de ses oncles paternel et maternel. Ces dispositions n'entrèrent toutefois pas en vigueur. Dès 1731, Jeanne-Octavie épousa en effet Anne-Armand de Rosen, descendant du maréchal de France Conrad de Rosen [5], auquel elle donna sept ans plus tard un fils prénommé Eugène-Octave. Majeure et mariée, elle devint pleinement propriétaire du château de Saint-Rémy au décès de son père, en 1733.

Devenue veuve en 1749, Jeanne-Octavie de Rosen s'alloua pour l'assister dans la gestion du patrimoine familial les services d'un avocat vésulien, Charles-François-Xavier Beauchamp, auquel elle accorda une procuration générale. Patrick Boisnard, qui a étudié en détail cette relation originale, a émis l'hypothèse que les nombreuses opérations immobilières réalisées pour le compte des Rosen ont facilité la rencontre entre Beauchamp et le sous-ingénieur Jean-Baptiste Thiery [6]. Issu en 1749 de la première promotion de l'École des ponts et chaussées de Paris, Thiery travaillait alors à l'édification du présidial et palais de Justice de Vesoul. Bien que les origines de l'association Beauchamp/Thiery demeurent inconnues, celle-ci fut déterminante pour la reconstruction du château de Saint-Rémy : ce fut Thiery qui en dressa les plans et le devis (non retrouvés à ce jour), et Beauchamp qui exerça par délégation l'ensemble des fonctions de la maîtrise d'ouvrage pour l'héritière des Vaudrey.

1. *La Haute-Saône. Nouveau dictionnaire des communes,* Vesoul, SALSA, 1971, t. V, p. 93-94.

2. Jacques Mourant, «Châteaux de Haute-Saône démantelés par Louis XI», *Revue Haute-Saône SALSA*, 109, 2019, p. 8.

3. Arch. dép. Haute-Saône, 1/J/292/8 (original) et B 6714 (copie moderne).

4. Jeanne-Octavie était issue d'un second mariage de Nicolas-Joseph de Vaudrey avec Catherine de Rottembourg. La fille aînée, Marie-Louise, née d'un premier mariage avec Françoise Ferdinande d'Andelot, fut déshéritée par ce même testament de 1728 pour s'être mariée contre l'avis de sa famille avec un certain Alexandre Barberot, condamné pour rapt et brûlé en effigie à Dole.

5. Anton Friedrich Büsching, *Géographie Universelle*, La Haye, 1770, p. 507.

6. Patrick Boisnard, «La construction du château de Saint-Rémy au XVIIIe siècle», *Revue Haute-Saône SALSA*, 105, 2018, p. 3-4.

Fig. 1 – Saint-Rémy, château, façade principale sur cour.

CHRONOLOGIE DU CHANTIER

Quel événement décida Jeanne-Octavie de Rosen à entreprendre la reconstruction du château de Saint-Rémy ? Le projet semble être né vers 1760, à l'occasion du mariage de son fils unique avec Marie-Antoinette d'Harville des Hursuins, à l'intérieur même de la forteresse médiévale[7]. Cependant, Jeanne-Octavie avait dès 1733 commencé à entreprendre un remembrement des terres environnantes. En tout, 25 contrats furent ainsi passés par-devant notaire pendant plus de vingt ans, ce qui laisse supposer une stratégie sur le long terme pour agrandir son domaine, peut-être en vue d'y construire une nouvelle demeure[8]. Le mariage d'Eugène-Octave fournit donc peut-être l'occasion de concrétiser un projet longuement mûri.

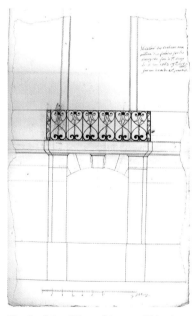

Fig. 2 – Saint-Rémy, château, « Elévations des Balcons aux milieux des façades sur les orangeries […] », dessin de Jean-Baptiste Thiery, crayon et plume sur papier, 1763 (Bibl. université de Poitiers, fonds d'Argenson, C 61).

Les fondations du château durent être creusées entre 1760 et le 12 mai 1761, date de la cérémonie de pose de la première pierre, connue par un compte rendu indiquant que les « caveaux » et les « soubassements » de l'édifice étaient déjà établis[9]. Une carrière fut ouverte dans le domaine pour extraire la pierre blonde des élévations, tandis que les matériaux utilisés pour les communs provinrent au moins en partie de l'ancienne forteresse[10]. Thiery se montra très attentif au déroulement des travaux, comme le prouvent plusieurs notes et relevés permettant de suivre avec précision le montage des façades (fig. 2). Toutefois, comme cela était fréquent dans nombre de chantiers de cette époque, la maîtrise d'œuvre ne fut pas exercée directement par le sous-ingénieur mais par un entrepreneur désigné dans les documents comme « architecte » : le Bisontin Hugues Faivre, qui travaillait alors à l'achèvement de l'église de Jussey[11].

MATTHIEU FANTONI

Une note rédigée par Charles-François-Xavier de Beauchamp le 8 août 1766 présente un premier décompte général des travaux. Leur montant était alors évalué à 212 864 livres, sans mention précise des sommes consacrées au château ou au parc. Dans ce décompte, 16 500 livres étaient attribuées à Beauchamp pour ses missions de représentant du maître d'ouvrage, soit plus de quatre fois les honoraires de l'architecte Thiery (4 099 livres). Le restant des travaux à réaliser était estimé à près de 330 000 livres, dont une part importante devait concerner les communs [12]. Le chantier du logis semble avoir été achevé vers 1770, car l'édifice apparaît dans son volume définitif sur un plan d'arpenteur daté de cette année-là (fig. 3). À partir de 1772 et jusqu'en 1780, les comptes du chantier ne portèrent plus que sur les travaux de second œuvre, notamment sur les décors peints réalisés par le peintre vésulien Louis Roussel. Ces informations viennent contredire une légende locale, encore rapportée au XXe siècle [13], selon laquelle les travaux furent interrompus en 1775 au décès d'Eugène-Octave de Rosen survenu lors d'un duel organisé à proximité du chantier. L'événement aurait découragé sa mère d'entreprendre l'élévation d'un second niveau du corps de logis.

Un *unicum* architectural en Haute-Saône

La légende d'une interruption brutale des travaux semble toutefois avoir été imaginée pour justifier certaines particularités architecturales du château, *a priori* sans équivalent sur l'actuel territoire de la Haute-Saône. Ces originalités s'éclairent en réalité par l'étude du déroulement du chantier et du profil de l'architecte-concepteur, de ses expériences et de ses lectures théoriques.

7. Dans un document tapuscrit anonyme de cinq feuillets, intitulé *Historique succinct du château de ST REMY*, datable du milieu du XXe siècle et conservé dans le dossier de protection du château à la CRMH de la Région Bourgogne-Franche-Comté (site de Besançon), il est rapporté que la belle-mère de Jeanne-Octavie lui aurait directement reproché l'état de dégradation de son château. Il n'existe à notre connaissance aucune preuve étayant ce récit.

8. P. Boisnard, « La construction du château de Saint-Rémy… », *op. cit.* note 6, p. 5 ; Rome, Arch. générales marianistes, 154 1 ; Arch. dép. Haute-Saône, 2 E 20204.

9. Arch. dép. Haute-Saône, 2 E 18106, procès-verbal établi par le notaire Vauthier de Vesoul (publ. P. Boisnard, « La construction du château de Saint-Rémy… », *op. cit.* note 6, p. 8).

10. Notons que l'emplacement de l'ancien château de Saint-Rémy, signalé par la lettre « e » sur le plan de l'arpenteur Leblond de 1770 et que l'on peut encore reconnaître grâce à des anomalies du terrain, n'a pas fait jusqu'à présent l'objet d'investigations archéologiques.

11. Voir, dans ce même volume, mon article sur l'église de Jussey, p. 283-296.

12. P. Boisnard, « La construction du château de Saint-Rémy… », *op. cit.* note 6, p. 10-11.

13. *Historique succinct…*, *op. cit.* note 7, p. 1.

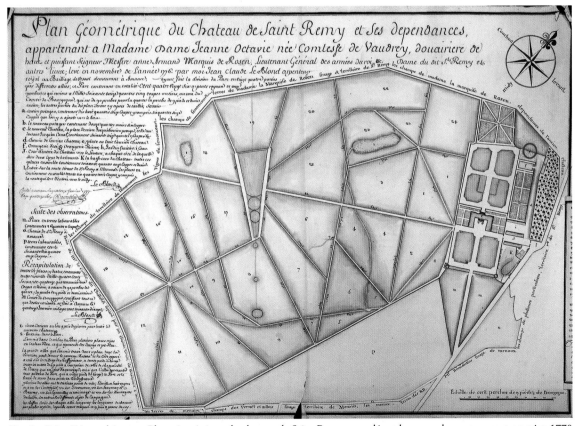

Fig. 3 – Saint-Rémy, château, « Plan géométrique du chateau de Saint Remy et ses dépendances », plume et encre sur papier, 1770 (Bibl. université de Poitiers, fonds d'Argenson, C 61). L'ancien château médiéval est signalé par la lettre « e » cerclée en rouge.

Le château, dont l'enveloppe du XVIIIe siècle n'a pas été modifiée, présente un plan régulier, constitué d'un corps principal de 77 m de long (du côté de la façade sur jardin) et de 15 m d'épaisseur. Il comporte un pavillon central saillant et deux ailes symétriques en retour sur cour, prolongées par des pavillons de plan carré (fig. 4). Les bâtiments sont implantés au sud de l'ancienne demeure médiévale, afin de tirer parti de la déclivité

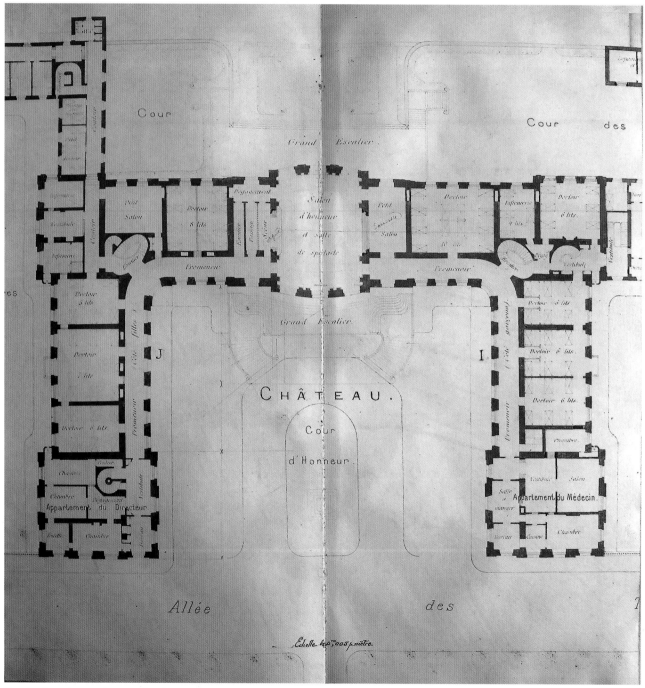

Fig. 4 – Saint-Rémy, château, plan du premier étage sur cour, non daté [XXe siècle], non signé (Saint-Rémy, archives de l'établissement).

Matthieu Fantoni

Fig. 5 – Saint-Rémy, château, façade sur jardin, le pavillon central depuis l'ouest.

naturelle du terrain et d'offrir une mise en scène différente aux deux façades principales du château. Du côté du jardin, l'étage noble se trouve de plain-pied avec une terrasse et des parterres ouvrant sur le grand paysage (fig. 5). Deux escaliers droits, dissimulés dans le massif de la terrasse, donnent accès par des cours anglaises à un niveau de soubassement invisible depuis les jardins mais entièrement dégagé au rez-de-chaussée du côté cour, où il sert de soubassement à l'étage d'habitation (fig. 1). La façade sur cour présente ainsi deux niveaux d'élévation, alors que la façade sur jardin n'en a qu'un seul.

Les points de vue lointains sur l'édifice, du côté de la cour comme du jardin, donnent l'impression d'une construction assez trapue. Les toitures des pavillons et des ailes se fondent visuellement l'une dans l'autre et paraissent écraser les façades, dont les bandeaux et les larges corniches contribuent à renforcer l'horizontalité. Cet effet ne semble cependant pas avoir été initialement recherché. Les notes de chantier de Thiery révèlent en effet que celui-ci avait prévu de doter le château d'un deuxième étage et d'une balustrade, mais ce parti fut abandonné à partir de mars 1765 [14] et l'architecte fut contraint d'adapter son projet aux volumes déjà édifiés.

14. Université de Poitiers, Service commun de documentation, fonds d'Argenson D 392 (publ. P. Boisnard, «La construction du château de Saint-Rémy...», *op. cit.* note 6, p. 8).

Fig. 6 – Saint-Rémy, château, aile occidentale, façade sur cour.

Fig. 7 – Saint-Rémy, château, escalier occupant l'angle entre le corps de logis et l'aile orientale.

Des solutions ingénieuses lui ont néanmoins permis de donner souplesse et élégance à l'élévation et d'estomper l'importance visuelle de la couverture. Côté cour, la façade est dynamisée par un subtil jeu combiné de ressauts et de courbes. Au pavillon central de l'aile principale, légèrement renflé – une courbe convexe encadrée par deux ressauts successifs de valeur différente, l'un étroit, l'autre large –, répondent les saillies discrètes des travées médianes des deux pavillons situés aux extrémités des ailes en retour (fig. 6). À l'étage noble, les baies de ces trois travées en ressauts convexes sont cintrées, comme celles des deux angles des ailes en retour traitées en arrondis concaves, alors qu'elles sont rectangulaires sur les façades droites. Ces linteaux cintrés participent à la conception plastique de la façade, tout en signalant les espaces principaux de la distribution intérieure, salons et grands appartements. Les larges baies des angles du retour des ailes signalent quant à elles deux escaliers latéraux à dégagement central (fig. 7), autrefois directement accessibles depuis la cour par deux larges portes ultérieurement transformées en fenêtres.

Les deux façades latérales des ailes du château sont organisées en sept travées, flanquées par les volumes saillants des pavillons et du corps de logis. Au premier étage, la travée médiane de chaque aile est soulignée par une baie cintrée et un balcon de pierre au garde-corps en fer forgé (fig. 8). Les retours des ressauts de l'aile principale sont en revanche

MATTHIEU FANTONI

Fig. 8 – Saint-Rémy, château, aile occidentale, façade sur jardin.

occupés sur toute leur hauteur par un motif architectural insolite : un petit cabinet saillant, soutenu par une colonne toscane montant de fond, hors d'échelle avec la monumentalité du château (fig. 9). Leur origine et leurs fonctions sont pour l'heure encore indéterminées, même si la tradition locale dit que ces cabinets abritaient des latrines et que les colonnes cachaient leurs conduits d'évacuation.

L'escalier en fer à cheval

Grand motif architectural de pierre et de fer forgé dont les courbes répondent à celles des façades, un escalier imposant donne accès au salon traversant qui sert de trait d'union entre la cour d'honneur et les parterres du côté jardin (fig. 10). Il comporte deux rampes en fer à cheval qui occupent le centre de l'aile principale et constitue l'une des originalités les plus frappantes du monument (fig. 11). La construction de cet ouvrage résulte, là encore, d'un changement de programme en cours de travaux. Le compte rendu de la cérémonie de la pose de la première pierre, en 1761, précise en effet que le pavillon central du château devait être occupé par un escalier intérieur monumental dont les « rampes » existaient alors déjà. À partir de 1763, ce projet fut abandonné au profit de la solution actuelle, ce qui

Fig. 9 – Saint-Rémy, château, façade de la logette sud.

Fig. 10 – Saint-Rémy, château, corps principal, salon central.

Fig. 11 – Saint-Rémy, château, corps principal, façade sur cour, escalier en fer à cheval.

Matthieu Fantoni

impliquait de renoncer à l'idée de doter la façade sur cour d'un grand portique à colonnes, comme le prévoyait initialement Thiery [15].

Ce repentir permettait une simplification technique et financière du programme. Toutefois, une seconde explication d'ordre plus doctrinal peut aussi être envisagée. Patrick Boisnard a en effet montré l'influence de l'enseignement de Jacques-François Blondel sur Jean-Baptiste Thiery en ce qui concerne la conception des jardins (aujourd'hui disparus) du château et le vocabulaire employé pour décrire leurs différentes parties [16]. Le sous-ingénieur avait pu lire et fréquenter directement le théoricien lors de sa formation à Paris, où circulait déjà le traité *De la distribution des maisons de plaisance et de la décoration des édifices en général*, publié en 1737 [17]. Ainsi, le plan du château de Saint-Rémy n'est pas sans similitude avec le premier type de *maison de plaisance* présenté par Blondel dans son traité, « un bâtiment de cinquante toises de face [18] » (fig. 12) – à une différence près cependant : à Saint-Rémy, le corps de logis est simple en profondeur. Le traité plus général de Blondel sur *L'architecture française*, publié en 1752, offrait pour sa part une dissertation sur les escaliers

15. *Ibid.*, p. 8.

16. *Ibid.*, p. 5.

17. Il n'est pas interdit de penser que cette lecture ait pu aussi lui être recommandée par ses maîtres d'ouvrage, qui disposaient d'une importante bibliothèque. Il n'existe malheureusement qu'un seul inventaire de celle-ci, dressé en 1733, et donc antérieur aux publications de Blondel.

18. Jacques-François Blondel, *De la distribution des maisons de plaisance et de la décoration des édifices en général*, t. I, Paris, 1737, p. 11 *sq.*

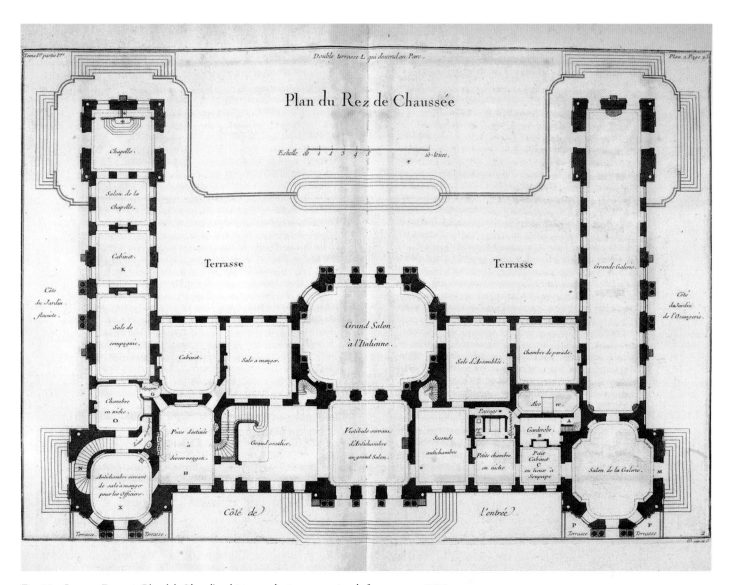

Fig. 12 – Jacques-François Blondel, *Plan d'un bâtiment de cinquante toises de face*, gravure, 1737.

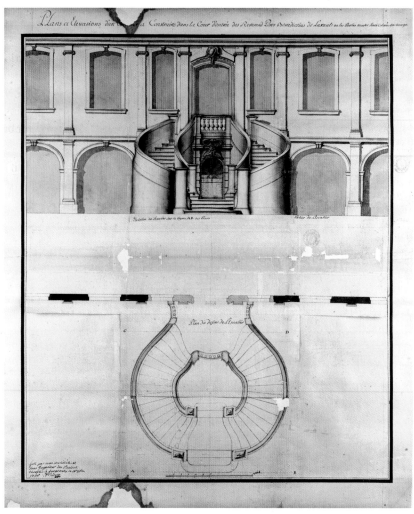

Fig. 13 – Jean-Baptiste Thiery, Luxeuil, abbaye, projet d'escalier pour le grand quartier, plan et élévation, plume, encre et lavis sur papier, 1756 (Arch. dép. Haute-Saône, H 619 10).

des châteaux et hôtels particuliers qui critiquait les escaliers intérieurs monumentaux. D'après le théoricien, ces ouvrages constituaient une forme peu convenable, interrompant la distribution des salles entre cour et jardin, en particulier dans les volumes destinés à accueillir de grands salons [19]. Blondel préconisait donc de flanquer les vestibules d'escaliers latéraux plus petits, et de privilégier l'implantation des grands escaliers à l'extérieur. Or ces préconisations correspondent justement au plan adopté par Thiery à Saint-Rémy, trois ans après le démarrage du chantier.

Le dessin des deux rampes courbes du fer à cheval s'est sans doute imposé de lui-même pour s'harmoniser avec les courbes du pavillon central et des angles des ailes en retour, mais l'architecte a aussi pu être influencé par une expérience récente. Il s'était en effet déjà essayé à un exercice de composition analogue pour un projet d'escalier extérieur destiné à desservir le grand quartier de l'abbaye de Luxeuil. L'ouvrage ne fut pas exécuté, mais il est documenté par un dessin d'élévation daté d'octobre 1756 qui, avec ses bossages et sa niche d'esprit *rococo*, témoigne d'un parti pris plus ornemental que celui retenu à Saint-Rémy (fig. 13) [20]. Le contraste marqué avec ce projet de Luxeuil montre la capacité d'adaptation de l'architecte à un ouvrage plus sobre, où les rythmes et volumes généreux de l'architecture priment sur le décor.

19. Jacques-François Blondel, *L'architecture française*, t. I, Paris, 1752, p. 39-40.

20. Arch. dép. Haute-Saône, H 619 10. Je remercie Jean-Louis Langrognet de m'avoir signalé ce document.

Matthieu Fantoni

La distribution

Le château de Saint-Rémy peut justement surprendre par l'ampleur de son volume, de ses surfaces et par son organisation intérieure. Les archives des saisies révolutionnaires permettent de se faire une idée de l'organisation des espaces durant les deux décennies de son occupation par la famille de Rosen. Le soubassement accueillait dans son aile occidentale une boulangerie, un four et une salle des archives, dans son aile orientale des salles d'eau et cuisines. L'étage noble ne comportait pas moins de quatorze appartements lambrissés et peints ainsi que, à l'ouest du salon central, une chapelle et sa sacristie [21].

L'étage noble – «le premier objet de l'architecte [22]» – a subi d'importantes modifications. Les anciens appartements sont aujourd'hui transformés en bureaux. Dans les deux ailes en retour, ces espaces sont desservis par un long couloir, éclairé du côté de la cour par des fenêtres et des portes-fenêtres (fig. 14). S'agit-il d'un aménagement récent, adapté aux usages administratifs du bâtiment ? Il est permis d'en douter, car, bien que le couloir ne

21. P. Boisnard, «La construction du château de Saint-Rémy...», *op. cit.* note 6, p. 11.

22. J.-Fr. Blondel, *L'architecture française*, *op. cit.* note 19, p. 26.

Fig. 14 – Saint-Rémy, château, aile orientale, couloir desservant les appartements au premier niveau.

figure sur aucun plan antérieur au XXe siècle, il s'insère harmonieusement dans le prolongement des volumes du grand salon et des escaliers latéraux, ce qui plaide en faveur d'une disposition d'origine. Ce parti original était lié à la vie dans le château, car il assurait un *désasujettissement* (pour reprendre une expression du XVIe siècle) presque total entre les appartements ouvrant sur l'extérieur et les services concentrés vers l'intérieur. Seul le grand salon, parce qu'il était traversant, permettait de jouir à la fois du spectacle animé de la cour et de la sérénité du jardin. Avec ce couloir tournant autour de la cour, qui était devenu de règle dans les maisons monastiques, Thiery se révèle un homme de son temps, à un moment où le couloir s'officialise dans la distribution civile [23]. L'architecte et ses commanditaires purent d'ailleurs tirer leur inspiration du chantier de reconstruction du château de Champlitte où, dans les années 1760, fut adopté le principe d'une distribution autour d'une sorte de corridor : après l'incendie du château Renaissance en 1751 [24], le revers de la façade d'origine fut aménagé pour accueillir un vestibule, desservant sur deux niveaux salons et antichambres ouverts du côté du jardin. La circulation verticale fut assurée par deux escaliers installés aux angles des ailes en retour, dégageant complètement l'axe central de la façade – autant de dispositions qui correspondent aux solutions adoptées à Saint-Rémy.

LE DEVENIR DU CHÂTEAU DEPUIS 1780

Exercice de style pour un architecte relativement inexpérimenté et fruit d'une collaboration originale entre une aristocrate et un avocat ayant reçu une large délégation de compétence, le château de Saint-Rémy connut donc une genèse étonnante, et les aléas de sa construction expliquent en grande partie ses particularités architecturales. Les années qui suivirent son achèvement furent tout aussi mouvementées, l'histoire du domaine étant rythmée par plusieurs phases d'abandon et de changement d'affectation.

Au décès de Jeanne-Octavie de Rosen, le château revint à sa petite-fille, Sophie. Celle-ci épousa en février 1779 Charles-Louis-Victor de Broglie, acteur de la guerre d'Indépendance des États-Unis puis des débuts de la Révolution, condamné à mort durant la Terreur et guillotiné à Paris en juin 1794 [25]. Le domaine fut saisi et mis en vente comme bien national. En 1795, Sophie de Rosen, qui était durant un an restée recluse au couvent des Ursulines de Vesoul, se maria en secondes noces avec Marc-René de Voyer, marquis d'Argenson. Ce dernier fit lever le séquestre sur le domaine de Saint-Rémy, mais le couple ne s'y installa pas et en laissa la gestion à l'abbé Bardenet qui exerçait des fonctions d'intendant. Celui-ci entra en contact avec le père Chaminade, fondateur en 1817 de la congrégation des frères de Marie, qui était à la recherche d'un lieu où s'implanter en Franche-Comté. Les marianistes s'installèrent dans les années 1840 à Saint-Rémy, où ils créèrent une école primaire, un collège et une école normale, avant de se spécialiser dans l'enseignement agricole. En 1877, l'établissement devint une école pratique d'agriculture. Durant cette phase d'occupation, les décors intérieurs furent renouvelés, le château fut remeublé, et de nouvelles dépendances furent construites en 1852. C'est sans doute aux marianistes que l'on doit une modification éphémère mais notable du volume du château : l'adjonction d'un clocheton sur la couverture du grand salon, qui avait été transformé en chapelle (fig. 15). Le mobilier du jardin, contemporain de la construction du château par les Rosen, pourrait en revanche avoir été dispersé dès cette époque, car certaines sources mentionnent le déplacement de vases en pierre dans la commune d'École (Doubs) où une mission marianiste s'était installée au début du XIXe siècle avec le soutien de l'abbé Bardenet [26].

En 1903, les marianistes quittèrent la France à la suite de la promulgation de la loi de 1901 sur les congrégations religieuses. Ils abandonnèrent donc le château de Saint-Rémy et reprirent les meubles et les éléments de décor qu'ils y avaient déposés. Les bâtiments

23. Vincent Droguet, « Le couloir central dans la distribution : son apparition et son développement au XVIIIe siècle », *Bulletin monumental*, t. 160-4, 2002, p. 379-389. Voir aussi Richard Etlin, « "Les dedans". Jean-François Blondel and the System of the Home », *Gazette des beaux-arts*, 91, avril 1978, p. 137-147.

24. Voir, dans ce même volume, l'article de Pascal Brunet sur le château de Champlitte, p. 107-143.

25. Sur l'histoire du château après la Révolution, voir *La Haute-Saône. Nouveau dictionnaire…*, *op. cit.* note 1, t. V, p. 93-94, et le dossier de protection actualisé par Patrick Boisnard à partir de 2011 (DRAC de Bourgogne-Franche-Comté, site de Besançon). Voir également l'introduction historique dans *Les seigneurs de Saint-Rémy du XIIe siècle à la Révolution*, tapuscrit daté de 2013, s. l., n. p. (un exemplaire est conservé dans le dossier de protection, DRAC de Bourgogne-Franche-Comté, site de Besançon).

26. Cette information, qui demande encore à être confirmée par d'autres sources, est donnée par un document tapuscrit anonyme et non daté, intitulé *École, la Mission* (Besançon, Arch. diocésaines, boîte K2450) : « Décision de bâtir [le nouveau siège de la Mission] à École, région salubre et de communication facile […] la construction a lieu en 1816-1817 […] M. Bardenet put suffire par son économie à de telles dépenses. (Quelques temps après, il achète le château de Saint-Rémy. À École, sur la terrasse beaux vases de style LOUIS XV en pierre sculptée, épaves du château des Rosen, à Saint-Rémy.) »

MATTHIEU FANTONI

27. Les nombreux changements de propriétaire expliquent la dispersion des archives du château entre les archives départementales de la Haute-Saône, le fonds de la famille d'Argenson, conservé par le service commun de la documentation de l'université de Poitiers, et les archives générales marianistes, consultables à Rome.

Fig. 15 – Saint-Rémy, le château vu du sud, carte postale, 1919 (coll. Jean-Louis Langrognet).

restèrent vides jusqu'en 1914, date à laquelle ils furent transformés en hôpital provisoire pour les blessés de la Grande Guerre. Après une nouvelle période d'abandon, ils furent rachetés en 1937 par le sénateur Justin Perchot pour accueillir un établissement psychiatrique dont la gestion fut confiée aux sœurs hospitalières du Sacré-Cœur de Jésus jusqu'en 1950. Aujourd'hui géré – comme l'ancienne abbaye de Clairefontaine – par l'Association hospitalière de Bourgogne-Franche-Comté (AHBFC), le château de Saint-Rémy abrite des services administratifs et le siège de la direction [27]. Inscrit sur l'inventaire supplémentaire des Monuments historiques depuis 1931, puis partiellement classé en 1961, le château fait l'objet d'un projet d'extension du régime du classement qui n'a pas encore abouti à ce jour.

Remarquable par son ampleur, la noblesse et la sobriété de son élévation, le château de Saint-Rémy témoigne de l'ambition de la famille de Rosen et de ceux qui furent chargés de sa conception et de sa mise en œuvre. Le sous-ingénieur Thiery réalisa là sa plus grande création dans le domaine privé, tandis que l'avocat Beauchamp saisit l'occasion de diriger un chantier exceptionnel dont on peut estimer le coût total à près de 550 000 livres (soit plus de dix fois le prix de la reconstruction d'une église de village à la même époque). La réussite du projet ne tint toutefois pas seulement à l'importance des ressources qui lui furent consacrées. Le patient remembrement des terres du domaine, l'implantation judicieuse des bâtiments, l'organisation des circulations verticales et la distribution de l'étage noble sont autant d'éléments qui démontrent la longue maturation du dessein de Jean-Octavie de Rosen, l'habileté de la conception et le soin apporté, à chaque étape de sa mise en œuvre, au projet de Jean-Baptiste Thiery. Qu'il s'agisse des particularités topographiques du lieu d'implantation ou des changements significatifs du programme en cours de chantier, l'architecte, les maîtres d'œuvre et les maîtres d'ouvrage surent tirer parti de contraintes qui auraient pu entraver le déroulement des travaux pour parvenir au parfait achèvement d'un château à la fois original et représentatif de l'art de construire haut-saônois à la fin de l'Ancien Régime.

ARCHITECTURE

MONASTIQUE

Les fouilles de l'église Saint-Martin à Luxeuil-les-Bains et le centre d'interprétation archéologique de l'*Ecclesia*

Sébastien Bully *

* *Archéologue, chargé de recherche CNRS, UMR ARTEHIS 6298-Université de Bourgogne.*

Fondé à la fin du VIe siècle par le roi de Bourgogne et une communauté de moines irlandais menée par Colomban, Luxeuil devint rapidement l'un des grands centres monastiques de la Gaule mérovingienne [1]. Les conditions de sa fondation et ses premières années d'existence sont relatées dans la *Vie* de saint Colomban rédigée par Jonas de Bobbio dans les années 640. Mais contrairement au récit hagiographique, les recherches récentes tendent à montrer que les premiers moines s'établirent dans une agglomération gallo-romaine toujours occupée, bien que réduite, et déjà dotée de deux églises [2] – dont Saint-Martin qui fait l'objet de cette contribution. En raison de sa situation sur les marges du diocèse de Besançon et des royaumes de Burgondie et d'Austrasie, la fondation de l'abbaye de Luxeuil serait à mettre au crédit d'une politique royale – et peut-être épiscopale – de contrôle territorial [3].

Après l'exil de l'abbé irlandais en 610, les successeurs de ce dernier, Eustaise († 629) et Walbert († 670), contribuèrent fortement au développement et au rayonnement de l'abbaye «vosgienne» par leurs implications politiques et leurs liens avec l'aristocratie franque. Les nombreuses traces écrites font état de l'influence et du rôle de modèle de Luxeuil sur les fondations monastiques contemporaines, de sa place dans la formation des clercs ou encore de son rôle dans la diffusion de la règle de saint Benoît. Les riches productions du scriptorium et l'élaboration d'une écriture spécifique (la *scriptura luxoviensis*), minuscule dérivée de la cursive romaine tardive, ont également contribué au rayonnement de l'abbaye bien au-delà des frontières du diocèse et du royaume [4].

Paradoxalement, le monastère de Luxeuil, dans sa réalité architecturale et topographique, est très mal connu avant la reconstruction des bâtiments conventuels menée entre 1635 et 1724, consécutivement à sa reprise par la congrégation bénédictine de Saint-Vanne. Des constructions antérieures, seules ont été conservées la cour à galeries voûtées du XVe siècle – communément, mais improprement appelée «cloître» – adossée au sud du logis abbatial du XVIe siècle (agrandi au XVIIIe siècle), et les trois églises médiévales : Saint-Pierre, Notre-Dame et Saint-Martin (fig. 1).

L'église Saint-Martin, détruite en 1797, se dressait au nord du monastère, à l'emplacement de l'actuelle place de la République. C'est sur cette dernière qu'une fouille archéologique programmée a été menée en 2008, en 2009 et en 2015. Devant l'intérêt scientifique et patrimonial des vestiges, un centre d'interprétation archéologique a été construit entre 2018 et 2021 sur la place de la République.

L'objectif des recherches portait tant sur les conditions et le contexte de la fondation de l'abbaye dans la ville romaine que sur la fonction et l'évolution architecturale d'une église ayant accueilli la tombe sainte de l'abbé Walbert, dont on fixe la mort en 670. En effet, Saint-Martin est mentionnée dans le récit des *Miracula* des abbés Eustaise et Walbert écrit à la fin du Xe siècle ; on y apprend que « c'est dans l'église Saint-Martin, construite du côté

1. La bibliographie sur le sujet est abondante ; pour une synthèse récente et actualisée des recherches sur Colomban, l'abbaye de Luxeuil et le monachisme luxovien : Aurélia Bully, Sébastien Bully et Michèle Gaillard, «Luxeuil, abbaye Saint-Pierre-et-Saint-Paul, France, département de la Haute-Saône, commune et canton de Luxeuil-les-Bains», dans *Dictionnaire d'histoire et de géographie ecclésiastiques*, 192-193a, Turnhout, 2020, p. 317-333 ; Michèle Gaillard, «Colomban», dans *Dictionnaire d'histoire et de géographie ecclésiastiques*, Turnhout, 2019, p. 602-615 ; Eleonora Destefanis (dir.), *L'eredita del San Colombano. Memoria e culto attraverso il medioevo*, Rennes, 2017 ; Sébastien Bully, Alain Dubreucq et Aurélia Bully (dir.), *Colomban et son influence. Moines et monastères du haut Moyen Âge en Europe*, Rennes, 2018 ; Sébastien Bully (dir.), *Colomban et l'abbaye de Luxeuil au cœur de l'Europe du haut Moyen Âge*, Archéologie en Franche-Comté, n° 5, Besançon, 2015.

2. Sébastien Bully, Aurélia Bully et Morana Čaušević-Bully avec la collaboration de Laurent Fiocchi, «Les origines du monastère de Luxeuil (Haute-Saône) d'après les récentes recherches archéologiques», dans *L'empreinte chrétienne en Gaule (de la fin du IVe au début du VIIe siècle)*, coll. «Culture et Société médiévales», Turnhout, 2014, p. 311-355.

3. Sébastien Bully et Emmet Marron, «L'instant Colomban. Conditions de fondation et premiers éléments de topographie des monastères d'Annegray et de Luxeuil», dans *Colomban et son influence…, op. cit.* note 1, p. 139-163.

4. Aurélia Bully (dir.), *De Colomban à Luxeuil, de Luxeuil à l'Europe, des manuscrits en héritage (VIIe-XVIIe siècles)*, cat. exp. Luxeuil-les-Bains, Musée de la Tour des Échevins, 10 septembre-30 octobre 2015, Luxeuil-les-Bains, 2015 ; Jean-Michel Picard (dir.), *Autour du scriptorium de Luxeuil*, Les Cahiers colombaniens, Luxeuil-les-Bains, 2011.

5. *AA. SS.*, *maii*, t. I, Anvers, 1680, p. 279. En remerciant Alain Dubreucq pour cette traduction.

6. Pascal Pradié (éd.), *Chronique des abbés de Fontenelle*, coll. «Classiques de l'histoire de France au Moyen Âge», Paris, 1999, p. 159-161.

nord du monastère, une crypte d'un travail admirable ayant été aménagée derrière l'autel par l'évêque saint *Nicetius*, qu'il fut enseveli en une tombe très honorable[5]». L'appartenance de Saint-Martin à la clôture monastique est sous-entendue dans la *Vie* d'Anségise – abbé de Luxeuil vers 817-823 –, qui indique que ce dernier «refit à neuf le passage (*porticus*) qui va de l'église Saint-Pierre à Saint-Martin et l'ayant recouverte, il y fixa des bardeaux avec des clous de fer[6]». Mais les recherches archéologiques ont démontré que Saint-Martin, avant d'accueillir les sépultures des religieux, était une basilique funéraire paléochrétienne dépendant du *castrum* antique tardif de Luxeuil.

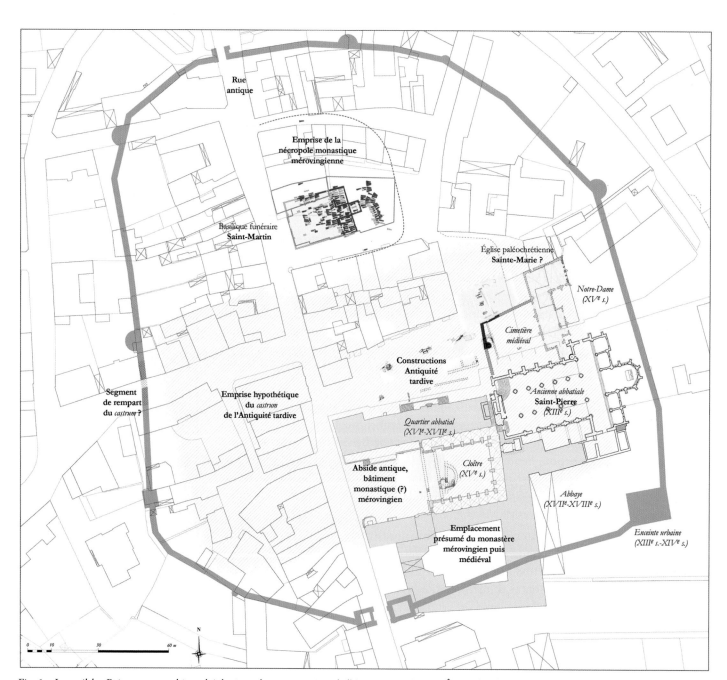

Fig. 1 – Luxeuil-les-Bains, topographie archéologique du centre ancien, de l'Antiquité au Moyen Âge, et localisation des églises (d'après S. Bully; infographie M. Dupuis, L. Fiocchi et D. Vuillermoz).

SÉBASTIEN BULLY

La basilique funéraire paléochrétienne

Les vestiges de la première phase de l'église ne se laissent pas reconnaître facilement en raison des reprises de maçonnerie marquant les différentes étapes de reconstructions. Le mode de construction, en remployant très largement des petits appareils de moellons de maisons du Haut-Empire antérieures à l'église, comme des blocs de grands appareils provenant d'architectures plus monumentales, se distingue peu de la mise en œuvre des maçonneries des phases postérieures qui ont poursuivi cette récupération. Cependant, l'identification de maçonneries précoces, de négatifs de murs et, surtout, la répartition des nombreux sarcophages permettent de restituer le plan d'une basilique formée d'un chœur quadrangulaire, flanqué de deux annexes au niveau du chevet, ouvrant sur un vaisseau central bordé de bas-côtés. L'église mesure environ 19,70 m de largeur au niveau de la nef pour environ 27,30 m au niveau du chevet (fig. 2a). L'emprise de la fouille n'a pas permis de reconnaître la façade ouest ; sa position, et donc la longueur de l'église, que l'on restitue à 27,20 m, est suggérée par le rythme des travées mais n'est pas assurée. Deux fondations de pilastres de rappel et le négatif de la fondation de deux piles sud indiquent que le vaisseau central de la nef avait près de 9 m de largeur ; les bas-côtés mesuraient environ 3,90 m de large. On ne conserve des supports que les négatifs des fondations quadrangulaires, ce qui ne permet pas de déduire s'il s'agissait de piles maçonnées ou de colonnes ; la largeur des travées est comprise entre 3,75 m et 4,10 m. La nef centrale ouvre sur un chœur quadrangulaire à chevet plat de 5,40 x 4,30 m, accosté d'annexes funéraires de dimensions inégales : 4,70 x 6,40 m pour celle du nord et 5,15 x 6,20 m pour celle du sud. On pénétrait dans les annexes par de larges ouvertures ménagées dans les bas-côtés. L'annexe sud était prolongée par une seconde salle de 7,20 x 5,15 m, subdivisée en deux espaces de dimensions inégales par des pilastres. Les vestiges observés révèlent que ces salles qui bordent le chœur au sud appartenaient à un mausolée antérieur à la basilique [7]. Celui-ci, daté des années 400, avait été érigé sur une nécropole de l'Antiquité tardive qui s'était développée dans les ruines de l'habitat antique à partir du milieu du IVe siècle. Plusieurs sarcophages de l'annexe sud remployant des stèles funéraires romaines appartiennent à la même phase que le mausolée, alors que d'autres, d'un type communément appelé «bourguignon-champenois», sont contemporains de la basilique paléochrétienne. Outre les deux annexes latérales, le vaisseau central de la nef, le bas-côté comme le chœur comptent un très grand nombre de sarcophages datés du VIe siècle. Dans le chœur, la disposition des sarcophages indiquerait l'existence d'une barrière de chancel et d'un autel détaché du mur du chevet (fig. 3).

À ce jour, le croisement des datations radiocarbones avec la typologie des sarcophages et les données architecturales et stratigraphiques plaide en faveur d'une datation de la basilique entre les années 450 et 550.

La crypte mérovingienne de « Saint Walbert »

L'installation de la communauté monastique fut marquée par des transformations architecturales de Saint-Martin. L'ancien mausolée de l'Antiquité tardive intégré dans la basilique funéraire fut en partie détruit pour ne conserver que la salle nord ; celle-ci formait alors une simple annexe en pendant de la salle sud. Mais surtout, une crypte externe, non hypogée, fut greffée contre le chevet de la basilique funéraire (fig. 2b). Le petit *augmentum* se présente comme une salle de plan carré (3,60 x 3,60 m dans œuvre ; 5,15 x 4,30 m hors œuvre), dont l'épaisseur moyenne des murs gouttereaux – 0,80 m, pour seulement 0,64 m pour le mur chevet – laisse présumer un espace voûté, peut-être en berceau plein cintre. Ce voûtement pourrait être à l'origine de la mention de «*crypta*» donnée par Adson [8].

7. Sébastien Bully et Morana Čaušević-Bully, «Un mausolée à l'origine de l'église funéraire Saint-Martin de Luxeuil? Nouvelles données et questionnements», dans *Alessandra Antonini. Hommage à une archéologue médiéviste*, textes réunis par Caroline Brunetti, Alain Dubois, Olivier Paccolat et Sophie Providoli, Cahiers de *Vallesia*, 31, Sion, 2019, p. 327-343.

8. *AA. SS., maii*, t. I, Anvers, 1680, p. 279.

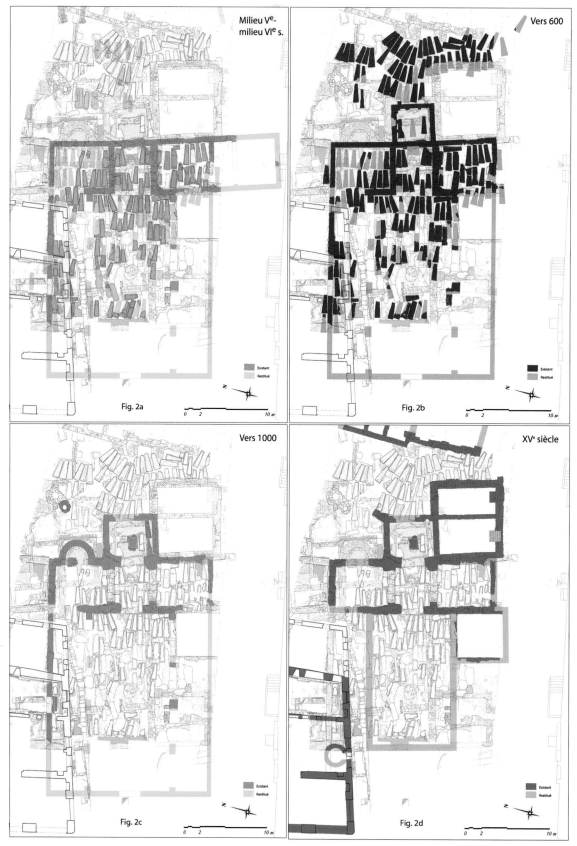

Fig. 2 – Luxeuil-les-Bains, plans phasés de l'église Saint-Martin (d'après S. Bully ; infographie M. Čaušević-Bully, L. Fiocchi et D. Vuillermoz).

Fig. 3 – Luxeuil-les-Bains, église Saint-Martin : au premier plan, les sarcophages du chœur appartenant à la phase paléochrétienne ; au second plan, la crypte mérovingienne de « saint Walbert ».

On ne conserve pas de traces de l'accès à la crypte de « saint Walbert » depuis le chœur, mais, en étant légèrement désaxée au nord, la fosse de fondation d'un nouvel autel adossé au chevet permet de supposer que l'ouverture se situait dans la moitié sud du mur. Les parements internes étaient animés par une succession de trois niches séparées par de petits pilastres (fig. 3) ; il est vraisemblable que certaines niches accueillaient des baies. Le mur du chevet de la crypte se distingue par une niche centrale plus large (1 m au lieu de 0,70 m en moyenne), marquant l'axialité de l'architecture. C'est peut-être dans ces niches que prenait place un décor de stuc dont deux fragments ont été retrouvés lors de la fouille de la crypte : l'un d'eux présente un décor architectural de colonnette torsadée, l'autre est un motif possiblement figuratif (partie de visage ?). Ce décor, sans que l'on présume de sa datation (mérovingien ou plus tardif, mais antérieur au milieu du Xe siècle), pourrait être à l'origine de la remarque formulée par Adson à la fin du Xe siècle sur « une crypte d'un travail admirable[9] ». Dans un second temps, les niches furent bouchées concomitamment à un rehaussement du niveau de circulation par des sols de mortiers de tuileau en place du sol de terre battue d'origine.

La crypte conserve deux sarcophages *in situ*, et un négatif dans le sol nous assure qu'elle en contenait un troisième en position centrale, et peut-être un quatrième présenté sur une sorte de banquette le long du chevet. L'un des deux sarcophages disparus, en position

9. *Ibid.*

Fig. 4 – Luxeuil-les-Bains, sarcophages monastiques mérovingiens au chevet de la crypte « de saint Walbert ».

privilégiée, était vraisemblablement celui de l'abbé Walbert. C'est de cette « tombe très honorable [10] » que pourraient provenir des fragments d'un couvercle au décor élaboré imitant les fausses pentures d'un coffre de bois. Les sarcophages devaient être visibles initialement, avant d'être progressivement recouverts par les nouveaux sols de mortier de tuileau.

La relecture critique du récit d'Adson corrélée aux résultats de datations radiocarbones situe l'aménagement de la crypte autour de 600, sous l'épiscopat de Nicet et donc pendant l'abbatiat de Colomban [11]. Le développement d'une nécropole monastique *ad sanctos* durant le VIIe siècle témoigne de l'attractivité de la crypte (fig. 4). Parmi les sarcophages installés au chevet de la crypte, neuf couvercles inscrits conservent le nom des moines défunts [12].

LES RECONSTRUCTIONS DE L'AN MIL

La totalité des parties orientales de l'église fut reconstruite dans une nouvelle phase en reprenant les dispositions antérieures, mais tout en apportant quelques variations dans le plan (fig. 2c). Ainsi, la crypte de chevet fut détruite et ses fondations furent enchâssées dans un nouveau chœur de plan identique, quadrangulaire (5,10 x 4,20 m dans œuvre ; 6,50 x 5 m hors œuvre). Il accueille en son centre un autel, bordé au sud par deux sarcophages mérovingiens en position secondaire qui recouvrent l'arase du mur sud de la crypte mérovingienne. Les murs est, nord et sud de l'ancien chœur furent percés de larges ouvertures, marquant sa transformation en croisée d'un transept dont les bras sont formés par les anciennes annexes funéraires – quasiment reconstruites en totalité. Cette phase de travaux est bien perceptible par la superposition de nouvelles maçonneries sur l'arasement des maçonneries primitives plus étroites, utilisées comme fondations. Les quatre angles de la croisée du transept furent « empâtés » par d'épaisses maçonneries irrégulières (recouvrant parfois des sarcophages), destinées à soutenir une tour de clocher attestée par des textes du XVIIe siècle. L'arc triomphal séparant le vaisseau central du chœur de la basilique

10. *Ibid.*

11. S. Bully, A. Bully et M. Čaušević-Bully avec la collaboration de L. Fiocchi, « Les origines du monastère de Luxeuil (Haute-Saône)… », *op. cit.* note 2, p. 348-350 ; sur cette question, voir également : Noëlle Deflou-Leca et Michèle Gaillard, « Sources narratives et archéologie : quelques réflexions sur la topographie religieuse du haut Moyen Âge », dans *La mémoire des pierres. Mélanges d'archéologie, d'art et d'histoire en l'honneur de Christian Sapin*, coll. « Bibliothèque de l'Antiquité tardive », 29, Turnhout, 2016, p. 29-30.

12. S. Bully et E. Marron, « L'instant Colomban… », *op. cit.* note 3, p. 157.

SÉBASTIEN BULLY

paléochrétienne et mérovingienne fut rétréci par des maçonneries recoupant des sarcophages en place. Contrairement au bras sud du transept, le bras nord fut doté d'une abside de plan semi-circulaire (dans œuvre : l. 2,70 m, prof. 2,15 m ; hors œuvre : l. 4,30 m, prof. 2,25 m). Ses fondations, conservées sur une hauteur de plus de 1 m, présentent un appareillage régulier de petits moellons quadrangulaires provenant de maçonneries antiques en *opus vittatum* ; les chaînages des angles internes de l'abside furent renforcés par des blocs de grand appareil d'origine antique (fig. 5).

La fondation d'une maçonnerie que l'on identifie comme celle d'un autel barre la moitié nord de l'abside au niveau de sa corde. Cette position décentrée pourrait s'expliquer par la présence d'un sarcophage occupant la moitié sud de l'abside. Mais l'hypothèse d'une chapelle funéraire et le caractère mémoriel supposé de cet espace, accordé par l'abside, résulte avant tout de mentions dans des sources modernes de la vénération de la tombe de saint Walbert et de la localisation de cette dernière dans le bras nord du transept [13].

La date du transfert des reliques de Walbert de la crypte à la chapelle nord n'est pas connue, mais elle pourrait se situer autour de l'an mil, période durant laquelle on reconstruisit les parties orientales de l'église (d'après des datations radiocarbones obtenues sur des charbons de bois prélevés dans les mortiers). Cette datation est renforcée par les études historiques qui ont mis en évidence le renouveau du culte de saint Walbert à partir des années 960, marqué notamment par la rédaction des *Miracula* [14]. On proposera de

13. Pierre Vinot, *Mémoire historique pour servir à l'histoire de Luxeuil*, 1715, ms., Bibl. des Amis de saint Colomban ; Besançon, Arch. diocésaines, archives du séminaire, Dossier 18, pièce 50, s. d. [XVIIIᵉ s.] ; Arch. dép. du Doubs, G46 suppl.

14. Monique Goullet, « Adson hagiographe », dans *Les moines du Der. 673-1790*, Actes du colloque international d'histoire, Joinville-Montier-en-Der, 1ᵉʳ-3 octobre 1998, Patrick Corbet (dir.), 2000, p. 103-135 ; Monique Goullet (éd.), *Adso Dervensis, Opera hagiographica*, coll. « Corpus Christianorum, Continuatio Mediaevalis », 198, Turnhout, 2003 ; Monika Juzepczuk, « Saint Valbert comme le patron de la communauté luxovienne et des chevaliers dans *Vita Valbert* par Adson de Montier-en-Der », dans *Saint Walbert et le rayonnement du monachisme luxovien dans le royaume franc au VIIᵉ siècle*, Actes de la 9ᵉ table ronde européenne du monachisme luxovien, 2017, Luxeuil-les-Bains, 2021, p. 58-67.

Fig. 5 – Luxeuil-les-Bains, église Saint-Martin, abside de l'an mil.

15. Aurélia Bully, «L'église Saint-Martin à travers les sources écrites et iconographiques», dans *Luxeuil-les-Bains, Place de la République, ancienne église Saint-Martin*, rapport de fouilles programmées, centre de documentation du SRA-DRAC Franche-Comté, 2008, p. 28-36.

16. Publiés par Gilles Cugnier dans *Histoire du monastère de Luxeuil à travers ses abbés (590-1790)*, tome 1, Langres, 2003, p. 43, et tome 2, 2004, p. 64-65.

17. *Journal de la Haute-Saône* du 30 novembre 1850.

18. Sébastien Bully, Michel Malcotti, Pascal Prunet et Éric Verrier, «L'*Ecclesia* : création d'un espace d'interprétation des vestiges archéologiques de la Place de la République à Luxeuil-les-Bains (Haute-Saône)», dans *L'archéologie dans les monuments historiques*, Actes des Journées régionales de l'archéologie, 22-23 novembre 2019, Dijon, 2020, p. 31-36.

relier ces transformations à la nécessité d'aménager de nouvelles circulations dans l'église en raison d'une augmentation croissante de la dévotion sur la tombe du saint abbé.

Après une interruption à la fin du VIIe siècle, on recommença à inhumer dans l'église à partir des années 1200, mais le recrutement paroissial des sépultures indique alors clairement qu'un changement de statut de l'église était intervenu entre l'an mil et les XIIe-XIIIe siècles.

LES RECONSTRUCTIONS DU XVe SIÈCLE

Un incendie détruisit partiellement Saint-Martin au début du XVe siècle [15]. Sa reconstruction, qui débuta en 1434 sous l'abbatiat de Guy Briffaud, entraîna une rétraction de la nef dans le seul vaisseau central (fig. 2d). L'église présentait dès lors un plan en forme de croix latine, comme on peut le voir sur deux plans du XVIIIe siècle [16]. La fouille de la nef n'a cependant pas permis de retrouver les nouveaux murs gouttereaux de la nef; ceux-ci, vraisemblablement peu fondés, ont été totalement épierrés. En revanche, la répartition spatiale des inhumations des XVe-XVIIIe siècles révèle, en négatif, les limites de la nouvelle nef réduite. L'élévation de l'abside du bras nord du transept fut détruite, mais le nouveau mur qui devait s'y substituer en la barrant à sa corde n'a pas non plus laissé de vestiges, ce qui indique que, comme dans la nef, les niveaux de circulation étaient plus hauts que ceux de l'actuelle place de la République. La disparition des niveaux tardifs est due à des travaux de terrassement – à l'origine de la découverte des premiers vestiges de l'église – menés en 1847 et en 1848 [17]. Les fondations de contreforts obliques du chevet indiquent que le chœur était voûté d'ogives alors que le reste de l'église était charpenté. Les sources d'archives mentionnent un clocher à la croisée du transept. Un petit cimetière paroissial clos de murs se développait au chevet de l'église. Saint-Martin fut entourée de nouvelles maisons à partir du XVe siècle, dont une maison bourgeoise érigée en partie sur l'espace libéré par la destruction du bas-côté nord. On conserve les caves d'une cure et d'une sacristie construites contre le bras sud du transept aux XVIe et XVIIe siècles. Au moment de sa démolition, en 1797, l'église est décrite comme un édifice de style gothique…

LE CENTRE D'INTERPRÉTATION DE L'*ECCLESIA*

Outre les vestiges de l'église, la valeur patrimoniale du site archéologique réside pour une bonne part dans la densité, la diversité et l'état de conservation des 150 sarcophages ayant pris place dans et autour de la basilique funéraire entre les Ve et VIIe siècles. Le site a été inscrit à l'Inventaire supplémentaire des Monuments historiques en 2009, avant d'être classé en 2010. Cette même année, à l'initiative de la Ville de Luxeuil-les-Bains et en concertation avec la DRAC de Franche-Comté ont été engagées des études préalables à la conservation et à la valorisation du site archéologique [18]. Celles-ci ont permis l'ouverture d'un concours d'architecte remporté en 2014 par un consortium formé de Pascal Prunet (ACMH) et de Michel Malcotti (DPLG). La maîtrise d'œuvre associait également une équipe de muséographie-scénographie (Agnès Levillain et Éric Verrier). Les quatre années passées entre le concours et le démarrage des travaux à l'automne 2018 ont été consacrées à l'élaboration d'un plan de financement et à la validation des différentes phases du projet par la maîtrise d'ouvrage (Ville de Luxeuil), assistée d'un comité de pilotage. Les travaux ont été achevés au printemps 2021.

Le chantier a porté à la fois sur l'aménagement d'un nouvel office de tourisme, sur la construction d'un abri au-dessus du site archéologique et sur la restauration des vestiges : sarcophages, maçonneries et sols construits antiques. Il s'agissait de conserver le plus

Fig. 6 – Luxeuil-les-Bains, façade extérieure de la maison bourgeoise du XVᵉ siècle mise en valeur dans l'office de tourisme.

Fig. 7 – Luxeuil-les-Bains, centre d'interprétation de l'*Ecclesia*, parcours sur les vestiges et station thématique.

possible l'authenticité des vestiges dans leurs aspects « issus de fouille », tout en assurant leur conservation et une bonne « lecture » par les visiteurs. L'immeuble devant accueillir l'office de tourisme a fait l'objet d'un important chantier de réhabilitation – essentiellement intérieur, sans modification majeure de la volumétrie extérieure – pour offrir sur environ 500 m² des espaces d'accueil et des espaces pédagogiques, des bureaux et des réserves, distribués sur quatre niveaux. L'office de tourisme assure la gestion du site et des visites, mais il est également intégré dans le dispositif de médiation avec une présentation de vestiges du bas-côté nord de l'église dans des « fenêtres archéologiques » sous caillebotis. Une étude d'archéologie du bâti a également révélé les élévations d'une maison bourgeoise des XVᵉ-XVIᵉ siècles occultées par des transformations contemporaines. Une partie de ces élévations a fait l'objet d'une restauration et d'une mise en valeur (fig. 6).

Sur une surface de 765 m², le bâtiment qui abrite les vestiges constitue un geste contemporain redevable au dessin de M. Malcotti. Doté d'un dispositif scénographique et muséographique, il accueille un parcours qui débute dans un espace d'interprétation du patrimoine de la ville avant de se poursuivre par un cheminement sur des passerelles périphériques en caillebotis (fig. 7) [19]. Ces passerelles sont scandées par cinq stations thématiques en lien avec les vestiges ; elles accueillent sur les garde-corps des dispositifs de

19. J'adresse tous mes remerciements à Nicolas Waltefaugle et Michel Malcotti pour ce cliché.

Fig. 8 – Luxeuil-les-Bains, centre d'interprétation de l'*Ecclesia*, galerie d'approfondissement.

médiation (supports graphiques, plans archéologiques, illustrations graphiques, clichés, animations 3D, maquettes tactiles) et des vitrines contenant du mobilier archéologique pour deux d'entre elles. À mi-parcours du cheminement sur les vestiges a été aménagée une galerie d'approfondissement où sont développées différentes thématiques en lien avec l'abbaye du haut Moyen Âge (fig. 8). La galerie d'approfondissement est enrichie par l'accrochage de pièces lapidaires médiévales (couvercle de sarcophage inscrit, sculptures) sur le revers des deux murs-écrans séparatifs des vestiges.

Un monument gothique comtois : l'abbatiale Saints-Pierre-et-Paul de Luxeuil-les-Bains

* Docteure en Histoire de l'art; archiviste aux Archives départementales du Doubs.

L'abbatiale de Luxeuil, construite au XIIIᵉ siècle, fut consacrée en 1340 sous l'invocation des saints Pierre et Paul (fig. 1). Elle est, avec le cloître voisin, le seul édifice médiéval de l'ancien monastère qui subsiste encore. Elle comporte une nef de six travées, un transept débordant sur lequel ouvrent quatre chapelles alignées de plan rectangulaire, une travée droite de chœur et une abside polygonale (fig. 2) [1]. L'élévation originelle est en grande partie conservée, si l'on excepte les baies des collatéraux, agrandies au XVIIᵉ siècle [2], et l'abside, reconstruite au XIXᵉ siècle. Le clocher relié au palais abbatial qui s'élève à l'extrémité occidentale du vaisseau central de la nef date pour sa part du XVIᵉ siècle [3].

Le début des travaux n'est évoqué que par des sources de seconde main : une chronique écrite au XVIIᵉ siècle par dom Placide de Villiers [4], augmentée et poursuivie par dom Grappin au XVIIIᵉ siècle [5]. Selon ces textes, le monastère aurait été incendié en 1214, ce qui, pour beaucoup d'auteurs, aurait entraîné le début des travaux dès 1215 [6]. Toutefois, la première mention directe afférente à la reconstruction de l'abbatiale ne date que de 1247. L'abbaye se trouvait alors dans un tel état de pauvreté que l'abbé Thiébaut II dut recourir au cardinal Hugues de Saint-Cher pour se procurer les fonds qui devaient lui permettre de mener à bien le projet [7]. En 1255, il obtint du cardinal de Saint-Georges des lettres accordant une indulgence à ceux qui contribueraient à la réédification du monastère [8].

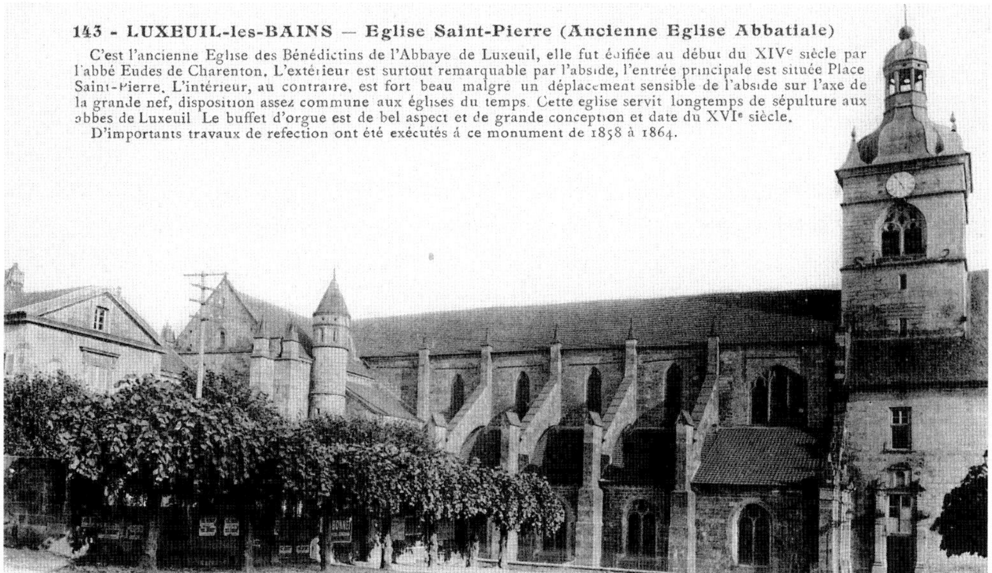

1. La longueur totale est de 58 mètres pour une largeur de 37 mètres dans œuvre et une hauteur de 17,30 mètres sous clef.

2. Cette transformation est attribuée à Jean-Baptiste Clerc, abbé de 1639 à 1671, par Paul Beuvain de Beauséjour d'après Constantin Guillo (Vesoul, Bibl. mun., ms. 190, copie de l'abbé Grand) : Paul Beuvain de Beauséjour, *Le monastère de Luxeuil, l'église abbatiale, étude historique et archéologique*, Besançon, 1891, p. 83.

3. La construction de ce clocher a débuté sous l'abbatiat de François Bonvalot (1542 à 1560) : Pierre-Philippe Grappin, *Histoire de l'abbaïe royale de Luxeu*, 1770 (Besançon, Bibl. mun., Fonds de l'Académie, ms. 32, fol. 326v).

4. Dom Placide de Villiers, *Eductum e tenebris Luxovium, seu Chronicon luxoviense ex vetustis illius monumentis tamquam ex pulvere excerptum*, 1684 (Arch. dép. Haute-Saône, 1 J 502).

5. P.-Ph. Grappin, *Histoire...*, *op. cit.* note 3.

6. René Tournier, *Les églises comtoises, leur architecture des origines au XVIIIᵉ siècle*, Paris, 1954, p. 162.

7. P.-Ph. Grappin, *Histoire...*, *op. cit.* note 3, fol. 254.

8. Pl. de Villiers, *Eductum...*, *op. cit.* note 4, fol. 257.

143 - LUXEUIL-les-BAINS — Eglise Saint-Pierre (Ancienne Eglise Abbatiale)
C'est l'ancienne Eglise des Bénédictins de l'Abbaye de Luxeuil, elle fut édifiée au début du XIVᵉ siècle par l'abbé Eudes de Charenton. L'extérieur est surtout remarquable par l'abside, l'entrée principale est située Place Saint-Pierre. L'intérieur, au contraire, est fort beau malgré un déplacement sensible de l'abside sur l'axe de la grande nef, disposition assez commune aux églises du temps. Cette église servit longtemps de sépulture aux abbés de Luxeuil. Le buffet d'orgue est de bel aspect et de grande conception et date du XVIᵉ siècle. D'importants travaux de refection ont été exécutés á ce monument de 1858 à 1864.

Fig. 1 – Luxeuil, abbatiale Saints-Pierre-et-Paul, façade latérale nord (carte postale, Arch. dép. Haute-Saône, 11 fi 311/4).

Congrès Archéologique de France. Haute-Saône, 2020, p. 171-181.

9. Jacques Henriet, « L'abbatiale cistercienne de Cherlieu », dans *La création architecturale en Franche-Comté au XIIᵉ siècle. Du roman au gothique,* Éliane Vergnolle (dir.), Besançon, 2001, p. 244-279 (rééd. dans Jacques Henriet, *À l'aube de l'architecture gothique,* Besançon, 2005, p. 301-335) ; Éliane Vergnolle, « L'abbatiale de Cherlieu (Haute-Saône) », *Dossiers d'Archéologie,* n° 340 : *Les abbayes et les abbatiales dans l'archéologie cistercienne,* juillet-août 2010, p. 52-57.

10. Jacques Henriet, « La cathédrale Saint-Étienne de Sens : le parti du premier maître et les campagnes du XIIᵉ siècle », *Bulletin monumental,* t. 140-2, 1982, p. 81-174 (rééd. dans J. Henriet, *À l'aube…, op. cit.* note 9, p. 173-267).

11. Matthias Untermann, *Forma Ordinis, Die mittelalterliche Baukunst des Zisterzienser,* Berlin, 2001, p. 153.

12. Fabienne Jeudy, *L'architecture religieuse en Haute-Saône à l'époque gothique, de la fin du XIIᵉ siècle au début du XIVᵉ siècle,* thèse de doctorat, Philippe Plagnieux (dir.), université de Besançon, 2011, p. 70.

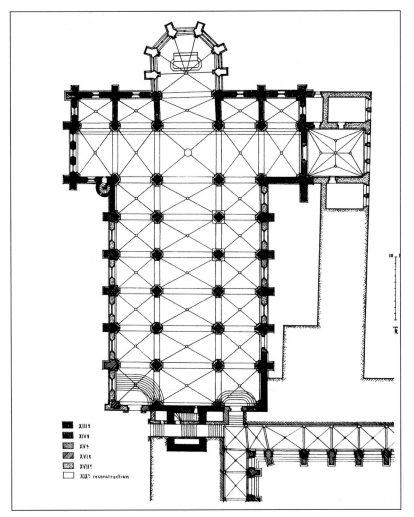

Fig. 2 – Luxeuil, abbatiale Saints-Pierre-et-Paul, plan par René Tournier (extrait de *Congrès archéologique de France,* 1960, p. 108).

LA NEF

L'élévation de la nef compte trois niveaux : grandes arcades, ouvertures sous combles et fenêtres hautes (fig. 3). L'observation de la modénature et des chapiteaux sculptés des grandes arcades conduit à situer le début de la construction vers 1240. Celle-ci fut menée d'ouest en est à partir de la seconde travée des collatéraux (fig. 4) – je reviendrai plus loin sur la première travée, dont la construction fut différée jusqu'au début du XIVᵉ siècle. La massivité des voûtes d'ogives et le profil de leurs nervures – trois tores reposant sur un bandeau – renvoient en effet à une typologie caractéristique du premier art gothique en Île-de-France et adoptée vers 1170 seulement en Haute-Saône, dans l'abbatiale cistercienne de Cherlieu [9]. Les supports engagés dans le mur des bas-côtés sont conçus suivant une logique des retombées attestée dès les années 1140 dans le déambulatoire de la cathédrale de Sens [10] : une colonne engagée sur dosseret correspondant au doubleau, encadrée de deux colonnettes recevant les ogives. Bien que ce type de support ait généralement été abandonné vers 1180, il conserva les faveurs des maîtres d'œuvre dans les confins orientaux du royaume de France, comme, par exemple, vers 1220-1230 encore dans l'abbatiale cistercienne de Morimond (Haute-Marne) [11] ou dans les églises de Jonvelle et de Bourbévelle (Haute-Saône) [12].

Fig. 3 – Luxeuil, abbatiale Saints-Pierre-et-Paul, nef, vaisseau central, élévation côté sud.

13. Philippe Plagnieux, «L'architecture cistercienne», *Dossiers d'Archéologie*, n° 319 : *L'architecture religieuse médiévale*, janvier-février 2007, p. 80-91 (p. 83). Sur l'influence des modèles cisterciens en Franche-Comté, voir plus particulièrement Éliane Vergnolle, «Les églises comtoises du XIIᵉ siècle : une voie originale», dans *La création architecturale...*, *op. cit.* note 9, p. 47-85 (p. 68-78).

14. Sur la cathédrale de Langres, voir Wu Fang Cheng, *La cathédrale de Langres et sa place dans l'art du XIIᵉ siècle*, thèse de doctorat, Éliane Vergnolle (dir.), université de Besançon, 1994 ; Georges Viard, Benoît Decron et Wu Fang Cheng, *La cathédrale Saint-Mammès de Langres – Histoire – Architecture – Décor*, Langres, 1994 ; É. Vergnolle, «Les églises comtoises...», *op. cit.* note 13, p. 63-68.

15. Robert Branner, *Burgundian Gothic Architecture*, Londres, 1960, p. 132. Entre 1220 et 1250 selon Alain Erlande-Brandenburg, «Notre-Dame de Dijon. La paroissiale du XIIIᵉ siècle», dans *Congrès archéologique de France. Dijon, la Côte et le Val de Saône*, Paris, 1994, p. 271-275 ; *Notre-Dame de Dijon. Huit siècles d'histoire(s) : 1220-2020*, Denise Borlée (dir.), Dijon, 2021, p. 11.

16. Peter Kurmann, *La cathédrale Saint-Étienne de Meaux. Étude architecturale*, Genève-Paris, 1971, p. 28.

17. Everardo Ramos, *L'église Saint-Christophe de Chissey-sur-Loue et le sentiment populaire dans la sculpture architecturale du XIIIᵉ siècle en Franche-Comté*, mémoire de maîtrise, Éliane Vergnolle (dir.), université de Besançon, 1996, p. 61. Le traitement de la figure humaine, similaire à celui d'autres chapiteaux comtois, suggère un sculpteur issu de la région.

Fig. 4 – Luxeuil, abbatiale Saints-Pierre-et-Paul, nef, collatéral sud, vers l'ouest.

Fig. 5 – Luxeuil, abbatiale Saints-Pierre-et-Paul, nef, collatéral sud, baie de la seconde travée.

La seule fenêtre originelle qui subsiste se trouve dans le collatéral sud. C'est une baie en plein cintre dont l'ébrasement extérieur est encadré de deux colonnettes recevant une voussure torique suivant une formule fréquente dans le premier art gothique mais qui rappelle aussi l'architecture cistercienne (fig. 5). Il en est d'ailleurs ainsi d'autres détails qui, comme la taille décorative de certaines pierres ou les congés qui marquent le départ des archivoltes, témoignent de l'omniprésence des modèles cisterciens dans l'architecture comtoise de la fin du XIIᵉ siècle et du début du XIIIᵉ siècle [13]. La typologie de cette fenêtre autant que celle des supports et la massivité des voûtes d'ogives ou encore le motif de billettes décorant la corniche confirment l'attachement du maître d'œuvre à la tradition architecturale du XIIᵉ siècle. Ainsi la rigoureuse sobriété des collatéraux de Luxeuil fait-elle écho à celle des bas-côtés de la cathédrale de Langres [14].

Par ailleurs, la similitude du profil des tailloirs avec ceux de l'abside de Notre-Dame de Dijon [15] ou encore les moulures des bases rappelant celles de la croisée du transept de la cathédrale de Meaux [16] permettent de situer les travaux à la fin du premier tiers du XIIIᵉ siècle. L'utilisation de griffes pour raccorder les bases à leur plinthe – motif archaïque utilisé dans les premières travées – suivie de leur disparition dans les travées suivantes témoigne de l'évolution du chantier d'ouest en est. Il en est de même de la sculpture des chapiteaux. Outre le décor de crochets très répandu à partir de la fin du XIIᵉ siècle, on trouve dans les premières travées divers motifs encore inspirés du premier art gothique (as de pique, feuilles lobées, etc.) qui sont absents dans les dernières alors que les crochets s'amincissent. L'enroulement végétal des crochets est parfois remplacé par une tête humaine, comme on pouvait déjà le voir dans la seconde moitié du XIIᵉ siècle dans la nef de la cathédrale de Langres et au début du XIIIᵉ siècle dans l'église de Bétoncourt-les-Ménétriers (Haute-Saône). Parfois, des personnages en buste remplacent les végétaux et soutiennent les angles d'un chapiteau (fig. 6), thème qui se retrouve dans la nef de l'église de Chissey-sur-Loue (Jura) édifiée entre 1240 et 1275 [17]. Au premier niveau de la nef, le répertoire ornemental fait référence à une sculpture encore utilisée dans les années 1230 en Île-de-France et diffusée dans le duché de Bourgogne et aux frontières orientales du royaume de France dans les années 1230-1250.

La construction des parties hautes du vaisseau central a, comme celle des collatéraux, été menée d'ouest en est. Le parti adopté pour l'élévation peut à première vue surprendre, car le modèle retenu était depuis longtemps passé de mode dans les régions qui l'avaient vu naître. Ce type d'élévation à trois niveaux avec ouvertures sous combles, adopté à Sens vers 1140, avait en effet dès les années 1155-1160 été délaissé en Île-de-France au profit d'élévations à quatre niveaux. On revint certes au début du XIIIᵉ siècle à l'élévation à trois niveaux – notamment à la cathédrale de Chartres –, mais ce fut pour augmenter l'importance du clair étage et, corrélativement, pour occuper le niveau médian par un triforium établi dans l'épaisseur du mur gouttereau. Or le maître de Luxeuil n'a ni retenu la solution du triforium ni agrandi les fenêtres hautes, faisant le choix d'une élévation quelque peu passéiste. Autre sujet d'étonnement : rejetant les proportions de la génération chartraine, il opta pour celles, plus novatrices, du gothique rayonnant tel qu'il avait été défini en Île-de-France dans les années 1240, avec des grandes arcades mesurant la moitié de la hauteur totale [18]. L'élévation de la nef de Luxeuil présente donc l'originalité d'être inspirée à la fois par le premier art gothique du XIIᵉ siècle et par les grands édifices d'Île-de-France qui sortaient alors de terre. Ce faisant, elle témoigne d'une double volonté : ériger un édifice ancré dans son temps mais aussi empreint de tonalités passéistes.

Lorsque s'ouvrit le chantier de Luxeuil, l'édifice le plus prestigieux de son proche environnement était l'abbatiale cistercienne de Cherlieu, dont la construction devait être plus ou moins achevée vers 1200 [19]. Or l'élévation de la nef de Cherlieu comportait précisément trois niveaux, avec un niveau médian d'ouvertures sous combles dont le maître de Luxeuil s'est sans doute inspiré mais en privilégiant une variante plus moderne de ce modèle, déjà

18. Yves Gallet, « Le style rayonnant en France (1240-1360) », dans *L'art du Moyen Âge en France*, Philippe Plagnieux (dir.), Paris, 2010, p. 320-381.

19. L'édifice pourrait avoir été consacré en 1204 ou en 1205 (J. Henriet, « L'abbatiale… », *op. cit.* note 9, p. 275).

Fig. 6 – Luxeuil, abbatiale Saints-Pierre-et-Paul, nef, collatéral nord, première pile : chapiteaux de la face nord.

20. Marie-Thérèse Tronquart, *Saint-Maurice d'Épinal, une église dans la ville*, Vagney, 1989, p. 156.

adoptée à Saint-Maurice d'Épinal (Vosges) dont la construction s'achevait dans les années 1230 [20] (fig. 7). Les similitudes entre les deux nefs sont si flagrantes – le plan des piliers, notamment, est presque identique (fig. 8 et 9) – qu'on peut envisager la venue à Luxeuil vers 1240 d'un maître d'œuvre ayant travaillé à Épinal, à la faveur de l'arrivée sur le chantier vosgien d'une nouvelle équipe, chargée de construire les parties orientales de l'église.

Fig. 7 – Épinal (Vosges), basilique Saint-Maurice, nef, vaisseau central, élévation côté sud.

Fig. 8 – Épinal (Vosges), basilique Saint-Maurice : nef, vaisseau central, plan de la deuxième pile sud (relevé Fabienne Jeudy).

Fig. 9 – Luxeuil, abbatiale Saints-Pierre-et-Paul, nef, plan de la première pile, côté nord (relevé Fabienne Jeudy).

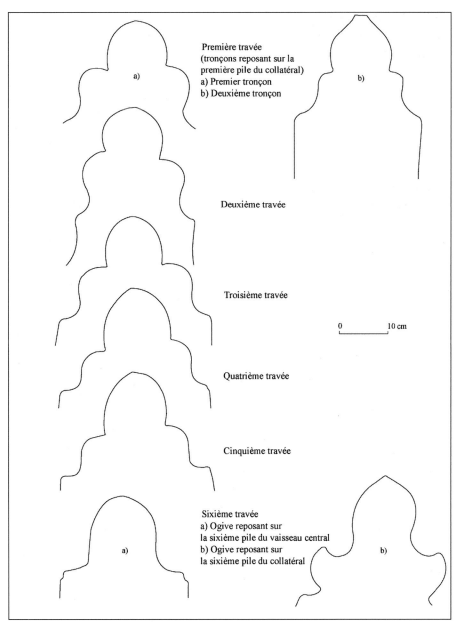

Fig. 10 – Luxeuil, abbatiale Saints-Pierre-et-Paul, nef, collatéral nord, profil des ogives (relevé Fabienne Jeudy).

Les bases des colonnettes dénuées de gorges, les tailloirs polygonaux des chapiteaux et les trilobes qui sous-tendent les baies conduisent à placer la réalisation des parties hautes de la nef dans les années 1250, ce répertoire de formes n'étant apparu que vers 1230 en Île-de-France et étant toujours en vogue au milieu du siècle.

Avec sa grande fenêtre à réseau rayonnant, la première travée de la nef présente un aspect très différent de celui des autres travées. Sa construction fut en effet longtemps différée, le clocher de la façade romane ayant été conservé en raison de son rôle défensif, essentiel dans une période d'instabilité politique [21]. Il fut abattu par l'abbé Eudes de Charenton, crédité en 1330 de l'achèvement de l'église, Renaud de Fresne ayant passé trois années à cet ouvrage [22]. Dans le collatéral nord, le collage entre les nervures d'ogives au profil en amande agrémenté d'un listel du XIVe siècle et les claveaux à trois tores laissés en attente sur les piliers orientaux est parfaitement visible (fig. 10).

21. En 1266, les religieux écrivaient ainsi dans une lettre que «les gardes sont en nos clochers». Voir René Locatelli, «Luxeuil aux XIIe et XIIIe siècles : heurs et malheurs d'une abbaye bénédictine», *Revue Mabillon*, t. LX, 1981, p. 77-96.

22. P.-Ph. Grappin, *Histoire…*, *op. cit.* note 3, fol. 290.

23. É. Vergnolle, «Les églises comtoises…», *op. cit.* note 13, p. 68; Philippe Plagnieux, «La première architecture romane cistercienne : le chevet "bernardin" en question», dans Marcello Angheben, en collaboration avec Pierre Martin et Éric Sparhubert, *Regards croisés sur le monument médiéval. Mélanges offerts à Claude Andrault-Schmitt*, Turnhout, 2018, p. 271-287.

24. R. Tournier, *Les églises…*, *op. cit.* note 6, p. 101. La datation n'est cependant pas assurée : voir M. Untermann, *Forma Ordinis…*, *op. cit.* note 11, p. 513.

25. Jean-Pierre Buchweiller, *Sainte-Marie de Bithaine, une abbaye cistercienne en Haute-Saône*, Selaincourt, 2004, p. 27.

26. Claudine Lautier, *La fenêtre dans l'architecture religieuse d'Île-de-France au XIIIᵉ siècle (de Saint-Leu-d'Esserent à la cathédrale de Beauvais)*, thèse de doctorat, Anne Prache (dir.), université de Paris IV-Sorbonne, 1995, p. 297.

LA PARTIE ORIENTALE

Une fois la construction de la nef achevée, le chantier se poursuivit vers l'est. Le plan de la partie orientale appartient à un type largement diffusé au XIIIᵉ siècle en Franche-Comté. L'existence d'un transept pourvu de chapelles quadrangulaires alignées renvoie aussi à un certain nombre d'abbatiales cisterciennes édifiées à partir du second quart du XIIᵉ siècle, selon le plan qualifié à tort de «bernardin», promu par l'abbatiale de Clairvaux, entreprise à partir de 1135 [23]. Dans l'ordre cistercien, l'apogée de cette diffusion se situe entre 1180 et 1240, avec un changement : l'abside fermée par un mur droit des premiers exemples est désormais remplacée par une abside semi-circulaire ou polygonale. En Haute-Saône, le chevet de l'abbatiale cistercienne de Theuley a peut-être été construit selon ce parti dès 1210 [24], celui de Bithaine au début des années 1270 [25]. Il en fut de même à Luxeuil, bien que l'abbaye n'ait pas relevé de l'ordre.

On retrouve dans le transept et le chœur le caractère passéiste déjà observé dans la nef, comme en témoigne la présence au-dessus des chapelles orientées de grands oculi, un type de baie fréquent dans l'architecture cistercienne du XIIᵉ siècle (fig. 11). Le vocabulaire architectural de la nef est cependant modernisé : les piles cruciformes sont remplacées par des piles fasciculées, et les petites baies en plein cintre sont abandonnées au profit notamment d'une grande fenêtre composée de deux lancettes surmontées d'un quatre-feuilles inscrit dans un oculus, selon un schéma créé dans les années 1230 à Saint-Niçaise de Reims [26]. Toutefois, l'absence à Luxeuil d'éléments sculptés – caractère qui n'est guère antérieur au milieu du XIIIᵉ siècle – suggère une date plus tardive d'une à deux décennies. En dépit de leur réseau de type rayonnant, les fenêtres sont encadrées de larges surfaces murales, à la différence de la plupart de celles des monuments construits en Île-de-France entre 1220 et 1270, qui occupent toute la largeur des travées. Comme dans l'architecture des ordres austères – cisterciens et augustiniens –, cette solution affichait une volonté de simplicité contrastant avec la richesse de certains réseaux, mais aussi un goût de la muralité caractéristique de l'architecture comtoise du XIIIᵉ siècle.

Fig. 11 – Luxeuil, abbatiale Saints-Pierre-et-Paul, abside et bras sud du transept, extérieur.

FABIENNE JEUDY

Fig. 12 – Luxeuil, abbatiale Saints-Pierre-et-Paul, chœur, côté nord.

Fig. 13 – Luxeuil, abbatiale Saints-Pierre-et-Paul, nef, vaisseau central, élévation côté nord, depuis l'ouest.

L'observation de la modénature des parties orientales de l'abbatiale éclaire la progression du chantier. Les bases des piliers du transept sont dépourvues de gorge alors que celles de la travée droite de chœur en comportent encore une. À l'extérieur, le larmier qui règne au-dessus du niveau des oculi se poursuit tout autour des bras et amorce un départ sur le mur de la sixième travée de la nef. Tout conduit donc à penser que, après l'achèvement de la nef, le chantier se déplaça d'abord dans la travée droite du chœur (fig. 12) avant de se poursuivre dans le transept. Ce raccord tardif avec la nef explique l'absence d'ouvertures sous combles dans la dernière travée du vaisseau central de celle-ci (fig. 13). Les courtes colonnettes établies au-dessus des colonnes engagées des supports orientaux pour rattraper la différence de hauteur entre les retombées des voûtes de la croisée du transept et celles de la nef suggèrent également une progression des travaux d'est en ouest. Les deux dernières travées du haut vaisseau étaient occupées par le chœur liturgique, espace aujourd'hui individualisé par un emmarchement correspondant à l'emplacement du jubé du XVᵉ siècle – mais la différence de modénature des socles des piliers donne à penser que le chœur liturgique du XIIIᵉ siècle avait la même extension. Certains détails de la modénature, notamment la découpe circulaire des tailloirs surmontant les chapiteaux de la partie haute,

27. MAP, dossier 0081/070/0012.

suggèrent une date avancée dans le siècle : la reprise des travaux de la nef et le chantier des parties orientales pourraient ainsi être attribués à l'abbé Kales, élu en 1271, après une décennie de troubles.

La reconstruction de l'abside au XIXe siècle est bien documentée [27]. Elle est conforme au parti originel à quelques détails près (moulures, profil des tailloirs de l'arcature) et comporte un certain nombre de remplois de pierres du XIIIe siècle, caractérisées par leur taille brettelée.

Le parti de cette abside vitrée diffère en tous points de celui du transept et de la travée droite de chœur (fig. 14). Le maître d'ouvrage et/ou le maître d'œuvre étaient parfaitement au fait des nouveautés du gothique rayonnant introduites vers 1250 dans la partie occidentale de l'Empire, y compris dans le comté de Bourgogne. Les pans de l'abside sont séparés par des faisceaux de trois colonnettes qui s'inscrivent dans la continuité des retombées des

Fig. 14 – Luxeuil, abbatiale Saints-Pierre-et-Paul, abside.

Fabienne Jeudy

Fig. 15 – Luxeuil, abbatiale Saints-Pierre-et-Paul, transept, première chapelle nord : chapiteaux de la pile sud-est.

28. P. Kurmann, *La cathédrale…*, *op. cit.* note 16, p. 21.

29. Cl. Lautier, *La fenêtre…*, *op. cit.* note 26, p. 46.

30. Sur la chronologie du chantier de Saint-Denis, voir Caroline Astrid Bruzelius, *The 13th-Century Church at St-Denis*, New Haven-Londres, 1985, p. 124-137 ; Michel Bouttier, « La reconstruction de l'abbatiale de Saint-Denis au XIIIᵉ siècle », *Bulletin monumental*, t. 145-4, 1987, p. 375.

31. Cl. Lautier, *La fenêtre…*, *op. cit.* note 26, p 45.

32. Marie-Claire Burnand, *La Lorraine gothique*, Nancy, 1989, p. 323 ; Alain Villes, *La cathédrale de Toul. Histoire et architecture*, Metz, 1983 ; Hubert Collin, « Toul, cathédrale Saint-Étienne », dans *Congrès archéologique de France. Nancy et Lorraine méridionale*, Paris, 2006, p. 207-235 ; Marc Carel Schurr, « L'architecture religieuse en Allemagne entre 1220 et 1350 », *Bulletin monumental*, t. 168-3 : *L'Allemagne gothique. II – L'architecture religieuse*, 2010, p. 227-242.

33. M.-Th. Tronquart, *Saint-Maurice d'Épinal…*, *op. cit.* note 20, p. 176.

34. M.-Cl. Burnand, *La Lorraine…*, *op. cit.* note 32, p. 189.

35. Peter Kurmann, *La façade de la cathédrale de Reims*, Lausanne, 1987, p. 117-130.

voûtes et déterminent un cadre dans lequel l'arcature aveugle du soubassement et les réseaux des fenêtres viennent s'insérer suivant un modèle créé vers 1220 dans les chapelles rayonnantes de la cathédrale de Reims [28]. Toutefois, certains détails renvoient plus particulièrement à des édifices du temps de Saint Louis : trilobe non inscrit pour les arcatures (nouveauté apparue vers 1235-1240) [29], hiérarchisation des colonnettes des lancettes, fusion de la moulure de l'oculus avec les moulures qui l'encadrent, roses hexalobées reposant sur un seul lobe, comme dans l'abside de Saint-Denis (vers 1230-1240) [30], trilobes des baies évoquant ceux de l'abside de la chapelle basse de la Sainte-Chapelle à Paris (entre 1243 et 1248) [31]. L'absence de coursière au-devant des baies conduit néanmoins à rechercher la source d'inspiration en Lorraine, dans la descendance de la cathédrale Saint-Étienne de Toul – ce qui n'a rien d'étonnant car les chantiers lorrains ont, d'une manière générale, joué un rôle décisif dans la transmission des modèles français dans l'Empire. L'abside de Luxeuil peut ainsi être rapprochée de celle de Saint-Gengoult de Toul (entre 1250 et 1256) [32], tant par son plan que par l'absence de coursière et par le dessin trilobé de l'arcature aveugle (qui se retrouve aussi à Saint-Maurice d'Épinal dans le dernier quart du XIIIᵉ siècle) [33]. Le dessin des fenêtres de Luxeuil reprend quant à lui celui des fenêtres de l'abside de Saint-Vincent de Metz (vers 1248 [34]), qui sont pareillement surmontées à l'extérieur d'une archivolte ornée de motifs circulaires. Si le maître qui construisit l'abside de Luxeuil s'inspira de constructions récentes, il les adapta cependant aux exigences de simplicité d'une église monastique et conserva des surfaces murales importantes, faisant ainsi preuve d'une résistance à l'allègement des parois qui caractérise l'architecture rayonnante.

La sculpture de l'abside renvoie à celle des modèles contemporains du royaume de France. Groupés sur deux rangs, les crochets se sont épanouis en largeur. Les feuilles lobées qui les accompagnaient dans la nef ont cédé la place à un répertoire de feuilles dentées de facture plus naturaliste et de fruits grenus, qui est comparable à celui que l'on trouve dans les travées occidentales de la cathédrale de Reims à partir du milieu du XIIIᵉ siècle (fig. 15) [35].

En alliant au long de son histoire historicisme et modernité, l'abbatiale de Luxeuil illustre donc parfaitement la spécificité de l'architecture monastique comtoise du XIIIᵉ siècle.

Crédits photographiques – fig. 5 à 7, 12, 14 et 15 : Fabienne Jeudy ; fig. 3, 4 et 11 : Jean-Louis Langrognet ; fig. 13 : Pierre-Louis Laget.

LES BÂTIMENTS MONASTIQUES DE L'ABBAYE DE LUXEUIL-LES-BAINS ET LA RÉFORME BÉNÉDICTINE

Frédérique Baehr *

* Historienne de l'architecture ; technicienne de recherche et formation à l'université de Franche-Comté.

Aux environs de 590, le moine irlandais saint Colomban, en chemin pour l'Italie, fonda un monastère sur les ruines de l'antique Luxovium, petite cité située au pied des Vosges. Des maisons de renom comme Saint-Gall et Bobbio s'en détachèrent [1]. Au VIIIe siècle, Charlemagne plaça l'abbaye sous la règle de saint Benoît. Devenu très vite un centre de rayonnement spirituel et artistique réputé, grâce à son scriptorium, le monastère favorisa l'installation de la population laïque autour de lui [2]. Les nombreux sarcophages de pierre retrouvés au centre du bourg et le riche patrimoine bâti que nous pouvons encore admirer alentour en sont la preuve. De sa fondation jusqu'au XVe siècle, le monastère fut placé sous la juridiction spirituelle du souverain pontife, octroyant aux abbés qui se succédèrent une certaine autonomie, mais en 1493 les droits régaliens de l'abbaye furent remis en cause lors du traité de Senlis entre Charles VIII roi de France et Maximilien Ier.

En 1634, la congrégation fusionna avec celle de Saint-Vanne de Verdun – fondée par dom Didier de la Cour, réformateur de l'ordre de Saint-Benoît après le Concile de Trente – et celle de Saint-Hydulphe, toutes deux basées en Lorraine. L'abbaye rejoignait ainsi un ensemble de fondations dont les plus anciennes se situaient dans la montagne des Vosges [3]. Jusqu'au XVIIe siècle, les abbés avaient bénéficié d'une certaine indépendance : ils vivaient parfois à l'extérieur de l'abbaye, voire chez des particuliers [4]. Les moines, quant à eux, occupaient des pavillons séparés, situés à l'intérieur du mur de clôture, qu'ils nommaient « cellules ». Par lettres patentes de 1633 [5], la princesse Isabelle Claire Eugénie chargea l'abbé Jérôme Coquelin d'introduire à Luxeuil les règles de Saint-Vanne qui, pour l'essentiel, visaient une véritable vie communautaire des religieux. Aussi, afin de répondre à cette exigence, l'abbaye se lança-t-elle à partir de cette date, et jusqu'au milieu du XVIIIe siècle, dans une série de constructions nouvelles, adossées en partie à l'église abbatiale et au cloître médiéval. Grâce à d'importants revenus annuels et aux ressources offertes par les vastes domaines forestiers communs à la mense abbatiale et à la mense conventuelle, des bâtiments d'impressionnantes dimensions, construits en belle pierre de taille, furent érigés en un siècle.

Après la Révolution, l'abbatiale du XIIIe siècle devint l'église paroissiale ; le cloître médiéval et l'ancien palais abbatial du XVIe siècle, qui avait été remanié au cours des deux siècles suivants, furent acquis par la Ville, tandis que l'ensemble des locaux conventuels bâtis aux XVIIe-XVIIIe siècles fut affecté jusqu'au milieu du XXe siècle à un séminaire devenu ultérieurement un collège d'enseignement catholique et un centre pastoral diocésain [6].

LES DEUX CHANTIERS DU XVIIe SIÈCLE

Les premiers projets élaborés en 1634 portèrent d'abord sur la construction d'un dortoir et d'un réfectoire, puis en 1663 sur celle d'une aile réservée au chapitre.

1. Maurice Rey, « Luxeuil médiéval », dans *Congrès archéologique de France, CXVIII[e] session, 1960, Franche-Comté*, Paris, 1960, p. 105.

2. Bernard Desgranges, *Luxeuil pas à pas*, tome 2, Remiremont, 1993, p. 16.

3. Claude Faltrauer, *Le cadre de vie et de prière des bénédictins de la congrégation de Saint-Vanne et Saint-Hydulphe de la province de Lorraine aux XVIIe et XVIIIe siècles*, 2e partie, thèse de doctorat d'Histoire, Université Lumière Lyon 2, 2014, p. 498.

4. *Ibid.*, p. 81.

5. Arch. dép. Haute-Saône, H 618.

6. Une association dynamique, celle des « Amis de Saint-Colomban », assure depuis des années, en relation avec les autorités diocésaines, la valorisation des divers aspects du patrimoine colombanien (https://www.amisaintcolomban.org).

7. Estimés à 20 000 livres par an en 1635, ils n'étaient plus que de 5 440 livres en 1641 (Arch. dép. Haute-Saône, H 618; B. Desgranges, *Luxeuil…*, *op. cit.* note 2, p. 87).

8. Gilles Cugnier, *Histoire du monastère de Luxeuil à travers ses abbés (1590-1790)*, tome 3, Luxeuil, 2005, p. 167.

Le dortoir ou « grand quartier »

Les travaux du dortoir et de locaux destinés à la vie quotidienne des moines virent la construction d'un bâtiment généralement désigné comme le « grand quartier ». Ils débutèrent en 1635, après que l'abbé Coquelin eut obtenu l'accord de la communauté, moyennant quelques concessions. En effet, sur la trentaine de religieux que comptait la communauté, vingt-deux acceptèrent le projet, mais les plus anciens obtinrent le droit de conserver un logement indépendant. À peine commencé, le chantier s'interrompit dès 1637 en raison de la guerre de Dix Ans. L'abbaye perdit à cette époque une partie considérable de ses revenus [7], et le chantier ne put reprendre que bien des années plus tard. Il s'acheva seulement en 1656 [8].

Implanté perpendiculairement à la face sud de l'église (fig. 1 et 2), sur d'anciens bâtiments monastiques dont certaines parties furent conservées – notamment les caves qui furent utilisées comme celliers –, cet édifice de plan rectangulaire s'ouvre à l'est sur un grand jardin en terrasse (fig. 3) tandis que sa façade ouest domine l'une des galeries du cloître et se prolonge sur l'actuelle cour d'entrée de l'abbaye, appelée « cour d'honneur ».

La façade sur jardin – sur laquelle s'appuie aujourd'hui un préau métallique – comporte trois niveaux de baies rectangulaires à chambranle saillant et appui se confondant avec le cordon qui marque chaque étage. La façade ouest, pour sa part, semble avoir été achevée ou remaniée au XVIIIe siècle lors de la construction des deux ailes de bâtiments formant la « cour d'honneur ». Un passage voûté traverse le soubassement du bâtiment et assure une

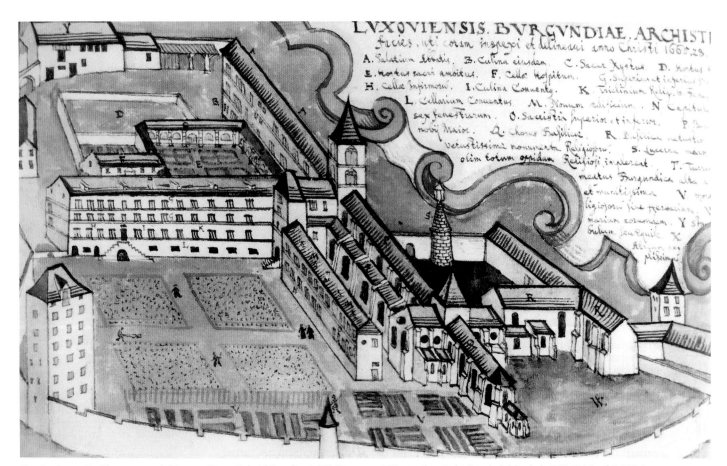

Fig. 1 – Luxeuil, abbaye, vue cavalière par Dom Gabriel Bucelin, 1665 (Stuttgart, Württembergische Landesbibliothek, HB V 15a, fol. 270r).

Frédérique Baehr

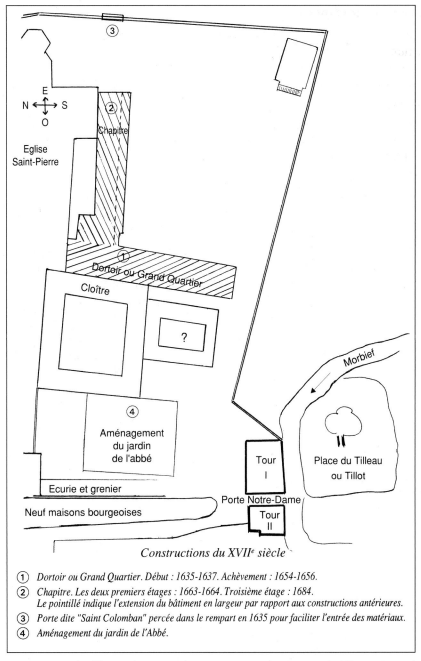

Fig. 2 – Luxeuil, abbaye, plan-masse des constructions du XVIIᵉ siècle (d'après Bernard Desgranges, *Luxeuil pas à pas*, tome 2, Remiremont, 1993, p. 97).

communication directe entre le jardin et la cour. Au rez-de-chaussée se trouvaient la cuisine, le réfectoire et divers services. Aux deux étages, douze cellules s'alignaient de part et d'autre d'un couloir central.

L'aile sud dite « aile du chapitre »

En 1663, sept ans après l'achèvement du grand quartier, l'abbé Jean-Baptiste Clerc lança le chantier d'un second bâtiment d'un étage, disposé parallèlement au flanc sud de l'église abbatiale et destiné à accueillir le chapitre (fig. 3). Avec la prospérité revenue, la toiture put

Fig. 3 – Luxeuil, abbaye, façade orientale du grand quartier et façade sud de l'aile du chapitre.

être posée dès l'année suivante. Le rez-de-chaussée comprenait la grande salle du chapitre communiquant par une petite porte avec la sacristie de l'église abbatiale [9]. Le niveau supérieur offrait une succession de chambres. En 1684, Charles II Emmanuel de Bauffremont, abbé de Luxeuil, fit surélever le bâtiment d'un niveau supplémentaire, afin de lui donner la même hauteur que le grand quartier des dortoirs construit précédemment, et de faciliter ainsi leur liaison. L'unité de ces deux édifices en angle droit sur le jardin tient à l'emploi d'un même type de pierre (grès ocre clair) et au traitement identique des élévations et de leurs percements rectangulaires.

Ainsi, avant même la fin du XVIIᵉ siècle, les abbés de Luxeuil étaient parvenus à répondre aux principaux besoins et aux règles essentielles de la réforme vanniste.

LES RÉALISATIONS DU XVIIIᵉ SIÈCLE

En 1714, le prieur et les religieux firent établir plusieurs projets pour « augmenter les bâtiments de ladite abbaye » (fig. 4), de manière à pouvoir accueillir plus commodément le chapitre de l'ordre qui s'y réunissait tous les trois ans [10]. Avant de prendre une décision, ils sollicitèrent l'avis du président de la congrégation, dom Humbert Belhomme, abbé de Saint-Hydulphe de Moyenmoutier, et de Mathieu Petitdidier, abbé de Senones. Tous deux se rendirent à Luxeuil du 23 au 28 mai 1716 pour examiner les différents projets. À cette

9. B. Desgranges, *Luxeuil…*, *op. cit.* note 2, p. 89.

10. Voir Henri Paraut, dans *L'abbaye de Luxeuil, hier et aujourd'hui*, Luxeuil, 1994, p. 3. Le prieur se félicita en 1724 d'avoir pu recevoir «les Révérendissimes Pères du Chapitre au nombre de 84 et […] donné à chacun sa chambre particulière et son lit […]» et d'avoir accueilli par ailleurs «trente valets qu'ils avaient amenés et près de cent chevaux tant de monture que d'équipages».

FRÉDÉRIQUE BAEHR

fin, ils consultèrent l'influent bénédictin bisontin dom Vincent Duchesne (vers 1650-1724) [11], «connaisseur en ces matières», ainsi qu'Antoine Malbert, architecte du monastère de Faverney. Après avoir reconnu les défauts des plans présentés, les deux abbés ordonnèrent l'adoption d'un nouveau projet, confié à dom Vincent Duchesne, tout en laissant le prieur libre d'opérer des modifications. Ils recommandèrent en outre l'achèvement d'un bâtiment de plusieurs étages de greniers qui avait été commencé depuis peu, sans doute déjà sur des esquisses de Duchesne, et «d'y faire mettre l'escalier nécessaire pour y monter» [12].

11. Voir Annick Derrider et Patrick Boisnard, «Dom Vincent Duchesne, inventeur et architecte (1661-1724)», *Revue Haute-Saône SALSA*, supplément du n° 60, Vesoul, 2005, p. 14-21.

12. Arch. dép. Haute-Saône, H 622, procès-verbal de visite des deux abbés, suivi de leurs recommandations du 28 mai 1716.

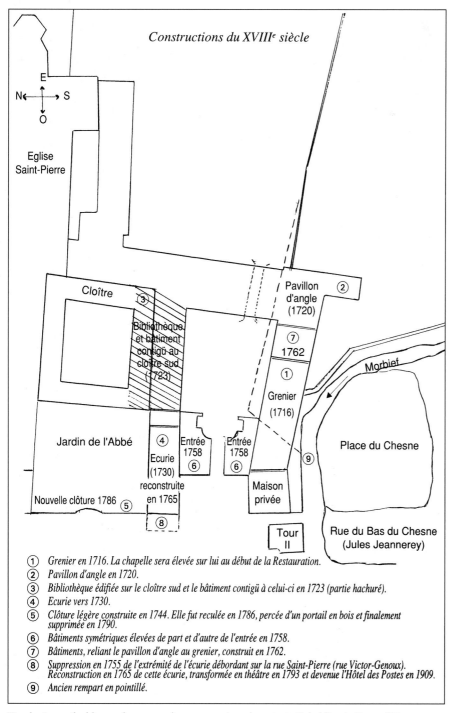

① Grenier en 1716. La chapelle sera élevée sur lui au début de la Restauration.
② Pavillon d'angle en 1720.
③ Bibliothèque édifiée sur le cloître sud et le bâtiment contigü à celui-ci en 1723 (partie hachuré).
④ Ecurie vers 1730.
⑤ Clôture légère construite en 1744. Elle fut reculée en 1786, percée d'un portail en bois et finalement supprimée en 1790.
⑥ Bâtiments symétriques élevées de part et d'autre de l'entrée en 1758.
⑦ Bâtiments, reliant le pavillon d'angle au grenier, construit en 1762.
⑧ Suppression en 1755 de l'extrémité de l'écurie débordant sur la rue Saint-Pierre (rue Victor-Genoux). Reconstruction en 1765 de cette écurie, transformée en théâtre en 1793 et devenue l'Hôtel des Postes en 1909.
⑨ Ancien rempart en pointillé.

Fig. 4 – Luxeuil, abbaye, plan-masse des constructions du XVIIIᵉ siècle (d'après Bernard Desgranges, *Luxeuil pas à pas*, tome 2, Remiremont, 1993, p. 101).

13. Cette chapelle est l'œuvre de l'architecte A. Pélisson (dossier conservé à la Maison diocésaine Saint-Colomban de Luxeuil).

Fig. 5 – Luxeuil, abbaye, vue du pavillon d'angle à l'extrémité sud du grand quartier.

Le pavillon d'angle fermant l'extrémité sud du grand quartier (1720)

C'est à la suite de ces décisions et des plans adoptés (aujourd'hui disparus) que fut engagée vers 1720 la construction de l'imposant pavillon rectangulaire saillant, situé à l'extrémité sud du quartier des dortoirs, destiné à abriter l'appartement du prieur ainsi que des chambres pour les hôtes (fig. 5). Nous ne disposons pas d'informations précises sur le chantier, mais on peut noter que le caractère architectural de l'édifice est identique à celui des pavillons de l'abbaye de Faverney, qui étaient en cours de construction à la même époque sous la direction de l'architecte-entrepreneur A. Malbert. Les deux façades est et sud, dressées sur un fort soubassement, présentent des angles à refends et trois travées de baies sur quatre niveaux, couronnées par un entablement à corniche saillante (fig. 6). L'aspect monumental de la façade sud tient à la présence d'une imposante travée centrale de baies en plein cintre flanquées de pseudo-pilastres. À l'intérieur, un escalier tournant à jour central, dont les rampes à balustres et les volées sont portées par des arcs rampants, dessert les différents étages (fig. 7). Il n'est pas sans évoquer la facture de l'escalier rampe sur rampe du prieuré bénédictin de Morey (Haute-Saône) fondé à la fin du XVIIe siècle et auquel dom Duchesne a apporté sa contribution.

Les bâtiments composant la cour d'honneur

Formée par la façade ouest du grand quartier contre laquelle viennent buter perpendiculairement deux ailes à gauche et à droite, cette cour en U résulte de chantiers successifs conduits en quarante ans. Faute de documents d'archives, leur chronologie demeure incertaine, de même que l'identité des architectes et des entrepreneurs responsables du chantier.

L'aile droite des greniers et son prolongement jusqu'au pavillon d'angle. Achevé peu d'années après la visite en 1716 des abbés de Moyenmoutier et de Senones, cette immense construction rectangulaire en pierre de taille destinée à des réserves et à des greniers comportait cinq niveaux. Elle comprend neuf travées de baies à linteau en arc segmentaire et clé saillante sans décor – toutefois, en 1880, l'aménagement aux deuxième et troisième étages d'une chapelle destinée aux séminaristes a entraîné l'éventrement des murs et l'insertion de hautes fenêtres à deux lancettes de type gothique (fig. 8) [13].

Frédérique Baehr

Fig. 6 – Luxeuil, abbaye, façade sud du pavillon d'angle.

Fig. 7 – Luxeuil, abbaye, escalier intérieur du pavillon d'angle.

Peu après le milieu du XVIIIe siècle – peut-être en 1762 [14] –, cette aile des greniers a été prolongée jusqu'au pavillon d'angle par un nouveau bâtiment de même hauteur, afin d'abriter plusieurs services, notamment la cuisine des malades, l'apothicairerie et l'infirmerie.

La façade ouest du grand quartier, le grand escalier et l'aile de la bibliothèque. En raison de la déclivité du terrain, cette façade du grand quartier formant le fond de la cour d'honneur est non seulement établie à un niveau de plus que la façade sur jardin bâtie de 1634 à 1656, mais elle présente aussi un traitement architectural très différent (fig. 9). Ses baies à linteau en arc segmentaire et chambranle à crossette sont très proches de celles du pavillon d'angle dont la construction débuta en 1720. On peut donc penser que le prieur et les religieux conduisirent, à partir de cette date et jusqu'au milieu du siècle, un vaste chantier prenant la suite de celui du pavillon, selon des plans et directives laissés par dom Vincent Duchesne et Antoine Malbert, chantier qui aurait concerné non seulement la façade sur cour du dortoir, mais aussi le grand escalier intérieur de l'angle nord, ainsi que toute l'aile gauche dite «de la bibliothèque» et, à droite, les greniers. Cette hypothèse est confortée par le projet d'extension d'une façade, signé en 1755 par l'architecte bisontin Jean-Charles Colombot [15], témoignant du souci de s'inscrire rigoureusement dans le parti architectural des édifices réalisés depuis les années 1720 (fig. 10).

Au premier étage du grand quartier, où subsiste un grand salon voûté et boisé, on remarque la présence d'une galerie couverte portée par une succession d'arcades (aujourd'hui fermées). Sans doute plaquée sur la façade au milieu du XVIIIe siècle, elle assure une liaison entre les deux ailes de la cour. En 1765, le sous-ingénieur des ponts et chaussées Jean-Baptiste Thiery forma le projet de lui adosser un escalier extérieur à deux volées en fer à cheval [16] (fig. 11). S'il avait été exécuté, cet escalier aurait considérablement ennobli la cour d'honneur et permis aux visiteurs de pénétrer directement au centre de l'édifice.

14. B. Desgranges, *Luxeuil...*, *op. cit.* note 2, p. 101.

15. Un arrêt du Conseil d'État, le 19 septembre 1744, autorisa la communauté des religieux à faire couper les grands arbres dépérissants qui se trouvaient dans les 25 assiettes ordinaires de leurs bois pour financer des travaux à réaliser sur les bâtiments dépendant de la mense conventuelle. L'adjudication d'un premier chantier fut donnée à la maîtrise particulière des eaux et forêts de Vesoul le 24 août 1746. Elle fut suivie d'autres grâce à la vente en décembre 1755 d'une partie du quart de réserve, en vertu de l'arrêt du Conseil du 23 septembre précédent. C'est à cette occasion que J.-Ch. Colombot, mandaté par le grand maître des eaux et forêts, se rendit à Luxeuil pour procéder à des expertises et élaborer les projets souhaités (Arch. dép. Haute-Saône, H 622, procès-verbal de visite et devis de l'architecte bisontin Jean-Charles Colombot, 20 juin 1755; *ibid.*, B 9371, fol. 233v, arrêt du 23 septembre 1755).

16. Arch. dép. Haute-Saône, H 619/10, projet d'escalier pour le grand quartier, J.-B. Thiery, 1756. Voir, dans le présent volume, l'article de Mathieu Fantoni, «Le château de Saint-Rémy...», p. 145-157, et notamment la fig. 13, reproduction complète du projet d'escalier de J.-B. Thiery pour l'abbaye de Luxeuil.

Fig. 8 – Luxeuil, abbaye, bâtiment des greniers, transformé en chapelle au XIXe siècle.

Fig. 9 – Luxeuil, abbaye, façade sur cour du grand quartier.

Frédérique Baehr

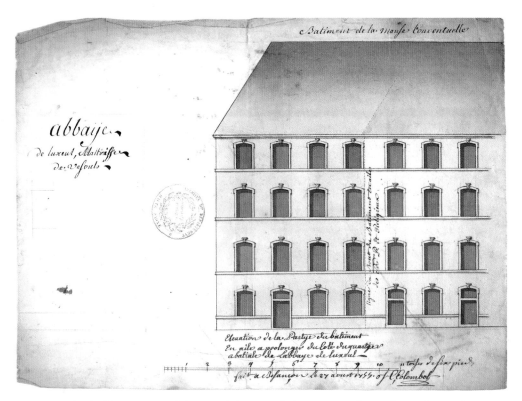

Fig. 10 – Luxeuil, abbaye, «projet d'élévation de la partye du batiment en aile a prolonger du coté du quartier abbatial», par Jean-Charles Colombot, 1755 (Arch. dép. Haute-Saône, H 618).

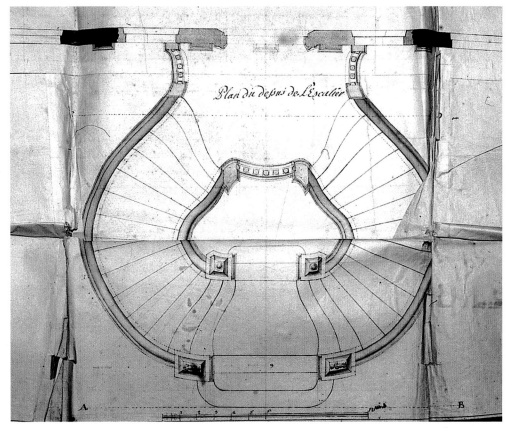

Fig. 11 – Luxeuil, abbaye, détail d'un projet d'escalier extérieur pour le grand quartier, par Jean-Baptiste Thiery, 1758 (Arch. dép. Haute-Saône, H 619/10).

Fig. 12 – Luxeuil, abbaye, escalier monumental de l'angle nord du grand quartier.

L'escalier monumental à l'angle nord du grand quartier

Construit à la jonction du grand quartier, du chapitre et de la bibliothèque, un ample escalier inscrit dans une cage de plan carré assure la desserte des différents étages des bâtiments et pourrait avoir été terminé en 1725 [17]. Il se compose, autour d'un vide central, de volées droites tournantes portées par des piliers et des colonnes à chapiteau toscan. Toute la partie supérieure illustre la parfaite maîtrise d'un type de stéréotomie observable dans d'autres escaliers comtois du XVIIIe siècle (fig. 12), notamment dans ceux de l'abbaye de Faverney et du prieuré bénédictin de Vaux-sur-Poligny (Jura), établissements dans lesquels dom Duchesne serait également intervenu [18].

L'aile gauche dite « de la bibliothèque »

Il semble que ce soit vers 1723 que l'attention du prieur et les investissements de la communauté se portèrent sur l'aménagement de cette aile de quatre niveaux, parallèle à celle des greniers, et adossée à la galerie sud du cloître. Il s'agissait de doter l'abbaye d'une boulangerie au rez-de-chaussée, d'un appartement à l'étage pour les hôtes de marque et de mettre en place dans les étages supérieurs l'importante bibliothèque de l'abbaye, dont on sait qu'elle comptait en 1671 plus de 4 000 ouvrages [19]. La façade sur cour présente les mêmes caractéristiques stylistiques que celle du grand quartier (fig. 13), assurant à l'ensemble une belle unité. Le grand salon d'apparat (fig. 14) et la chambre à coucher contiguë sont relativement bien conservés. Ces deux pièces possèdent d'élégantes voûtes surbaissées à compartiments ornés de motifs en stuc, ainsi que des cheminées en marbre et des boiseries Louis XV (fig. 15).

La bibliothèque, qui occupe toute la hauteur des deuxième et troisième étages, est connue par une description de 1789 :

> « C'est une grande salle boisée ornée de pilastres et garnie de tablettes dans sa hauteur et toute son étendue. Elle est éclairée par douze croisées, six dans le bas et autant sur la tribune qui forme le dernier étage du bâtiment. Cette tribune est garnie d'une grille de fer qui règne tout autour de la salle, à laquelle on communique par un escalier construit dans l'embrasure des fenêtres [20]. »

17. Selon G. Cugnier citant H. Paraut : *L'abbaye de Luxeuil...*, *op. cit.* note 10, p. 4.

18. A. Derrider et P. Boisnard, « Dom Vincent Duchesne... », *op. cit.* note 8, p. 55 ; P. Bonnet, « Du prieuré clunisien au séminaire Notre-Dame », *Revue de l'association du patrimoine polinois*, n° 65, 1991, p. 24 et 30.

19. B. Desgranges, *Luxeuil...*, *op. cit.* note 2, p. 98.

20. Voir G. Cugnier, *Histoire du monastère de Luxeuil...*, *op. cit.* note 8, tome I, p. 110.

FRÉDÉRIQUE BAEHR

Fig. 13 – Luxeuil, abbaye, façade sud de l'aile de la bibliothèque.

Fig. 14 – Luxeuil, abbaye, aile de la bibliothèque, salon du premier étage.

Fig. 15 – Luxeuil, abbaye, aile de la bibliothèque, salon du premier étage, détail du décor en stuc du plafond.

21. A. Derrider et P. Boisnard, «Dom Vincent Duchesne…», *op. cit.* note 8, p. 53-54.

22. Voir, dans ce volume, l'article d'Éliane Vergnolle *et alii*, «Heurs et malheurs de l'ancienne abbaye cistercienne de Cherlieu…», p.195-212, ainsi que celui de Charlotte Leblanc, «Un chef-d'œuvre du XVIII⁣ᵉ siècle : le logis conventuel de l'ancienne abbaye cistercienne de Clairefontaine…», p. 213-222.

Fig. 16 – Luxeuil, abbaye, porterie et écuries situées à l'entrée de la cour d'honneur.

Au cours du XIXᵉ siècle, ces boiseries, dont les dessins sont conservés [21], ont été démontées pour faire place à des dortoirs et à une chapelle provisoire, et réutilisées pour aménager la bibliothèque du séminaire dans un autre emplacement.

Les pavillons d'entrée de la cour des hôtes

Un petit bâtiment donnant accès à l'abbaye depuis l'une des principales voies d'entrée de la ville se compose d'un élégant portail en plein cintre, encadré de pilastres surmontés de chapiteaux composites portant entablement, et flanqué de deux courtes ailes d'un seul niveau. Côté cour, encadrant le passage couvert, deux pavillons incurvés ont été adossés postérieurement au portail sur rue (fig. 16). Ils abritaient la porterie et quelques places d'écuries pour les visiteurs. Si les documents manquent pour dater précisément ce complexe élégant, surmonté en son centre au XIXᵉ siècle d'une petite chambre à trois baies, la facture des pavillons et l'appareil en pierre de taille des faces concaves permettent de situer leur construction dans le courant de la seconde moitié du XVIIIᵉ siècle.

La construction des bâtiments monastiques de Luxeuil s'inscrit dans l'importante campagne de rétablissement des abbayes comtoises après les malheurs de la guerre de Dix Ans (1634-1644) et l'appauvrissement qui suivit. Avec l'annexion de la province à la France en 1674 et la prospérité retrouvée, les chantiers se multiplièrent à la fin du XVIIᵉ siècle et tout au long du XVIIIᵉ siècle. Ceux de Luxeuil en portent témoignage, au même titre que ceux de Cherlieu ou de Clairefontaine [22]. Les constructions réalisées du dernier tiers du XVIIᵉ siècle aux années 1770 pour les cisterciens, les bénédictins ou les prémontrés présentent d'indéniables parentés dans leur structure et leurs élévations, liées le plus souvent, semble-t-il, à la personnalité des architectes auteurs des projets, notamment, dans le cas de Luxeuil, du bénédictin Vincent Duchesne. Leurs similitudes architecturales doivent également beaucoup à l'usage de la pierre de taille, à un type répandu de percements et d'appareillage, au recours à une sobre modénature empruntée aux principaux traités de l'époque, et à la présence d'amples couvertures en petites tuiles plates. L'intérêt particulier des bâtiments de Luxeuil tient à leurs imposantes dimensions et au fait qu'ils n'ont pas subi de destructions majeures ni connu de modifications radicales, si l'on excepte le grand grenier transformé en chapelle en 1880 et le palais abbatial du XVIᵉ siècle. Avec leurs intérieurs préservés, ornés de boiseries et de décors en stuc dont la richesse contraste avec la sobriété des élévations extérieures, ils sont représentatifs de toute une part de l'architecture comtoise de la fin du XVIIᵉ siècle et du premier XVIIIᵉ siècle.

Heurs et malheurs de l'ancienne abbaye cistercienne de Cherlieu (commune de Montigny-lès-Cherlieu)

Éliane Vergnolle *, Catherine Chapuis **, Jean-Paul Borsotti et Gilles Moreau ***
avec la collaboration de Lucas Gonçalves ****

Il ne reste aujourd'hui que quelques vestiges de l'abbaye de Cherlieu, première fille de Clairvaux en Franche-Comté, qui fut l'un des principaux établissements monastiques de cette région : un pan de mur du transept de l'église médiévale (fig. 1), l'arrachement de la galerie nord du cloître et, surtout, un corps de bâtiment du XVIIIe siècle qui est en cours de restauration.

Les ruines de l'abbatiale médiévale

La fondation de l'abbaye de Cherlieu en 1131 s'inscrivait dans une vague cistercienne sans doute portée par saint Bernard lui-même et favorisée à la fin de son épiscopat par Anséri, archevêque de Besançon (1117-1134) : Theuley (1130), Clairefontaine (1132), Rosières (1132), Bithaine (1133), La Charité (1133), Acey (1133-1134), Lieucroissant (vers 1134), Buillon (1135) et Balerne (1136) [1]. Implantée sur la rive droite de la haute vallée de la Saône, l'abbaye se situait dans une marche frontalière où le diocèse de Besançon jouxtait celui de Langres, aux confins de la Franche-Comté, de la Lorraine et de la Champagne. De tout temps, l'occupation religieuse avait été dense dans cette région, mais il y subsistait encore au XIIe siècle des étendues boisées offrant des terres propres au défrichement et à la création d'un *désert* conforme aux idéaux des réformateurs [2].

Lorsque les cisterciens prirent possession du site, celui-ci était déjà occupé par l'une de ces communautés de chanoines qui avaient investi l'espace comtois au début du XIIe siècle [3]. Saint Bernard plaça à la tête de la nouvelle abbaye l'un de ses proches disciples et amis, Guy (1131-1157) [4]. La tradition qui fait de Renaud III, comte de Bourgogne, l'un des principaux bienfaiteurs de la nouvelle abbaye pourrait expliquer le rapide accroissement du temporel : en 1148, Cherlieu possédait déjà neuf granges, nombre conséquent qui devait être porté à quinze vers 1200 [5]. Toutes les conditions semblent donc avoir été réunies à partir du milieu du XIIe siècle pour l'édification d'une abbatiale qui était considérée avant sa destruction comme «une des plus belles et des plus grandes de Franche-Comté [6]». Aucun texte ne nous renseigne sur la date d'ouverture du chantier ni sur la dédicace de l'édifice, mais les quelques parties conservées ne semblent pas antérieures aux années 1170 [7].

L'importance de l'abbatiale de Cherlieu dans l'histoire de l'architecture a été révélée en 2001 par une étude de Jacques Henriet fondée sur une minutieuse enquête historique et archéologique, étude à laquelle renvoient les lignes qui suivent [8].

La documentation ancienne permet de restituer un édifice mesurant plus de 90 m de longueur totale. L'envergure du transept était d'environ 50 m et la nef atteignait 25 m de largeur – dont 11 m pour le seul vaisseau central. Le plan de l'abbatiale de Cherlieu semble avoir été directement inspiré par celui de la troisième abbatiale de Clairvaux (Clairvaux III), dont la mise en chantier précéda de peu la mort de saint Bernard,

* *Professeur honoraire d'Histoire de l'art médiéval, université de Besançon.*

** *Archives départementales de la Haute-Saône.*

*** *Propriétaires du site.*

**** *Université de Franche-Comté.*

1. René Locatelli, *Sur les chemins de la perfection. Moines et chanoines dans le diocèse de Besançon, vers 1060-1220*, Saint-Étienne, 1992, p. 199-227.

2. René Locatelli, «L'implantation religieuse dans le Val de Saône au XIIe siècle», dans *La création architecturale en Franche-Comté au XIIe siècle*, Éliane Vergnolle (dir.), Besançon, 2001, p. 236-244.

3. R. Locatelli, *Sur les chemins de la perfection…, op. cit.* note 1, p. 212-213.

4. *Ibid.*, p. 244-245.

5. Sur la construction du temporel de Cherlieu, voir Jean-Pierre Kempf, «L'économie et la société aux XIIe et XIIIe siècles d'après le cartulaire de l'abbaye cistercienne de Cherlieu en comté de Bourgogne», *Bulletin de la SALSA*, n° 9, 1973, p. 1-56 et n° 10, 1975, p. 57-12; *id., L'abbaye de Cherlieu, XIIe-XIIIe siècles. Économie et société*, Vesoul, 1976.

6. Dom Edmond Martène et dom Ursin Durand, *Voyage littéraire de deux religieux bénédictins*, Paris, 1717, p. 138.

7. La démolition de l'abbatiale, vendue avec les autres bâtiments de l'abbaye comme bien national en 1796, fut rapide. Elle était presque achevée dans les années 1830, mais il fallut attendre 1862 pour que les ruines soient classées au titre des Monuments historiques – avant d'être déclassées en 1903 et reclassées en 1984 (Abbé Pierre-François Châtelet, «Les monuments de l'abbaye de Cherlieu», *Procès-verbaux et mémoires de l'Académie des sciences, belles-lettres et arts de Besançon*, 1885, p. 298-326).

8. Jacques Henriet, «L'abbatiale cistercienne de Cherlieu», dans *La création architecturale…, op. cit.* note 2, p. 244-279 (rééd. Jacques Henriet, *À l'aube de l'architecture gothique*, Besançon, 2005, p. 301-305). Voir également Éliane Vergnolle, «L'abbatiale de

Fig. 1 – Cherlieu, abbatiale, bras nord du transept, vestiges du mur ouest, face intérieure : à gauche, état en 1884 (Arch. dép. Doubs, ms. 281) ; à droite, état actuel.

Cherlieu (Haute-Saône) », *Dossiers d'Archéologie*, nº 340 : *Les abbayes et les abbatiales dans l'archéologie cistercienne*, juillet-août 2010, p. 52-57.

9. J. Henriet, « L'abbatiale cistercienne de Cherlieu », *op. cit.* note 8, p. 275-279.

10. On trouvera un panorama très complet dans Matthias Untermann, *Forma Ordinis. Die mittelalterliche Baukunst der Zisterzienser*, Munich-Berlin, 2001, notamment p. 285-405.

11. Voir à ce sujet la récente synthèse de Pierre Martin, « Les premiers chevets à déambulatoire et chapelles rayonnantes en Francie occidentale. Méthode d'analyse d'un type architectural », *Bulletin monumental*, t. 178-1, nº spécial *Saint-Martial de Limoges. Millénaire de l'abbatiale romane (1018-2018)*, Éliane Vergnolle (dir.), 2020, p. 67-82.

en 1153 [9]. Cherlieu avait toutefois une ampleur moindre : la nef comptait huit travées au lieu de onze et le chevet était ceint de sept chapelles rayonnantes au lieu de neuf (fig. 2 et 3).

L'adoption d'un tel chevet rompait avec la formule du plan à chapelles alignées sur les bras du transept et encadrant un sanctuaire à chevet plat peu profond, plan qui avait été la référence dans les églises cisterciennes de la génération précédente, y compris à Clairvaux II, l'abbatiale de saint Bernard [10]. Son abandon traduisait, sinon un renoncement à l'idéal de simplicité qui avait présidé à la définition de l'architecture de l'Ordre, du moins une inflexion significative. En effet, le chevet à déambulatoire et chapelles rayonnantes avait, depuis sa mise au point au début du XIe siècle, exprimé l'ambition des commanditaires, princes, évêques et grands abbés [11]. C'était également le parti architectural des monuments majeurs du premier art gothique d'Île-de-France, cathédrales (Sens et Senlis) ou grandes abbatiales (Saint-Denis, Saint-Germain-des-Prés et Saint-Martin-des-Champs à Paris). On doit donc s'interroger sur les raisons pour lesquelles ce type de plan fut adopté à Clairvaux III. Au demeurant, avec des chapelles à fond plat inscrites dans une enveloppe continue et un faible étagement des volumes, les premiers déambulatoires cisterciens restaient fidèles à une esthétique épurée et à une recherche de simplicité que les statuts de l'Ordre ne cessaient de rappeler [12].

ÉLIANE VERGNOLLE, CATHERINE CHAPUIS, JEAN-PAUL BORSOTTI ET GILLES MOREAU

Pour autant que la disparition de Clairvaux III permette d'en juger, sa structure devait également avoir inspiré celle de Cherlieu (fig. 4) [13]. La documentation graphique représentant l'abbatiale en cours de destruction nous apprend que, comme à Clairvaux, l'élévation intérieure de la nef comptait trois niveaux – grandes arcades, ouvertures sous combles et fenêtres hautes – et que le vaisseau central était voûté d'ogives. Ce parti architectural reprenait celui de la cathédrale de Sens et de quelques grands édifices de la première génération gothique mais, là encore, il fut réinterprété selon les exigences de l'Ordre. Ainsi, à Cherlieu, les larges doubleaux plats retombaient sur des pilastres lisses et les ogives sur des colonnettes engagées aux angles des massives piles cruciformes (fig. 5) [14] ; les baies des ouvertures sous combles étaient de simples lancettes et la sculpture des chapiteaux se réduisait à quelques feuilles simples.

Comme ce fut souvent le cas dans l'architecture cistercienne médiévale, les murs de Cherlieu témoignent d'une remarquable réflexion sur le travail de la pierre de taille. On y observe cependant l'émergence d'une nouvelle esthétique, fondée sur un traitement différencié selon qu'il s'agit d'éléments de la structure ou des parois. Les surfaces lisses des piliers, des contreforts et des arcs sont en effet layées avec un taillant droit si fin que ses empreintes se distinguent à peine. Elles contrastent ainsi avec l'aspect « rustique » des

12. Sur les statuts intéressant l'architecture et le décor architectural, voir Jean-Baptiste Auberger, *L'unanimité cistercienne primitive : mythe ou réalité ?* (*Studia et documenta*, III), Cîteaux, 1986. Les statuts ont été réédités par Chrysogonus Waddell : Chrysogonus Waddell (éd.), *Narrative and Legislative Texts from Early Cîteaux* (*Studia et documenta*, IX), Cîteaux, 1999 ; *id.*, *Twelfth-Century Statutes from the Cistercian General Chapter* (*Studia et documenta*, XII), Cîteaux, 2002.

13. J. Henriet, « L'abbatiale cistercienne de Cherlieu… », *op. cit.* note 8, p. 258-266.

14. Frédéric Joly, *Premiers sondages archéologiques dans l'église abbatiale de Cherlieu : le problème des supports de la nef. Compte rendu des sondages archéologiques effectués du 22 août au 5 septembre 1993*, Besançon, SRA, ms. dactyl.

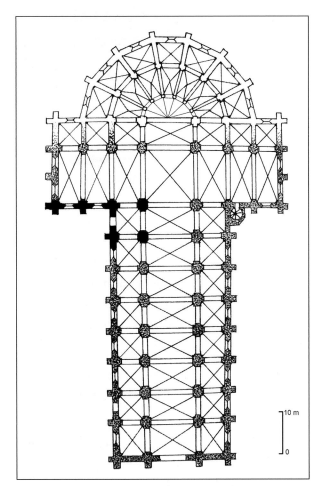

Fig. 2 – Cherlieu, abbatiale, plan restitué par Jacques Henriet. En noir : parties conservées ou retrouvées lors des fouilles de 1993. En grisé : parties restituées à partir de documents graphiques antérieurs à la destruction. En blanc : parties connues seulement par les textes.

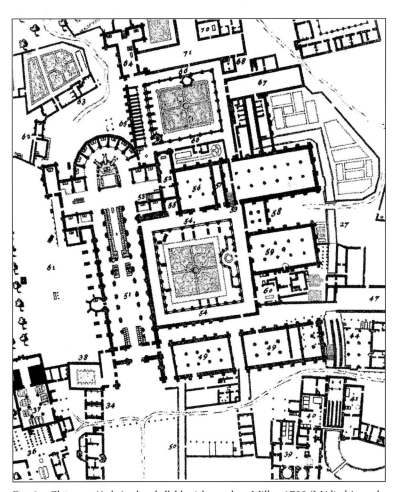

Fig. 3 – Clairvaux (Aube), plan de l'abbatiale par dom Milley, 1708 (Médiathèque du Grand Troyes, carteron 1, vue 3).

15. Notons que, si l'on en juge d'après les exemples encore conservés, la taille de la pierre devait rester visible sous les légers badigeons blancs et unis qui revêtaient les murs des églises cisterciennes. Voir Éliane Vergnolle, « Techniques de taille de la pierre et esthétique du mur dans l'architecture cistercienne (deuxième moitié du XIIᵉ siècle-début du XIIIᵉ siècle) », dans *Archéologie du bâti. Aujourd'hui et demain*, Actes du colloque d'Auxerre, 10-12 octobre 2019, Dijon, ARTEHIS Éditions, 2022 [en ligne], consulté le 9 mars 2022 (URL : <http://books.openedition.org/artehis/26817>).

16. En attendant une étude plus approfondie du bâtiment, voir le numéro spécial de *La Vie en Champagne*, publié en 2015 à l'occasion du 9ᵉ centenaire de la fondation de Clairvaux.

Fig. 4 – Cherlieu, l'abbatiale en cours de destruction, lithographie de Pointurier d'après Lainé, 1827 (Arch. dép. Doubs, ms. 281).

parements où se côtoient de manière aléatoire des tailles plus ou moins décoratives, exécutées au moyen d'outils variés (bretture, pointe, ciseau, gouge). En glissant sur les surfaces polies des uns et en s'accrochant sur les aspérités des autres, la lumière joue un rôle majeur dans la vision de l'architecture (fig. 6) [15]. Cette nouvelle esthétique du mur ne fut pas inventée à Cherlieu : tout conduit à en rechercher l'origine à Clairvaux, comme en témoigne le bâtiment des convers de Clairvaux récemment restauré – seul vestige de l'abbaye remontant au XIIᵉ siècle [16]. Il convient également de considérer le rôle qu'a pu

Fig. 5 – Cherlieu, abbatiale, nef, bas-côté nord, vestiges de la pile de revers dégagée en 2019.

Fig. 6 – Cherlieu, abbatiale, bras nord du transept, mur ouest, face extérieure : détail de l'appareil.

jouer dans cette diffusion la cathédrale de Langres, mise en chantier vers le milieu du XIIᵉ siècle par un évêque cistercien – Geoffroy de La Roche-Vanneau, ancien prieur de Clairvaux –, dont l'architecture présente par ailleurs tant de points communs avec celle de Clairvaux et de Cherlieu [17].

Si le parti architectural de l'abbatiale de Cherlieu était trop ambitieux et trop complexe pour avoir une véritable descendance régionale, les techniques de construction mises en œuvre devaient avoir une incidence immédiate et durable sur l'art de bâtir en Franche-Comté. On retrouve le traitement si particulier de la pierre de taille dans les dépendances de l'abbaye, telles que l'église paroissiale de Purgerot [18] ou la grange de Semmadon [19], mais aussi dans nombre d'édifices comtois relevant d'autres obédiences. Il convient évidemment de restituer l'adoption de ces techniques dans le contexte plus général des influences cisterciennes, si prégnantes dans l'architecture de la seconde moitié du XIIᵉ siècle des régions proches des lieux d'origine de l'Ordre [20]. Toutefois, elle inaugurait en Franche-Comté un intérêt pour le traitement de la pierre de taille qui, *mutatis mutandis*, devait perdurer jusqu'à l'Époque moderne.

Éliane Vergnolle

Les constructions du XVIIIᵉ siècle

En dépit de nombreuses vicissitudes liées aux famines, aux guerres et à de nombreux pillages au cours des XIVᵉ et XVᵉ siècles, le dynamisme de la communauté persista jusqu'au début du XVIᵉ siècle. Toutefois, à cette époque, les exigences de rigueur s'étaient beaucoup estompées. Le système de la commende, introduit en 1518 avec la nomination comtale de Charles de Brassey, devait pallier ce problème. Dégagée de toute contrainte matérielle, la communauté religieuse pouvait désormais se consacrer à ses activités spirituelles. Pourtant, la commende contribua à dégrader les relations entre la mense abbatiale et la mense conventuelle. Par ailleurs, l'abbaye fut incendiée par les troupes protestantes en 1569. Relevée de ses ruines au début du XVIIᵉ siècle par l'archevêque abbé Ferdinand de Rye, elle dut subir de nouvelles déprédations pendant la guerre de Dix Ans (1636-1645) [21].

Des travaux de réfection

Au début du XVIIIᵉ siècle, la «visite [régulière] de M. le Révérend Vicaire général de l'Ordre de Cisteaux au Comté de Bourgogne [22]», frère Edme Perrot [23], accompagné de Pierre Fournier, maître charpentier, nous apprend que «les lieux monastiques sont dans un état de vétusté» : trois des piliers du cloître sont ouverts, les voûtes de l'allée du cloître sont fendues, ou «qu'en [sic] il arrive de grandes pluies, les caves des religieux sont pleines d'eaux jusqu'à faire nager les tonneaux […] en endommageant toutes les fondations». L'abbé commendataire fut sommé d'effectuer des réparations : entre novembre 1701 et juillet 1705 [24], des travaux importants furent effectivement mandatés auprès de divers artisans locaux. Ceux-ci devaient rétablir voûtes, murailles et piliers «en cherchant le bond fond» et asseoir la fondation sur de «bons quarrés de pierre dont les lits et joints seront piqués à la pointe du marteau». Le contrat stipulait qu'ils tireraient la pierre d'une carrière proche du pont d'Agneaucourt et qu'il leur serait fourni «forest pour y prendre des bois pour les cintres, échafaudages et étançonnements». Toutefois, ces tâches furent, aux dires des experts bisontins mandatés pour en constater les défauts (le maître maçon Simon Grassot et l'architecte Coquard), si mal exécutées qu'il fut convenu «de démolir la partie des bâtiments fait par Florent Gauthier de Langres, entrepreneur du bâtiment dudit chapitre, du dortoir et de l'infirmerie [25]».

17. Tout au long de sa vie, Geoffroy de La Roche-Vanneau, cousin de saint Bernard et fidèle d'entre ses fidèles, manifesta un intérêt prononcé pour l'architecture. Sans doute faut-il lui attribuer la création, dans les années 1130, du plan à chapelles alignées improprement qualifié de «bernardin». Voir Philippe Plagnieux, «La première architecture cistercienne : le chevet "bernardin" en question», dans *Regards croisés sur le monument médiéval. Mélanges offerts à Claude Andrault-Schmitt*, Marcello Angheben (dir.) avec la collaboration de Pierre Martin et Éric Sparhubert, Turnhout, 2018, p. 271-288. On peut aussi lui prêter un rôle certain dans la définition du parti architectural de Clairvaux III, repris à Langres avec une richesse ornementale propre au décorum d'une cathédrale. Voir J. Henriet, «L'abbatiale cistercienne de Cherlieu», *op. cit.* note 8, p. 275. Sur la cathédrale de Langres, voir Wilhelm Schlink, *Zwischen Cluny und Clairvaux. Die Kathedrale von Langres und die burgundische Architektur des XII. Jahrhunderts*, Berlin, 1970 ; Georges Viard, Benoît Decron et Fang-Chang Wu, *La cathédrale Saint-Mammès de Langres : histoire, architecture, décor*, Langres, 1994 ; Éliane Vergnolle, «Langres, cathédrale Saint-Mammès», dans *Le guide du patrimoine Champagne-Ardenne*, Jean-Marie Pérouse de Montclos (dir.), Paris, 1995, p. 208-212 ; *id.*, «Les églises comtoises du XIIᵉ siècle : une voie originale», dans *La création architecturale…, op. cit.* note 8, p. 63-68.

18. Ghislaine Dard-Morel, «L'église Saint-Martin de Purgerot. Un édifice du premier art gothique cistercien dans le comté de Bourgogne», *Bulletin monumental*, t. 177-2, 2019, p. 113-121.

19. Nathalie Bonvalot, «Les granges cisterciennes en Franche-Comté», dans *Fouilles et découvertes en Franche-Comté*, Claudine Munier et Annick Richard (dir.), Rennes, 2009, p. 120-121.

20. Sur la prégnance des modèles cisterciens dans l'architecture comtoise du XIIᵉ siècle, voir É. Vergnolle, «Les églises comtoises du XIIᵉ siècle…», *op. cit.* note 17, p. 47-85.

21. Sur les avatars de la fin du Moyen Âge et du début de l'Époque moderne, voir J. Henriet, «L'abbatiale cistercienne de Cherlieu», *op. cit.* note 8, p. 247-249.

22. Arch. dép. Haute-Saône, H 249, avril 1701.

23. Edme Perrot était «frère profès de l'abbaye de Cîteaux, bachelier en théologie de la faculté de Paris, directeur et confesseur de l'abbaye des religieuses de Battant de l'ordre de Cîteaux à Besançon et Vicaire général dudit ordre en la province du Comté de Bourgogne».

24. Arch. dép. Haute-Saône, H 249.

25. *Ibid.*, «Sommation touchant les manquements reconnus aux bâtiments du Chapitre et dortoir», 19 mars et 15 avril 1704.

26. Les archives départementales de la Haute-Saône conservent la trace des travaux exécutés au bénéfice de la mense conventuelle. Ces nouveaux bâtiments furent érigés à l'usage de la mense abbatiale ; il est probable que les archives de ce projet aient été conservées auprès d'Antoine-François de Blitterswick de Moncley. À ce jour, toutes les recherches entreprises sont restées vaines : les archives du Chapitre métropolitain, de l'Archevêché ou les archives départementales de Saône-et-Loire (il est évêque d'Autun entre 1721 et 1732) et du Doubs ne semblent pas en recéler la moindre trace. Il est toutefois établi que l'abbé commendataire et archevêque Antoine-François de Blitterswick de Moncley institua le monastère du Refuge de Besançon pour héritier universel. Or les archives de ce monastère, conservées aux Archives départementales du Doubs, semblent partielles et demeurent silencieuses à ce sujet.

27. Arch. dép. Doubs, 59 H 2.

28. Arch. dép. Haute-Saône, B 9371, fol. 128r, arrêt du 17 avril 1753 ; B 9371,

Le procès-verbal rédigé après la visite du 19 mars 1704 précise également que « les Sieurs prieur et religieux ont fait dresser les plans et devis pour bâtir à neuf ledit dortoir ». Ainsi, une nouvelle « visite des bâtiments exécutée le 6 juillet 1705 par Pierre Ravidal, architecte de Besançon, à la requête de Monseigneur de Moncley » [abbé commendataire] constatait que le nouveau bâtiment du dortoir nouvellement construit était bien exécuté.

À la faveur de la présence de ces artisans à l'abbaye, Antoine-François de Blitterswick de Moncley, un des grands abbés bâtisseurs de Cherlieu, fit aussi ériger de nouveaux bâtiments abbatiaux. Ces constructions sont très peu documentées [26]. Il est cependant permis de supposer que la présence des entrepreneurs et des architectes de Besançon sur le chantier de réfection des bâtiments conventuels avait aussi à voir avec le chantier de construction de ce nouveau palais abbatial.

Encore conservé, ce corps de bâtiment de plan rectangulaire comprend un rez-de-chaussée sur cave, un étage et des combles sous une vaste toiture à croupes. Il présente les principales caractéristiques des demeures de la première moitié du XVIIIe siècle en Franche-Comté : angles à bossages en pierre de taille, murs enduits, travées verticales des ouvertures, graphisme horizontal de la corniche et du bandeau plat séparant les deux niveaux, baies à linteau en arc segmentaire au rez-de-chaussée et à linteau droit sur chambranle à crossettes au premier étage. La grande salle de ce logis possède une cheminée

Fig. 7 – Cherlieu, dessin du portail de 1709 (Arch. dép. Doubs, ms. 281).

ÉLIANE VERGNOLLE, CATHERINE CHAPUIS, JEAN-PAUL BORSOTTI ET GILLES MOREAU

Fig. 8 – Cherlieu, escalier montant à l'étage du logis abbatial en 2020.

en pierre du pays ornée d'un trumeau en stuc, ainsi qu'une corniche néoclassique du dernier tiers du XVIIIᵉ siècle, décor peut-être exécuté par des artisans bisontins réputés, les Marca. L'édifice jouxte une longue construction abritant des écuries sous arcades et un étage de réserves et greniers. On accède à l'espace de liaison entre ces deux bâtiments par un portail en plein cintre, orné d'un fronton triangulaire inscrit dans un mur d'attique et encadré par deux murs incurvés à bossages (fig. 7). Outre une pièce ovale, décrite dans une visite de 1734 [27], cet espace abrite un grand escalier en pierre à trois volées desservant l'étage du logis (fig. 8).

Du côté des bâtiments conventuels, deux arrachements de 1,80 m de hauteur au droit des murs gouttereaux visibles sur la face orientale de l'édifice montrent par ailleurs que ces murs étaient primitivement plus élevés qu'ils ne le sont actuellement : il y avait au-dessus du local voûté du rez-de-chaussée deux étages, occupés sans doute par le dortoir des moines au premier et par des greniers au second.

La construction de deux portails au milieu du siècle

En avril 1753, puis en 1754 [28], l'abbé Plaicard de Raigecourt (1708-1783) obtint deux arrêts du Conseil d'État l'autorisant à couper plus de 275 arpents de bois dans le quart de réserve de la manse abbatiale « pour le prix qui en [proviendrait] estre employé à rétablir, construire et réparer les bâtiments dépendant de cette manse et d'autres auxquels il [était] tenu comme gros décimateur [29] ». Adjugés au siège de la maîtrise particulière des eaux et forêts de Vesoul pour 100 000 livres, ces travaux portèrent essentiellement sur des moulins, granges, fourgs, logements de fermiers et chœurs de plusieurs églises paroissiales dépendant de l'abbaye, mais aussi sur le relèvement d'une partie du mur d'enceinte des lieux claustraux, comprenant la construction de deux beaux portails à la flamande et d'un pavillon de gardien. Aujourd'hui disparus, ces trois éléments, dessinés en janvier 1753 par

fol. 181, arrêt du 20 août 1754. Ces deux arrêts rendus à la requête de l'abbé commendataire apportent de précieuses informations sur les chantiers prévus.

29. Au milieu du XVIIIᵉ siècle, la mense abbatiale comptait 1414 arpents de bois, dont 353 arpents 50 perches avaient été distraits pour constituer le quart de réserve. L'adjudication des bois à la suite des arrêts de 1753 et 1754 rapporta près de 75 000 livres.

30. Arch. nat., Q1/1002. Ils appartiennent au dossier d'instruction de la première requête de l'abbé Plaicard de Raigecourt, qui aboutira à l'arrêt du conseil du 17 avril 1753, et sont joints au procès-verbal de reconnaissance des travaux à faire, établi à la demande de l'administration forestière le 31 janvier 1753 par l'entrepreneur architecte de Jussey, Nicolas Plaisonnet dit Lépine.

31. Arch. nat., Q1/1002. Lors de la seconde requête présentée par l'abbé Plaicard de Raigecourt en 1754 pour obtenir une nouvelle coupe de bois, l'administration forestière demanda un bilan des ouvrages exécutés et financés par la vente de 1753 et de ceux qui restaient à achever ou à entreprendre. L'expert commis pour ce faire écrivait le 1er juin 1754 : « je me suis transporté à la première cour de

un architecte entrepreneur de Jussey, Nicolas Plaisonnet dit Lépine [30] (fig. 9, 10 et 11), ont bien été réalisés [31]. Le premier portail, sur le côté du chemin conduisant à Montigny-lès-Cherlieu, se composait d'un arc de pierre moulurée entre deux piliers à chapiteau dorique portant entablement et couronnement de forme triangulaire. Posées sur des murets, de part et d'autre de ces piliers, deux grandes consoles renversées assuraient la stabilité de l'ensemble. Proche de l'église, le second portail, en retrait de la voirie et encadré par deux hauts murs, donnait accès à la cour abbatiale. Traité de manière

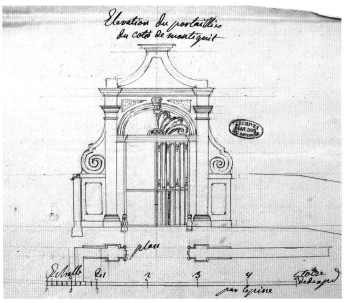

Fig. 9 – Cherlieu, élévation d'un portail « du côté de Montignit », s. d. [1753], dessin de Nicolas Plaisonnet dit Lespine (Arch. nat., Q1/1002).

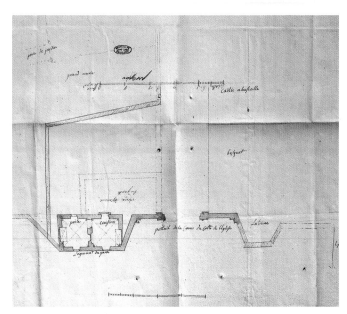

Fig. 10 – Cherlieu, plan du « portail de la cour du cotté de l'Eglise », s. d. [1753], dessin de Nicolas Plaisonnet dit Lespine (Arch. nat., Q1/1002).

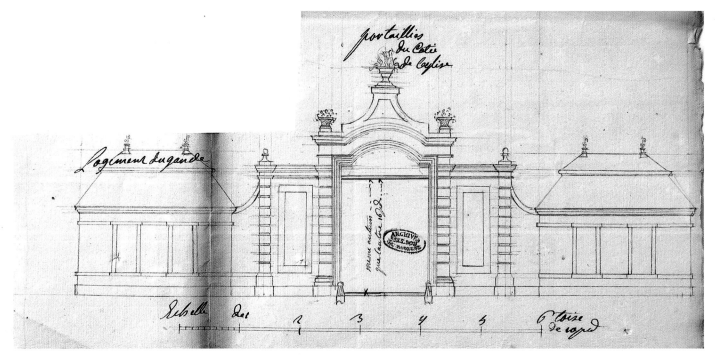

Fig. 11 – Cherlieu, élévation d'un portail « du côté de l'église » flanqué de deux pavillons, s. d. [1753], dessin de Nicolas Plaisonnet dit Lespine (Arch. nat., Q1/1002).

ÉLIANE VERGNOLLE, CATHERINE CHAPUIS, JEAN-PAUL BORSOTTI ET GILLES MOREAU

monumentale, il était formé de deux piliers à refends sommés de vases à fleurs encadrant un entablement demi-circulaire surmonté d'un massif triangulaire orné d'un pot à feu à son sommet. Dans les deux cas, des vantaux en bois avaient finalement été préférés à des grilles en fer forgé. Quant aux deux pavillons symétriques initialement projetés et qui devaient donner une ampleur particulière à l'entrée du quartier abbatial, un seul, « le logement du garde », fut exécuté [32].

Un nouveau palais monastique

À partir de 1773, sous l'abbatiat de Mathieu Poncet de La Rivière (1758-1780), mais à l'initiative de la communauté conventuelle et de son prieur Anathoile Devosge, fut entreprise la construction d'« un cloître et un quartier abbatial situé au nord-ouest de l'église, dans le prolongement de l'ancien cloître ». Le projet de ce somptueux palais monastique fut confié à Charles Saint-Père, architecte à Dijon et beau-frère du prieur Devosge [33].

Le bâtiment, situé à proximité du bras nord du transept de l'abbatiale, était composé de quatre corps de logis entourant un cloître de forme circulaire [34] dont la galerie, soutenue par vingt-quatre colonnes d'ordre dorique, était surmontée d'un corridor donnant accès aux appartements des religieux (fig. 12). Les procès-verbaux de visite – notamment celui qui fut dressé après le décès de Mathieu Poncet de La Rivière en 1781, soit sept ou huit ans après le

l'abbaye, j'y ai reconnu deux grandes portes dont l'une du côté de Montigny et l'autre du côté de l'église, toutes les deux égales en pierre de taille ayant chacune douze pieds de largeur en œuvre sur vingt pieds d'hauteur sous clef faites à plein ceintre, taillées et bouchardées à la fine boucharde […] que j'estime à la somme de 2000 livres. »

32. Arch. nat., Q1/1002. Ce petit bâtiment couvert d'une toiture à brisis se composait de deux pièces au rez-de-chaussée (cuisine voûtée et salle contiguë ou « poële ») et de deux chambres à l'étage. L'expertise de 1754 en chiffrait la valeur à 1600 livres.

33. J. Henriet, « L'abbatiale cistercienne de Cherlieu », *op. cit.* note 8, p. 250-252 et p. 328-331 (Annexe II, « Les nouveaux bâtiments monastiques de Cherlieu : documents inédits »).

34. Cette disposition en croix grecque avec vide central circulaire n'est pas sans faire penser à certains « modèles de bâtiments… » publiés par Jean François Neufforge dans le tome V de son *Recueil élémentaire d'architecture* imprimé en 1763.

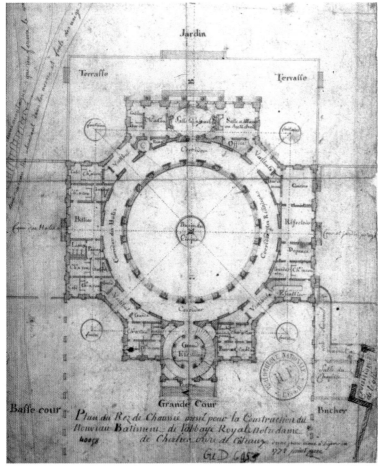

Fig. 12 – Cherlieu, « Projet de nouveaux bâtiments monastiques » par Charles Saint-Père, 1772, plan (BnF, Cartes et plans, Ge D 6953).

35. J. Henriet, «L'abbatiale cistercienne de Cherlieu», *op. cit.* note 8, p. 250-253.

36. Arch. dép. Doubs, 59 H 2bis.

37. La communauté avait été réduite depuis une quinzaine d'années, sur la volonté de l'abbé de Clairvaux, en raison de la vétusté des bâtiments conventuels.

début des travaux – fourmillent de détails sur cette construction [35]. Ainsi, on apprend que l'ancien logis des religieux avait été démoli d'environ un tiers pour procurer un emplacement suffisant à ce nouvel édifice qui, à cette date, était déjà couvert en grande partie. La distribution des différentes pièces est très précisément indiquée : la boulangerie et autres aisances dans les caves ; au rez-de-chaussée la cuisine et un réfectoire au sud et une salle de billard au nord ; à l'est, du côté des jardins, un grand salon de compagnie ainsi qu'une salle à manger pour les hôtes et enfin, à l'étage, les logements et chambres des religieux.

Le «journal de la recette et de la dépense» de la mense conventuelle entre 1783 et 1790 apporte d'autres renseignements [36]. On y apprend l'achat de chaises, de lés de papier de couleur destiné à décorer un cabinet et son antichambre, d'un cadran solaire, de poulies pour les persiennes et, surtout, l'identité d'un grand nombre de «giseurs», «carrieurs» et autres tailleurs de pierre, chargés d'extraire notamment «de la pierre noire de Montigny pour le parquet du cloître», d'un maître verrier venu d'Épinal… On y découvre également le nom du chef de chantier : Jean Deschamps, qualifié d'«appareilleur, chargé de la conduite des ouvriers», dont on sait qu'il a par ailleurs dirigé les chantiers de plusieurs églises des environs (notamment celles de Blondefontaine et de Cendrecourt). Cet état des dépenses nous informe aussi de la régularité des visites de l'architecte Charles Saint-Père qui semble s'être rendu à Cherlieu tous les trois ou quatre mois.

À la veille de la Révolution, seule était achevée l'aile sud, dans laquelle trois des six moines de la communauté avaient emménagé (fig. 13) [37]. L'aile, située à l'est et ouvrant sur les jardins, possédait le majestueux péristyle prévu avec fronton soutenu par des colonnes ioniques (fig. 14) tandis que l'aile ouest, donnant sur la cour d'entrée, présentait un avant-corps avec dôme couvert d'ardoises, prêt à recevoir le grand escalier tournant destiné à desservir l'étage (fig. 15).

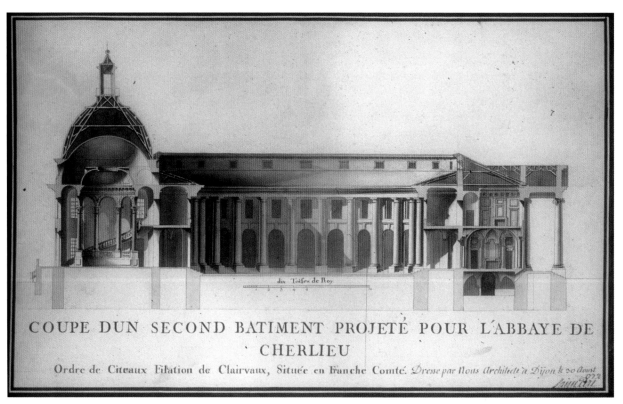

Fig. 13 – Cherlieu, « Coupe d'un second bâtiment projeté pour l'abbaye de Cherlieu » par Charles Saint-Père, 1772 (Dijon, musée des Beaux-Arts, Inv. D).

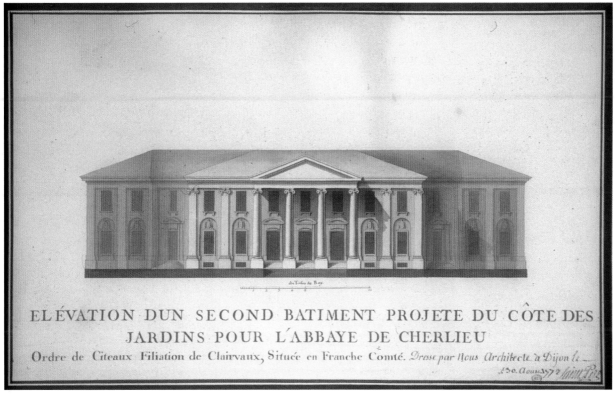

Fig. 14 – Cherlieu, « Élévation d'un second bâtiment projeté du côté des jardins pour l'abbaye de Cherlieu » par Charles Saint-Père, 1772 (Dijon, musée des Beaux-Arts, Inv. D).

Fig. 15 – Cherlieu, « Élévation d'un second bâtiment projeté sur la cour pour l'abbaye de Cherlieu » par Charles Saint-Père, 1772 (Dijon, musée des Beaux-Arts, Inv. D).

Fig. 16 – Le vallon de Cherlieu à la fin du XIXᵉ siècle, photographie d'Eugène Noir (coll. privée).

Les événements révolutionnaires allaient être fatals à l'abbaye (fig. 16). Les moines choisirent, pour la plupart d'entre eux, de retourner à la vie laïque. Après la vente du mobilier, les bâtiments furent lotis, puis servirent de carrière de pierres aux habitants des villages voisins jusqu'au milieu du XIXᵉ siècle.

Catherine Chapuis

PROJETS DE RESTAURATION

Après deux siècles d'abandon et de destruction, le principal élément restant de l'abbaye, le mur ouest du bras nord du transept, a été racheté par Georges Moreau en 1946. Après le classement de ce mur en 1984 au titre des Monuments historiques, son fils Gilles a organisé son sauvetage et fait entreprendre dans les années 1990 des fouilles à la jonction du transept et du bas-côté nord de la nef [38]. Toutefois, c'est depuis 2016 seulement que les bâtiments conventuels et les terrains adjacents ont commencé à faire l'objet de travaux de mise en valeur et de restauration, après leur rachat par la famille Borsotti et Gilles Moreau (fig. 17).

En avril 2018, une première réunion sous la direction de Cécile Ullmann, conservatrice régionale des Monuments historiques, a établi un programme d'études et de travaux au niveau tant de l'archéologie et de la restauration du bâtiment que de l'étude paysagère. En juin 2020, une nouvelle rencontre sous la direction du conservateur délégué à la Franche-Comté, Pierre-Olivier Benech, a permis de définir les priorités en lien avec Claude Dole, l'architecte maître d'œuvre. Le cahier des charges archéologique qui a été élaboré concernait les caves mais aussi le déblaiement des gravats accumulés à l'emplacement du mur nord de la nef de l'abbatiale et dans le secteur de la porterie (fig. 18 et 19). Après les travaux d'urgence sanitaire menés dans le bâtiment principal et compte tenu de la mise en péril des voûtes des caves, les efforts porteront sur la restauration du toit des bâtiments conventuels

38. Frédéric Joly, *Premiers sondages archéologiques…*, *op. cit.* note 14.

ÉLIANE VERGNOLLE, CATHERINE CHAPUIS, JEAN-PAUL BORSOTTI ET GILLES MOREAU

Fig. 17 – Cherlieu, vestiges du cloître en 2020.

Fig. 18 – Cherlieu, logis abbatial et bâtiment des écuries et réserves.

Fig. 19 – Cherlieu, portail entre le logis abbatial et le bâtiment des écuries et réserves.

Fig. 20 – Cherlieu, logis abbatial, trumeau en stuc de la grande salle en 2019.

Fig. 21 – Cherlieu, logis abbatial, trumeau en stuc de la grande salle après le nettoyage, 2022.

qui s'est effondré en 1999. Pour l'heure, les travaux de restauration sur les stucs des Marca, les peintures et les enduits muraux des salles ont débuté (fig. 20 et 21), et la restitution des parquets et de la rampe en fer forgé du grand escalier est projetée ; enfin, les fenêtres du bâtiment et la toiture de la porterie-enfermement vont être posées à l'été 2022. En 2019, l'urgence du sauvetage des caves a motivé l'inscription de l'abbaye par la Mission Bern dans sa liste nationale des monuments prioritaires. Plus récemment, l'association Vieilles Maisons Françaises, par l'intermédiaire de sa fondation, a retenu Cherlieu pour son opération 2021 de « Fous de Patrimoine », soutenue par le conseil départemental de la Haute-Saône.

Les actions entreprises s'inscrivent dans une volonté de mise en valeur globale : organisation de manifestations culturelles, retranscription et édition du cartulaire de l'abbaye, organisation d'un parcours de visite, reconstitution des vignes sur la parcelle du « Clos de Vougeot », cérémonies religieuses par les moines de l'abbaye d'Acey – fille de Cherlieu –, restitution de l'abbatiale et des bâtiments monastiques en 3D, édition de documents et de livres concernant l'abbaye et, bien sûr, visites organisées par les bénévoles de l'association « Agir pour Cherlieu », fondée en juillet 2020. À la suite de l'inventaire des pierres éparses ou encore en place réalisé dans le cadre d'un master d'archéologie par Lucas Gonçalves, il est envisagé de créer un musée lapidaire.

Jean-Paul Borsotti et Gilles Moreau

ÉLIANE VERGNOLLE, CATHERINE CHAPUIS, JEAN-PAUL BORSOTTI ET GILLES MOREAU

ANNEXE

ÉTUDE ARCHÉOLOGIQUE DU CLOÎTRE

L'étude archéologique des vestiges de l'abbaye de Cherlieu a permis d'en documenter les différentes phases de construction et de reconstruction. Toutefois, si l'on peut estimer que l'abbatiale fut édifiée entre 1170 et 1210, il existe peu d'indices pour la datation précise du cloître. De celui-ci, nous pouvons encore observer, sur la façade occidentale du mur ouest du bras nord du transept de l'abbatiale, un départ de voûtes sur croisées d'ogives supporté par un chapiteau à crochets gothique. L'étude stylistique de ces éléments et leur relation architecturale avec les vestiges de l'abbatiale indiquent la fin du XIIᵉ ou le début du XIIIᵉ siècle. Des dessins représentant quelques culots figurés – aujourd'hui disparus – de la galerie ouest conduisent pour leur part vers une date un peu plus avancée du XIIIᵉ siècle (fig. 22 et 23).

Le mur nord du cloître, situé du côté de l'ancien réfectoire, est le vestige le mieux préservé (fig. 24 et 25). En 2020, la réalisation d'un relevé pierre à pierre a permis un phasage des différentes reprises de la maçonnerie (fig. 26 et 27). La moitié orientale du mur présente dans sa partie basse la phase de construction la plus ancienne (phase 1) dans laquelle a été incrusté un voûtement d'ogives dont seules les retombées sont conservées. Celles des deux travées orientales indiquent le XIVᵉ siècle (phase 2), mais la retombée suivante appartient pour moitié au même état et pour l'autre à une reconstruction du XVIᵉ siècle dont témoignent aussi les arcs formerets et les arrachements des voûtains (phase 3).

Le régime de la commende fut instauré à Cherlieu en 1518. L'évaluation des réparations à entreprendre datée de 1527 laisse entrevoir l'état d'abandon de l'abbaye [39]. En 1535, le réfectoire et la galerie nord du cloître sont mentionnés comme étant ruinés [40] et une enquête sur les désordres des bâtiments aurait été ordonnée en 1538 [41].

39. Joseph-Marie Canivez, *Statua Capitulorum Generalium Ordinis Cisterciensis*, tome 3, coll. «Bibliothèque de la Revue d'histoire ecclésiastique», Louvain, 1934, p. 651-652.

40. Arch. dép. Doubs, 59 H 2.

41. Louis Besson, *Mémoire historique sur l'abbaye de Cherlieu*, Besançon, 1847, p. 80.

Fig. 22 – Cherlieu, cloître, le mur ouest au début du XXᵉ siècle (Arch. dép. Doubs, ms. 281).

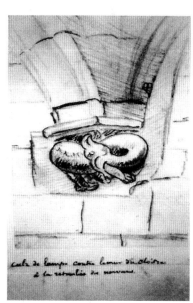

Fig. 23 – Cherlieu, cloître, culot de la galerie ouest, dessin de Dodelier, 1842 (Arch. dép. Doubs, ms. 281).

Fig. 24 – Cherlieu, cloître, le mur nord en 1890.

Fig. 25 – Cherlieu, cloître, le mur nord, état actuel.

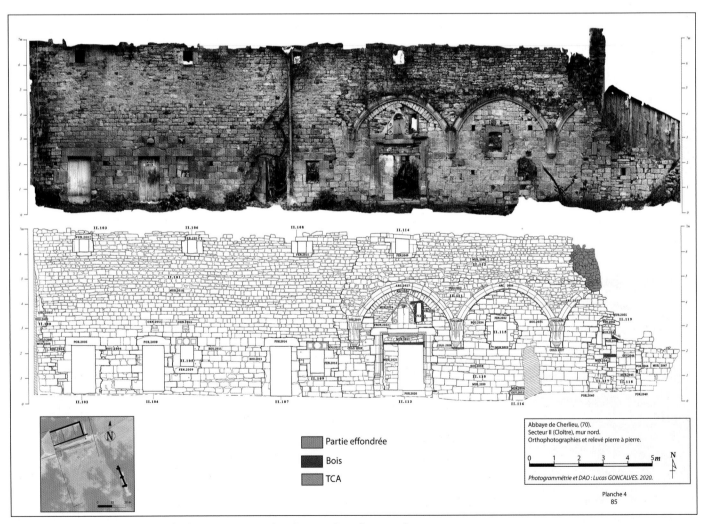

Fig. 26 – Cherlieu, cloître, mur nord, relevé pierre à pierre (DAO Lucas Gonçalves, 2020).

ÉLIANE VERGNOLLE, CATHERINE CHAPUIS, JEAN-PAUL BORSOTTI ET GILLES MOREAU

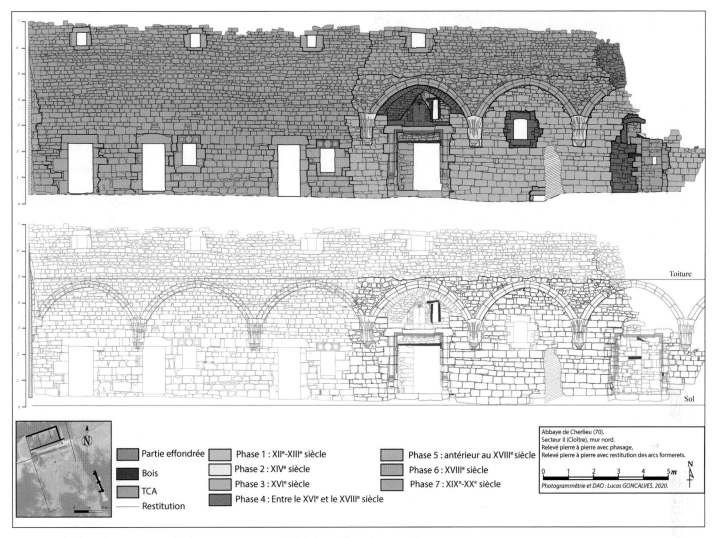

Fig. 27 – Cherlieu, cloître, mur nord, phasage et restitution (DAO Lucas Gonçalves, 2020).

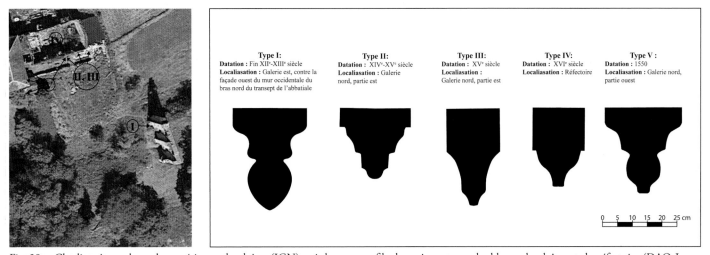

Fig. 28 – Cherlieu, à gauche : photo aérienne du cloître (IGN) ; ci-dessus : profils des ogives et arcs-doubleaux du cloître et du réfectoire (DAO Lucas Gonçalves, 2020).

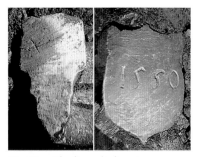

Fig. 29 – Cherlieu, clé de voûte portant le millésime de 1550 dans les caves sous le réfectoire.

42. Arch. dép. Doubs, 59 H 3.

43. Cette clé de voûte, en partie prise dans des alluvions, fut découverte dans les caves de l'abbaye, sous le réfectoire. Lors de sa découverte en 2020, l'élément lapidaire ne fut pas exhumé ; seule sa partie visible fut nettoyée, révélant l'écusson ainsi que le millésime.

44. L. Besson, *Mémoire historique…*, *op. cit.* note 41, p. 84.

45. Louis Gérard, *La guerre de Dix Ans, 1634-1644*, Besançon, 1998, p. 118-119 et p. 222-223.

46. Arch. dép. Haute-Saône, H 249, fol. 1v, extrait du procès-verbal de la visite de l'abbaye effectuée par Gabriel Boisot, conseiller du roi et son procureur général au Comté de Bourgogne.

47. J. Henriet, «L'abbatiale cistercienne de Cherlieu», *op. cit.* note 8, p. 301-335.

48. Arch. dép. Haute-Saône, H 249, *op. cit.* note 46.

49. Arch. dép. Haute-Saône, H 257.

50. Arch. dép. Haute-Saône, H 247 ; Arch. dép. Haute-Saône, I Q 104.7.

51. L. Besson, *Mémoire historique…*, *op. cit.* note 41, p. 88.

Crédits photographiques – fig. 1 gauche, fig. 8 à 11 et 20 : Jean-Louis Langrognet ; fig. 1 droite : Pierre-Louis Laget ; fig. 3 à 6 : Éliane Vergnolle ; fig. 7, 22 et 23 : Catherine Chapuis ; fig. 12 : BnF ; fig. 13 à 15 : © Dijon, Musée des Beaux-Arts/François Jay ; fig. 17, 18 et 19 : Marc Sanson ; fig. 21 : Association Agir pour Cherlieu ; fig. 24 : Besançon, archives diocésaines/Pierre Cousin ; fig. 25 et 29 : Lucas Gonçalves, 2020.

D'importants travaux furent réalisés dans le cloître au milieu du XVIe siècle. Le profil des arcs formerets conservés dans le mur nord, identique à celui des vestiges d'ogives du réfectoire (fig. 28), conduit à les attribuer au même chantier, entrepris pendant l'abbatiat de Claude Ier de Nicey (1522-1546) après la «déclaration d'ouvrages et réparations nécessaires à fère en l'abbaye de Cherlieu […]» en date du 18 janvier 1542 [42]. Lors du décès de l'abbé, en 1546, la réfection du voûtement des galeries du cloître fut interrompue alors que les travaux n'étaient pas achevés. La découverte d'une clé de voûte décorée d'un écu portant le millésime de 1550 (fig. 29) permet de donner la construction des voûtes de la partie occidentale de cette galerie nord et d'une partie de celles de la galerie ouest à l'abbatiat de Claude II de La Baume (1546-1584) [43].

L'incendie causé par les protestants en 1569 ainsi que l'invasion du Lorrain Tremblecourt en février 1595 entraînèrent de nouvelles destructions dans l'abbaye [44]. Le trente-huitième abbé, Ferdinand de Rye (1599-1636), fit réaliser quelques réparations (phase 4), mais la fin de son abbatiat vit le commencement de la guerre de Dix Ans qui occasionna de nouvelles destructions, notamment celles qui furent perpétrées par les troupes suédoises en 1637, puis par les Français en 1641 [45]. Si aucun indice ne nous permet à ce jour de connaître les éventuels dégâts que le cloître dut subir en cette période, il semblerait que la partie supérieure du mur nord du cloître ait été reconstruite avant le XVIIIe siècle (phase 5). La visite effectuée par le procureur général le 19 octobre 1680 [46] ne nous renseigne pas sur l'étendue des dégâts mais fait un bilan inquiétant de l'état des bâtiments [47]. Il y est notamment fait mention des voûtes du cloître qui étaient «fendues en beaucoup d'endroits et ont besoin d'est retenus, ainsy que d'estre platrées et blanchies […] [48]». Les procès-verbaux de visites effectuées à la fin du XVIIe et du XVIIIe siècle après le décès de chaque abbé commendataire signalent le triste état du cloître, mais les traces de réparation sont peu repérables à l'exception peut-être du culot et du départ de voûte dépourvu d'ogives situés à l'extrémité sud du mur ouest. Celui-ci, inséré dans une maçonnerie plus ancienne, a la forme d'un cône renversé reposant sur une baguette, et les blocs qui le composent présentent une ciselure périmétrique et des traces de boucharde.

La cuisine et le réfectoire de l'abbaye étaient encore en fonction en 1734 [49], mais un tiers des bâtiments monastiques fut détruit avant 1772 [50]. Il se pourrait qu'une partie des galeries du cloître ait déjà été ruinée avant cette date si l'on en croit Louis Besson, selon lequel on «fit disparaitre douze arcades ruinées de l'ancien cloître et le quartier des novices [51]». Cette démolition pourrait avoir été liée à la construction d'un nouveau bâtiment abbatial, en 1773. Quoi qu'il en soit, c'est en cette seconde moitié du XVIIIe siècle, après la disparition du voûtement de la galerie, que la partie ouest du mur nord fut reconstruite (phase 6) en remployant des éléments sculptés – base de colonnette, corbeau décoré d'une tête de bélier – tandis que des pierres portant les armes de Ferdinand de Rye étaient réutilisées comme linteaux de fenêtres.

Lucas Gonçalves

Un chef-d'œuvre du XVIIIe siècle : le logis conventuel de l'ancienne abbaye cistercienne de Clairefontaine

(commune de Polaincourt-et-Clairefontaine)

Charlotte Leblanc *

Au XIIe siècle, treize abbayes d'hommes et quatre de femmes s'installèrent dans le comté de Bourgogne. Dans ce mouvement de développement du monachisme, les cisterciens rencontrèrent un succès particulier [1]. Fondée en 1131, l'abbaye cistercienne Notre-Dame de Clairefontaine était fille de Morimond (Haute-Marne, 1115), à l'instar des abbayes haute-saônoises de Bellevaux (1119), Bithaine (1133) et Theuley (1135). Après avoir connu un développement certain aux XIIe et XIIIe siècles, Clairefontaine, ruinée par les guerres, fut marquée par un renouveau du milieu du XVIIe à la fin du XVIIIe siècle. La commende, instituée en 1648, permit aux abbés et aux religieux de reconstruire les bâtiments. L'entreprise dura jusqu'à la veille de la Révolution (fig. 1).

Une fondation encouragée par les seigneurs de Jonvelle et les comtes de Bourgogne

On ne conserve aucune charte de fondation pour l'abbaye de Clairefontaine. En juin 1133, des moines venus de l'abbaye mère, Morimond, située à 46 km au nord, se seraient installés dans un lieu correspondant au « désert » généralement recherché par les cisterciens : un petit vallon entre les villages de Polaincourt et Anchenoncourt, Chazel et Saint-Rémy, où naît une source qui donna son nom à l'abbaye, rejoignant vers le sud la rivière nommée « la Superbe ». Les coteaux de part et d'autre étaient couverts de forêts.

Le fondateur de l'abbaye et premier abbé, Lambert, aurait été envoyé par Gauthier, abbé de Morimond, à la demande de Guy de Jonvelle, baron vassal du comte de Bourgogne [2]. Guy dota l'abbaye de terres et douze moines vinrent participer à cette fondation. Vingt-deux ans plus tard, Lambert fut élu abbé de Morimond puis abbé de Cîteaux [3].

Le temporel de Clairefontaine s'accrut fortement au cours de la seconde moitié du XIIe siècle. Plusieurs chartes émises par l'archevêque de Besançon confirmèrent les donations fréquentes faites à l'abbaye. De grandes familles, comme celle des vicomtes de Vesoul (seigneurs de Faucogney), divers prélats et quelques autres personnalités plus modestes, firent ainsi don de granges, prés, champs, alleux, droits d'usage et droits de pâturages, les moines cultivant eux-mêmes les terres suivant la règle cistercienne. À partir du début du XIIIe siècle, les moines perçurent des dîmes ainsi que les revenus d'un certain nombre de moulins (Varigney, Corre, Ormoy, La Grangeotte) et de fours. L'économie de l'abbaye reposait notamment sur ses neuf granges (Varigney, Champonnet, Besinvelle, La Grange rouge, Saint-Berthaire, Chazel, Nercourt, La Grangeotte, Vaux-la-Douce) [4].

Les comtes de Bourgogne Renaud III (1129-1148), Frédéric Barberousse (1155-1190), Étienne Ier (1155-1173) puis Étienne II continuèrent de protéger l'abbaye [5]. Toutefois, à partir des années 1270 et jusqu'à la fin du XIIIe siècle, les dons envers l'abbaye tendirent à se raréfier [6].

* Chargée de la protection des monuments historiques, CRMH-DRAC de Bourgogne-Franche-Comté, site de Besançon.

1. René Locatelli, *L'implantation cistercienne dans le comté de Bourgogne jusqu'au milieu du XIIe siècle*, Actes du congrès de la Société des historiens médiévistes de l'enseignement supérieur public, Saint-Étienne, 1974, p. 59-112, p. 60 ; *id.*, *Sur les chemins de la perfection. Moines et chanoines dans le diocèse de Besançon, vers 1060-1220*, Saint-Étienne, 1992, p. 199-227 ; *id.*, « L'implantation religieuse dans le Val de Saône au XIIe siècle », dans *La création architecturale en Franche-Comté au XIIe siècle*, Éliane Vergnolle (dir.), Besançon, 2001, p. 236-244.

2. Hippolyte Brultey, *Étude d'histoire sur le cartulaire de l'ancienne abbaye de Clairefontaine-les-Polaincourt, de l'ordre de Cîteaux*, Vesoul, 1867.

3. Éric Affolter, *L'abbaye de Clairefontaine aux XIIe et XIIIe siècles. Aspects de l'économie au Moyen Âge*, Vesoul, 1978, p. 12.

4. Nathalie Bonvalot, *Les granges de l'abbaye de Clairefontaine*, rapport d'opération archéologique, autorisation n° 99-27, programme 23, DRAC Bourgogne-Franche-Comté, Besançon, Service régional de l'archéologie, 1999, 29 p.

5. É. Affolter, *L'abbaye de Clairefontaine…*, *op. cit.* note 3, p. 17.

6. *Ibid.*, p. 39.

7. «Clairefontaine», dans *Dictionnaire des communes de la Haute-Saône*, Vesoul, 1972, t. 4, p. 387.

8. Arch. dép. Haute-Saône, H 350, Visite des lieux réguliers par Gabriel Boisot, seigneur de Vaire, conseiller du roi, procureur général au comté de Bourgogne, 1679-1680.

9. Arch. dép. Doubs, 61 H 13, Inventaire en 1748.

10. Arch. dép. Haute-Saône, 1 Q 104, Extrait des minutes du secrétariat du directoire du district de Jussey, estimation des matériaux des bâtiments de l'abbaye, 1790-1792.

11. Arch. dép. Haute-Saône, H 347, État général, 1689 : L'aile nord du cloître mesurait 13 toises et demie de long sur 2 toises un pouce ; la galerie ouest, 17 toises et demie sur 2 ; la galerie sud, 13 toises et demie sur 2 ; l'aile est, 20 toises sur 2 de large

LES TEXTES AU SECOURS DE L'ARCHÉOLOGIE

Aucune fouille archéologique n'a été entreprise sur le site de Clairefontaine, et nous ne savons presque rien des bâtiments des XIIᵉ et XIIIᵉ siècles, aujourd'hui disparus. Le monastère a profondément souffert au cours des siècles : de la peste en 1349 et des dégâts perpétrés par les Grandes-Compagnies en 1361 [7], puis des guerres de Louis XI (1477-1479), du passage des troupes de Tremblecourt en 1595 et de celui des Suédois en 1636, pendant la guerre de Trente Ans. Le manque d'entretien des canaux entraîna l'effondrement de certains bâtiments entourant le cloître, notamment du côté nord, en raison du débordement des étangs en amont et des éboulements de la colline à l'est [8]. En 1644, l'abbaye est décrite comme étant ruinée.

Les nombreuses visites effectuées aux XVIIᵉ et XVIIIᵉ siècles pour préparer les travaux de reconstruction permettent néanmoins de connaître les principales dispositions du monastère. Celles-ci sont d'ailleurs encore en partie lisibles sur le cadastre napoléonien, à l'exception du cloître et des bâtiments monastiques détruits en 1748 à la suite de la reconstruction du logis conventuel [9], du logis abbatial (dont les élévations ont peut-être été réutilisées dans la construction d'un logement d'ouvriers au début du XIXᵉ siècle) et de l'église, vendue pour ses matériaux à la Révolution (fig. 2) [10]. Une description de 1689 nous apprend que : «On descend en deux grandes basses cours contiguës» ; la première, traversée par un ruisseau, est à gauche de la «portière» et d'un petit bâtiment de six chambres qui servait de logement pour les fermiers d'une métairie dont le bâtiment était mitoyen ; de l'autre côté du ruisseau, joignant le cloître, se trouvait un autre bâtiment servant de réfectoire pour les religieux, avec une cuisine et trois chambres hautes pour les infirmes ; dans l'autre grande basse-cour à droite de la porterie se trouvaient deux écuries, dont la plus grande était bâtie à l'angle du jardin de l'abbé au sud, «très beau, grand et composé de beaux quartiers et compartiments

Fig. 1 – Clairefontaine, vue aérienne de l'abbaye depuis le nord-ouest, carte postale Cim, s. d. [avant 1960].

CHARLOTTE LEBLANC

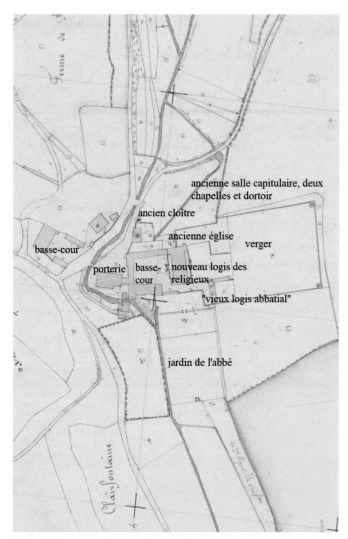

Fig. 2 – Clairefontaine, plan d'ensemble de l'abbaye, cadastre napoléonien, 1834 (Arch. dép. Haute-Saône, 3 P).

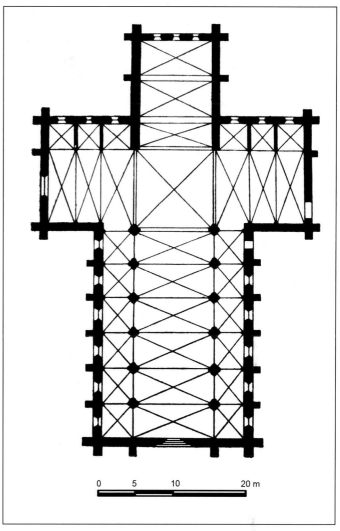

Fig. 3 – Clairefontaine, église abbatiale, plan restitué par Anselme Dimier (*Recueil de plans d'églises cisterciennes*, pl. 81).

avec un vivier et un bassin de pierres de taille pour recevoir l'eau d'une fontaine, il est tout entouré de murailles »; on y trouvait aussi un grand verger, contigu au jardin; au bout de ce dernier et au fond de la seconde basse-cour se trouvaient le « vieux logis abbatial et d'autres bâtiments qui servaient pour le logement des estrangers ». À gauche de la seconde basse-cour, les anciens bâtiments étaient tous quasi entièrement brûlés; ils étaient prolongés par une porte par laquelle on entrait dans le cloître, lequel était large de cinquante à soixante pieds, et long de cent quarante [11]. Le centre du cloître, aux galeries voûtées, était occupé par le jardin des religieux; il était bordé, à l'est, d'une grande salle capitulaire et de deux chapelles voûtées, situées au rez-de-chaussée, et, à l'étage, du dortoir des religieux long de cent quarante pas et large de quarante, ayant douze chambres pour les douze religieux, et trois pour le logement du prieur; au bout du dortoir, un escalier rejoignait une croisée de l'église [12].

L'église, dédiée à la Vierge, est attestée en 1175. Selon la restitution proposée en 1949 par le père Anselme Dimier (fig. 3) [13], elle était composée d'une nef de six travées voûtée d'ogives, de bas-côtés, d'un transept et d'un chœur à chevet plat. La nef mesurait vingt et une toises de longueur, sur quatre et demie de large et dix de hauteur; les bas-côtés, vingt

12. Arch. dép. Haute-Saône, 415 E dépôt 15, État descriptif de l'abbaye par l'abbé Brun [Laurent-Jean Brun], s. d. [vers 1666]; Arch. dép. Haute-Saône, H 350, Visite des lieux réguliers par Gabriel Boisot…, *op. cit.* note 8.

13. Dom Anselme Dimier, *Recueil de plans d'églises cisterciennes*, Paris, 1949, 2 vol., planche 81. Sur l'architecture cistercienne en Franche-Comté, voir Éliane Vergnolle, « Les églises comtoises du XIIᵉ siècle : une voie originale », dans *La création architecturale…, op. cit.* note 1, p. 68-69; Félix Ackermann, « Histoire architecturale de l'abbaye de Bellevaux », dans *Bellevaux en Haute-Saône (1119-2019). Fondation et rayonnement d'une abbaye cistercienne*, Actes du colloque de Vesoul, 16-17 mai 2019, Félix Ackermann, Nathalie Bonvalot et Romain Joulia (dir.), Besançon, Presses de l'université de Franche-Comté, à paraître.

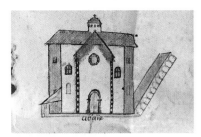

Fig. 4 – Clairefontaine, l'église abbatiale vue de l'ouest, dessin de 1706 (Arch. dép. Haute-Saône, H 346).

toises de longueur sur deux de large et trois de haut [14]. Sur chaque bras du transept s'ouvraient trois chapelles orientées à fond plat, et la croisée était surmontée d'un clocher. À en croire les archives et un dessin daté de 1706, le mur du chevet était percé d'une rose, et celui de la façade occidentale, d'un oculus (fig. 4) [15]. Selon une visite de la fin du XVIIᵉ siècle, on entrait dans l'église par un portail situé dans le bas-côté nord de la nef [16]. Les religieux y accédaient depuis le cloître par une porte ménagée dans le bras sud du transept, alors que les étrangers y entraient par la grande porte de la façade occidentale [17].

La charpente de la nef comptait treize fermes, celle du sanctuaire deux seulement [18]. Le clocher était en bois, couvert de bardeaux [19], et peint en gris perle [20]. De l'église, seuls restent aujourd'hui trois piliers à ressauts du côté sud de la nef – qualifiés d'« augives » dans les textes –, intégrés autour de 1744-1748 dans la maçonnerie du logis monastique alors en construction (fig. 5 et 6) [21].

LE RENOUVEAU DE L'ABBAYE AUX XVIIᵉ ET XVIIIᵉ SIÈCLES

Clairefontaine connut un renouveau aux XVIIᵉ et XVIIIᵉ siècles, dans un contexte général de reconstruction des abbayes qui bénéficia aussi à Morimond dont les bâtiments, détruits lors de la guerre de Trente Ans (1618-1648), furent réédifiés à partir de 1706 [22]. La commende fut instaurée en 1648, l'abbé étant désormais nommé directement par le roi d'Espagne, puis le roi de France après la conquête de la Franche-Comté. Le premier abbé commendataire, Laurent Jean Brun, doyen de la collégiale de Poligny et chanoine de Besançon, dirigeait une abbaye presque vide, où ne vivait qu'un seul religieux au début de son abbatiat [23]. Afin de récupérer les anciens revenus de l'abbaye perdus au cours des conflits, l'abbé obtint en 1653 du pape Innocent X une bulle ordonnant la restitution des biens usurpés [24], opération dont la réalisation fut sans doute favorisée par le séjour de trois ans que l'abbé effectua en Italie [25]. La construction fut stimulée par l'édit de Colbert sur la question des biens de mainmorte, promulgué en 1666, ordonnant que le capital des maisons

14. Arch. dép. Haute-Saône, H 347, État général, 1689 ; 415 E dépôt 15, État descriptif de l'abbaye.., *op. cit.* note 12.

15. Arch. dép. Haute-Saône, H 346, Plan de bornage du bois et description par Jean Mareschal des possessions de l'abbaye de Clairefontaine, 1706.

16. Arch. dép. Haute-Saône, H 350, Visite des lieux réguliers par Gabriel Boisot…, *op. cit.* note 8.

17. Arch. dép. Haute-Saône, 415 E dépôt 15, État descriptif…, *op. cit.* note 12.

18. Arch. dép. Haute-Saône, H 349 ; Arch. dép. Doubs, 61 H 13, Procès-verbal de visite des bâtiments de l'abbaye, par Joseph Galezot et Jean-Charles Colombot, 29 octobre 1748.

19. *Ibid.*

20. Arch. dép. Haute-Saône, 1 Q 15, Expédition de l'inventaire fait à l'abbaye royale de Clairefontaine, avril 1790 ; 1 Q 104, Expertise des bâtiments de l'abbaye de Clairefontaine, 12 septembre 1790.

21. Arch. dép. Haute-Saône, H 347, État général, 1689 (voir aussi note 33).

22. Inventaire régional d'Alsace-Champagne-Ardenne-Lorraine, Dossier de recensement de l'abbaye de Notre-Dame de Morimond à Parnoy-en-Bassigny, 2016.

23. Arch. dép. Doubs, 61 H 4, État de l'abbaye de Clairefontaine sous l'abbatiat de l'abbé Laurent Jean Brun, s. d.

24. « Clairefontaine », dans *Dictionnaire…*, *op. cit.* note 7, p. 387.

25. Arch. dép. Doubs, G 201, G 202 et G 205.

Fig. 5 – Clairefontaine, vestiges du collatéral sud de l'église abbatiale intégrés au logis conventuel.

Fig. 6 – Clairefontaine, vestiges du collatéral sud de l'église abbatiale intégrés au logis conventuel.

CHARLOTTE LEBLANC

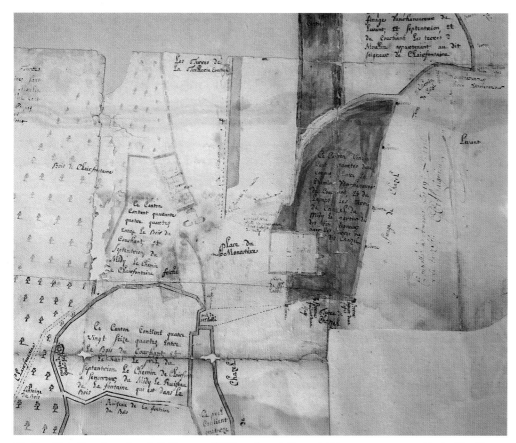

Fig. 7 – Clairefontaine, plan de l'abbaye en 1736 par Joseph Renard d'Amance, arpenteur (Arch. dép. Haute-Saône, H 346).

26. Joan Evans, *Monastic Architecture in France from the Renaissance to the Revolution*, Cambridge, 1964, p. 63. On trouvera le texte de l'édit dans Guy du Rousseaud de Lacombe, *Recueil de jurisprudence canonique et bénéficiale*, Paris, 1771, III, p. 135-136; Dominique Dinet, «Les grands domaines des réguliers en France (1560-1790) : une relative stabilité?», dans *Au cœur religieux de l'Époque moderne*, Strasbourg, 2011, p. 447-461.

27. Patrick Boisnard, Dossier de protection, CRMH, Besançon, DRAC Bourgogne-Franche-Comté; Arch. dép. Haute-Saône, H 345, H 350 et H 351; Arch. dép. Doubs, 61 H 2.

28. Arch. dép. Haute-Saône, H 347, État général, 1689.

29. Arch. dép. Doubs, 61 H 5, Lettre de Duboyer, prieur de Clairefontaine à «Monsieur», 29 septembre 1698.

religieuses soit utilisé notamment à la reconstruction des cloîtres, des logis d'abbés et des quartiers monastiques, et par l'autorisation, la même année, du pape Alexandre VI de diviser les dortoirs des moines en cellules dans les maisons cisterciennes [26]. L'entretien et la reconstruction, financés par le tiers lot, la troisième partie de la division de la manse, devaient être gérés par l'abbé. En 1679, le nouvel abbé commendataire, Étienne Renoux, s'adressa au chapitre de Poligny pour obtenir compensation des travaux qui auraient dû être faits par son prédécesseur dans les lieux réguliers. Il obtint 4 000 livres et put réaliser des travaux. Toutefois, ceux-ci furent jugés insuffisants par les religieux qui engagèrent une procédure judiciaire. Après expertise, un arrêt du parlement de Besançon condamna l'abbé à réparer l'église et les lieux réguliers. Le 18 août 1689, celui-ci passa avec les religieux un accord redéfinissant leurs obligations respectives [27], accord complété le 1er avril 1704. Entre 1689 et 1707, des travaux importants furent réalisés chaque année pour un total de plus de 6 425 livres à la charge de l'abbé. Ils portèrent sur l'église, le dortoir contenant six chambres, la cuisine, le réfectoire et les chambres des hôtes. Dans le quartier réservé à l'abbé, au sud, le colombier et les écuries furent également réparés. Une description de 1689 mentionne même la construction d'un «nouveau logis abbatial avec une cuisine pour les fermiers et une tour [...] ainsi que pour pareillement cuisines et aide fermiers» qui fut placé «au bout du jardin et au fond de la seconde basse-cour», «en bas du vieux logis abbatial et des autres bâtiments qui servaient pour le logement des estrangers, contigus au dit nouveau logis» [28]. Enfin, les murs de clôture des jardins et des cours, le moulin et la tuilerie situés dans l'enclos, les canaux, les étangs au nord et les granges furent réparés (fig. 7) [29]. On sait par ailleurs que l'église reçut un nouveau mobilier, comprenant un «retable neuf» avec «deux tableaux

30. Arch. dép. Doubs, 61 H 13, Inventaire de 1719.

31. Arch. dép. Doubs, 61 H 13, Inventaire général des titres et papiers de l'abbaye.

32. Arch. dép. Doubs, 61 H 13, Inventaire de 1748.

33. Arch. dép. Doubs, 61 H 2, Inventaire des titres, papiers et enseignements appartenant à l'abbaye royale Notre-Dame de Clairefontaine, ordre de Cîteaux, diocèse de Besançon, Baillage de Vesoul, fait en 1768 par devant M. le conseiller marquis de Tallenay ; Arch. dép. Haute-Saône, H 351, Devis estimatif d'Antoine Bounder, 1742.

tout neuf », les boiseries du chevet – prêtes à accueillir six nouveaux tableaux –, celles de deux chapelles et l'autel, refaits entièrement [30]. Parmi les entrepreneurs connus pour cette période, on peut citer : Mougin père et fils, maîtres maçons de Vesoul, et Pierre Filleux, qui reconstruisirent l'aile des dortoirs pour 1 118 livres ; Mairot, sculpteur à Faverney, qui sculpta les armoiries de l'abbé et de l'abbaye, avec le millésime, sur la partie centrale de la façade du dortoir ; Pierre Filleux, qui restaura la couverture de trois ailes du cloître et son pavage ; enfin, Claude François Bernard, charpentier et couvreur de Polaincourt, qui assura les réparations du quartier des hôtes et du réfectoire ainsi que la réfection complète de la couverture en tuiles de l'église. Cependant, à la mort de l'abbé Renoux, en 1719, le rétablissement des bâtiments réguliers était loin d'être achevé.

LE NOUVEAU LOGIS CONVENTUEL

Le nouvel abbé de Clairefontaine, Antoine-Ignace de Camus († 1748), membre de la famille des Camus, seigneur de Filain (Haute-Saône) et chanoine de Besançon, passa en 1731 un nouvel accord avec les religieux, par lequel ceux-ci s'engageaient à « rebâtir et réparer dans vingt ans tous les lieux réguliers de leur monastère tels que dortoir, chambres, réfectoire, cuisine, quartier d'hôtes, bibliothèque, infirmerie, salle capitulaire, porterie… [31] ». Le cloître et le dortoir au nord furent détruits et remplacés par un corps de logis reconstruit à neuf sur un nouvel emplacement, à l'est (fig. 2 et 8) [32]. En 1742 et 1743, des visites et des devis des bâtiments à réparer furent réalisés par la maîtrise des eaux et forêts en réponse à la demande des religieux de couper des bois pour financer des travaux. L'expert nommé, Antoine Bounder, originaire du Piémont, qualifié de maître architecte de Vesoul, jugea que le cloître et le corps de logis étaient en état de ruine et « étayés de partout » [33]. Il dressa un devis estimatif de plus de 37 310 livres pour la construction de deux corps de bâtiment et d'une galerie de cloître en maçonnerie ordinaire enduite en précisant qu'il n'en était pas

Fig. 8 – Clairefontaine, logis des prieurs et religieux, façade occidentale, carte postale Reuchet, Fougerolles, s. d. [début du XXᵉ siècle].

CHARLOTTE LEBLANC

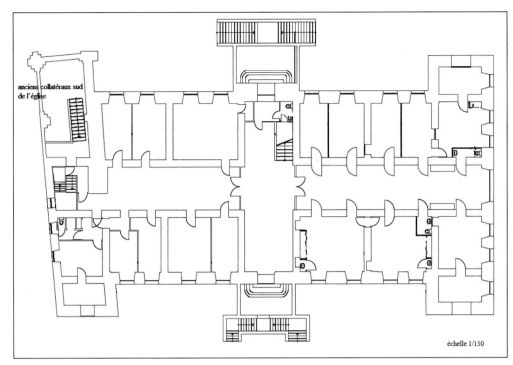

Fig. 9 – Clairefontaine, logis des prieurs et religieux, plan du premier étage (O. Vauthrin, 2004).

l'auteur et ne faisait que suivre «les plans et devis que l'on m'a mis entre les mains». Un autre devis, ni daté ni signé mais probablement contemporain du précédent, concerne également la construction d'un bâtiment en moellons enduits, non localisé. Le 18 juin 1743, une expédition d'arrêt rendu au Conseil d'État du Roy autorisa l'abbé de Clairefontaine à couper les bois de l'abbaye pour financer le nouveau logis [34]. On ignore le nom de l'architecte du bâtiment conventuel. On peut penser qu'il s'agissait d'un religieux-architecte tel que dom Vincent Duchesne (1661-1724), connu pour avoir construit de nombreux monastères et églises en Lorraine et en Franche-Comté. Le plan a pu être soumis au supérieur général, approuvé par le chapitre général, ou simplement visé par les définiteurs ou approuvé par l'abbé de leur filiation. On sait, en revanche, que le projet fut exécuté par l'entrepreneur-architecte Nicolas Mathiot, réputé dans la région pour ses qualités professionnelles et intellectuelles, comme nous l'apprend une lettre du subdélégué de la commune de Jussey – voisine de Clairefontaine – adressée à l'intendant lors de l'adjudication de la construction de l'église de Jussey en 1749 : «il est fort heureux pour Jussey d'avoir trouvé un entrepreneur aussi bon et aussi intelligent que l'est le sr Mathiot, les ouvrages qu'il vient de faire à l'abbaye de Clairefontaine laissent une bonne idée de lui. [35]» En 1748, après la mort de l'abbé de Camus, une visite des lieux fut réalisée par les architectes Jean-Joseph Galezot et Jean-Charles Colombot. Le texte précise que le nouveau bâtiment, dont on était en train de voûter le rez-de-chaussée, est «en pierre de taille, avec ailes dans trois angles, terrasses au-devant dans les deux grandes faces, escaliers au-devant», qu'il était couvert en tuiles avec des chéneaux et des descentes en fer blanc. Un clocheton également en fer blanc, aujourd'hui disparu, se dressait au-dessus des avant-corps [36].

Derrière une apparente symétrie, le nouveau bâtiment conventuel dissimule un léger désaxement de son aile nord permettant d'intégrer les maçonneries de l'église et de ménager un accès intérieur depuis le logis (fig. 9). On distingue encore aujourd'hui les piles médiévales et leurs chapiteaux tant à l'extérieur qu'à l'intérieur de l'édifice (fig. 5, 6 et 10) [37].

34. Arch. dép. Doubs, 61 H 2, Inventaire des titres…, *op. cit.* note 33, fol. 222.

35. Patrick Boisnard, Dossier de protection, *op. cit.* note 27 ; Arch. dép. Doubs, 1 C 181, Intendance de Franche-Comté, ordonnances et jugements de l'intendant, requêtes au subdélégué de Jussey et avis de celui-ci, 1749-1752.

36. Arch. dép. Doubs, 61 H 13, Inventaire de 1748.

37. *Ibid* : «trois augives qui se trouvent actuellement appuyées et enfermées par les bâtiments neufs que les sieurs prieurs et religieux font faire actuellement.»

Fig. 10 – Clairefontaine, logis des prieurs et religieux, façade nord.

Fig. 11 – Clairefontaine, logis des prieurs et religieux, façade occidentale, état actuel.

À l'ouest comme à l'est, les larges terrasses détruites au début du XXᵉ siècle laissent aujourd'hui le soubassement apparent – la partie basse semble avoir été bûchée (fig. 11). L'élévation de la façade principale rappelle celle du prieuré bénédictin de Morteau, dans le Doubs (1680) [38]. L'avant-corps central, légèrement renflé, est magnifié par une porte richement ornée ouvrant sur un vestibule et par un fronton, sculpté d'un cerf entre une mitre et une crosse. Un manuscrit du XVIIᵉ siècle indique que «les armoiries de la dite abbaye, c'est un cerf à demi couché et ayant en l'air un pied droit du devant, et sur le pourtraict duquel taillé en pierre se voit en quelque endroit de la dite abbaye cette devise : Cercueil à mort, Clairefontaine [39]». De son côté, l'abbé H. Brultey rapporte en 1859 avoir vu au tympan du portail les armoiries de l'abbaye, avec un cerf à demi couché et la devise «*cervus amat clarus fontus*» («le cerf aime l'eau claire»). Cette iconographie parlante, à l'instar de l'ours figuré sur le fronton de l'église abbatiale d'Ourscamp (Oise), renvoyait peut-être à un récit sur la fondation de l'abbaye qui, rappelons-le, devait son implantation à la présence d'une source. Le cerf peut également être compris comme une allégorie du Christ.

Depuis le vestibule traversant le logis d'ouest en est, on accède à un escalier tournant à deux volées droites en pierre, avec repos intermédiaire, ainsi qu'à des couloirs centraux permettant de distribuer du nord au sud les différentes pièces (fig. 12). Les couloirs sont éclairés par de larges baies au sud, selon le même dispositif qu'à l'abbaye de Faverney (Haute-Saône). L'abbé Brultey interprétait ainsi la distribution : le réfectoire était à droite, le logement du prieur à gauche avec un salon en vis-à-vis. Les archives des visites effectuées à la Révolution pour préparer la vente des meubles, boiseries, cheminées et parquets ainsi que la bibliothèque donnent une idée précise des aménagements intérieurs du logis [40]. Le quartier du prieur comprenait une chambre, une antichambre, un cabinet et une chambre de domestique. À l'étage, on mentionne un dortoir pour les religieux au bout du couloir dont une porte et une fenêtre donnaient sur la tribune de l'église. Une chambre simple sans cabinet ni antichambre était par ailleurs réservée à l'abbé. Parmi les pièces de vie commune

38. Édifice disparu. Élévation reproduite dans J. Evans, *Monastic Architecture…*, *op. cit.* note 26, nᵒ 116.
39. Arch. dép. Haute-Saône, 415 E dépôt 15, État descriptif de l'abbaye…, *op. cit.* note 12.
40. Arch. dép. Haute-Saône, 1 Q 15 ; 1 Q 104.

Fig. 12 – Clairefontaine, logis des prieurs et religieux, couloir du rez-de-chaussée, partie sud.

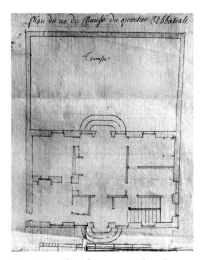

Fig. 13 – Clairefontaine, « Plan du rez-de-chaussée du quartier abbatiale [sic] » par Claude-François Pillot et Richard Deneria, 29 octobre 1766, projet non réalisé (Arch. dép. Doubs, 61 H 4).

41. Abbé Brultey, *Mémoires de Clairefontaine*, 1859, Archives de l'Académie de Besançon, cité par « Notes sur l'historique du château de Clairefontaine », Dossier de protection, CRMH, 1972.

42. Clément Savary, *Le grand décor religieux dans les abbayes françaises masculines aux XVIIe et XVIIIe siècles*, thèse de doctorat, Sabine Frommel (dir.), EPHE-PSL, en cours depuis 2018. L'auteur remercie Clément Savary pour son éclairage sur les choix de décor et de distribution du logis.

43. Arch. dép. Doubs, 61 H 2, fol. 228, « Arrêt du conseil d'État du Roi qui permet au prieur et religieux de Clairefontaine de faire couper par recepage 90 arpents de bois composant le quart de réserve appartenant à la manse conventuelle », 2 février 1762.

44. Arch. dép. Doubs, 61 H 4, Plans, élévations, coupes, projet non réalisé de reconstruction du quartier abbatial, par Pillot et Deneria, 29 octobre 1766.

45. Raphaël Favereaux, *Étude du Service régional de l'Inventaire Franche-Comté*, Besançon, 2007 ; Annabelle Hery, *La faïencerie de Clairefontaine, 1804-1932*, Colombe-lès-Vesoul, 1997, 100 p.

46. Noëllie Aulas, *Une épopée contemporaine en psychiatrie. L'hôpital de Saint-Rémy de 1937 à nos jours*, Saint-Rémy, Association hospitalière de Bourgogne-Franche-Comté, 2017.

Crédits photographiques – fig. 1, 8, 10 à 12 : Jean-Louis Langrognet ; fig. 2 : Arch. dép. Haute-Saône ; fig. 3, 4, 7 et 13 : Charlotte Leblanc ; fig. 5 et 6 : Patrick Boisnard.

sont mentionnées une salle à manger d'été qui correspondait au réfectoire, une salle de billard, une salle de bibliothèque et une salle à manger dite « d'hiver » probablement destinées aux hôtes et aux infirmes. Plusieurs tableaux et leurs sujets sont également mentionnés dans les inventaires du logis : Judith tenant la tête d'Holopherne, Hérodiade portant la tête de saint Jean-Baptiste, Clément XIII (1693-1769), Lambert, premier abbé de Clairefontaine, Louis XV, le Christ crucifié. En 1859, sur chacune des portes de l'étage, on trouvait encore, toujours selon Brultey, la fresque d'un personnage illustre de l'ordre de Cîteaux [41]. Dans le soubassement du logis, de vastes voûtes laissaient la place à des espaces destinés probablement à la cuisine et aux caves. Quelques décors du XVIIIe siècle sont encore conservés : ce sont des stucs de style rocaille comprenant rosaces, coquilles, arabesques, guirlandes de fleurs entrelacées ou roulées autour des pilastres, des nervures et des corniches. Le vestibule et l'escalier arborent également un dragon et des masques de vieilles femmes et vieillards en stuc. Ces décors peuvent rappeler la salle capitulaire du couvent des Cordeliers à Dole (1737-1747) ou les appartements princiers du premier étage de l'abbaye de Luxeuil (salle des princes, chambre de Bossuet, début du XVIIIe siècle). Le garde-corps en fer forgé du grand escalier a disparu après la Révolution, mais les ferronneries d'origine des garde-corps des baies des pavillons latéraux sont conservées [42].

L'ABANDON DE LA RECONSTRUCTION DU LOGIS DE L'ABBÉ

Dans les années 1760, on souhaitait poursuivre les travaux de reconstruction de l'abbaye [43]. Celle du quartier abbatial fut décidée en 1766, à un emplacement moins humide que l'ancien. Pour ce faire, l'abbé Pourcheresse d'Avanne et les religieux échangèrent des terrains. Les anciens bâtiments furent expertisés par les architectes bisontins Claude-François Pillot et Richard Deneria, qui dressèrent également des plans et devis pour les nouveaux bâtiments (29 octobre 1766) [44]. L'ancien quartier abbatial était démoli en totalité quand survint la mort de l'abbé Pourcheresse. Son successeur, l'abbé d'Ormond, interrompit les travaux. Le 15 avril 1774, il obtint l'autorisation du roi de ne pas reconstruire le palais abbatial, décision que le parlement n'enregistra qu'avec réticence le 17 juin 1780. Les plans, coupes et élévations de Deneria conservés aux archives départementales du Doubs permettent néanmoins de connaître l'aspect du logis abbatial projeté mais aussi celui du bâtiment des écuries et d'un autre destiné aux domestiques, au bûcher et au cellier, prévu entre le logis de l'abbé et les écuries (fig. 13).

LA FAÏENCERIE ET L'HÔPITAL DE CLAIREFONTAINE

Vendue comme bien national, l'abbaye fut, à l'exception de l'église, achetée en 1793 par Jean-François Estienne ; associé à Charles Henriot, celui-ci y installa une verrerie dont l'activité cessa en 1802. Jean-François Estienne fonda ensuite avec ses trois beaux-frères – Pierre Étienne, Charles-Philippe Revillout et Joseph Jacquot – une faïencerie qui fonctionna de 1802 à 1932. De nouveaux bâtiments furent construits tandis que d'autres, comme les anciens communs et le moulin, furent transformés. Le logis abbatial devint l'habitation des propriétaires de la fabrique [45]. L'ancien monastère fut vendu en 1938 aux hôpitaux de Seine-et-Marne (société Asile de Saint-Rémy) et converti en annexe de l'hôpital psychiatrique installé dans le château de Saint-Rémy [46]. Les aménagements industriels du XIXe siècle furent alors largement détruits ou transformés. Le bâtiment a été partiellement inscrit au titre des Monuments historiques en 1971 (façades, toitures, vestibule et galerie nord du bâtiment central).

L'ancien chapitre de dames nobles
de Montigny-lès-Vesoul

Une histoire architecturale

Corinne MARCHAL *, Pascal MIGNEREY ** et Mickaël ZITO ***

L e chapitre noble régulier de Montigny-lès-Vesoul, apparu tardivement et reconnu difficilement comme tel – le parlement de Besançon désavouait encore en 1763 son titre de « chapitre » et celui de « chanoinesses » que ses membres s'étaient attribué quelques décennies plus tôt [1] –, avait d'abord été, jusqu'à l'orée du XVIIIe siècle, une abbaye de religieuses clarisses urbanistes. Celle-ci avait été fondée en 1286 par la volonté d'Héloïse de Joinville, vicomtesse de Vesoul, sœur du célèbre chroniqueur, auteur de la *Vie de saint Louis*. Peu d'éléments matériels subsistent de la période proprement monastique de l'établissement, non seulement parce qu'ils ont été emportés par les guerres et le feu mais aussi parce qu'ils étaient inappropriés, dans un ensemble architectural ayant adopté les caractéristiques des chapitres. Dans un même processus d'effacement de leur passé, les religieuses, devenues des chanoinesses nobles, délaissèrent la règle pour le règlement, leur costume de clarisse pour le vêtement civil, leur vie communautaire détachée du monde pour une existence individualisée et mondaine.

Cette mutation ne s'est pas accomplie sans résistances. Dans la catholicité post-tridentine, les dames nobles se sont vues contraintes de justifier leur place au sein d'une Église qui, conquérante et réformatrice, contestait avec les élites laïques la canonicité de cette existence si peu contrainte. Pour gage de leur légitimité, elles ont magnifié le service divin : il « constitue l'essence de l'état de chanoinesse », insiste en 1767 la prieure du chapitre noble d'Alix en Lyonnais à la veille d'entreprendre la reconstruction de son église [2]. Par d'ambitieux programmes décoratifs, l'intérieur des édifices cultuels s'est accordé à l'importance confiée à la louange divine. L'art de bâtir et d'embellir les chapitres nobles de dames atteignit un apogée au XVIIIe siècle, comme en témoigne le surprenant exemple montinois dont il convient d'évoquer ce qu'il subsiste d'un demi-millénaire de constructions avant de se pencher sur celles laissées par le « beau XVIIIe siècle », d'en saisir les principes et de révéler ce que la Révolution n'a pu emporter, avec son retable, de l'élégance de la décoration intérieure de l'église.

Corinne Marchal

L'ENSEMBLE ARCHITECTURAL ET SES VICISSITUDES

Depuis sa fondation, à la fin du XIIIe siècle, l'abbaye de Montigny connut de multiples vicissitudes. À partir de 1356, elle fut ravagée par des compagnies de mercenaires [3] et détruite en 1437 par les Écorcheurs [4]. À la suite des troubles liés à la succession de Charles le Téméraire, en 1478, les troupes de Louis XI la laissèrent dans « une plénière désolation et destruction [5] ». En 1595, celles d'Henri IV, conduites par Louis de Beauvau de Tremblecourt, la rendirent exsangue. Pendant la guerre de Dix Ans (1634-1644), elle fut abandonnée de 1636 à 1647 ; en 1686, un incendie détruisit la maison de l'abbesse et endommagea un certain nombre d'autres bâtiments déjà fortement éprouvés.

* Maître de conférences en Histoire moderne, université de Franche-Comté.

** Architecte urbaniste général de l'État.

*** Docteur en Histoire de l'art, université de Bourgogne ; chargé de mission au musée des beaux-arts et d'archéologie de Besançon et chargé d'enseignement à l'université de Franche-Comté (Besançon).

1. *Recueil des Édits, ordonnances et Déclarations du roi, Lettres patentes, Arrêts du Conseil de Sa Majesté, vérifiés, publiés et registrés au Parlement séant à Besançon, et des règlements de cette Cour, depuis la réunion de la Franche Comté à la couronne*, Nicolas François Eugène Droz (éd.), t. 4, Besançon, 1776, p. 338.

2. Arch. nat., G⁹ 118 (31).

3. Louis Gollut, *Mémoires historiques de la société séquanaise*, Besançon, 1846, livre VIII, p. 757.

4. *Ibid.*, livre XI, p. 1147.

5. Citation de madame de Voisey, dans abbé Jean-François-Auguste Vannier, *Histoire de l'abbaye royale de Montigny-lès-Vesoul*, Vesoul, 1877, p. 20.

Si ces évènements, la succession des abbesses, ainsi que l'attention qu'elles portèrent à la prospérité de l'abbaye nous ont laissé d'abondantes archives, il n'existe aucun plan ou description permettant d'apprécier l'ampleur de ses bâtiments et leur évolution depuis sa création. De même, il ne subsiste que peu de témoins matériels antérieurs au XVIIIe siècle. L'élément le plus spectaculaire est la pierre tombale de la fondatrice, Héloïse de Joinville, conservée au musée Garret de Vesoul après son sauvetage au début du XXe siècle par la SALSA (Société d'agriculture, lettres, sciences et arts de la Haute-Saône) [fig. 1].

La pierre tombale d'Haymes de Faucogney, qui était également dans l'abbatiale, a été brisée par des soldats stationnés à Montigny pendant la Première Guerre mondiale. Nous n'en conservons que le dessin établi à la demande de l'abbé Vannier pour son ouvrage retraçant l'histoire de l'abbaye (fig. 2) [6], et quelques fragments encore présents dans l'église (fig. 3).

Fig. 1 – Pierre tombale d'Héloïse de Joinville († 1286), vicomtesse de Vesoul, fondatrice de l'abbaye de Montigny (Vesoul, Musée Georges Garret).

Tombe du XIVe Siècle.

Haymes de Faucogney, à Montigny.

Fig. 2 – Pierre tombale d'Haymes de Faucogney, dessin (d'après abbé Vannier, *Histoire de l'abbaye royale de Montigny-lès-Vesoul*, Vesoul, 1877).

Fig. 3 – Montigny-lès-Vesoul, fragments de la pierre tombale d'Haymes de Faucogney conservés dans la chapelle.

Fig. 4 – Montigny-lès-Vesoul, portail de la chapelle du XVIᵉ siècle remployé comme fenêtre dans la sacristie du XVIIIᵉ siècle.

Le portail de l'abbatiale édifiée au XVIᵉ siècle a pour sa part été remployé pour apporter du jour à la sacristie de la nouvelle église construite vers 1731. Une dédicace à la Vierge Marie – avec la mention de Claude de Vesoul, abbesse – et la date de 1556 sont portées sur l'architrave (fig. 4). Ce remploi est étonnant et correspond probablement à une demande des chanoinesses qui souhaitaient conserver la mémoire des anciens bâtiments.

Outre ces éléments, quelques vestiges épars sont conservés, tels que la clé de l'arc de l'ancien portail de l'abbaye, portant les armes de l'abbesse Marie de Vellechevreux et la date de 1626, le fût d'un calvaire du XVIIᵉ siècle avec son chapiteau, orné d'armoiries non identifiées, ainsi que plusieurs blocs d'une colonne engagée et son chapiteau, d'époque médiévale, qui proviennent vraisemblablement de l'ancienne église (fig. 5).

À partir des premières années du XVIIIᵉ siècle, l'abbaye connut une renaissance spectaculaire marquée par la construction, en deux étapes principales, de la totalité des bâtiments canoniaux et des dépendances.

Les bâtiments édifiés lors de la première campagne de reconstruction, du début du XVIIIᵉ siècle à 1720 environ, furent les ailes nord et ouest, qui reprenaient l'implantation probable des précédentes. Ils comportent un rez-de-chaussée et un étage, surmontés d'un grand comble ; certains possèdent des caves. Les façades sont simples, avec des baies à linteaux droits, et les portes présentent des modénatures dont le style est encore marqué par le siècle précédent.

Pour la seconde campagne de construction, entre 1720 et 1740, le chapitre étendit le clos capitulaire afin de permettre l'accueil de postulantes plus nombreuses. Les nouveaux bâtiments furent implantés en deux ailes parallèles dirigées vers le sud, côté où se situait la nouvelle entrée. Les volumétries sont plus importantes et les baies sont désormais

Fig. 5 – Montigny-lès-Vesoul, chapiteau triple retrouvé lors de terrassements.

7. Arch. dép. Haute-Saône, H 941, traité de réception de mademoiselle de Choiseul, 1722.

surmontées d'arcs segmentaires. La nouvelle église fut, après beaucoup d'hésitations quant à son emplacement, implantée en about de l'aile est. Lors de cette campagne de travaux, la cour fut mise à niveau par l'édification, en 1741, d'un soutènement, la configuration de la maison abbatiale, de l'église et de deux maisons canoniales permettant de rattraper la déclivité du terrain sur le reste de l'enclos.

Les bâtiments en commun étaient limités à l'église et à une pièce de la demeure abbatiale dévolue aux assemblées capitulaires. Le règlement de Montigny permettait à chaque chanoinesse ayant atteint l'âge de vingt-cinq ans de vivre «en son particulier» dans une maison édifiée aux frais de sa famille, qu'elle partageait fréquemment avec des parentes, généralement des sœurs, dames nobles comme elle. Ses biens meubles et immeubles étaient transmis à sa «nièce» en religion ou, à défaut «d'héritière», à l'abbesse qui en disposait à son gré.

Le chapitre attribuait à chaque nouvelle chanoinesse un emplacement sur lequel la famille de l'impétrante s'engageait à «[...] faire un bâtiment [...] de la même hauteur que les autres bâtiments [...] en y observant la symétrie et uniformité dans l'extérieur et dans l'enceinte d'icelle et incontinent qu'elle aura fait profession et dans le même alignement avec droit d'appuyage en payant la moitié du pignon [...][7]».

Outre l'uniformité dans leurs façades, on note des similitudes importantes dans l'organisation interne des bâtiments. Ces caractéristiques font penser au recours à un plan type,

Fig. 6 – Montigny-lès-Vesoul, maison de l'abbesse, escalier.

CORINNE MARCHAL, PASCAL MIGNEREY ET MICKAËL ZITO

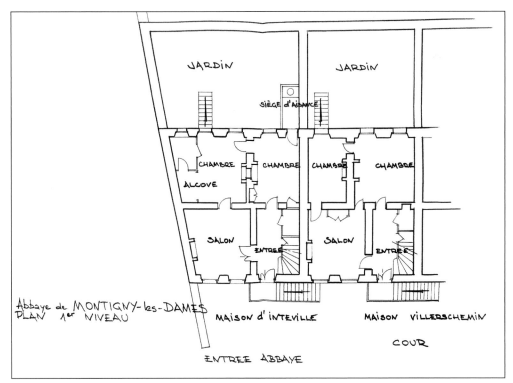

Fig. 7 – Montigny-lès-Vesoul, maisons Dinteville (1728) et Villerschemin (1727), plan du premier niveau (relevé Pascal Mignerey).

mais, si les archives conservent des prix-faits passés devant notaire entre les familles et des entrepreneurs, on n'y trouve pas de mention d'architecte. On peut néanmoins supposer que l'architecte Jacques-François Tripard, qui réalisa l'église de 1729 à 1731, a été sollicité également pour produire ces plans. Les archives ne nous renseignent pas davantage sur celui qui, vers 1725-1730, donna le plan initial de la maison de l'abbesse. Elles révèlent en revanche que l'architecte Nicolas Nicole, qui expertisa celle-ci en 1756, jugea les aménagements très sommaires. En 1769, sous l'abbatiat de Marie-Charlotte Tricornot du Trembloy, l'architecte Jean-Charles Colombot réalisa d'importants aménagements, dont le grand escalier en pierre avec les armes de l'abbesse sur sa ferronnerie (fig. 6).

Les bâtiments de l'aile occidentale présentent tous la même organisation : un escalier hors œuvre permet d'accéder au premier niveau ; le rez-de-chaussée, accessible par une porte située sous cet escalier, est partiellement enterré du côté de la cour et seuls des soupiraux éclairent les parties situées à l'arrière, donnant sur le jardin. Ce niveau comprend les pièces de service (cuisine, four, réserve à bois, caves). Un escalier à volée droite était initialement le seul accès au jardin, qui permettait aux domestiques de disposer de légumes pour la préparation des repas. Par la suite, chaque maison fut dotée de portes desservant directement le jardin depuis le premier niveau, notamment pour l'accès aux lieux d'aisance. Depuis le rez-de-chaussée, un étroit escalier intérieur permet de rejoindre le premier niveau. Celui-ci est divisé en quatre espaces par deux murs de refend perpendiculaires (fig. 7). L'un de ces espaces est affecté aux circulations verticales qui, du sous-sol au grenier, permettent de desservir l'ensemble du bâtiment. Les pièces du premier niveau sont équipées de cheminées, de boiseries de hauteur et de parquets de différentes qualités, les plafonds étant en plâtre avec des moulurations ornementales. Les pièces du second niveau, qui servaient de chambres pour les chanoinesses, présentent des décors plus

Fig. 8 – Les chanoinesses dans leur intérieur, gravure de H. Gravelot (d'après Étienne de La Fargue *Nouvelles œuvres mêlées de M. de Lafargue*, Paris, 1765, p. 106-107).

simples, mais toutes sont garnies de cheminées. Dans certaines maisons, le niveau de comble comportait des chambres, éclairées par des lucarnes, qui étaient affectées aux domestiques.

Lors de travaux réalisés récemment, il a pu être constaté que les aménagements intérieurs furent conduits de manière progressive. Ainsi, dans la maison édifiée par la famille Villerschemin en 1727, la pièce donnant sur le jardin au premier niveau présentait initialement des murs enduits et badigeonnés en blanc avec une fausse plinthe d'un pied de hauteur peinte en gris foncé. Seuls les passages de porte étaient habillés de boiseries. Des lambris d'appui furent ultérieurement installés sur le pourtour de la pièce puis, probablement pour améliorer l'isolation, on ajouta des lambris de hauteur reposant sur la lisse supérieure des lambris d'appui, avec emploi de taquets métalliques pour les liaisonner.

Le 13 décembre 1741, à la suite de «l'évasion clandestine» d'une des chanoinesses, madame de Bligny, l'abbesse fit dresser par un notaire royal un inventaire très précis des biens contenus dans sa maison [8], ce qui nous donne de précieux renseignements sur le mobilier, les aménagements intérieurs de ces habitations et la manière d'y vivre. Il apparaît ainsi que les chanoinesses menaient une existence dénuée d'austérité. Par exemple, madame de Bligny possédait, outre un ameublement riche et varié, de l'alcool, du tabac, un vieux fusil... Cette description tend à donner du crédit à une gravure représentant les dames nobles dans de riches atours (fig. 8).

En 1789, l'abbaye comptait une quarantaine de chanoinesses réparties dans les dix-huit maisons qui composaient l'enclos capitulaire. Les décrets révolutionnaires prévoyaient que, outre la suppression des ordres réguliers, les biens de l'Église seraient mis à disposition de la Nation. Afin d'échapper à la vente de leurs maisons, les chanoinesses présentèrent aux administrateurs du département des requêtes prouvant que les bâtiments avaient été payés par leurs parents et qu'il ne s'agissait pas de biens monastiques. Ces demandes furent rejetées, et les chanoinesses qui n'avaient pas rejoint leurs familles furent contraintes de racheter leurs propres maisons. Certaines d'entre elles acquirent également l'église sous un prête-nom.

Au décès de la dernière chanoinesse, en 1827, ses biens furent légués à l'évêché qui autorisa l'installation, entre 1844 et 1864, de carmes déchaussés originaires de Bordeaux dans les deux maisons contiguës à l'église [9], dont une seule subsiste après un incendie survenu au début du XXᵉ siècle. Une autre communauté, celle des bénédictines de l'Adoration perpétuelle de Bellemagny (Haut-Rhin), prit le relais vers 1874. La loi de séparation des Églises et de l'État de 1905 conduisit à son départ et à la vente des bâtiments.

L'acquéreur de l'église démolit le clocher, adossé au pignon nord, pour vendre le portail. Il céda également l'ensemble du mobilier qui en garnissait l'intérieur à l'exception du retable en stuc. L'édifice fut entresolé et transformé en grange.

Des dégradations de cette nature avaient déjà affecté à la fin du XIXᵉ siècle une partie des bâtiments capitulaires avec la transformation de certaines maisons canoniales en granges, ce qui entraîna la suppression des éléments de second-œuvre et de structures internes telles que les planchers et certains murs de refend pour aménager des niveaux propres à un usage agricole.

Depuis 1997 et le classement au titre des Monuments historiques de l'ensemble des bâtiments et de l'enclos capitulaire, l'ancienne abbaye noble connaît une lente renaissance grâce à l'implication de propriétaires passionnés.

Pascal Mignerey

8. Arch. dép. Haute-Saône, H 941, inventaire Mᵉ Vaudenot, notaire à Charmoille. Un inventaire contradictoire fut réalisé en octobre 1743, au retour de madame de Bligny.

9. François-Xavier Redon, *Vie de l'abbé Antoine-Maximin Sadrin, R. P. Joseph de Jésus-Marie, premier profès français de l'ordre des carmes déchaussés*, Avignon, 1897, p. 111 *sq.*

Corinne Marchal, Pascal Mignerey et Mickaël Zito

BÂTIR ET EMBELLIR UN CHAPITRE DE DAMES NOBLES AU XVIIIᵉ SIÈCLE

L'inventaire révolutionnaire dressé le 25 mai 1790 décrit le quartier canonial de Montigny-les-Dames dans un état proche de celui où on le voit aujourd'hui : « Outre l'église et l'abbatiale [10], [il] contient encore un emplacement de Dix-huit maisons qui forme un enclos. De quelque une dépend des petits jardins [11] ».

À leur apogée dans l'Europe de la seconde moitié du XVIIIᵉ siècle, les chapitres nobles féminins ont été au nombre d'une soixantaine, accueillant de 1500 à 1800 dames nobles [12]. La plupart étaient situés dans les anciens Pays-Bas (l'actuelle Belgique), en Lorraine, en Alsace, en Franche-Comté et dans le diocèse de Lyon ; quelques-uns étaient dispersés dans l'Empire germanique et en Autriche. Réguliers pour certains, séculiers pour d'autres, ces instituts résultaient de la sécularisation d'anciens monastères dont les revenus étaient le plus souvent partagés entre les membres du chapitre pour former des prébendes (fig. 9). Les chanoinesses devaient prouver une noblesse répondant à des critères précis d'ancienneté et parfois de pureté de sang noble.

10. Le quartier abbatial.

11. Arch. dép. Haute-Saône, H 939, inventaire dressé par le maire et les officiers municipaux, 1790.

12. Corinne Marchal, «Définir et inventorier les chapitres nobles dans la France du XVIIIᵉ siècle», *Revue d'histoire de l'Église de France*, t. 99, nº 242, janvier-juin 2013, p. 115-126 ; *id.*, *Un âge d'or des chapitres nobles de chanoinesses en Europe. Le cas de la Franche-Comté*, coll. «Bibliothèque de la Revue d'histoire ecclésiastique», 109, Turnhout, 2021.

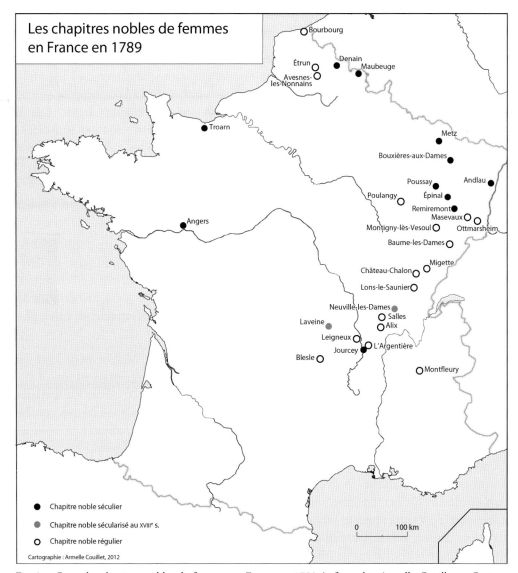

Fig. 9 – Carte des chapitres nobles de femmes en France en 1789 (infographie Armelle Couillet et Corinne Marchal).

13. Paul Delsalle, *Les Franc-Comtoises à la Renaissance*, Saint-Cyr-sur-Loire, 2005, p. 224; «Lettres patentes sur arrêt portant règlement pour l'abbaye de Montigny au comté de Bourgogne, du 9 février 1732, registrées le 2 août suivant», art. 2 (*Recueil des Édits…*, *op. cit.* note 1, t. 3, 1774, p. 632; Benoît Defauconpret, *Les preuves de noblesse au XVIII siècle*, Paris, 1999, p. 175).

14. Ainsi qualifiées dans le règlement du 9 janvier 1710 (Arch. dép. Haute-Saône, H 942).

15. Arch. dép. Haute-Saône, H 940, traité entre l'abbesse et les chanoinesses concernant le temporel et les maisons canoniales, 1699.

16. Arch. dép. Haute-Saône, H 942, règlement du 9 janvier 1710.

Il convient, à l'appui du bel exemple montinois, d'éclairer le caractère très original d'une architecture capitulaire noble parvenue en Europe à son apogée au XVIIIe siècle, en s'interrogeant sur le contexte dans lequel celle-ci s'est développée et sur les préoccupations d'ordre spirituel et fonctionnel qui l'ont inspirée.

Siècle de fer et sécularisation de l'abbaye

La disposition actuelle des bâtiments résulte d'une sécularisation de l'abbaye entamée avec les troubles de la fin du Moyen Âge et qui s'était accentuée dans le contexte des malheurs du XVIIe siècle et de la pression réformatrice de supérieurs franciscains désireux de ramener les dames nobles à l'idéal tridentin d'une vie cloîtrée de moniales.

La guerre de Dix Ans (1634-1644) avait entraîné en 1636 la dispersion de cette communauté qui comptait alors neuf ou dix religieuses. Cette dernière ne se reforma à Montigny qu'en 1648. En 1657, l'abbesse y vivait entourée de trois religieuses et d'autant de servantes. Les moniales n'étaient encore que cinq ou six à la fin du XVIIe siècle [13]. Convertis en prébendes, les modestes revenus conventuels se révélèrent insuffisants pour permettre une restauration matérielle de cet établissement que vint frapper en outre en 1686 un incendie dévastateur.

Une solution fut trouvée par la permission donnée aux dames de construire à leurs frais leur demeure particulière, transmissible à leur «nièce», c'est-à-dire à la demoiselle qu'elles désignaient pour leur succéder, et qui n'était pas nécessairement leur parente. Dès la période médiévale, des *mansiunculae* ou maisonnettes particulières sont attestées dans l'enceinte de certains chapitres nobles féminins, mais, pour répandue qu'ait été l'existence individuelle en des demeures privées, elle ne saurait être tenue pour la caractéristique fondamentale de ces institutions. Par exemple, en Alsace, les dames de Masevaux ont maintenu jusqu'au début de la décennie 1780 ce qu'elles appelaient la «commensalité», c'est-à-dire un mode de vie communautaire.

Le traité passé les 24 et 26 février 1699 entre l'abbesse et son chapitre pour régler les modalités de l'individualisation du logement contraignait celles qui choisiraient de devenir des «dames particulières [14]» à édifier leur maison sur un emplacement précis autour d'une cour dont le quadrilatère serait à préserver. Il prescrivait également une disposition ordonnée des façades; un jardinet devait être attenant à chaque demeure ou placé plus loin si l'on ne pouvait faire autrement [15].

Tout comme les abbayes jurassiennes de clarisses urbanistes de Migette et de Lons-le-Saunier, entrées elles aussi à la même époque dans un processus de transformation en des chapitres nobles réguliers, Montigny n'était pas en clôture au XVIIIe siècle. Or le décret tridentin de novembre 1563 touchant les réguliers et les moniales avait édicté, en matière de vie consacrée féminine, une norme qui faisait de la clôture monastique une nécessité pour préserver la vertu des religieuses et leur permettre un isolement propice à la prière. L'Ordinaire et les visiteurs apostoliques avaient ordre de la rétablir là où elle n'existait plus. Si ces trois établissements avaient cessé d'être visités par leurs supérieurs franciscains français de la province de Lyon durant la période espagnole de la Franche-Comté, leur autonomie s'estompa après le rattachement de cette dernière à la France en 1678. Ces supérieurs eurent même l'ambition, au début de la décennie 1710, de lutter contre le processus de transformation de ces couvents en des chapitres nobles en leur imposant un règlement réformateur [16]. Si l'abbesse de Lons-le-Saunier obtint rapidement un arrêt favorable à son rejet, les compagnies de Migette et de Montigny durent soutenir près de deux décennies d'actions en justice avant que leur spécificité ne finisse par être reconnue à la faveur d'un nouveau règlement en forme de lettres patentes sur arrêt du Conseil, introduit à Montigny en 1732 [17].

Au cours de cette période conflictuelle, de nombreux logements particuliers se construisirent au chapitre de Montigny. Ce dynamisme tenait probablement à la volonté de faire pièce au projet réformateur des franciscains, la présence de ces maisons anéantissant l'espérance d'une restauration de la vie commune et cloîtrée qui aurait supposé de les avoir fait disparaître, d'indemniser les propriétaires et d'engager d'importants frais d'aménagement d'un réfectoire, d'un dortoir ou de cellules. Les dames nobles pouvaient compter sur l'appui de la noblesse comtoise, trop intéressée à conserver ces « hôpitaux de noblesse » pour admettre qu'ils redeviennent des monastères.

Entre monde clos et ouverture au siècle

Sur un plan-masse dressé en 1767, les bâtiments du chapitre de Montigny sont figurés autour de la place et de l'allée qui prolonge celle-ci et la relie au portail d'entrée (fig. 10).

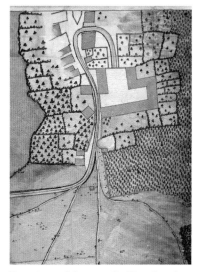

Fig. 10 – Montigny-lès-Vesoul, plan-masse du chapitre noble, 1767, avec le tracé du chemin de Vesoul (Arch. dép. Haute-Saône, 363 E dépôt 7). Les bâtiments s'ordonnent autour d'une place en forme de « T » renversé.

Lorsque pesaient les contraintes d'une adaptation à l'environnement urbain, à la voierie ou bien au parcellaire, l'enceinte capitulaire pouvait adopter un tracé irrégulier, comme à Alix en Lyonnais où elle avait, à la fin de l'Ancien Régime, la forme d'un polygone. Rien de tel à Montigny-les-Dames, où l'on est frappé de la géométrie simple du plan et de l'alignement des maisons, qui détournent résolument leurs habitantes de la contemplation du monde extérieur.

Cette ordonnance révèle la difficulté à se détacher de la vie claustrale, comme l'illustre pour Baume-les-Dames la dénomination au XVIIIe siècle de « place du cloître » pour la place de ce chapitre noble. L'idéal du monde clos se retrouve également dans le petit jardin attenant à chacune des demeures canoniales montinoises, lequel était protégé de l'univers profane, autant que de la curiosité des membres du chapitre, par de hauts murs, évocation probable de l'*hortus conclusus* cher à l'art sacré et à la poésie mystique (fig. 11).

Fig. 11 – Montigny-lès-Vesoul, ancien chapitre noble, vue d'ensemble du site depuis le nord-est.

17. *Recueil des Édits...*, *op. cit.* note 1, t. 3, 1774, p. 632-633.

18. Arch. dép. Jura, 38 H 2.

19. Arch. dép. Haute-Saône, H 942, article VI.

20. *Recueil des Édits…*, *op. cit.* note 1, t. 3, 1774, p. 633, article XV.

21. Toutes ne l'étaient pas, car les prébendes n'étaient pas aussi nombreuses que les chanoinesses, si bien que l'apprébendement se faisait par rang d'ancienneté.

22. *Recueil des Édits…*, *op. cit.* note 1, t. 3, p. 633, article XVI.

23. Arch. dép. Haute-Saône, H 939, inventaire du 3 décembre 1767.

24. Patrick Boisnard, «La reconstruction de l'abbaye des clarisses urbanistes de Montigny-lès-Vesoul au XVIIIᵉ siècle», *Bulletin de la SALSA*, nᵒ 26, 1995, p. 41.

25. Arch. dép. Haute-Saône, H 941, contrat pour la construction de la demeure de madame de Choiseul, 1721.

Ainsi, le plan d'ensemble du chapitre noble apportait une solution modérée à l'injonction tridentine de détacher du monde ces femmes consacrées à Dieu; à celle de la surveillance de leurs mœurs, il répondait par une disposition en vis-à-vis des demeures dont les fenêtres largement ouvertes sur la place du chapitre permettaient un discret contrôle des allées et venues des chanoinesses et des visiteurs.

La dimension pratique n'avait pas été négligée : ces maisons se trouvent dans la proximité de l'église abbatiale où devaient se rendre quotidiennement et ponctuellement les dames nobles, l'office divin revêtant, répétons-le, une importance majeure dans l'existence de ces femmes. Le règlement de 1699 du chapitre jurassien des chanoinesses de Château-Chalon souligne cette obligation : «[La *laus divina*] est ce que nous devons avoir de plus à cœur, estant notre première et principale obligation, nous devons aussy avoir une grande exactitude à tout ce qui y a rapport […] [18]. » Dans leurs stalles, environnées d'une décoration mise au goût du jour, les chanoinesses nobles psalmodiaient en grand manteau de chœur les heures canoniales, participant également à la célébration tant des messes que des offices de fondations et des anniversaires.

Par une curieuse contradiction, l'aménagement d'un chapitre noble au XVIIIᵉ siècle était cependant aussi pensé pour le dépassement de ce monde clos voué à une vie contemplative et à une liturgie réglée. On avait choisi de la sorte de contrevenir sciemment au décret tridentin de 1563, qui n'autorisait une professe à sortir de son monastère que par le consentement de l'évêque et interdisait à toute personne d'y pénétrer sans la permission de l'Ordinaire, sous peine d'excommunication. Il importait en effet ainsi pour ces chanoinesses de montrer, par les liens conservés avec le monde profane que, même soumises à des vœux solennels, elles ne pouvaient être confondues avec des moniales. Si les sorties quotidiennes des dames montinoises n'étaient pas réglementées, les congés l'étaient en revanche : le règlement de 1732 avait repris celui de 1710 [19], qui prescrivait de faire dépendre toute autorisation de congé d'un nombre suffisant de chanoinesses présentes à l'office. Celle-ci devait être demandée «pour de bonnes et pressantes raisons», et à condition «que ces voyages soient rares, nécessaires et ne durent point un trop long temps» [20]. Les dames prébendées et les mi-partistes (ou demi-prébendées) [21] ne pouvaient en théorie s'absenter de l'abbaye au-delà d'une année «sans cause légitime et sans nécessité», sous peine de privation de leur revenu pour toute durée qui excéderait ce temps reconnu [22]. L'accès à ce monde profane bien familier se faisait à Montigny par l'entrée principale, accessible aux voitures, et par l'entrée piétonnière, débouchant sur l'église par un escalier [23]. Il était également permis à des personnes étrangères au chapitre noble d'être reçues et même de séjourner dans les demeures canoniales.

Uniformité et sobriété de l'ensemble canonial

La chanoinesse s'entourait d'une domesticité afin de pourvoir à ses obligations mondaines. Cette présence ancillaire l'aidait également à prendre soin de sa «nièce», laquelle vivait généralement dans sa demeure. Une fratrie se partageait parfois un même toit, à l'image des sœurs Dinteville, reçues toutes trois en même temps au chapitre noble [24]. La taille de ces maisons et la distribution de leurs pièces étaient proportionnées à ces fonctions de réception et d'hospitalité, ce qui contribuait à l'uniformité se dégageant de l'ensemble canonial.

En raison de l'égalité de superficie des terrains à bâtir cédés par le chapitre noble et du caractère directif de l'alignement et de la hauteur des demeures, celles-ci ont une «uniformité dans l'extérieur et dans l'enceinte d'icelle» spécifiée occasionnellement dans le contrat que les parents d'une récipiendaire s'engageaient à respecter [25]. Il s'agissait ainsi

CORINNE MARCHAL, PASCAL MIGNEREY ET MICKAËL ZITO

Fig. 12 – Lons-le-Saunier (Jura), place Bichat, alignement des façades des demeures de l'ancien chapitre noble de clarisses urbanistes.

d'afficher l'unité de rang des dames nobles, toutes issues d'une noblesse soumise à l'épreuve du temps : dans l'assemblée capitulaire du 8 décembre 1700, il avait été décidé que les postulantes prouveraient désormais une noblesse centenaire en ligne paternelle. Cette date marque officiellement la naissance du chapitre noble. Même si l'obligation de cette preuve dative fut réitérée en janvier 1708 [26], cette compagnie se vit contrainte, dans les années qui suivirent, d'édulcorer les conditions de sa sélection pour ne pas accentuer une difficulté passagère à recruter. Le règlement de 1732 institua des preuves de seize quartiers de noblesse, c'est-à-dire de quatre générations en deçà de la postulante, à prouver également en ligne féminine. La norme exigeante des quartiers, qui écartait la noblesse mésalliée et les anoblis, s'imposa alors dans la plupart des chapitres nobles de chanoinesses d'Europe.

Égales par le sang, les dames nobles cherchèrent donc à traduire cette égalité dans leur environnement matériel. *Primus inter pares*, l'abbesse elle-même ne pouvait prétendre à l'autorité et aux prérogatives des supérieures des monastères traditionnels, ce qui permet de comprendre la simplicité à Montigny de la maison abbatiale – du moins dans sa partie extérieure –, la seule marque de distinction étant sa proximité avec l'entrée de l'église.

L'impression d'uniformité qui se dégage des constructions montinoises suggère sinon un modèle architectural que cette compagnie aurait soumis aux maîtres d'œuvre et aux familles, du moins un certain dirigisme de la part de celle-ci pour empêcher que ne s'expriment dans la pierre les distinctions de fortune. Si nous n'en avons pas la preuve pour le chapitre de Montigny, il est attesté que celui de Lons-le-Saunier intervenait en matière d'alignement pour donner son avis sur l'aspect de la façade [27] (fig. 12).

Ces corps aristocratiques avaient aussi à cœur de ne pas laisser se développer des habitations à l'architecture trop ostentatoire, en un siècle où prévalait l'idée que les

26. Arch. dép. Haute-Saône, H 939, inventaire des titres et papiers (XVIIIᵉ siècle).

27. Il fallait présenter le plan à l'abbesse « qui donnera l'alignement, et verra si le front du dehors convient pour la décoration de l'abbaye » (Besançon, Bibl. mun., ms. 799, règlement [de 1771] de la noble abbaye de Lons-le-Saunier, chapitre IX, article 4, fol. 36v).

28. Arch. dép. Moselle, H 4038, observations préliminaires des *Statuts et règlemens donnés à l'abbaye et insigne Eglise collégiale, Noble, Royale et Séculière de Saint-Louis de Metz…*, Metz, s. d. [1781], p. 5.

29. P. Boisnard, «La reconstruction…», *op. cit.* note 24, p. 39.

30. Au milieu du XIXᵉ siècle, le Père Joseph évoquait le mauvais état de l'église (Fr.-X. Redon, *Vie de l'abbé…*, *op. cit.* note 9, p. 111). Le sanctuaire était encore utilisé comme grange en 1964, et de la paille cachait le retable jusqu'à mi-hauteur (Yvan Christ, «Abbayes classiques en péril», *Sites et monuments*, n° 26, 1964, p. 12).

31. Arch. dép. Haute-Saône, H 939, inventaire du 3 décembre 1767.

32. Arch. dép. Haute-Saône, inventaire des titres et papiers (3 décembre 1767).

33. Arch. dép. Haute-Saône. Elle fut vendue en 1906 consécutivement à la loi de séparation des Églises et de l'État.

34. La description du Père Joseph précise : «le lutrin des chanoinesses est très bien sculpté – c'est un ange qui soutient le livre sur sa tête avec ses deux mains» (Fr.-X. Redon, *Vie de l'abbé…*, *op. cit.* note 9, p. 112).

35. Arch. dép. Haute-Saône, inventaire du 3 décembre 1767.

36. La chaire actuelle est un dépôt de la commune des Écorces (Doubs) du 2 juillet 1973. Elle est différente de celle décrite en 1844 par le Père Joseph, qui possédait un «[…] abat-voix […] surmonté d'un ange et orné de rideaux sculptés, qui se replient vers le milieu du fond de la chaire, à la hauteur de la tête du prédicateur» (Fr.-X. Redon, *Vie de l'abbé…*, *op. cit.* note 9, p. 112).

37. Patrick Boisnard a signalé l'implication d'Antoine Bounder et très probablement d'Antoine Malbert dans la reconstruction de plusieurs maisons canoniales (P. Boisnard, «La reconstruction…», *op. cit.* note 24, p. 38). Au sujet des bâtisseurs de la Valsesia dans la province comtoise, voir Annick Deridder, «Constructeurs entre Lorraine et Franche-Comté au XVIIIᵉ siècle», *Mémoires de la Société d'émulation du Doubs*, n° 48, 2006, p. 197; A. Deridder et P. Boisnard, «Dom Vincent Duchesne, inventeur et architecte : 1661-1724», *Revue Haute-Saône SALSA*, suppl. au n° 60, 2005, p. 47; Mickaël Zito, «De la *patria* à la Franche-Comté : bâtisseurs et stucateurs de la Valsesia dans la province comtoise entre la fin du XVIIᵉ siècle et le début du XIXᵉ siècle», *Diasporas*, 32, 2018, p. 71-90.

38. Plusieurs éléments permettent d'identifier ce dernier comme l'auteur de la construction, telles la facture du retable qui fait pleinement écho à sa production et la signature «IFS MARCA» ou «JFS MARCA» qui peut être interprétée comme «Iacomo [ou Jacomo] Francesco Marca», soit Jacques François Marca.

39. Le retable qu'il a réalisé dans l'église Saint-Barthélemy de Recologne (Doubs) vers 1747-1748 en est un très bon exemple. Au sujet du sculpteur, voir Mickaël Zito, «D'un versant des Alpes à l'autre, sur la trace des stucateurs Marca», *Revue Haute-Saône SALSA*, n° 102, 2017, p. 2-21.

chapitres nobles devaient être l'asile de la noblesse indigente. En outre, tout comme sa consœur lédonienne, la compagnie montinoise était censée se conformer à l'esprit de pauvreté des clarisses, même si elle n'en reconnaissait que la règle mitigée des urbanistes, laquelle autorisait à disposer d'un temporel. La sobriété s'imposait donc en matière de construction jusqu'à l'église abbatiale, dont la modestie et le dépouillement tranchent avec les édifices généralement imposants des chapitres nobles féminins. Le goût aristocratique se réfugia dans les intérieurs lambrissés des demeures, dans les manteaux de cheminée et dans d'élégantes rampes en fer forgé.

La construction du chapitre noble de Montigny-les-Dames résulte donc des malheurs du XVIIᵉ siècle ainsi que du rejet de la réforme imposée par le clergé tridentin aux moniales, lesquels ont accéléré l'individualisation du logement. S'attachant à concilier le monde clos et l'ouverture au siècle, à associer le mur et le portail, celle-ci reflétait l'ambivalence de la condition de chanoinesse, «pour ainsi dire, mitoyen[ne] entre l'état religieux et l'état d'une femme du monde [28]». L'uniformité des demeures et la sobriété architecturale de l'ensemble ont été dictées par l'égalitarisme aristocratique, la volonté de rappeler que les chapitres nobles étaient l'asile d'une noblesse désargentée et l'esprit de pauvreté des clarisses.

Corinne Marchal

LE RETABLE MIS EN PLACE DANS L'ÉGLISE EN 1737

Conformément aux instructions tridentines, après les travaux de construction de la nouvelle église menés par l'entrepreneur Jacques-François Tripard, les dames nobles de Montigny meublèrent et décorèrent leur sanctuaire. Entre 1731, date de la fin des travaux de gros œuvre [29], et 1767, elles le dotèrent du mobilier et de tout ce qui était nécessaire à la célébration du culte. L'inventaire du 3 décembre 1767 donne une idée de cet ensemble qui a connu, depuis, de nombreuses vicissitudes [30]. Le document mentionne sur le maître-autel – daté, comme le retable, de 1737 (fig. 13) – un tabernacle «[…] neuf […]» de bois doré, renfermant un ostensoir en argent «[…] fort beau […]» ainsi qu'un ciboire en argent [31]. La même année, un confessionnal en bois de chêne fut installé «à senestre» en entrant dans l'église [32]. L'inventaire signale encore, «contre le pilier à gauche entre le sanctuaire et le chœur, […] une belle chaire de prédicateur en bois de chêne sculpté [33]», dix stalles hautes et six stalles basses réparties de chaque côté du chœur, un lutrin en bois [34] soutenant deux grands antiphonaires presque neufs et deux pupitres de chêne [35]. Aujourd'hui, il ne reste presque rien de ces éléments [36], à l'exception de quelques éléments de décor en stuc et du retable.

Nous n'avons retrouvé aucun document lié à la commande de ce dernier et nous ne savons rien des transactions entre le sculpteur et les dames nobles. Notons cependant que l'abbaye possédait des liens avec la communauté de bâtisseurs piémontais installés en Franche-Comté [37]. Il n'y a donc rien de surprenant au fait que les chanoinesses se soient tournées vers l'un des membres de la famille Marca, dont la réputation était déjà bien établie depuis une vingtaine d'années : Jacques François Marca (1697-1773) [38], habile stucateur capable d'adapter ses modèles afin de satisfaire les exigences des commanditaires [39].

Un retable sur mesure ?

Conformément à ce type de construction de la période post-tridentine, le retable de Montigny s'apparente à un immense portail ou à un arc de triomphe orné de sculptures, parfaitement proportionné et intégré au chœur de l'église, se dressant derrière le maître-autel

CORINNE MARCHAL, PASCAL MIGNEREY ET MICKAËL ZITO

Fig. 13 – Montigny-lès-Vesoul, église : maître-autel et retable par Jacques François Marca.

et donnant accès à la sacristie [40]. Il est composé d'un soubassement, d'un corps central tripartite scandé par six colonnes et d'un couronnement constitué de quatre colonnes plus petites. On y retrouve le langage de Jacques François Marca : colonnes d'ordre composite à fûts galbés lisses, balustrade au-dessus de l'entablement et volutes feuillagées (fig. 14).

La construction en stuc présente une gamme de faux marbres limitée mais courante dans la production de la dynastie Marca, tant en Italie qu'en France [41]. Ainsi, le rose est associé au noir et au blanc purs ou veinés (fig. 15), ces deux dernières couleurs venant essentiellement souligner les lignes de l'architecture. L'ensemble attire le regard vers l'autel majeur et forme une scène où le miracle se joue, en l'occurrence l'Assomption de la Vierge. Toutefois, par rapport aux œuvres produites par Jacques François Marca ou son entourage depuis les années 1725-1730, le retable de Montigny présente un aspect moins exubérant, comme le montre la comparaison avec le retable majeur de Frétigney [42]. En effet, on n'y retrouve pas les jeux de courbes et de contre-courbes habituels – notamment au niveau du couronnement – et le décor de la gloire n'envahit que très légèrement l'espace et reste cantonné à un petit périmètre. Le modèle choisi est à rapprocher des retables plus classiques – avec une superposition d'ordres sur deux niveaux – de l'église de la Conversion-de-Saint-Paul de Bletterans (Jura) [fig. 16] et de l'ancien couvent des Bernardines à La-Roche-sur-Foron (Haute-Savoie), datés respectivement de 1717 et 1726 et réalisés par Jean Antoine Marca [43], ou encore de celui de Doulaincourt-Saucourt (Haute-Marne), exécuté en 1738 par Jacques François et son frère Jean Baptiste I [44]. On note également une économie dans l'emploi des éléments décoratifs : moins d'angelots assis sur les entablements, de cartouches ou motifs floraux ornant la structure. Le statut des commanditaires et l'esprit de pauvreté expliquent certainement cette « sobriété » relative par rapport aux œuvres habituellement réalisées par Jacques François Marca et pourraient expliquer le recours à un modèle moins fréquent dans la production de ce dernier. Du reste, les parentés structurelles des retables de Montigny et des Bernardines de La-Roche-sur-Foron – plus richement décoré – ne sont-elles qu'une coïncidence [45] ? Il est difficile de le dire en l'absence d'éléments

40. Un plan de 1727 (Arch. dép. Haute-Saône, H 943) montre qu'un autre projet envisageait un autel à la romaine avec des stalles au fond du chœur, ce qui était incompatible avec la présence d'un retable à cet emplacement.

41. Le retable des fonts baptismaux de l'église Notre-Dame d'Offlanges (Jura) ou les retables latéraux de l'église Saint-Martin de Doulaincourt-Saucourt (Haute-Marne) en sont de bons exemples, au même titre que celui de l'oratoire Saint-Antoine de Serravalle Sesia (Italie).

42. Voir, dans ce même volume, l'article sur l'église de Frétigney, p. 255-269.

43. Le retable de Bletterans est documenté et signé. J'ai attribué celui de La-Roche-sur-Foron, qui porte la date de 1726, au même sculpteur (Mickaël Zito, *Les Marca [fin XVIIᵉ-début XIXᵉ siècle]. Itinéraires et activités d'une dynastie de stucateurs piémontais en Franche-Comté et en Bourgogne*, thèse de doctorat, Paulette Choné [dir.], université de Bourgogne, 2013, p. 96, 132).

44. De récents travaux de restauration ont permis de retrouver les signatures des deux frères, accompagnées de la date de 1738. Les Marca réalisèrent également les retables latéraux ainsi que divers décors. Voir la notice de la DRAC Champagne-Ardenne en ligne : https://doulaincourt-saucourt.fr/saint-martin-de-doulaincourt/ (consultée le 21 janvier 2021).

45. Est-ce simplement l'artiste qui a proposé cette version aux religieuses en reprenant le modèle haut-savoyard de son père ? Celles-ci connaissaient-elles cette construction, très éloignée géographiquement et relevant d'un autre ordre féminin ? Faut-il envisager l'existence d'un intermédiaire ?

Fig. 14 – Montigny-lès-Vesoul, église, retable, partie gauche.

Fig. 15 – Montigny-lès-Vesoul, église, retable, soubassement : panneau décoratif.

CORINNE MARCHAL, PASCAL MIGNEREY ET MICKAËL ZITO

Fig. 16 – Bletterans (Jura), église de la Conversion-de-Saint-Paul : retable du maître-autel par Jean Antoine Marca.

46. À la fin du XIXᵉ siècle, le retable était sans tableau. C'était encore le cas en 1964. Grâce aux précisions de Jean-Louis Langrognet nous savons que le tableau actuel – qui n'a aucun lien avec l'abbaye – provient de la chapelle du château de La Charité (commune de Neuvelle-lès-la-Charité, Haute-Saône) et qu'il a été installé à Montigny en 1972 à l'occasion de la restauration du retable des dames nobles.

47. L'auteur n'est pas identifié mais le modèle est une gravure du peintre Carlo Maratta.

48. Gaston Duchet-Suchaux et Michel Pastoureau, *La Bible et les saints*, Paris, 1994, rééd. 2006, p. 94. Il n'est pas impossible qu'elle ait à l'origine tenu dans l'autre main un soleil du saint sacrement, un lys ou un ostensoir, comme on le voit fréquemment.

49. Plusieurs légendes existent autour du cœur de la sainte (Jacques-Albin-Simon Collin de Plancy, *Dictionnaire critique des reliques et des images miraculeuses*, Paris, 1821, p. 151 *sq.*).

plus précis. Le doute subsiste également quant à l'implication des supérieurs franciscains français de la province de Lyon dans le choix du type de retable et, à un degré moindre, dans la définition du programme iconographique clairement pensé pour une audience féminine liée à la tradition franciscaine.

Un programme iconographique conjugué au féminin

Dans le corps central du retable, de part et d'autre du tableau [46] représentant une *Sainte Famille avec la Vierge enseignant la lecture à l'Enfant Jésus* [47], se dressent les statues de sainte Claire et de saint François d'Assise, dont le prêche avait poussé la jeune noble à prendre l'habit de nonne (fig. 17). La sainte, vêtue comme une franciscaine, porte une crosse qui rappelle la fonction d'abbesse qu'elle a occupée à partir de 1215 [48]. Elle est présentée comme l'exemple à suivre pour la communauté et sa représentante, comme l'indique la sentence peinte en or sur fond noir – probablement présente dès l'origine – dans un élégant cartouche surmontant la statue : «*Perfectissima castitatis speculum*», ce que l'on peut traduire par « miroir idéal de chasteté » ou «parfait miroir de chasteté». Sous la niche abritant celle-ci, un bas-relief représente le cœur fendu de la sainte [49]. De l'autre côté du retable, l'inscription placée au-dessus de la statue de saint François contemplant un crucifix est en partie effacée. On peut cependant y lire : «*Rigidissimae pos*[sic]*enatis exemplar*» présentant saint François comme un modèle d'inflexibilité. Sous ses pieds, l'emblème de l'ordre des Franciscains – une croix flanquée des deux bras croisés du Christ et de François – rappelle le lien entre ces derniers et les dames nobles de Montigny.

Fig. 17 – Montigny-lès-Vesoul, église, retable : statue de sainte Claire.

Fig. 19 – Carlo Maratta, *Assomption de la Vierge*, eau-forte, vers 1640-1660.

Fig. 18 – Montigny-lès-Vesoul, église, retable, relief sommital : *Assomption de la Vierge*.

50. Rappelons que le recours à l'estampe était très fréquent à l'Époque moderne. Les artistes tiraient souvent leurs sujets des recueils qu'ils possédaient ou de missels appartenant aux commanditaires. Jacques François Marca exploita ainsi plusieurs illustrations de missels bisontins pour réaliser des bas-reliefs dans les églises de Recologne (Doubs) et de Pin-l'Émagny (Haute-Saône).

51. Fr.-X. Redon, *Vie de l'abbé...*, *op. cit.* note 9, p. 119. Ce tableau a disparu à une date inconnue au XIXe siècle. Voir note 46.

Crédits photographiques – fig. 1, 10, 16 à 18 : Jean-Louis Langrognet ; fig. 2 à 5, fig. 8 : Pascal Mignerey ; fig. 6 : cl. Patrick Boisnard/CRMH de Franche-Comté ; fig. 11 et 12 : Corinne Marchal ; fig. 13 à 15 : Mickaël Zito ; fig. 19 : © Wellcome Collection, Londres.

Dans la partie sommitale du retable, une sculpture représentant l'*Assomption de la Vierge* (fig. 18), dont le modèle est une gravure d'après le peintre romain Carlo Maratta (fig. 19) [50], complète le programme. La mère du Christ, assise sur un nuage poussé par des angelots, est portée aux cieux, symbolisés par des rayons de lumière jaune, pour être couronnée. Saint François est donc la seule figure masculine de l'ensemble, Dieu le Père et le Christ s'effaçant au profit de la glorification de Marie, dont l'exemple vertueux était proposé aux religieuses. Cette idée était certainement dès l'origine renforcée par la toile centrale comme le laisse supposer la présence en 1845 d'un tableau « un peu dégradé », et donc sans doute ancien, représentant « la très sainte Vierge tenant son divin enfant entre les bras » [51].

La monumentalité et la facture du retable de Montigny faisaient encore une forte impression au milieu du siècle suivant, comme le montrent les mots du Père Joseph évoquant des « sculptures admirables », de « belles colonnes », « une gloire et des nuages magnifiques » ainsi que de « fort belles niches ». Cette richesse du décor et du mobilier contraste avec la simplicité de l'édifice qui les accueille, contraste qui se retrouve dans les maisons canoniales, sobres à l'extérieur mais richement et élégamment ornées à l'intérieur de boiseries et parfois de décors en stuc colorés peut-être de la même main que le retable.

Mickaël Zito

ÉGLISES

PAROISSIALES

Deux églises paroissiales construites par Jean-Pierre Galezot : Saint-Georges de Vesoul et Saint-Martin de Scey-sur-Saône

Cindy Debierre *

Après une longue période de troubles, la Franche-Comté, province nouvellement française, connut une période de paix, propice aux constructions d'édifices [1]. C'est dans ce contexte que les églises Saint-Georges de Vesoul et Saint-Martin de Scey-sur-Saône furent reconstruites au XVIIIᵉ siècle. Jean-Pierre Galezot (1686-1742), l'un des premiers architectes à rebâtir la province, fut chargé de ces chantiers d'envergure [2].

Jean-Pierre Galezot, architecte comtois

À la fin du XVIIᵉ siècle, les Galezot détenaient l'un des principaux ateliers de sculpture sur bois de Besançon. Ils exécutaient des retables et étaient associés aux travaux civils des ingénieurs grâce à leur pratique du dessin. Jean-Pierre, le fils aîné de la famille, fut donc formé au métier de sculpteur par son père. En 1712, c'est aux côtés de ce dernier qu'il est mentionné pour des travaux de menuiserie à l'église Saint-Vincent de Besançon. À cette occasion, il rencontra dom Vincent Duchesne (1661-1724), religieux vanniste féru d'architecture qui fut le personnage clé de sa carrière d'architecte [3]. C'est en effet avec lui qu'il conduisit ses premiers chantiers à Besançon et à Gray, en 1721, avant de commencer à travailler seul.

Les traités d'architecture jouèrent également un grand rôle dans l'apprentissage de Jean-Pierre Galezot. À défaut d'avoir suivi une formation dans la capitale – rien en effet ne l'atteste –, il se familiarisa avec l'architecture parisienne grâce aux différents manuscrits et livres imprimés qu'il possédait [4]. Son inventaire après décès mentionne, entre autres, la présence à son domicile d'ouvrages concernant le château de Versailles, deux exemplaires du *Cours d'architecture* de Charles d'Aviler et *La Pratique du trait à preuve* d'Abraham Bosse.

Depuis sa naissance, Jean-Pierre Galezot avait évolué dans un milieu d'artisans. Son apprentissage dans l'atelier de son père lui avait permis de se familiariser avec la sculpture et la menuiserie. Auprès de Duchesne, il put apprendre l'architecture et toutes les facettes de son métier, tandis que les traités complétèrent ses connaissances et lui fournirent des modèles.

En 1724, pour l'expertise du bailliage de Besançon, Jean-Pierre Galezot signa pour la première fois ses rapports de la mention « sculpteur et architecte ». Il poursuivit son activité de sculpteur jusqu'en 1726 au moins, année où fut passé le marché pour la construction des stalles de l'abbaye cistercienne de La Charité, tandis qu'il assura des fonctions de maîtrise d'œuvre et d'entrepreneur jusque vers 1730, par exemple au château de Ray-sur-Saône [5]. Jusqu'en 1735, à la demande de l'intendant Charles Deschiens de la Neuville (1667-1737), il fut missionné pour réaliser des ouvrages publics et religieux,

* Doctorante en Histoire de l'architecture, université de Nantes.

1. La Franche-Comté fut dévastée par la guerre de Dix Ans (1634-1644), épisode comtois de la guerre de Trente Ans, et par les deux guerres de conquête de Louis XIV.

2. Voir Annick Deridder, « Jean-Pierre Galezot, architecte et sculpteur, 1686-1742 », *Mémoires de la Société d'émulation du Doubs*, 42, 2000, p. 77-102 ; Cindy Debierre, *Jean-Pierre Galezot (1686-1742). Sa vie à travers son œuvre. État de la recherche*, mémoire de master 1, Catherine Chédeau (dir.), université de Besançon, 2019 ; id., *Les églises de Jean-Pierre Galezot (1686-1742). Entre exceptions et répétitions*, mémoire de master 2, Catherine Chédeau (dir.), université de Besançon, 2020.

3. Annick Deridder et Patrick Boisnard, « Dom Vincent Duchesne, inventeur et architecte, 1661-1724 », *Revue Haute-Saône SALSA*, nº 60, 2005, p. 5-62.

4. Arch. dép. Doubs, B10532, inventaire après décès mentionnant tous les livres qu'il possédait à son domicile.

5. Patrick Boisnard, *Répertoire d'architectes et de quelques entrepreneurs, actifs principalement dans le nord de la Franche-Comté dans la première moitié du XVIIIᵉ siècle*, à paraître, p. 8.

6. Lettre du 13 juillet 1736 au sujet de Saint-Georges de Vesoul (Arch. dép. Haute-Saône, 550 E dépôt 71). Galezot n'est pas mentionné dans cette lettre, et on peut penser que l'intendant faisait allusion aux églises construites par les Piémontais ou à celles réalisées par des religieux.

7. Robert Leroy, *Jean Querret, un architecte pas comme les autres*, Besançon, 1995.

8. Le chantier de l'église Saint-Pierre de Besançon a été repris bien plus tard par l'architecte Claude-Joseph Alexandre Bertrand (1734-1797), toujours selon le parti de « l'église-halle » mais sur un plan presque centré.

9. Il réalisa la même année l'église Saint-Martin de Deluz (Doubs), selon un plan différent.

comme le clocher de la cathédrale Saint-Jean de Besançon. Puis, à partir de 1735, Barthélemy de Vanolles (1684-1770) prit la tête de l'Intendance, avec la volonté forte « d'éviter les défectuosités qui se reconnaissent dans presque tous les ouvrages de la province [6] ». Même si les réalisations de Galezot ne semblent pas avoir été visées par ce jugement, ce dernier perdit néanmoins la direction de chantiers publics et religieux, au profit notamment de Jean Querret (1703-1788) [7]. Dans d'autres cas, il devint un architecte mandaté en second choix, ce qu'il compensa en se consacrant pleinement à sa clientèle privée. Architecte désormais accompli, il était à même d'élaborer un projet architectural, de diriger un chantier et de proposer des programmes décoratifs.

Jean-Pierre Galezot dessina simultanément et selon le même parti les plans de l'église Saint-Georges de Vesoul (fig. 1) [8] et de l'église Saint-Pierre de Besançon (fig. 2) [9]. Les chantiers s'ouvrirent en 1732, à quelques semaines d'écart, et connurent les mêmes lenteurs d'exécution, probablement en raison des importantes sommes d'argent en jeu et des différents acteurs (municipalités, décimateurs, artisans, etc.).

Les deux églises présentent une nef de trois travées dont, suivant le type de « l'église-halle », les trois vaisseaux sont de même hauteur – mais les collatéraux sont voûtés d'arêtes

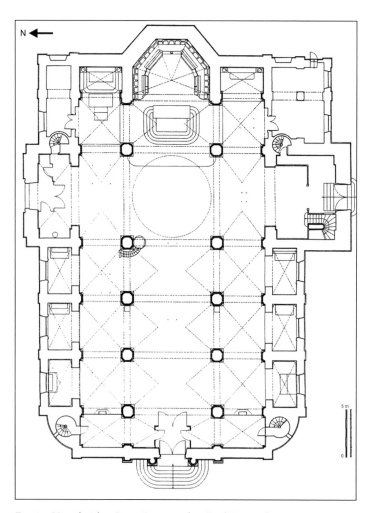

Fig. 1 – Vesoul, église Saint-Georges, plan (Paul Barnoud).

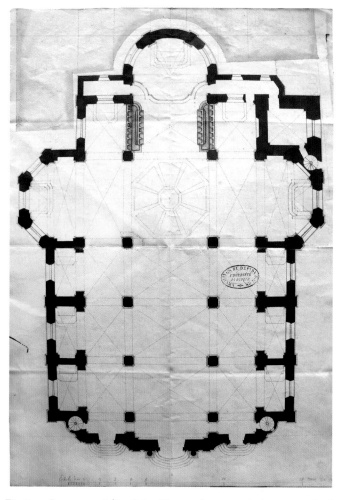

Fig. 2 – Besançon, église Saint-Pierre, plan non daté et non signé (Arch. dép. Doubs, 1 C 49).

tandis que le vaisseau central est couvert d'un berceau pénétré de lunettes –, un transept peu débordant dont la croisée est surmontée d'une coupole sur pendentifs, une travée de chœur encadrée de chapelles latérales, une abside pentagonale, et six chapelles latérales s'ouvrant sur les collatéraux de la nef. Ce plan fut de nouveau adopté par Galezot en 1738 pour l'église Saint-Martin de Scey-sur-Saône.

LES « ÉGLISES-HALLES » EN FRANCHE-COMTÉ

Depuis le Moyen Âge, le type de « l'église-halle » est largement répandu dans toute l'Europe [10]. On en trouve des exemples en Franche-Comté dès les XIIIe-XIVe siècles, avec toutefois une expression particulière soulignée par René Tournier : « Des nefs peu élevées, des murs épais, un éclairage restreint […] : les églises de la Montagne, qui appartiennent au type dénommé par Lefèvre-Pontalis "nefs sans fenêtres", codifient ces formules [11]. » Au XVe siècle, l'ancienne abbatiale de Saint-Claude (Jura) se rapproche du type de « l'église-halle » avec des bas-côtés presque aussi élevés que la nef [12], solution reprise dans diverses collégiales (Nozeroy) ou abbatiales comtoises (Grandvaux, Moirans et Loulle) voisines de Saint-Claude [13].

À partir du XVIIe siècle, une variante de l'église, composée de vaisseaux de même hauteur, fut reprise en 1624 à Laitre (Haute-Saône). En 1741, l'église s'effondra et ne fut reconstruite qu'à partir de 1778 par Anatoile Amoudru. La construction de l'église de Mollans (Haute-Saône), entreprise en 1698, s'inscrivait dans la même lignée avec trois vaisseaux approximativement de même hauteur et éclairés seulement par les baies en plein cintre des bas-côtés. L'idéal de « l'église-halle » n'est pas atteint, les bas-côtés étant sensiblement plus étroits que le vaisseau central.

René Tournier a émis l'hypothèse que la véritable « église-halle », comportant des vaisseaux exactement de même hauteur et supportés par des colonnes, ne fut pas introduite en Franche-Comté avant le premier tiers du XVIIIe siècle : l'église de Noroy-le-Bourg (Haute-Saône), reconstruite entre 1712 et 1716, en fut l'un des premiers exemples avec celle de Levier (Doubs), commencée en 1711 mais achevée seulement en 1750.

Le religieux-architecte dom Vincent Duchesne, appelé à travailler sur des chantiers de reconstruction pour le prieuré bénédictin de Lons-le-Saunier et, vers 1721, pour l'abbaye de Faverney (Haute-Saône) [14], fut-il à l'origine de la diffusion du modèle de « l'église-halle » en Franche-Comté [15] ? Les sources ne permettent pas de l'affirmer, mais on peut le conjecturer. En effet, la congrégation de Saint-Vanne, à laquelle il appartenait, était fortement implantée en Lorraine – où elle avait été créée –, une région où non seulement ce type d'église était très répandu mais où était apparue vers la fin du XVIIe siècle une nouvelle interprétation classicisante avec l'usage des colonnes portantes [16]. Toutefois, dom Duchesne pouvait aussi avoir vu des « églises-halles » en Savoie – l'un de ses frères y résidait –, où l'on en compte pas moins de vingt, construites entre 1669 et 1699 par des maîtres locaux ou originaires du Piémont, la dernière d'entre elles datant des environs de 1725 [17]. Il est également possible que la formule ait été importée d'Allemagne où elle connaissait un grand succès.

SAINT-GEORGES DE VESOUL

La grande richesse des archives concernant l'église Saint-Georges de Vesoul permet de mieux comprendre l'histoire agitée de sa construction, liée notamment à la multitude des parties prenantes [18]. L'église, dont l'existence est attestée dès le XIe siècle [19], était au début du XVIIIe siècle considérée comme trop petite et en mauvais état [20]. Une reconstruction à neuf fut donc envisagée.

10. Voir Pierre Sesmat, « Les "églises-halles", histoire d'un espace sacré (XIIe-XVIIIe siècle) », *Bulletin monumental*, t. 163-1, 2005, p. 3-78.

11. René Tournier, *Les églises comtoises, leur architecture des origines au XVIIIe siècle*, Paris, 1954, p. 147-148 ; Eugène Lefèvre-Pontalis, « Les nefs sans fenêtres, dans les églises romanes et gothiques », *Bulletin monumental*, t. 81, 1922, p. 257-309. Par « nef sans fenêtres », Eugène Lefèvre-Pontalis désigne les églises dont le vaisseau central est dépourvu de fenêtres hautes et qui correspondent – mais en partie seulement – à la définition des « églises-halles ».

12. R. Tournier, *Les églises comtoises…*, *op. cit.* note 11, p. 165-166. Sur l'ancienne abbatiale de Saint-Claude, érigée en cathédrale au XVIIIe siècle, voir Pierre Lacroix, *Églises jurassiennes romanes et gothiques*, Besançon, 1981, p. 233-238 ; Muriel Jenzer et Bernard Pontefract, *La cathédrale de Saint-Claude (Jura)*, Besançon, Inventaire général, 1999.

13. R. Tournier, *Les églises comtoises…*, *op. cit.* note 11, p. 180.

14. *Ibid.*, p. 61.

15. Mickaël Zito, *Les Marca, itinéraire et activités d'une dynastie de stucateurs piémontais en Franche-Comté et en Bourgogne*, thèse de doctorat, Paulette Choné (dir.), université de Bourgogne, Dijon, 2013, p. 63.

16. Par exemple, l'abbatiale de Saint-Clément de Metz en 1685 et celle de Saint-Mihiel en 1688 (P. Sesmat, « Les "églises-halles"… », *op. cit.* note 10, p. 42-43).

17. M. Zito, *Les Marca…*, *op. cit.* note 15, p. 63.

18. Les comptes de la construction conservés aux archives départementales de la Haute-Saône permettent de suivre l'évolution du chantier (Arch. dép. Haute-Saône, 550 E dépôt 64 – CC43 ; 550 E dépôt 65 – CC44 ; 550 E dépôt 66 – CC 45 ; 550 E dépôt 67 – CC46 ; 550 E dépôt 68 – CC 47 ; 550 E dépôt 69 – CC48).

19. Dossier de protection de l'église Saint-Georges de Vesoul, 1993, DRAC Bourgogne-Franche-Comté, site de Besançon.

20. Arch. dép. Haute-Saône, 550 E dépôt 70 DD1.

21. *Ibid.*, C189.

Le généreux don d'un paroissien, en 1727, marqua officiellement le début du chantier. Dès l'année suivante, des marchés étaient conclus pour l'exécution d'un premier projet, demandé à l'architecte Antoine Malbert. Rapidement, un procès fut cependant engagé pour contraindre le chapitre des chanoines à participer au financement du chœur, en sa qualité de décimateur de la paroisse. Des tensions apparurent ensuite entre les différentes parties concernées à propos de la démolition de maisons en vue de faciliter l'implantation de la nouvelle église. Soucieux d'éclaircir la situation, l'intendant Charles de la Neuville demanda la constitution d'un « Conseil de la direction de la bâtisse de l'église », accorda la levée en six années d'une imposition pour assurer le financement du gros œuvre et chargea Jean-Pierre Galezot de dresser un projet définitif, en lui adjoignant Archange Langroignet [21]. Les seuls plans connus furent dressés par ce dernier (fig. 3 à 5). Un second projet de Galezot, daté du 5 mai 1731, fut adjugé pour 80 000 livres en décembre suivant. Toutefois, de nouveaux débats sur l'emplacement de l'église, la nécessité ou non d'aménager une place et le nombre de clochers conduisirent à la suspension du chantier jusqu'en 1735. Cette même année, Barthélemy de Vanolles, nouvel intendant, reprit le dossier et contraignit tous les acteurs à revenir aux dispositions définies en 1731. L'abandon des entrepreneurs adjudicataires conduisit cependant à passer les divers marchés directement avec des artisans spécialisés. En juin 1736, le Bureau s'adjoignit les services d'un conducteur de chantier, Antoine Bounder. C'est à cette époque que Galezot semble avoir été écarté du projet et remplacé par l'ingénieur des ponts et chaussées de la province, Jean Querret (1703-1788), protégé de Barthélemy de Vanolles. Dès lors, les travaux se poursuivirent sans difficulté majeure.

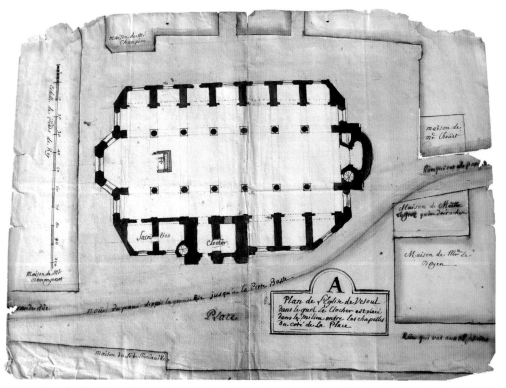

Fig. 3 – Vesoul, église Saint-Georges, plan, version du premier projet de Jean-Pierre Galezot avec le clocher situé au nord, copie d'Archange Langroignet, février 1731 (Arch. dép. Haute-Saône, C 189).

Cindy Debierre

Fig. 4 – Vesoul, église Saint-Georges, élévation latérale, version du premier projet de Jean-Pierre Galezot avec le clocher situé au nord, copie d'Archange Langroignet, février 1731 (Arch. dép. Haute-Saône, C 189).

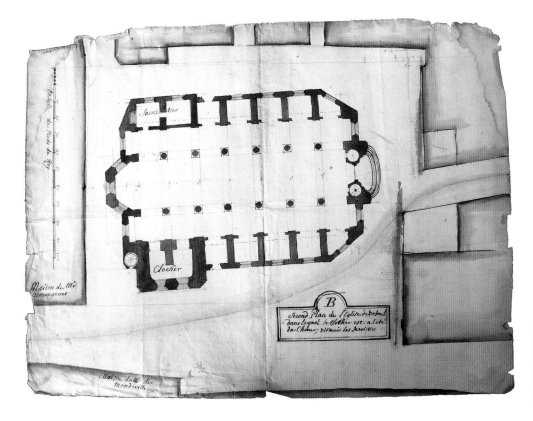

Fig. 5 – Vesoul, église Saint-Georges, plan, autre version d'un premier projet de Jean-Pierre Galezot avec le clocher placé au nord, copie d'Archange Langroignet, février 1731. (Arch. dép. Haute-Saône, C 189).

22. Louis Suchaux, *La Haute-Saône : dictionnaire historique, topographique et statistique des communes du département*, tome II, Vesoul, 1866, p. 241.

23. Arch. dép. Haute-Saône, 2 C 2407.

24. Dossier de protection de l'église Saint-Martin de Scey-sur-Saône, 2009, DRAC Bourgogne-Franche-Comté, site de Besançon.

25. Arch. dép. Haute-Saône, G 179.

26. *Ibid.,* 482 E dépôt 23.

27. Dossier de protection de l'église Saint-Martin de Scey-sur-Saône, *op. cit.* note 24.

28. Arch. dép. Haute-Saône, G 179.

29. Dossier de protection de l'église Saint-Martin de Scey-sur-Saône, *op. cit.* note 24.

30. Arch. dép. Haute-Saône, 34 J 99.

31. Dossier de protection de l'église Saint-Martin de Scey-sur-Saône, *op. cit.* note 24.

SAINT-MARTIN DE SCEY-SUR-SAÔNE

Comme à Vesoul, une église ou une chapelle est attestée à Scey-sur-Saône depuis le XIᵉ siècle [22], mais nous ne savons rien d'elle sinon qu'elle fut sans doute démolie lors de la construction de l'église actuelle. En 1732, le curé de Scey s'adressa au vicaire général du diocèse pour obtenir une expertise des murailles de cette ancienne église, ébranlées par un tassement du clocher placé sur l'avant-chœur, et demander l'interdiction de l'édifice si les paroissiens ne procédaient pas aux réparations nécessaires. En juin 1738, la communauté obtint un arrêt permettant la vente du quart de réserve pour reconstruire entièrement l'édifice [23]. Le grand maître des eaux et forêts choisit Jean Querret, ingénieur des ponts et chaussées, pour réaliser les plans et établir les devis du nouvel édifice [24]. Profitant des absences de Querret, qui se rendait souvent en Lorraine « pour le service de sa Majesté », la communauté parvint à imposer Galezot à la tête du chantier. Quelques mois après la vente du quart de réserve, le 7 décembre 1738, celui-ci signa le projet définitif. Les travaux furent adjugés le 11 mars 1739 pour la somme de 29 000 livres à François Lhéritier, entrepreneur à Port-sur-Saône [25]. La pose de la première pierre eut lieu le 20 juillet 1739 [26]. Les travaux ayant absorbé – et bien au-delà – le produit de la vente des bois [27], la communauté fut contrainte de retarder l'érection du clocher jusqu'en 1755.

Le mobilier fut mis en place en plusieurs étapes. En 1750, un marché fut signé avec Jean-François Marca pour la réalisation d'un maître-autel à la romaine et de crédences [28]. On ignore le nom de l'auteur et la date du décor en stuc et en faux marbre de l'abside (fig. 6) [29]. En 1751, la confrérie de la Croix entreprit la construction au-dessus de la porte d'entrée d'une tribune qui n'était pas prévue dans le projet de Jean-Pierre Galezot [30]. Il fallut attendre 1778 pour que soient mis en place la chaire, les bancs, le lutrin et les retables des chapelles latérales, réalisés sur des dessins d'Anatoile Amoudru identiques à ceux qu'il donna ensuite pour les églises de Vy-lès-Rupt et de Chenevrey [31].

Fig. 6 – Scey-sur-Saône, église Saint-Martin, décor de l'abside.

L'église Saint-Georges de Vesoul fut probablement l'une des premières grandes « églises-halles » de la province au XVIIIᵉ siècle, et, peu après, celle de Scey-sur-Saône apparaît comme l'œuvre la plus aboutie de la carrière de Galezot.

ÉGLISE URBAINE *VERSUS* ÉGLISE RURALE

En dépit de la similitude de leur parti architectural, les deux églises répondent à des fonctions bien différentes : l'une est une église urbaine et l'autre une église rurale. Leurs dimensions sont pourtant voisines : 43,25 m de longueur et 25,60 m de largeur totale pour Saint-Georges ; presque 45 m de longueur et environ 26 m de largeur pour Saint-Martin. C'est grâce à sa richesse forestière que la communauté de Scey-sur-Saône a pu commander un édifice aussi vaste.

L'environnement dans lequel ces églises se situent n'a pas été sans incidence sur la construction. Ainsi, l'église de Vesoul, implantée dans une zone urbaine dense, s'élève dans un espace exigu, entouré de bâtiments dont la présence a conditionné le choix d'un plan compact. De même, l'implantation du clocher sur le côté de la nef plutôt qu'à l'entrée de celle-ci a permis de gagner une travée et d'augmenter l'espace disponible pour les paroissiens. Même s'il a été question, lors des longues délibérations, d'ériger deux clochers, un seul fut finalement construit, peut-être pour des raisons financières. Le dôme à l'impériale, caractéristique d'une large partie des clochers comtois du XVIIIᵉ siècle, a été remplacé par une terrasse au milieu du XIXᵉ siècle [32] (fig. 7). Symétriquement, un pavillon d'entrée comptant deux niveaux et couvert d'un demi-toit à l'impériale fut édifié du côté nord (fig. 8). En dépit de l'exiguïté du terrain, Galezot parvint à donner aux parties orientales de Saint-Georges de Vesoul une ampleur et une complexité appropriées à une importante église urbaine, qui contrastent avec la modestie de Saint-Martin de Scey-sur-Saône, église de village dépourvue de transept et dont le sanctuaire se réduit à une abside.

Fig. 7 – Vesoul, église Saint-Georges, clocher.

Fig. 8 – Vesoul, église Saint-Georges, extérieur, côté nord.

32. Arch. dép. Haute-Saône, 3 O/353/1.

33. Dossier de protection de l'église Saint-Georges de Vesoul, *op. cit.* note 19.

Les contraintes étaient moindres à Scey-sur-Saône qu'à Vesoul, ce qui laissait aux bâtisseurs davantage de liberté. La nef compte ainsi cinq travées et est précédée d'un imposant massif de façade : un clocher-porche, surmonté d'une toiture à l'impériale et relié à la nef par deux ailes concaves.

Une architecture raffinée

Les deux églises ont été construites avec un grand soin. L'appareil des parois extérieures présente un traitement nuancé, jouant des effets propres de la pierre piquée, rustiquée ou bouchardée. La présence de bossages en table aux angles de la façade, de cadres autour des principales baies, de bandeaux et de corniches confirme le raffinement de la mise en œuvre. Cependant, ces caractéristiques n'étaient pas propres à Jean-Pierre Galezot.

À Vesoul, c'est Jean Querret qui poursuivit et acheva la construction de l'église. Calée par des angles à refends et latéralement amortie par des tourelles d'escaliers, la façade occidentale développe trois ordres superposés, suivant un parti alors inédit pour la Franche-Comté (fig. 9) [33]. Le premier niveau comporte des colonnes et des pilastres doriques, le deuxième est d'ordre ionique ; le dernier niveau aurait sans doute dû être corinthien, mais les chapiteaux ne furent pas sculptés. Un fronton cintré surmonte la partie centrale de la façade, tandis que des ailerons couronnent les parties adjacentes, profilées par des chaînages d'angle surmontés d'un obélisque. Inachevée dans sa décoration, la façade donne

Fig. 9 – Vesoul, église Saint-Georges, façade occidentale.

Fig. 11 – Scey-sur-Saône, église Saint-Martin, clocher-porche, premier niveau.

Fig. 10 – Scey-sur-Saône, église Saint-Martin, projet de façade occidentale par Hugues Faivre, 1755 (Arch. dép. Haute-Saône, B 9832).

l'impression d'être plaquée sur la nef, car, si sa largeur correspond à celle des trois vaisseaux, il lui manque quatre mètres pour masquer le pignon du toit. Toutefois, à la manière italienne, l'organisation extérieure rend compte de l'agencement intérieur, avec une mise en valeur du vaisseau central de la nef.

À Scey-sur-Saône, c'est l'entrepreneur bisontin Hugues Faivre qui réalisa la façade occidentale, une dizaine d'années après l'érection de la nef. Il dessina un clocher, habilement relié à la nef par deux grands massifs concaves et comptant trois niveaux rythmés, verticalement, par des pilastres doriques et ioniques et, horizontalement, par des corniches très saillantes, qui donne de la majesté à l'entrée de l'église (fig. 10 et 11). Bien que ce clocher-porche ne soit pas l'œuvre de Jean-Pierre Galezot, il reflète sans doute l'ambition du projet primitif. Même si celui-ci n'est que partiellement connu, on peut supposer que la façade devait comporter deux ou trois étages. C'est du moins ce que suggèrent les escaliers de la tribune placés à l'intérieur, les trois baies murées derrière la tribune voûtée et ornée de fleurons ainsi que le portail, aujourd'hui abrité sous le porche du clocher, encadré de deux pilastres d'ordre dorique portant un entablement surmonté d'un fronton curviligne brisé (fig. 12). Une niche creusée dans le tympan accueillait sans doute à l'origine une statue de saint Martin. Au second niveau, la façade initialement prévue par Galezot comportait peut-être – comme celle de Saint-Georges de Vesoul – trois baies cintrées correspondant aux trois vaisseaux.

Avec leurs vaisseaux sensiblement de même hauteur, les églises de Vesoul et de Scey-sur-Saône répondent parfaitement à la définition de « l'église-halle ». Plus que d'une recherche de stabilité, ce parti architectural relevait d'un choix spatial. Les processions autant que l'acoustique étaient en effet favorisées par l'existence de hauts collatéraux dont les vastes baies diffusent une abondante lumière jusqu'au centre de l'édifice [34], tandis que l'allégement

34. L'effet subsiste, malgré l'installation au début du XXe siècle, dans la tribune du côté nord, d'une grande gloire sculptée provenant de l'église Notre-Dame de Battant à Besançon.

Fig. 12 – Scey-sur-Saône, église Saint-Martin, portail réalisé par Jean-Pierre Galezot.

Fig. 13 – Vesoul, église Saint-Georges, intérieur, vue axiale vers le sanctuaire.

Fig. 14 – Vesoul, église Saint-Georges, intérieur, vue latérale vers le collatéral sud.

des structures porteuses dégageait la vision de l'autel, suivant les préconisations du Concile de Trente (fig. 13 et 14). Les chapelles latérales logées entre de profonds contreforts sont, elles aussi, éclairées par de grandes fenêtres en plein cintre [35].

À Vesoul, le vaisseau central de la nef, le transept et la travée droite de chœur sont couverts d'une voûte en berceau échancrée de profondes lunettes latérales. Celle-ci est renforcée par des doubleaux qui retombent sur des piliers carrés cantonnés de pilastres et surmontés de chapiteaux sobrement moulurés. Les voûtes d'arêtes des collatéraux et des chapelles contribuent pour leur part au contrebutement du vaisseau central. Enfin, une coupole sur pendentifs de plan circulaire, dépourvue de tambour et portée par quatre piliers identiques à ceux de la nef, domine la croisée du transept. L'élan vertical de ces hauts piliers est amplifié par les dés qui surmontent les chapiteaux et surhaussent le départ des voûtes. Des tailloirs très saillants déterminent des horizontales qui sont reprises en écho par les bandeaux moulurés des collatéraux, interrompus seulement par les tribunes de l'orgue du pavillon nord et du clocher. Enfin, le contraste coloré entre, d'une part, le gris des piliers, des pilastres et des arcs-doubleaux et, d'autre part, la blancheur des murs et des voûtes met en valeur les structures porteuses [36].

35. Les six chapelles latérales présentent une grande richesse décorative. À l'exception de la chapelle Saint-Joseph, elles ont toutes conservé leurs boiseries du XVIIIᵉ siècle – parfois remaniées au siècle suivant – ainsi que leur grille de clôture en fer forgé.

36. L'intérieur de l'édifice a été restauré en 2007 et en 2008 par Richard Duplat, ACMH.

CINDY DEBIERRE

L'église de Scey-sur-Saône reprend le plan de Saint-Georges de Vesoul sans le transept ni les tribunes latérales et avec des proportions plus équilibrées (fig. 15). Sa nef, dont les collatéraux sont contrebutés par de larges contreforts entre lesquels prennent place des chapelles abritant des autels secondaires, compte cinq travées, soit une de plus qu'à Vesoul (fig. 16). Toute l'église est couverte de voûtes d'arêtes retombant sur les mêmes piliers carrés cantonnés de pilastres à chapiteaux mais surmontés de chapiteaux composites couronnés d'un petit bandeau mouluré interrompant la ligne de retombée des voûtes (fig. 17). L'étroitesse des collatéraux a conduit à l'adoption de doubleaux en arc brisé et non pas en plein cintre (fig. 18). Pour rythmer les travées, Galezot alterne entre arcs segmentaires, pour les baies hautes et les arcades, et arcs en plein cintre, pour les baies des chapelles latérales (fig. 19). Ces différentes fenêtres laissent entrer une abondante lumière qui met en valeur le calcaire ocre des pierres d'appareil.

Le décor de l'abside de Scey-sur-Saône est composé de cinq tableaux séparés par des pilastres composites et représentant, de gauche à droite : la Présentation au Temple, l'Assomption, la Résurrection du Christ, l'Apothéose de saint Martin et la Naissance de la Vierge. La Résurrection du Christ, placée au centre de la composition, est surmontée d'une

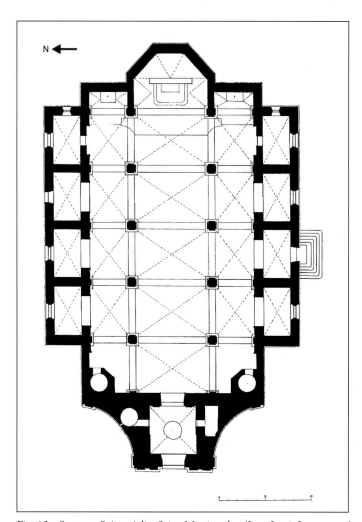

Fig. 15 – Scey-sur-Saône, église Saint-Martin, plan (Jean-Louis Langrognet).

Fig. 16 – Scey-sur-Saône, église Saint-Martin, la façade occidentale depuis le sud-ouest.

Fig. 17 – Scey-sur-Saône, église Saint-Martin, intérieur, vue axiale vers le sanctuaire.

Fig. 18 – Scey-sur-Saône, église Saint-Martin, collatéral sud, vers l'est.

petite gloire et de deux angelots. Ce décor présente des similitudes avec celui de l'abside du Saint-Suaire à la cathédrale Saint-Jean de Besançon, qui comporte également cinq tableaux séparés par des pilastres mais avec un programme dédié à la Passion et à la Résurrection du Christ [37]. Sa qualité tend donc à confirmer ce qui ressort de l'étude architecturale : Saint-Martin de Scey, en dépit de son modeste statut d'église rurale, pouvait rivaliser avec les grandes églises urbaines de son temps.

TRANSFERTS ARTISTIQUES

Même si différents architectes sont intervenus à Vesoul et à Scey-sur-Saône, l'essentiel de la conception des partis architecturaux revient à Jean-Pierre Galezot [38]. Quelles furent ses sources d'inspiration ?

Notons d'abord que les chapelles latérales donnent un certain caractère passéiste aux deux églises. En effet, cette solution n'était plus guère employée au XVIIIe siècle, en raison de la simplification de l'espace liturgique instaurée par le Concile de Trente. L'usage de ces chapelles restait toutefois très utile pour loger les différentes confréries et pour accueillir les

37. Jean-Pierre Galezot avait proposé un projet, mais ce fut finalement celui de Germain Boffrand (1667-1754) qui fut retenu (Arch. dép. Doubs, G 254/2). Sur la construction de l'abside du Saint-Suaire, voir Annick Derrider et Pascal Brunet, «La cathédrale au XVIIIe siècle», *Les Cahiers de la renaissance du Vieux Besançon*, n° spécial *La cathédrale Saint-Jean de Besançon*, Bernard de Vrégille *et alii* (dir.), 2006, p. 55-74.

38. Dossier de protection de l'église Saint-Georges de Vesoul, *op. cit.* note 19.

CINDY DEBIERRE

paroissiens lors des offices. En adoptant des baies couvertes en plein cintre pour les chapelles latérales et en arc segmentaire pour les baies hautes des vaisseaux latéraux et les entrées de chapelles, Galezot montrait d'ailleurs sa connaissance des idées des théoriciens du XVIIᵉ siècle (fig. 20).

Toutefois, son œuvre s'écarte des réflexions des théoriciens français qui recommandaient de faire reposer les voûtes sur des colonnes, plus légères que les piliers et faisant moins obstacle à la lumière que ceux-ci [39]. Notons cependant qu'il ne fut pas le seul architecte de son temps à faire le choix du pilier, d'usage fréquent dans les églises savoyardes et notamment dans celles du type « halle ».

Cette possible inspiration piémontaise et savoyarde dans l'œuvre de Galezot peut s'expliquer non seulement par sa fréquentation des artisans piémontais avec lesquels il avait été amené à travailler dans le cadre de programmes décoratifs, notamment les Marca [40], mais aussi par le rôle que joua dom Duchesne dans sa formation d'architecte [41].

39. P. Boisnard, *Répertoire d'architectes…*, *op. cit.* note 5, p. 11.

40. Voir M. Zito, *Les Marca…*, *op. cit.* note 15, p. 69.

41. A. Deridder et P. Boisnard, « Dom Vincent Duchesne… », *op. cit.* note 3, p. 5-62.

Fig. 19 – Scey-sur-Saône, église Saint-Martin, collatéral sud, première travée.

Fig. 20 – Vesoul, église Saint-Georges, nef, côté nord, première travée.

Quoi qu'il en soit de leurs sources ou de leur parti architectural, les églises Saint-Georges de Vesoul et Saint-Martin de Scey-sur-Saône s'inscrivent dans le grand mouvement de reconstruction des églises du XVIIIᵉ siècle en Haute-Saône. En annonçant l'avènement des grandes « églises-halles » urbaines en Franche-Comté, Saint-Georges de Vesoul apparaît comme une nouveauté avant de devenir une source d'inspiration pour d'autres édifices, à l'instar de l'église de La Madeleine de Besançon bâtie par Nicolas Nicole et de Saint-Martin de Scey-sur-Saône. Le modèle de « l'église-halle » devait ultérieurement connaître une grande fortune en Franche-Comté, y compris pour des édifices relativement modestes, notamment grâce aux deux architectes formés par Jean-Pierre Galezot : son frère Jean-Joseph (1699-1753) et Jean-Charles Colombot (1719-1782).

L'église Saint-Julien de Frétigney
et son mobilier en stuc polychrome

Liliane Hamelin * et Mickaël Zito **

« Bâtir, meubler et décorer notre église » aurait pu être, au XVIII⁰ siècle, le *motto* de nombreuses communautés rurales de la province comtoise. Autant d'obligations auxquelles n'échappèrent pas les paroissiens de Frétigney. En effet, en 1741, ceux-ci furent contraints de solliciter la vente de leur quart de réserve pour financer la construction d'une nouvelle église car l'ancienne menaçait ruine. Jean-Pierre Galezot, sculpteur et architecte très en vue dans la province, proposa un devis comprenant à la fois le nouveau bâtiment et son mobilier en stuc polychrome. Sa mort entraîna l'entrée en scène de son frère Jean-Joseph qui maintint le projet d'origine : une église sobre – caractéristique des constructions comtoises de la première moitié du XVIII⁰ siècle – renfermant un mobilier et des décors somptueux réalisés par les Marca. Cette dualité, qui pourrait surprendre un œil contemporain, était pourtant fréquente, voire même inhérente aux réalisations de cette province en pleine reconstruction.

* Conservatrice déléguée des antiquités et objets d'art (CDAOA) du Doubs.

** Docteur en Histoire de l'art, université de Bourgogne ; chargé de mission au musée des beaux-arts et d'archéologie de Besançon et chargé d'enseignement à l'université de Franche-Comté (Besançon).

L'architecture

Le village de Frétigney est situé au centre d'un triangle de trois villes : Vesoul, Gray et Besançon [1]. Avec le hameau de Velloreille, la commune compte actuellement 732 habitants [2]. L'église s'élève au centre du village (fig. 1), sur une petite butte bordée de murets correspondant à l'ancien cimetière. Placée sous le vocable de Saint-Julien, elle occupe le même emplacement que l'église primitive construite en 1188, date à laquelle celle-ci fut donnée par le comte Étienne de Bourgogne à l'abbaye cistercienne de Notre-Dame-de-la-Charité. L'abbé, qui avait le droit de lever la dîme ecclésiastique, en était le décimateur [3].

Au cours de la guerre de Dix Ans (1634-1644), épisode comtois de la guerre de Trente Ans (1618-1648), le comté de Bourgogne subit guerres, épidémies, famines, destructions, et de nombreux villages furent définitivement rayés de la carte. Ce siècle désastreux s'acheva avec le traité de Nimègue (7 septembre 1678) qui scella le rattachement de la Comté à la France. Le siècle suivant s'ouvrit sur une période de paix, de prospérité et de reconstruction, du fait notamment de l'augmentation de la population. Une fois annexée à la France, la Comté intégra « La Grande maîtrise des eaux et forêts des Duché et Comté de Bourgogne, Bresse et Alsace », mise en place en application de « l'ordonnance sur le fait des eaux et forêts » de 1669. Cette dernière avait pour objectif la gestion des forêts royales et ecclésiastiques.

Le 20 mai 1741, les habitants de Frétigney demandèrent au Conseil d'État du roi l'autorisation de vendre le quart de réserve des bois communaux afin d'effectuer des réparations à l'église et au clocher. Le 15 juin de la même année, Joseph Roger, maître particulier en la maîtrise des eaux et forêts de Gray, se rendit à Frétigney, accompagné de François Ducy, architecte expert, afin d'établir un état des lieux. Hormis l'exiguïté de l'édifice, l'architecte

1. 23 km de Vesoul, 35 km de Gray et 32 km de Besançon.

2. Site de la mairie de Frétigney-Velloreille, 11 mai 2020.

3. « Les décimateurs sont tenus par l'article 21 de l'Édit sur la Juridiction ecclésiastique de 1695 d'entretenir le chœur en bon état et de fournir les objets nécessaires à la célébration eucharistique » (Jean-Louis Langrognet, « Les retables des églises comtoises au XVIII⁰ siècle », *Bulletin du centre de recherches d'art comtois*, n⁰ 3, 1989-1990, université de Besançon, janvier 1991).

Fig. 1 – Frétigney, le village et l'église Saint-Julien.

4. Arch. dép. Haute-Saône, B 9328. «La nef a cinquante-trois pieds et demi de longueur sur trente-huit trois-quart de largeur, le tout dans œuvre», soit 17,33 m sur 12,55 m. En comparaison, l'édifice actuel mesure 37 m de long sur 10,50 m.

5. Pierre-Antoine II de Grammont, archevêque de Besançon de 1735 à 1754.

6. Arch. dép. Haute-Saône, B 9328.

7. Annick Derrider, «Jean-Pierre Galezot, architecte et sculpteur : 1686-1742», *Mémoires de la Société d'émulation du Doubs*, n° 42, 2000, p. 77-102 ; Lyonel Estavoyer. «Architectes bisontins du XVIIIᵉ siècle», dans *Architectures en Franche-Comté au XVIIIᵉ siècle*, cat. exp., Besançon, 1980 ; Christiane Roussel, *Besançon et ses demeures, du Moyen Âge au XIXᵉ siècle*, Lyon, 2013, p. 83-185, p. 187-188, p. 207, p. 210, p. 213, p. 276, p. 282-285, p. 293.

8. «Vincent Duchesne, bénédictin du monastère Saint-Vincent de Besançon fut particulièrement actif : maître d'œuvre des monastères de son ordre en Franche-Comté et en Lorraine, il participa à la réalisation d'églises et de bâtiments privés et publics.» (A. Derrider, «Jean-Pierre Galezot…», *op. cit.* note 7, p. 78).

9. Arch. dép. Haute-Saône, B 9328.

10. *Ibid.*

souligna son mauvais état et observa que «tous les murs de la nef sont si caducs qu'ils menaçaient une ruine prochaine». Sa conclusion était sans appel : «il est indispensable de démolir le tout pour faire une construction nouvelle [4].» Ce constat faisait écho à la décision prise peu auparavant par l'archevêque de Besançon, Pierre Antoine II de Grammont [5], qui, au cours d'une visite pastorale, avait interdit d'y célébrer les offices. Le maître particulier ordonna à l'architecte François Ducy de dresser les plans et devis nécessaires à une reconstruction «à neuf».

Les communautés d'habitants des villages co-paroissiens de Frétigney, Velloreille et Villers-Bouton firent valoir par l'intermédiaire de leurs échevins «que le sieur Galezot, maître architecte aud. Besançon, en avait déjà fait le plan et devis auxquels ils se référaient et qu'il était inutile d'en faire de nouveaux [6]». Formé à la sculpture sur bois et au dessin dans l'atelier de son père [7], Jean-Pierre Galezot (1686-1742) s'initia à l'architecture, à partir de 1720, grâce à des personnalités comme dom Vincent Duchesne, bénédictin du monastère Saint-Vincent de Besançon [8]. Après son décès, survenu en juin 1742, c'est son frère cadet, Jean-Joseph Galezot († 1753), architecte lui aussi, qui réactualisa le devis de l'église de Frétigney au moment de l'adjudication des travaux donnée à l'entrepreneur Charles-François Cornibert, le 4 septembre 1751 [9]. La pose de la première pierre de la nouvelle église eut lieu le 24 mars 1752. Deux ans plus tard, le curé de la paroisse bénit l'édifice en cours d'achèvement. La réception finale des travaux n'intervint que le 31 mars 1762, en présence de la veuve de l'entrepreneur Cornibert, mort durant le chantier, et de l'architecte Jean-Charles Colombot [10].

La silhouette de la nouvelle église est caractéristique des églises reconstruites dans la première moitié du XVIIIᵉ siècle en Franche-Comté. En forme de croix latine, l'édifice est

LILIANE HAMELIN ET MICKAËL ZITO

précédé d'un clocher-porche hors œuvre, coiffé d'un toit à l'impériale, couvert en fer blanc à l'origine et remplacé par une flèche en ardoise d'Angers en 1873. À l'est, une tourelle abrite l'escalier en vis conduisant à la chambre des cloches et au comble du clocher. L'entrée, encadrée de deux pilastres à chapiteaux toscans, est surmontée d'un linteau en arc segmentaire. Constitués de moellons pour les murs gouttereaux et de pierres de taille pour les baies en plein cintre, la corniche et les chaînages d'angle ont fait l'objet d'une mise en œuvre soignée. La pierre a été tirée des carrières de la commune, comme en fait foi une délibération du conseil municipal, en date du 9 juin 1829, concernant le projet de maison commune par l'architecte Louis Moreau : « Le conseil municipal approuve les projets de Moreau mais demande que la pierre de taille, au lieu d'être prise à Frasne-le-Château, [puisse l'être] sur le territoire de Frétigney, attendu que celle de l'église provient des carrières de cette commune… [11]. »

L'église de Frétigney se compose d'une nef à vaisseau unique, avec deux chapelles peu profondes s'ouvrant au niveau de la seconde travée, d'un transept et d'un chœur comportant une travée droite et une abside à trois pans (fig. 2). Les doubleaux en plein cintre des

11. Arch. dép. Haute-Saône, 257 E suppl. 4. Les deux carrières de Frétigney font l'objet d'une mention dans «L'Atlas cantonal de la Haute-Saône», édité en 1858 par le préfet du département, Hippolyte Dieu (1812-1887).

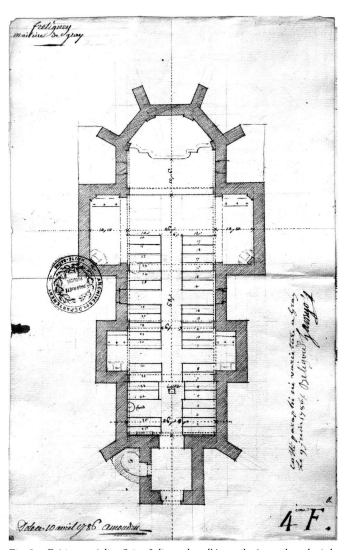

Fig. 2 – Frétigney, église Saint-Julien, plan d'Anatoile Amoudru, daté de 1786, accompagnant le devis de la mise en place des bancs (Arch. dép. Haute-Saône, B 9328).

Fig. 3 – Frétigney, église Saint-Julien, croisée du transept, coupole.

voûtes d'arêtes de la nef et des chapelles retombent sur des pilastres à chapiteaux toscans. La croisée du transept est couverte par une remarquable coupole octogonale sur pendentifs (fig. 3). Ces derniers sont ornés de reliefs en stuc représentant les quatre Évangélistes réalisés par les Marca [12], famille de stucateurs originaires du Piémont. Outre les retables en stuc, Jean-Joseph Galezot mentionne dans son devis : une chaire à prêcher «fait suivant le dessein et estimée cent cinquante livres», quatre confessionnaux «faits en valeur de cent livres chacun», ainsi que des fonts baptismaux «avec cul de lampe et bassin de cuivre» surmonté d'un tableau, enfin deux bénitiers «en pierre de Villers-Bouton» [13].

Au cours de la seconde moitié du XVIIIe siècle, deux autres architectes de renom intervinrent à l'église Saint-Julien : Jean-Charles Colombot et Anatoile Amoudru. Présent comme expert lors du rendu des travaux de l'église de Frétigney, le 31 mars 1762, Jean-Charles Colombot fut commis par l'Intendant Lacoré, le 10 octobre 1775, pour reconnaître et estimer les réparations qu'exigeaient le beffroi et la couverture en fer blanc du clocher. Il donna le 15 novembre suivant un devis de réfection de la toiture à l'impériale, accompagné d'un précieux relevé de son profil (fig. 4), ainsi qu'un projet de clôture en fer de la nef pour prévenir les vols dont se plaignaient fréquemment les paroissiens (fig. 5).

12. Mickaël Zito, «Les stucateurs Marca en Franche-Comté», *La Lettre*, journal semestriel des Amis des Musées et de la Bibliothèque de Besançon, mai 2013, p. 7-10.

13. Arch. dép. Haute-Saône, B 9328.

LILIANE HAMELIN ET MICKAËL ZITO

Adjugés à un maître-ferblantier de Gray, Jean-François Billet, les travaux furent réceptionnés le 17 juillet 1776 [14]. La grille en fer forgé mise en place à l'entrée de la nef existe toujours.

Quelques années plus tard, le 10 avril 1786, l'architecte dolois Anatoile Amoudru [15] signa un devis très détaillé (231 articles) relatif à divers ouvrages de maçonnerie, charpenterie, couverture, menuiserie, vitrerie, peinture et sculpture à faire pour réparer ou construire les bâtiments communaux [16]. Les murs intérieurs de l'église firent l'objet d'un nouveau blanchissage au lait de chaux. L'atmosphère lumineuse, caractéristique de l'architecture classique, devait mettre en valeur la polychromie du maître-autel et des autels latéraux. Cependant, la pose de verrières de couleurs par le peintre-verrier Paul Beyer, en 1901, a quelque peu diminué l'intensité de la lumière à l'intérieur de l'édifice [17].

Le 25 octobre 1872, les architectes Humbert et Renahy de Vesoul et les élus de la commune, constatant que «la charpente, la couverture et toutes les ferblanteries du dôme» étaient vétustes, décidèrent de remplacer celui-ci par une flèche, qui s'harmoniserait mieux avec la couverture en ardoise souhaitée et serait «moins coûteuse qu'une toiture en tuiles vernies [18]». Lors d'une séance en juin 1987, la Commission régionale du patrimoine historique, archéologique et ethnologique évoqua l'intérêt de restituer l'ancienne toiture à l'impériale mais la proposition demeura sans suite.

14. René Tournier, «Les architectes Jean-Charles Colombot (1719-1782) et Claude Antoine Colombot (1747-1821)», *Procès-verbaux et Mémoires, Académie des Sciences, Belles Lettres et Arts de Besançon*, vol. 175, 1962-1963, p. 175 ; voir aussi Chr. Roussel, *Besançon et ses demeures…, op. cit.* note 7, p. 61, p. 173, p. 180-185, p.193-198, p. 204, p. 213-218, p. 274, p. 284-287, p. 293, p. 295.

15. Jean-Louis Langrognet, *Anatoile Amoudru (1739-1812) architecte ou les bois devenus pierres*, Dole, 2013 ; Chr. Roussel, *Besançon et ses demeures…, op. cit.* note 7, p. 83-185, p. 187-188, p. 207, p. 210, p. 213, p. 276, p. 282-285, p. 293.

16. Arch. dép. Haute-Saône, B 9328.

17. Liliane Hamelin, «Un atelier de peintre-verrier à Besançon : la Maison Beyer», *Mémoires de la Société d'émulation du Doubs*, 1998, p. 161-174.

18. Arch. dép. Haute-Saône, 3 O/264, dossier de reconstruction de la toiture du clocher, 1873.

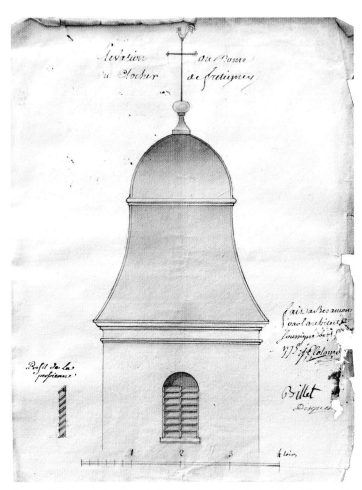

Fig. 4 – Frétigney, église Saint-Julien, clocher, dessin de la toiture à l'impériale par Jean-Charles Colombot, 15 novembre 1775, restituant l'aspect de la toiture de Jean-Pierre Galezot (Arch. dép. Haute-Saône, C 127).

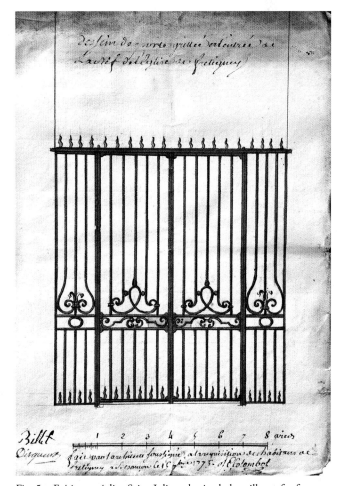

Fig. 5 – Frétigney, église Saint-Julien, dessin de la grille en fer fermant l'entrée à la nef, par Jean-Charles Colombot, 15 novembre 1775 (Arch. dép. Haute-Saône, C 127).

19. Dossier de protection instruit par Jean Marx, documentaliste à la CRMH, DRAC Bourgogne-Franche-Comté.

20. *La Haute-Saône des retables, un langage artistique et symbolique des XVIIᵉ et XVIIIᵉ siècles au service du sacré*, Vesoul, 2000.

21. Voir ci-dessus.

22. Nous ne traiterons ici que le mobilier en stuc pour nous concentrer sur l'atelier des Marca. Les objets en bois sculptés ont donc été volontairement laissés de côté.

23. Nous avons attribué le mobilier à Jacques François ou Giacomo Francesco Marca : Mickaël Zito, *Les Marca (fin XVIIᵉ-début XIXᵉ siècle). Itinéraires et activités d'une dynastie de stucateurs piémontais en Franche-Comté et en Bourgogne*, thèse de doctorat, Paulette Choné (dir.), université de Bourgogne, 2013.

24. L'édifice étant solennellement béni en septembre 1754, il est possible de considérer comme achevés, au moins, le retable et l'autel majeurs. Le reste était peut-être également terminé ou sur le point de l'être, d'autant plus que les stucateurs travaillaient avec grande diligence : leur participation à ce chantier s'inscrit selon toute vraisemblance dans un laps de temps assez court, autour des années 1753-1755. Quoi qu'il en soit, en 1762, lors de la réception de l'édifice, les cinq retables en stuc se dressaient bel et bien dans l'édifice.

25. De l'italien Giovanni Antonio.

26. Annick Deridder, «Constructeurs entre Lorraine et Franche-Comté au XVIIIᵉ siècle», *Mémoires de la Société d'émulation du Doubs*, nº 48, 2006, p. 197 ; Annick Deridder et Pierre Boisnard, «Dom Vincent Duchesne, inventeur et architecte (1661-1724)», *Revue Haute-Saône SALSA*, suppl. au nº 60, 2005, p. 47 ; Mickaël Zito, «De la *patria* à la Franche-Comté : bâtisseurs et stucateurs de la Valsesia dans la province comtoise entre la fin du XVIIᵉ siècle et le début du XIXᵉ siècle», *Diasporas*, nº 32, 2018, p. 71-90.

27. Le travail en série permis par la technique du stuc et le partage des modèles dans le cercle familial rendent difficiles les attributions. Toutefois, certains éléments sont révélateurs, notamment la facture de la statuaire.

L'édifice a été inscrit sur la liste des Monuments historiques par arrêté du 3 juin 1988 [19]. Cette mesure a permis de lancer d'importants travaux de réhabilitation. Ces derniers se sont déroulés en plusieurs étapes de 1991 à 2005, sous le contrôle de l'architecte des Bâtiments de France. Ils ont concerné la réfection des couvertures, du clocher, des verrières et des maçonneries, puis la rénovation du maître-autel et de l'intérieur de l'édifice (consolidation de la coupole, restauration du décor sculpté, badigeon des murs et des voûtes), et enfin tout le mobilier. Soutenue par les habitants, très attachés à leur église, la commune a fortement investi avec l'appui du ministère de la Culture (Conservation régionale des monuments historiques–DRAC Franche-Comté), de la Région et du Département de la Haute-Saône. À la suite de toutes ces opérations, l'église de Frétigney a été intégrée dans une « route des retables » qui vise à inciter un large public à la découverte de la qualité et de la richesse du patrimoine religieux du département [20].

Liliane Hamelin

LE MOBILIER EN STUC

La reconstruction de l'église de Frétigney fut suivie par la réalisation de l'ameublement et de la décoration de l'intérieur du sanctuaire. Les devis rédigés par les frères Galezot [21] prévoyaient, outre le bâtiment, l'ensemble des éléments indispensables au culte, des fonts baptismaux à l'autel principal, en passant par les confessionnaux, le tabernacle, les tableaux et les retables latéraux. Dès 1741, Jean-Pierre Galezot avait prévu de faire intervenir un stucateur, choix qui fut confirmé par son frère lors de la réactualisation du devis.

La réalisation de la plus grande partie du mobilier [22] et des décors fut confiée à l'un des membres de la famille Marca, probablement Jacques François [23]. Celui-ci réalisa, sans doute autour des années 1753-1755 [24], les retables, l'autel majeur (fig. 6) et les autels secondaires, mais également le décor des pendentifs de la coupole. L'histoire de cette commande est bien documentée, puisque les devis des architectes ont été conservés, tout comme le procès-verbal de la réception. Ces données, recoupées par la bonne connaissance que nous avons désormais de la dynastie des Marca, permettent de réécrire la genèse de cet ensemble, remarquable témoignage de la production des stucateurs piémontais et des formes qui se diffusèrent dans la province au XVIIIᵉ siècle.

Les Marca, du Piémont à Frétigney

L'activité des Marca, originaires de la Valsesia, est documentée dans le Piémont au moins depuis la fin du XVIIᵉ siècle. L'arrivée d'un membre de cette dynastie dans la Comté se situe autour de 1716. La venue de Jean Antoine Marca [25] s'explique certainement par la présence d'autres Piémontais dans la région [26]. Il apportait avec lui la technique du stuc, dans une province où la pratique n'était pas courante, voire inexistante, entrant ainsi en concurrence avec les sculpteurs sur bois. Il ouvrait ainsi la voie aux générations suivantes, composées en grande partie de sa propre descendance. La technique du stuc se transmit en effet au sein du cercle familial, de père en fils, d'oncle à neveu, ce qui explique le maintien de l'activité des Marca jusque dans la première moitié du XIXᵉ siècle et l'abondante production d'éléments de mobilier et de décors dans les églises et édifices publics ou privés de la région, notamment dans le plat pays, et des zones limitrophes (Bourgogne, Haute-Marne). En Haute-Saône et dans le Doubs, la plupart des réalisations sont dues à Jacques François Marca (1697-1773), fils de Jean Antoine, installé à Scey-sur-Saône – terre des de Bauffremont – à partir de 1731. Sans doute est-ce d'ailleurs lui qui exécuta le mobilier de Frétigney, dont la facture, notamment en ce qui concerne les éléments de statuaire [27], est comparable à celle de nombre d'œuvres qui lui sont attribuées avec certitude.

Fig. 6 – Frétigney, église Saint-Julien, retable de l'abside, attribué à Jacques François Marca.

28. Un document de 1743 évoque les «Sieurs Marquand père et fils» (Arch. dép. Haute-Saône, C 3). Jacques François, âgé d'une trentaine d'années, faisait peut-être partie du groupe.

29. Voir, dans ce même volume, l'article sur Montigny-lès-Vesoul, fig. 16 (retable de Bletterans)

30. Jean-Pierre Galezot puis son frère précisent dans leurs devis: «pour le grand retable du maitre autel et les deux des chapelles faits en stucque suivant les desseins et même façon des trois autels du village de Bout en son église paroissiale» (Arch. dép. Haute-Saône, B 9328).

31. Cette construction sert de toile de fond au très beau tabernacle en bois doré qui, lui aussi, est censé avoir été fait suivant le modèle de Boult, mais qui est bien différent de celui actuellement visible dans l'église.

Une collaboration familiale

Le choix des frères Galezot de se tourner vers Jacques François Marca n'était pas un hasard. La technique utilisée par le Piémontais offrait en effet plusieurs avantages non négligeables pour les commanditaires: rapidité d'exécution et faible coût. En quelques mois seulement, les Marca réalisaient retables, décors et chaire à prêcher là où les artistes travaillant le bois s'y employaient pendant plusieurs années. Le recours au stuc permettait aussi de réduire les coûts puisqu'il ne nécessitait que des matériaux pauvres – de l'eau, du sable, du gypse, de la pierre pilée et des colles ou des liants dont ils avaient le secret –, de surcroît faciles à acheminer à pied d'œuvre. Il s'agissait là d'un autre avantage par rapport aux sculpteurs sur bois qui travaillaient en atelier et devaient ensuite transporter et assembler les différents éléments. Jean-Pierre Galezot savait en outre que le nom Marca était un gage de sérieux et de qualité, la réputation de cette famille étant établie depuis près de trois décennies. Il est d'ailleurs admis que, vers 1727-1728, Gazelot avait lui-même fourni les dessins du mobilier de l'église de Boult à Jean Antoine, accompagné d'un ou plusieurs de ses fils [28]. Ce chantier joua un rôle important dans l'histoire des Marca, comme le révèle leur production postérieure aux années 1725-1730. En effet, Jean Antoine réalisa, sans doute grâce à sa collaboration avec Galezot, une fusion entre sa culture italienne – il resta fidèle aux usages piémontais, tels la polychromie, le répertoire ornemental et les colonnes à fûts lisses – et les nouveautés stylistiques qui se diffusaient en France dans le premier tiers du XVIIIe siècle. De ce syncrétisme naquirent des formes nouvelles.

À une structure sobre et savamment organisée [29] succédèrent des retables beaucoup plus animés et théâtraux, avec des constructions s'élevant très haut et dont les lignes étirées, incurvées, s'allongent et semblent aspirées par l'espace divin. Ce nouveau style, plus souple et mouvementé, qui renvoie à l'évolution du mobilier français au début du XVIIIe siècle, devint la *lingua franca* des stucateurs de la dynastie Marca qui succédèrent à Jean-Antoine. Ainsi ses enfants érigèrent-ils tout au long du XVIIIe siècle des retables presque identiques dans le Piémont et en Franche-Comté. Le mobilier de Boult (fig. 7), devenu une référence pour les Marca, était encore bien présent dans l'esprit des Galezot qui demandaient dans leurs devis de le prendre comme modèle pour les retables – le grand et les deux plus petits de la croisée [30] –, alors que leurs instructions étaient plus libres, voire inexistantes, pour le reste du mobilier.

Le stuc au service de Dieu

Le retable majeur de Frétigney s'élève au fond du chœur, derrière l'autel-tombeau [31], et épouse la forme du chevet, sans obstruer les grandes fenêtres. Conformément au modèle de Boult, l'immense architecture est constituée d'un haut soubassement avec crédences, au-dessus duquel se dressent six colonnes d'ordre composite supportant un entablement avec fronton interrompu. Au centre, un tableau représente saint Julien alors que les ailes abritent deux niches ornées de têtes ailées et occupées par deux statues. Selon une formule habituelle depuis la Contre-Réforme, saint Pierre, reconnaissable à sa barbe courte et aux clefs qu'il présente, est associé à saint Paul, avec sa longue barbe et une épée. Ils invitent le fidèle à élever le regard vers la gloire formée de deux grandes volutes, flanquées de palmes, au centre desquelles apparaissent dans une nuée la colombe du Saint-Esprit, Dieu le Père en buste et des angelots portant la Croix. De part et d'autre, au départ des volutes, apparaissent deux duos d'angelots. Le groupe de droite présente la colonne, un des instruments de la Passion, alors que ceux d'en face désignent Dieu. Enfin, aux extrémités, deux vases contenant des fleurs complètent l'ensemble. Les statues placées dans les niches et la figure de Dieu se rattachent clairement à la production de Jacques François: mouvement dynamique

Fig. 7 – Boult (Haute-Saône), église Saint-Maurice, retable de l'abside, Jean Antoine Marca.

Fig. 8 – Villers-Chemin-et-Mont-lès-Étrelles (Haute-Sâone), église de La-Nativité-de-Notre-Dame, retable de l'abside, attribué à Jean Antoine Marca.

LILIANE HAMELIN ET MICKAËL ZITO

des poses, du drapé et de la barbe, succession d'une multitude de plis ondulés, rendu très épais des étoffes modelées dans le stuc à l'apparence moelleuse ou encore visages stéréotypés avec un front plissé et des yeux en amande [32].

Autant que pour la structure, le décor et le programme iconographique sont proches de ceux de Boult, à quelques différences près, comme l'absence, à Frétigney, des anges avec palmes et étendards et bien évidemment le sujet du tableau central, intrinsèquement lié à la titulature de l'église.

De manière étonnante, le procès-verbal de 1762 signale que deux colonnes sont manquantes. Or, tout, dans le retable de Frétigney, est conforme à celui de Boult, dont les deux figures qui correspondent peut-être aux anges cités plus haut. Il faut par ailleurs signaler la très forte proximité entre le retable de Frétigney et celui de Mont-lès-Étrelles (Haute-Saône, 1727) [fig. 8], réalisé par Jean Antoine Marca [33], proximité très représentative de la grande homogénéité qui règne dans l'ensemble de la production des membres de la dynastie.

La polychromie de l'ensemble a été remaniée au cours des siècles [34], mais plusieurs faux marbres d'origine ont été retrouvés [35] à la différence de celle de Boult masquée encore par de nombreux repeints. C'est le cas des tons roses et rouges, voire orangés (colonnes, piédestaux, tables des crédences), jaunes (soubassement), des effets de cailloutage [36] (crédence, ailes du retable, entablement), du gris veiné (entablement, fronton, soubassement) et du noir, ou encore du fond bleu de la gloire. Cette alternance de tons chauds, notamment dans les rouges et les roses, et de parties noires et grises se retrouve dans les cinq autres retables en stuc de l'église, là où les repeints ont été dégagés. Cette riche polychromie concourait à la théâtralité de l'ensemble. L'effet était d'ailleurs renforcé par une économie dans le décor – approche éloignée de celle des sculpteurs sur bois qui multipliaient, au contraire, les ornements – au profit d'une lecture claire des lignes de l'architecture soulignées par les couleurs variées.

Ces caractères qui se retrouvent, avec des modulations, d'un édifice à l'autre [37] sont l'une des constantes de la production des Italiens. Les dorures – qui ne sont sans doute pas d'origine – ne semblent en revanche pas appartenir au vocabulaire des Piémontais. Leur usage n'est d'ailleurs attesté ni par les archives ni par les observations faites lors de la restauration des œuvres. Au contraire, on retrouve des teintes ocre ou jaunes [38] qui, une fois polies, pouvaient très bien faire illusion et scintiller. Ajoutons que le coût de la dorure était très élevé par rapport au reste des matériaux et s'accordait mal avec la démarche des Marca visant à maintenir des prix toujours très bas [39].

Les retables latéraux de la croisée sont des versions réduites et adaptées de la formule du retable majeur, avec un soubassement, un corps central flanqué de deux colonnes et une petite gloire composée de deux volutes. Le retable de dextre renferme une représentation de l'*Immaculée Conception* (fig. 9), et l'autre de *La Vierge donnant le Rosaire aux saints Dominique et Catherine de Sienne*. Au-dessus, dans les deux gloires, apparaît le Sacré Cœur au milieu d'une nuée. Les petits retables de Frétigney ne possèdent que deux colonnes, alors que ceux de Boult en ont quatre. Cette différence s'explique peut-être par une adaptation à l'espace destiné à accueillir les constructions, à l'instar, comme nous le verrons, des autres retables de la nef ; elle peut aussi résulter du choix délibéré de Jacques François d'employer un modèle dérivé des formes de Boult, suivant une démarche désormais récurrente dans sa production (Recologne, dans le Doubs, en 1747-1748) ou dans celles de ses frères (par exemple à Bioglio, dans le Piémont, réalisé en 1748 par Jean Baptiste I [40]) [fig. 10]. Rappelons que le procès-verbal de 1762 précise qu'aucun dessin n'a été fourni à l'entrepreneur. Jacques François est-il allé à Boult pour voir les retables ou possédait-il encore les dessins utilisés par son père vingt-cinq ans plus tôt ?

32. Les saints qui peuplent les retables de Jacques François sont stéréotypés, comme on peut le voir à Mouthe, à Evillers, à Marchaux, à Tincey, etc. Les personnages modelés par son père sont moins massifs et leurs attitudes plus contenues, moins théâtrales, alors qu'on dénote dans la production de son frère Joseph Antoine (Giuseppe Antonio) une plus grande élégance et une meilleure maîtrise de l'anatomie.

33. Attribution fondée sur des comparaisons stylistiques.

34. En 1851, le peintre de Besançon Sébastien Baldauf redora divers ornements du retable et blanchit les deux statues (Arch. dép. Haute-Saône, 257 E suppl. 29, marché du 1er juillet 1851). Les faux marbres foncés, mouchetés vert et bordeaux, des socles et ceux gris clair des colonnes – qui ne correspondent pas à ceux des Marca – ont sans doute été réalisés vers 1911-1913.

35. Plusieurs dégagements ont eu lieu, notamment en 1996, et la restauration complète s'est achevée en 2009.

36. Charles Marca, neveu de Jacques François, fut chargé de la mise en couleur du retable majeur de l'église de Pin en 1776. Parmi les requêtes des paroissiens, signalons «[...] les colonnes en cailloutage [...]» ou «[...] le fond de la gloire [...] mis en bleu clair [...]» (Arch. dép. Haute-Saône, C 104, 1777-1781 ; devis, procès-verbaux d'adjudication et visites des travaux communaux de Pin).

37. Voir, dans ce même volume, l'article sur Montigny-lès-Vesoul, p. 223-238.

38. Le retable de la Madonna del Carmine de Piane Sesia (1722), dont les couleurs semblent d'origine, n'est pas doré mais possède de nombreux éléments colorés en jaune. Par ailleurs, à Pin en 1776, il était prévu de peindre en «jonquille» les rayons de la gloire.

39. Voir M. Zito, *Les Marca...*, *op. cit.* note 23, p. 203-210.

40. Dans les sources italiennes, il est nommé Giovanni Battista.

Fig. 9 – Frétigney, église Saint-Julien, transept, bras nord, autel et retable attribués à Jacques François Marca.

Fig. 10 – Bioglio (Piémont), église de l'Assomption de la Vierge, bras nord du transept, retable, Jean Baptiste I Marca.

Fig. 11 – Frétigney, église Saint-Julien, nef, côté nord, chapelle latérale, retable attribué à Jacques François Marca.

LILIANE HAMELIN ET MICKAËL ZITO

Les deux autres retables, situés dans la nef, sont beaucoup plus simples et sont composés de «[...] consoles accompagnés d'ornement et de couronnement au dessus des tableaux [...][41]» (fig. 11). Une fois encore, les formes se retrouvent dans d'autres églises ornées par les Marca, dont celle de Brusnengo dans le Piémont, où intervint Jean Baptiste I en 1748. L'absence de colonnes et le choix de formes plus simples sont expliqués et justifiés dans le procès-verbal par «[...] la petitesse des chapelles [...]». Le même esprit anime le retable des fonts baptismaux qui est matérialisé par un élégant drapé ouvert sur un *Baptême du Christ* surmonté d'un dais.

Enfin, cet ensemble est complété par des bas-reliefs en stuc sur chacun des quatre pendentifs de la coupole [42] (fig. 3). Les Évangélistes y sont représentés assis devant un pupitre, accompagnés de leurs symboles : l'aigle pour Jean [43], le taureau pour Luc, le lion pour Marc et l'homme ailé ou l'ange pour Matthieu. Des rayons lumineux perçant les nuées, image de l'inspiration divine, se dirigent vers eux alors qu'ils écoutent ou écrivent attentivement. Il s'agit de l'un des rares décors de ce type conservés dans la région, avec celui de l'église de Mont-lès-Étrelles. La coupole a également été traitée avec un soin particulier puisque les arêtes ont été soulignées et leur départ marqué par une tête ailée, alors qu'au centre apparaît la colombe du Saint-Esprit. Le stucateur aurait pu, comme c'est le cas dans d'autres églises [44], se charger aussi de la chaire à prêcher. Or, pour une raison inconnue, les Galezot ont opté pour une œuvre en bois, ce qui montre que les paroissiens pouvaient accepter la présence dans leurs églises d'œuvres réalisées dans des matériaux différents, par des artistes de culture, de formation et de style variés.

Si le mobilier de Frétigney est exceptionnel à la fois par sa qualité, sa richesse et son originalité, il apparaît également comme la parfaite illustration des modes opératoires mis en œuvre pour l'ameublement et le décor d'un édifice de culte au XVIIIᵉ siècle. Il s'agit également d'un excellent témoignage des forces vives en présence dans la province et des liens qui pouvaient être tissés entre les acteurs concernés – locaux ou non – et les spécificités régionales engendrées par ces rencontres.

41. Arch. dép. Haute-Saône, B 9328, procès-verbal de 1762 dressé au moment du rendu des travaux.

42. Le décor de la coupole et de ses pendentifs ne sont pas mentionnés dans le devis, ni l'iconographie des retables à l'exception d'un «[...] père éternel au couronnement et plusieurs anges [...]». Ces éléments étaient sans doute discutés avec le curé de la paroisse et peut-être précisés lors de discussions.

43. Une photographie de 1987 montre que le bas-relief représentant saint Jean avait disparu, ne laissant qu'une empreinte à son emplacement. Il a été restitué lors de la restauration de l'édifice. Voir la notice de l'église (MHR43_00702459ZA) en ligne sur la base POP (https://www.pop.culture.gouv.fr/notice/memoire/MHR43_00702459ZA?mainSearch=%22fretigney%22&last_view=%22list%22&idQuery=%227a64c65-c60f-08c2-1e0c-341b3dfad084%22).

44. Églises Saint-Barthélemy de Recologne (Doubs), Saint-Martin de Tincey (Haute-Saône), Saint-Cyr-et-Sainte-Julitte de Savoyeux (Haute-Saône).

Crédits photographiques – fig. 1 à 7, fig. 11 : Jean-Louis Langrognet ; fig. 8, 9 et 10 : Mickaël Zito.

L'église de la Décollation-de-Saint-Jean-Baptiste de Traves

Un petit édifice de plan centré au voûtement audacieux

Jean-Louis LANGROGNET *

Située à environ 15 kilomètres au sud-ouest de Vesoul sur un plateau dominant un méandre de la Saône (fig. 1), l'église actuelle de Traves a été construite de 1746 à 1748, à deux pas d'une ancienne motte castrale, pour remplacer un modeste édifice médiéval devenu trop exigu [1]. Elle s'inscrit dans une petite série d'églises comtoises à plan centré, situées pour la plupart dans le département de la Haute-Saône [2], et se distingue par le parti précoce d'un plan en croix grecque avec couvrement de la croisée par une coupole hémisphérique reposant sur quatre colonnes ioniques. Son architecte n'est pas formellement identifié, mais les archives font apparaître le rôle décisif dans la conduite des travaux du curé de la paroisse, un missionnaire de Beaupré, Pierre Nicolas Humbert (1710-1780) [3], bon connaisseur des architectes et des chantiers bisontins du milieu du siècle. De petites dimensions, l'édifice construit présente une austère volumétrie qui intrigue (fig. 2) et cache un espace intérieur fluide et subtil, ponctué par un élégant mobilier (fig. 3).

Un chantier sous la direction du curé de la paroisse

Siège de l'un des quinze décanats du diocèse au XVIIIe siècle, la paroisse de Traves réunissait les habitants du village et, depuis la fin du XVIIe siècle, ceux de Bucey-lès-Traves et d'un hameau proche, le Moutherot [4]. Dès les années 1720, le presbytère et une modeste église, établis à peu de distance des ruines du château de la famille de Bauffremont, avaient été reconnus en mauvais état, mais ils ne reçurent pas de réparations notables en raison de l'inertie de la communauté et de la faiblesse de ses ressources annuelles [5]. En mars 1744, avec l'arrivée d'un nouveau curé, Pierre Nicolas Humbert [6], la situation allait évoluer. Dès l'année suivante, sous son impulsion, les habitants de Traves et de Bucey-lès-Traves (au nombre d'environ quatre-cents) se résolurent à bâtir une église neuve :

> M. Humbert prit le fait en main comme ayant toutes les capacités et connaissances imaginables, tant pour le spirituel que pour le temporel, étant un grand génie, bon et sage prêtre, grand théologien et un des habiles prédicateurs de son temps, zélé en toutes choses pour la gloire de Dieu et la décoration de son saint temple [7].

Dans un premier temps, afin de disposer des moyens nécessaires pour entretenir un chantier coûteux, la communauté de Traves sollicita et obtint, en automne 1745, un arrêt du Conseil d'État du Roi autorisant la vente des 155 arpents 50 perches du quart de réserve des bois communaux et l'affectation du produit à la « reconstruction à neuf » de l'église et d'un presbytère avec grangeage. Chargé du dossier, le grand maître des eaux et forêts des duché et comté de Bourgogne, Philibert Durand d'Auxy, procéda au siège de la maîtrise particulière de Vesoul, le 15 décembre 1745, à l'adjudication des bois au sieur Huvelin pour 15 960 livres 18 sols [8] puis, dans la foulée, à l'adjudication des travaux de l'église et du presbytère à l'entrepreneur bisontin Pierre Joseph Amodru pour 16 000 livres.

* Conservateur honoraire des antiquités et objets d'art de Haute-Saône.

1. Voir Éric Affolter, André Bouvard et Jean-Claude Voisin, *Atlas des villes de Franche-Comté : série médiévale*, vol. I, *Les bourgs castraux de la Haute-Saône*, Nancy, 1992, p. 184.

2. Voray-sur-l'Ognon, Cirey-lès-Bellevaux, Noidans-lès-Vesoul, Neurey-en-Vaux, Blondefontaine. Voir Denis Grisel et Jean-Louis Langrognet, « L'architecture publique et religieuse en Haute-Saône au XVIIIe siècle », dans *Architectures en Franche-Comté au XVIIIe siècle*, Besançon, 1980, p. 49-124.

3. P. N. Humbert appartenait à la communauté de prêtres de la mission diocésaine, fondée en 1676 par l'archevêque de Besançon François-Joseph de Grammont, qui avait pour finalité de « travailler au salut des peuples, surtout dans les paroisses de la campagne, en donnant des missions et retraites ». De santé fragile, il fut envoyé à la cure de Traves en 1744, puis à celle de Saint-Vit (Doubs) quatre ans plus tard (Jean-Baptiste Bergier [abbé], *Histoire de la communauté des prêtres missionnaires de Beaupré*, Besançon, 1853, p. 241).

4. Lieu où existaient alors les bâtiments d'un prieuré rural relevant à l'origine de l'abbaye de Saint-Marcel-lès-Chalon (près de Chalon-sur-Saône), et dont l'église primitive, construite vers 1073 par le seigneur de Traves, passa à l'ordre de Cluny dans le siècle suivant avant de devenir paroissiale pour les habitants du Moutherot et de Bucey-lès-Traves jusqu'à la fin du XVIIe siècle. Outre un corps de logis, ne subsistait au XVIIIe siècle qu'une petite chapelle reconstruite après la guerre de Dix Ans et desservie par le curé de Traves. Le prieur possédait le droit de patronage sur l'église de Traves (Louis Ducros, *Le prieuré du Mostrot-lez-Traves, 1073-1792*, s. l. n. d.).

5. Reconnu inhabitable, le presbytère avait fait l'objet d'un projet de reconstruction établi par l'ingénieur des ponts et chaussées François de Lurion de l'Égouthail en 1721, projet qui resta sans suite malgré les procédures introduites par le curé d'alors, Jacques Chouet. Ce dernier se résigna finalement à louer une maison dans le village.

Fig. 1 – Traves, église de la Décollation-de-Saint-Jean-Baptiste, vue de l'église sur son éminence.

6. Arch. dép. Doubs, G 620, envoi en possession de P. N. Humbert à la cure de Traves.

7. Extrait du journal du maître d'école de Traves, Jean Mathieu (1707-1787). Ce journal apporte de précieuses informations sur la construction de l'église et du presbytère, ainsi que sur les actions du curé Humbert et de ses successeurs. Conservé au presbytère de Traves jusque dans les années 1960, il a disparu depuis, mais il nous est connu par les transcriptions publiées dans Victor Trébillon et Louis Ducros, *Histoire religieuse de Traves, des origines à 1802*, s. l., [1977], et par une lettre détaillée signée en 1945 par l'abbé Galmiche, alors curé de Traves, adressée au chanoine bisontin Quinnez (Archives de la Conservation des antiquités et objets d'art de la Haute-Saône, déposées aux Archives départementales de la Haute-Saône).

8. Arch. dép. Doubs, B 1332, fol. 4v et 14v. Joachim Huvelin, négociant associé le plus souvent à des banquiers bisontins ou des maîtres de forges, était l'un des principaux acheteurs de bois dans les maîtrises de Dole, Gray et Vesoul au cours des années 1740.

9. Arch. dép. Haute-Saône, B 9001, fol. 187, ordonnance du grand maître du 14 janvier 1746. De leur côté, les habitants de Bucey-lès-Traves, en qualité de co-paroissiens, avaient obtenu la vente de 38 arpents de leur quart de réserve pour assurer le paiement de leur quote-part des travaux.

10. Arch. dép. Haute-Saône, 1 J 757, copie moderne du marché passé avec le représentant du marquis de Bauffremont devant le notaire Garnier de Rupt-sur-Saône le 13 avril 1746.

11. Dès 1745, les habitants de Traves avaient acheté les ruines du château de la famille de Bauffremont, situées à faible distance de la future église, pour trouver en abondance pierres d'appareil et sable, la pierre de taille étant tirée, quant à elle, des carrières de Scey-sur-Saône.

12. V. Trébillon et L. Ducros, *Histoire religieuse de Traves…*, *op. cit.* note 7, p. 100. Le curé P. N. Humbert posa la première pierre, en présence de dix-huit curés des paroisses voisines, « à l'angle gauche du chœur, du côté de l'Évangile ».

13. *Ibid.*, p. 100.

14. *Ibid.*, p. 101 ; Arch. dép. Haute-Saône, 2 E 111, m. n. Didrot, 21 septembre 1749, reconnaissance par les habitants des travaux réalisés à l'église, au presbytère et au grangeage.

Mais constatant que le produit des bois, après déduction des taxes et frais divers, atteignait à peine la somme de 14 000 livres, la communauté se retourna aussitôt vers l'administration forestière pour être autorisée, en janvier suivant, à couper une assiette de bois supplémentaire [9].

Il ne restait plus alors aux habitants de Traves qu'à se rendre propriétaires d'un terrain jouxtant le cimetière, propriété du marquis Louis Bénigne de Bauffremont, pour disposer de la surface nécessaire à l'implantation des deux édifices projetés. Cette négociation fut réalisée avec succès en avril 1746 [10]. Tous les matériaux nécessaires « à la bâtisse de l'église » étant prêts [11], P. N. Humbert invita le 13 mai suivant les curés du voisinage à la pose de la première pierre [12]. Ensuite, le chantier alla bon train, comme le rapporte le maître d'école du village, Jean Mathieu, dans les notes de son journal [13] :

> Les murs de l'église furent mis à leur hauteur la même année ; le tout fut fait à la journée. Ce fut le nommé Joseph Amodru qui conduisait l'ouvrage en qualité d'appareilleur sous M. Humbert qui gouvernait toutes choses avec grande économie. Les femmes et les filles portaient toute l'eau nécessaire pour fonder la chaux et pour la bâtisse de l'église avec grande émulation, ce qui fit une épargne considérable. Tous les bois nécessaires […] furent pris dans les assiettes et amenés en place gratis par les habitants ; toute la chaux faite à Bussey [Bucey-lès-Traves] en trois fourneaux a été amenée de même.

> L'on fit chercher 70 voitures de tuf à Echenoz devant Vesoul [Échenoz-la-Méline] pour les voûtes de l'église et les cheminées de la cure ; c'est moi qui fus pour faire charger les voitures des deux convois ; les voitures n'ont coûté que 50 livres que je donnai aux charretiers pour boire de la part de M. Humbert.

> Je fus à Rosières-sur-Mance avec cinq charretiers de Traves pour chercher du gypse pour l'église. Je payai 50 livres la voiture et 8 livres à chaque charretier. C'est le sieur Albert qui a fait les voûtes avec Charles Depolice son neveu pour 1 000 livres.

Dix-huit mois plus tard, le 8 novembre 1747, P. N. Humbert présidait à la bénédiction de l'église neuve au cours d'une éclatante cérémonie, devant « un grand nombre de peuples du voisinage ». Dès lors, l'entrepreneur P. J. Amodru put se consacrer aux travaux du presbytère et du grangeage, qu'il acheva à la fin de 1749 [14].

272

JEAN-LOUIS LANGROGNET

Fig. 2 – Traves, église de la Décollation-de-
Saint-Jean-Baptiste, vue latérale sud.

Fig. 3 – Traves, église de la Décollation-de-
Saint-Jean-Baptiste, vue de l'intérieur en
direction du sanctuaire.

15. Prêtre venu de Marnay, nommé par Claude François Duban, chanoine de l'église métropolitaine de Besançon et prieur du Moutherot. Il prit possession de la cure de Traves le 27 juin 1748.

16. V. Trébillon et L. Ducros, *Histoire religieuse de Traves…, op. cit.* note 7, p. 102-103. Installée dans le beffroi en 1750 mais défectueuse, la cloche fut renvoyée à Besançon pour être refondue l'année suivante.

17. Arch. dép. Haute-Saône, 2 E 112, m. n. Didrot, délibération du 6 février 1752.

18. V. Trébillon et L. Ducros, *Histoire religieuse de Traves…, op. cit.* note 7, p. 112.

19. Arch. dép. Haute-Saône, 504 E dépôt 10, fol. 38.

20. La toiture du clocher a été redessinée avec un lanternon et couverte de fer blanc par l'architecte départemental Louis Moreau en 1829. Ce parti a été conservé lors de la restauration de 2011-2012.

Après le départ de P. N. Humbert pour la cure de Saint-Vit dans le Doubs en 1748, ce fut à son successeur, le curé Paul Étienne Deleule [15], d'assumer l'aménagement des abords de l'église, la construction des murs du cimetière et l'achat d'une cloche [16]. Il restait à meubler et à orner dignement l'édifice. En 1752, les communautés de Traves et de Bucey-lès-Traves donnèrent procuration à P. É. Deleule pour faire « couper des chênes de haute futaye » dans leurs bois et d'en remettre le produit à leur ancien curé P. N. Humbert pour l'employer à « la décoration du lieu et spécialement au retable » du maître-autel [17]. Nous ne connaissons pas le détail des échanges qui suivirent, ni à qui le curé Humbert demanda les dessins du mobilier souhaité, mais nous savons qu'à la Toussaint 1760 les retables du maître-autel et des chapelles étaient en place et qu'ils avaient été exécutés au prix de 5 562 livres par un sculpteur bisontin réputé, Charles Garnier [18]. Au terme de quinze années d'efforts consentis par les paroissiens, le vicaire général du diocèse, Claude Ignace Franchet de Rans, se rendit à Traves le 28 septembre 1761 pour consacrer solennellement l'église neuve [19].

L'ÉDIFICE CONSTRUIT : ENTRE TRADITION ET INNOVATION

Entourée de son cimetière et précédée d'un clocher-porche à toiture à l'impériale (modifiée au XIXe siècle [20]), l'église de Traves présente des volumes extérieurs particulièrement sobres, dont les articulations vigoureuses révèlent le parti du plan centré en croix grecque (fig. 4) mais sans laisser deviner les subtilités de l'espace intérieur et de son voûtement. Une croisée centrale de plan carré, couverte d'une coupole hémisphérique sur pendentifs portée par quatre colonnes à chapiteau ionique, s'ouvre sur les bras de la croix, formés chacun de deux travées à voûtes d'arêtes (fig. 5 et 6). Dispositif inusité jusqu'alors en Franche-Comté, les travées flanquant la croisée sont reliées entre elles par d'étroits

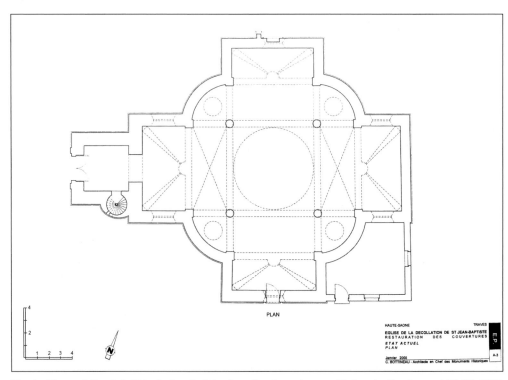

Fig. 4 – Traves, église de la Décollation-de-Saint-Jean-Baptiste, plan par Christophe Bottineau, ACMH, 2005 (UDAP de la Haute-Saône).

JEAN-LOUIS LANGROGNET

Fig. 5 – Traves, église de la Décollation-de-Saint-Jean-Baptiste, coupole.

collatéraux en arc de cercle, à voûte arrondie percée d'une coupolette (fig. 7 et 8). Ainsi, un passage continu est assuré d'un bras à l'autre, facilitant le déplacement des fidèles en procession ainsi que le service des autels placés de chaque côté du chœur. Les doubleaux des voûtes retombent sur les colonnes de la croisée et sur huit pilastres d'angle à chapiteau ionique surmontés de dés cubiques. Chargés dans les combles par des murets continus de même hauteur formant tas de charge, ces doubleaux opposent mutuellement leurs poussées et sont contrebutés par les murs des quatre bras de la croix jouant le rôle de contreforts et assurant la stabilité des arcades sur lesquelles repose la coupole.

Comme pour la plupart des églises rurales comtoises édifiées depuis le début du siècle, les murs gouttereaux, épais de deux ou trois pieds, sont construits en moellons revêtus d'un enduit de chaux et sable. La corniche en pierre de taille dont ils étaient habituellement couronnés n'a pas été établie à Traves pour des raisons d'économie. Seuls le portail du clocher avec son œil-de-bœuf (fig. 9), les deux portes latérales à linteau droit et les six baies en plein cintre sont en pierre de taille, extraite des carrières réputées du village de Scey-sur-Saône. Le vitrage blanc d'origine, provenant généralement du Bief d'Étot (Doubs), a été remplacé au XIXᵉ siècle – comme dans la plupart des églises – par des vitraux colorés, ce qui, avec les actuelles teintes ocrées ou rosées des murs (recouverts à l'origine d'un blanc intense), a réduit la diffusion et la réverbération de la lumière au sein de l'édifice et fortement altéré le jeu spatial initial.

Fig. 6 – Traves, église de la Décollation-de-Saint-Jean-Baptiste, vue de la charpente en cours de restauration montrant l'extrados de la coupole.

Fig. 7 – Traves, église de la Décollation-de-Saint-Jean-Baptiste, coupolette d'un collatéral.

Fig. 8 – Traves, église de la Décollation-de-Saint-Jean-Baptiste, extrados de la coupolette d'un collatéral.

21. Outre les projets et réalisations de l'architecte Nicolas Nicole, citons plus particulièrement l'exemple de l'église paroissiale octogonale de Blondefontaine en Haute-Saône avec sa coupole retombant sur huit colonnes ioniques et contrebutée par un vaisseau annulaire à voûtes d'arêtes, qui a été conçue par l'ingénieur des ponts et chaussées Claude Ignace Lingée en 1778 et mise en chantier dix ans plus tard.

22. Citons les expérimentations conduites par l'ingénieur Emiland Gauthey sur les chantiers des églises de Givry (1772-1790) et de Barizey (1780-1786) en Saône-et-Loire et par le sous-ingénieur P. J. Guillemot à Poncey-sur-Lignon (Côte-d'Or) en 1785.

Si les travaux de maçonnerie et du second œuvre de l'église de Traves relèvent des savoir-faire et prescriptions rencontrés dans tous les devis des églises comtoises de la première moitié du XVIIIe siècle, le plan, la minceur des supports de la coupole, la fluidité des espaces voûtés et les discrètes solutions de contrebutement annoncent des recherches qui se développeront et s'enrichiront dans la seconde moitié du siècle, tant au niveau national qu'en Franche-Comté [21] et en Bourgogne [22]. Ce qui conduit à s'interroger sur l'identité exacte de son architecte.

LES INTERROGATIONS SUR L'IDENTITÉ DE L'ARCHITECTE

Rappelons que, jusqu'au début des années 1750, lorsqu'une communauté sollicitait la coupe du quart de réserve de ses bois, le grand maître des eaux et forêts devait faire parvenir au Contrôleur général des finances non seulement un rapport sur l'opportunité de la coupe, mais également les plans et devis de l'édifice à réparer ou à reconstruire, dressés par l'architecte que lui-même ou le maître particulier avait nommé. Après examen favorable, le Conseil rendait un arrêt précisant le nombre d'arpents à couper et ordonnait la reconstruction souhaitée sur les plans et devis transmis, lesquels ne pouvaient être modifiés ensuite qu'avec une autorisation formelle de l'administration forestière. Nous ne connaissons pas le projet architectural initial approuvé par le Conseil et adjugé par le grand maître en décembre 1745 ni son auteur, mais il est probable qu'il devait s'agir d'un projet d'église en croix latine de petites dimensions, voûtée d'arêtes et précédée d'un clocher-porche, selon une formule peu coûteuse, diffusée de manière pratiquement uniforme dans la vallée de la Saône depuis le début du siècle pour les paroisses de taille modeste.

Si l'église réalisée est très différente, c'est qu'un autre projet que celui adjugé a été adopté avant le début du chantier et accepté par le grand maître. Confirmation nous en est donnée par une délibération des habitants de Traves en 1749. Ces derniers, sollicitant

Fig. 9 – Traves, église de la Décollation-de-Saint-Jean-Baptiste, portail du clocher-porche.

23. Arch. dép. Haute-Saône, 2 E 111, m. n. Didrot, délibération du 1er septembre 1749.

24. P. N. Humbert avait été associé en 1730 aux débats sur la reconstruction de l'abside du Saint-Suaire de la cathédrale Saint-Jean de Besançon et apposa sa signature sur le devis de l'architecte Jean Pierre Galezot. Voir Annick Derrider, «La construction de l'abside du Saint-Suaire et du nouveau clocher», dans *La cathédrale Saint-Jean de Besançon*, Besançon, 2006, p. 58.

25. Voir page 279.

26. Arch. dép. Haute-Saône, 2 E 6083, m. n. Pierre Clerc, marché du 13 octobre 1746.

l'envoi d'experts pour procéder à la réception des travaux de l'église, firent observer au nouveau grand maître des eaux et forêts, Claude François Renouard de Fleury-Villayer, que, si l'entrepreneur adjudicataire, Pierre Joseph Amodru, «n'a pas exactement suivi les plans et devis de l'église, ce n'a été que pour rendre cette construction plus solide, plus durable, moins dispendieuse à la communauté, et que M. d'Auxy, lors grand maître, ayant examiné et fait examiner par des gens et habiles architectes les nouveaux plans et devis, les approuva et ordonna qu'ils seraient exécutés [23]». Réputé pour ses «connaisances» dans le domaine de l'architecture et connu pour les relations qu'il entretenait depuis 1730 avec les architectes bisontins en vue, tels que Jean-Pierre Galezot (1686-1742) avant sa disparition en 1742 [24] et surtout Nicolas Nicole (1702-1784) [25], le curé Pierre Nicolas Humbert, installé depuis peu à Traves, était bien le seul à pouvoir obtenir du grand maître ce changement du projet initial.

Doit-il être considéré pour autant comme l'auteur des plans de l'actuelle église du village? On pourrait le penser, sachant qu'il avait été sollicité en cette même année 1746 pour donner le dessin «du dome ou coupole» de l'église de Confracourt toute proche [26] et qu'il avait confié, de sa propre autorité, la construction des voûtes et de la coupole de

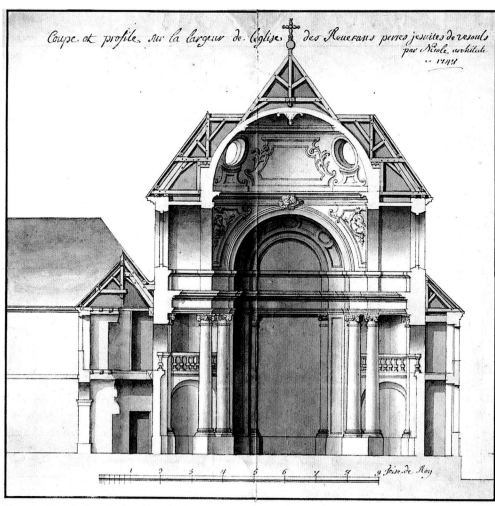

Fig. 10 – Vesoul, chapelle du collège des Jésuites, projet de Nicolas Nicole, coupe transversale, 1748 (Arch. dép. Haute-Saône, D 59).

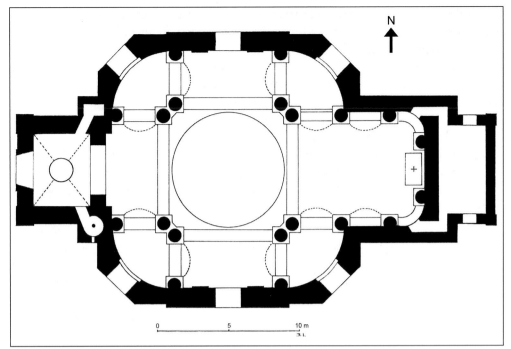

Fig. 11 – Voray-sur-l'Ognon (Haute-Saône), plan de l'église construite par l'architecte Nicolas Nicole, 1775 (relevé Jean-Louis Langrognet).

Traves à deux artisans du bâtiment d'origine italienne bien connus dans la région, «le sieur Albert et son neveu Charle Antoine Depolice[27]». Mais il est fort possible aussi qu'il ait emprunté ou adapté des esquisses demandées à l'architecte N. Nicole, dont il semble alors très proche. Ce dernier multipliait en effet depuis 1730 des projets et réalisations comprenant des coupoles hémisphériques particulièrement aériennes et élégantes[28], comme celle de l'église de la Madeleine à Besançon, du village de Chemaudin (Doubs) ou de la chapelle des Jésuites à Vesoul (fig. 10), bien différentes des coupoles octogonales à bandeaux coiffant la croisée de toute une série d'édifices bâtis de la fin du XVIIe siècle jusqu'aux années 1750[29]. N. Nicole imaginera même, durant l'année 1754, de remplacer l'église Saint-Pierre de Besançon, dont le chantier était à l'arrêt depuis vingt ans, par un édifice comportant une vaste coupole ovale portée sur plate-bande par huit paires de colonnes doriques[30], projet établi secrètement sur l'ordre de l'intendant, puis abandonné, mais que P. N. Humbert fut alors l'une des rares personnalités à connaître[31]. Quelques années plus tard, en 1774, N. Nicole réalisa pour la paroisse de Voray-sur-l'Ognon, mais à cette date dans un esprit néoclassique affirmé, une étonnante église à plan centré en croix grecque reprenant le parti de collatéraux en quart de cercle qui avait été mis en œuvre à Traves dix-huit ans plus tôt[32] (fig. 11).

UN RETABLE ET DES BOISERIES EXÉCUTÉS AU MILIEU DU XVIIIe SIÈCLE PAR UN ATELIER BISONTIN

Comme nous l'avons vu, les communautés co-paroissiales avaient sollicité en 1752 les conseils de leur ancien curé pour mettre en place du mobilier, en particulier un retable au maître-autel. Il ne fait guère de doute que les retables exécutés et posés dans l'église de Traves par le sculpteur bisontin Charles Garnier (1720-1776) en 1760 l'aient été sur des

27. Il s'agit sans aucun doute de l'un des deux frères Albert (Pierre ou François), entrepreneurs-architectes arrivés du duché de Milan et actifs dans la première moitié du XVIIIe siècle sur de nombreux chantiers d'abbayes, d'églises paroissiales et d'édifices privés. On sait qu'ils construisaient l'église d'Offlanges (Jura) en 1728, que Pierre Albert donna en 1742 un devis de reconstruction des voûtes de l'église de Soing, toute proche de Traves, et que François Albert était présent lors de la pose de la première pierre de l'église de Frétigney, dont il réalisa sans doute la coupole octogonale en 1753. Charles Antoine Depolice (ou De Paulis) est connu en qualité de maçon et «gisseur»: Patrick Boisnard, «Répertoire d'architectes et de quelques entrepreneurs actifs principalement dans le nord de la Franche-Comté, dans la première moitié du XVIIIe siècle», article à paraître dans un prochain bulletin de la SALSA (Société d'Agriculture, Lettres, Sciences et Arts de Haute-Saône).

28. Coupole sur tambour de la chapelle du Refuge à Besançon en 1730, coupole sur la croisée de la Madeleine à Besançon sur un projet de 1742, coupole du même type pour l'église de Chemaudin (Doubs) en 1740 et de la chapelle des Jésuites à Vesoul en 1748 (projet abandonné), ainsi que pour l'église abbatiale de Baume-lès-Dames (Doubs) en 1758.

29. Saint-François-Xavier et Notre-Dame de Battant à Besançon, Bonnay et Vaux-les-Prés dans le Doubs, Villers-Chemin-Mont-lès-Etrelles, Igny, Maizières et Frétigney en Haute-Saône, Offlanges dans le Jura.

30. Lucien Ledeur (chanoine), «La difficile reconstruction de l'église Saint-Pierre», *Mémoires de la Société d'Émulation du Doubs*, no 14, Besançon, 1972, p. 29.

31. Dans un courrier de décembre 1754, il demande à l'économe de la Mission de Beaupré de bien vouloir remettre à la personne qu'il envoie «les plans de l'église Saint-Pierre» rangés dans son cabinet, dans un étui de fer, en le priant d'observer la plus grande discrétion: «vous ferez seulement semblant d'avoir quelque chose à chercher dans ma chambre» (Arch. dép. Doubs, G 1229).

32. D. Grisel et J.-L. Langrognet, «L'architecture publique et religieuse…», *op. cit.* note 2, p. 79-80.

33. Jean Courtieu, *Sculpteurs et artisans du mobilier religieux comtois au XVIIIe siècle*, Besançon, 2014. p. 36.

34. Le sculpteur Augustin Fauconnet fut envoyé chez le curé Humbert par la communauté de Lods pour examiner le dessin du retable projeté (Arch. dép. Doubs, 14 J 5).

35. Arch. dép. Haute-Saône, 393 E dépôt 39.

36. Ch. Garnier s'était vu confier en 1745 l'exécution du maître-autel et du tabernacle de l'église Saint-Georges de Vesoul, sur les plans et devis de N. Nicole (Arch. dép. Haute-Saône, 550 E dépôt 67).

modèles donnés par P. N. Humbert, dont la compétence dans le domaine du mobilier religieux était reconnue. Ne lui avait-on pas confié en 1746 la surveillance des travaux du sculpteur Julien Chambert à la cathédrale Saint-Jean de Besançon [33] ? Nous savons qu'il dessina en 1753 le retable du maître-autel de l'église de Lods (Doubs) [34] et qu'il fournit une esquisse en 1756 pour un retable latéral de l'église d'Oiselay (Haute-Saône) qu'aurait dû exécuter Charles Garnier « suivant l'ydez de M. Humbert [35] ». Le sculpteur Charles Garnier semble avoir noué une relation de confiance tant avec le curé Humbert qu'avec l'architecte Nicolas Nicole [36]. Après le retable du maître-autel de Traves, il réalisera en 1763, soit trois ans plus tard, celui de l'église de Cléron (Doubs) [37] qui n'est pas sans similitudes…

Fig. 12 – Traves, église de la Décollation-de-Saint-Jean-Baptiste, retable du maître-autel.

JEAN-LOUIS LANGROGNET

Fig. 13 – Traves, église de la Décollation-de-Saint-Jean-Baptiste, gloire du retable du maître-autel, détail.

Adossé au mur du chevet, mais légèrement concave, le retable de Traves présente au centre un tableau de saint Jean-Baptiste, patron de la paroisse, et deux ailes encadrées de pilastres d'ordre composite portant entablement et ornées de tableaux à cadre chantourné figurant saint Taurin à gauche et saint Guérin à droite (fig. 12). Au couronnement, la gloire brillamment sculptée prend la forme d'une nuée rayonnante parsemée de têtes ailées de chérubins, inscrite entre deux consoles et deux anges adorateurs en ronde bosse (fig. 13). Le cœur du Christ en haut-relief qui en occupe le centre semble d'origine, mais il est possible aussi qu'il soit du XIXᵉ siècle et ait pris la place d'un autre motif. De part et d'autre du sanctuaire, des boiseries formant les retables de quatre autels tapissent les murs des collatéraux et leur retour. Elles sont ornées de toiles et de médaillons peints (ainsi que de deux statues en bois doré du XIXᵉ siècle) dont l'iconographie est liée aux dévotions introduites à Traves depuis le XVIIᵉ siècle par des fondations et confréries [38].

L'ensemble, clairement composé, témoigne des évolutions stylistiques apparues au milieu du XVIIIᵉ siècle en Franche-Comté. Aux retables chargés de sculptures des premières décennies, influencés par un répertoire décoratif venu de Savoie ou du Piémont, ont succédé peu après 1750 des réalisations plus sobres, fermement architecturées et élégantes, réservant la luxuriance décorative au seul couronnement [39]. La multiplication des chantiers d'églises paroissiales et la nécessité d'en contrôler les coûts ont en effet conduit les autorités de tutelle des communautés villageoises à donner un rôle accru aux architectes dans la mise en place du mobilier. Menuisiers et sculpteurs se sont alors trouvés confrontés, comme Charles Garnier, à des dessins plus épurés et à un emploi canonique des ordres.

37. J. Courtieu, *Sculpteurs et artisans...*, *op. cit.* note 33, p. 69.

38. Citons en particulier la confrérie de saint Joseph, pour assister les agonisants, ainsi que celle de l'Immaculée conception de la Vierge, les fondations de la chapelle Saint-Claude et Saint-Nicolas et celle des âmes du purgatoire.

39. Jean-Louis Langrognet, « Les retables des églises comtoises au XVIIIᵉ siècle », *Bulletin du centre de recherches d'art comtois* publ. par l'université de Besançon, n° 3, 1989-1990 (janvier 1991).

L'église de Traves n'a pas subi de transformations majeures au XIXᵉ siècle, si ce n'est la toiture à l'impériale du clocher, qui a été dotée en 1829 d'un lanternon par l'architecte départemental Louis Moreau. En 1840, après la visite de l'archevêque de Besançon, le cardinal Mathieu, et sur ses injonctions, les dorures du mobilier furent refaites et une mise en couleurs de l'intérieur de l'édifice exécutée sous le contrôle des architectes Lebeuffe et Renahy, tandis que la toile du retable était rafraîchie par le peintre italien Cavelli. Par la suite, sans doute à la demande de la fabrique, la coupole reçut un médiocre décor et ses pendentifs furent ornés de figures des Évangélistes. D'abord inscrite à l'Inventaire supplémentaire des Monuments historiques en 1983, l'église de Traves a été classée en totalité le 17 novembre 1998. S'appuyant sur une étude préalable minutieuse de Christophe Bottineau, une restauration complète de la charpente et de la toiture a été dirigée par l'architecte en chef Richard Duplat en 2011 et en 2012. Nul doute qu'une réhabilitation raisonnée de l'espace intérieur et du mobilier permettra dans l'avenir de révéler à un large public la qualité et tout l'intérêt de cette petite église à l'architecture singulière.

L'église Saint-Pierre de Jussey, les aléas d'un chantier

Matthieu Fantoni *

* Conservateur des monuments historiques, DRAC de Bourgogne-Franche-Comté, site de Besançon.

L'église paroissiale de Jussey fut réédifiée sur les plans de l'architecte Nicolas Nicole (1702-1784) entre 1749 et 1757. D'un volume et d'un décor raffinés, elle présente plusieurs enrichissements des modèles d'églises développés par Jean-Pierre Galezot (1686-1742), qui en font un exemple représentatif de l'architecture religieuse et de sa mise en scène urbaine au milieu du XVIIIᵉ siècle. L'histoire du chantier est particulièrement bien documentée par les fonds des archives départementales de la Haute-Saône, qui permettent de croiser les délibérations du Magistrat de la ville durant les années du chantier avec les pièces graphiques et les devis fournis par les architectes et les entreprises. S'il est courant de disposer de sources abondantes pour cette époque en Franche-Comté, le dossier jusséen contient certaines pièces très rares, tels des gabarits et des dessins d'exécution qui décrivent précisément les méthodes de travail des architectes. Ces archives illustrent aussi les difficultés rencontrées par les communautés d'habitants pour conduire des projets ambitieux, entre défaillance des entrepreneurs et négociations difficiles mais incontournables avec le décimateur de la paroisse.

L'église médiévale de Jussey

Situé à la limite nord-ouest du diocèse de Besançon, le doyenné de Jussey est associé depuis au moins le XIIIᵉ siècle au pouvoir d'une châtellenie vassale des comtes de Bourgogne. La première église paroissiale, consacrée à la Nativité de Notre-Dame, fut installée sur les hauteurs de la ville à proximité d'une place forte. Elle semble avoir eu rapidement pour voisin le prieuré de Saint-Thiébaud de Laître qui relevait d'une communauté bénédictine dépendante de l'abbaye de Luxeuil et dont les prieurs exercèrent les fonctions de curé et de décimateur de la paroisse durant tout l'Ancien Régime [1].

Jusqu'à la conquête de la Franche-Comté, Jussey fut le théâtre de plusieurs affrontements entre armées françaises et impériales. Après 1595, l'église de la Nativité de Notre-Dame ayant été ruinée, il fut décidé de faire de l'église Saint-Pierre, située dans la ville basse, la nouvelle église paroissiale. La guerre de Dix Ans (1634-1644) marqua un nouvel épisode particulièrement douloureux pour la cité, qui fut mise à sac par l'armée française en septembre 1636, puis violemment reconquise par les troupes suédoises. Elle fut désertée par ses habitants jusqu'en 1641 et ne se repeupla que lentement jusqu'à la fin du siècle [2]. Ce contexte n'était pas propice à l'entretien des édifices publics, et un relevé daté de 1746 (fig. 1) décrit la vieille église Saint-Pierre dans un état de quasi-ruine [3].

Ce document fournit de précieuses informations architecturales. L'édifice était de plan irrégulier et ceinturé d'épais murs gouttereaux percés de petites baies. La nef comptait trois vaisseaux sur cinq travées et était flanquée au nord par une petite chapelle. Le chœur, constitué de deux courts vaisseaux de deux travées séparées par d'épaisses piles, s'ouvrait lui

1. *La Haute-Saône. Nouveau dictionnaire des communes*, Vesoul, SALSA, 1971, t. III, p. 324-327.

2. *Ibid.*, p. 321-322.

3. Arch. dép. Haute-Saône, 292 E dépôt 117.

4. La carrière de cet architecte en Haute-Saône est documentée entre 1746 et 1763. Actif sur les chantiers des églises de Confracourt, Jussey, Rosey et Soing, il fut aussi à l'origine d'un projet d'entrée pour le mur d'enceinte de l'abbaye de Cherlieu en 1753. Je remercie Jean-Louis Langrognet pour la communication de ses recherches dans les fonds d'archives départementales de la Haute-Saône.

5. Arch. dép. Haute-Saône, 292 E dépôt 117.

6. Arch. dép. Haute-Saône, 292 E dépôt 15, délibération en date du 7 février 1746.

aussi au nord sur deux chapelles. À l'est, une abside à pans coupés épaulée par deux sacristies devait assurer l'essentiel de l'éclairage naturel grâce à ses grandes baies en arc brisé. L'accès au clocher, qui s'élevait au-dessus d'une des deux chapelles du chœur, s'effectuait au moyen d'une tour d'escalier située au nord, accessible seulement depuis l'extérieur du côté du chevet. Le plan ne permet pas de deviner la composition de l'ancienne façade ouest du portail, mais il documente toutefois la présence d'un emmarchement à cinq degrés, ce qui indique un surplomb sur la grande rue. Cette situation est confirmée par les annotations du plan, signalant une différence de niveau de quatre pieds entre le terrain du côté des murs gouttereaux sud et le sol à l'intérieur de l'édifice, et une différence d'un pied et quatre pouces entre ce sol et le terrain du côté nord. L'église primitive était donc installée sur une pente versant du côté nord, qui lui offrait un promontoire naturel.

LE PREMIER PROJET DE RECONSTRUCTION (1746)

Le premier projet de reconstruction de l'édifice a été élaboré en 1746 par l'ingénieur et architecte Nicolas Plaisonnet, dit Lespine ou Lépine [4], auteur du relevé de l'état existant (fig. 1), qui estima l'opération à un montant de 44 937 livres [5]. Dans son plan de l'état projeté (fig. 2), pour lequel il reçut un paiement de quatre-vingts livres [6], Lépine prévoyait d'axer les trois vaisseaux de la nouvelle nef, s'étendant sur quatre travées, dans le prolongement du volume de l'ancien chœur, lui-même transformé en une sorte de transept non

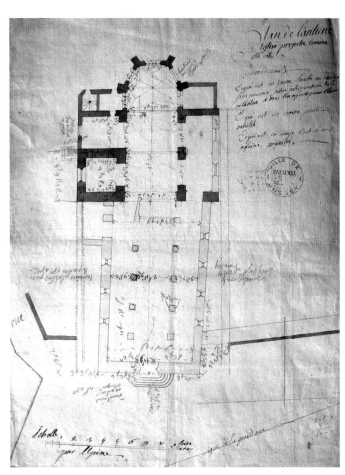

Fig. 1 – Jussey, église Saint-Pierre, plan de l'ancienne église de Jussey par Nicolas Lépine, 1746, plume, crayon et encre sur papier (Arch. dép. Haute-Saône, 292 E dépôt 117).

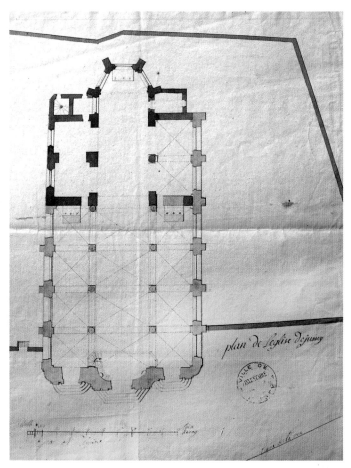

Fig. 2 – Jussey, église Saint-Pierre, plan de l'église neuve par Nicolas Lépine, première proposition : chœur de plain-pied avec la nef, 1746, plume, crayon et encre sur papier (Arch. dép. Haute-Saône, 292 E dépôt 117).

MATTHIEU FANTONI

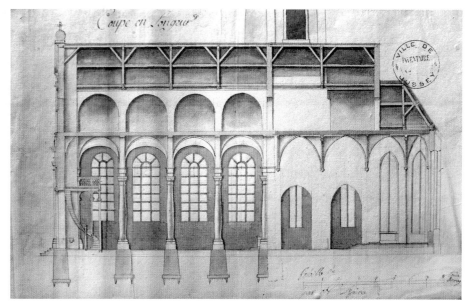

Fig. 4 – Jussey, église Saint-Pierre, coupe longitudinale de l'église neuve par Nicolas Lépine, seconde alternative : chœur en surélévation par rapport à la nef, 1746, plume, crayon et encre sur papier (Arch. dép. Haute-Saône, 292 E dépôt 117).

Fig. 3 – Jussey, église Saint-Pierre, coupe transversale de l'église neuve par Nicolas Lépine, alternative : chœur en surélévation par rapport à la nef, 1746, plume, crayon et encre sur papier (Arch. dép. Haute-Saône, 292 E dépôt 117).

saillant grâce à l'ouverture des deux anciennes chapelles du côté nord. Avec ses trois vaisseaux d'égale hauteur, le projet s'inscrivait dans la typologie de l'église-halle qui s'épanouissait dans le diocèse de Besançon depuis le début du siècle. Apparu simultanément dans les paroisses rurales du nord de la Franche-Comté (actuel département de la Haute-Saône) et de l'est (Haut-Doubs), ce modèle fut durablement diffusé par le Bisontin Jean-Pierre Galezot avec les chantiers des églises de Mouthe, de Saint-Georges de Vesoul et de Scey-sur-Saône à la fin des années 1730 [7].

Dans ce projet résolument marqué par les tendances contemporaines, la conservation du chœur était justifiée dans le relevé d'état des lieux par son bon état et – pour reprendre les annotations de l'architecte – sa capacité à « résister » à une nouvelle construction. Le projet respectait en réalité les exigences du prieur de Saint-Thiébaud, le sieur Matherot de Desnes. Ce membre de l'influent chapitre métropolitain de Besançon qui, en tant que décimateur, avait la charge de l'entretien du chœur de l'église, en avait imposé la conservation aux édiles de Jussey. Ces derniers représentaient la communauté paroissiale, responsable de l'entretien de la nef [8]. La motivation du décimateur était principalement financière, car il ne souhaitait pas être mis à contribution pour les travaux [9]. Lépine présenta en conséquence deux variantes pour réaménager l'intérieur du chœur en laissant intacte son enveloppe. La première consistait à établir le sanctuaire de plain-pied avec le reste de l'édifice ; la seconde envisageait la création d'une surélévation de l'abside où devait être installé le maître-autel. Cette alternative était encore précisée par deux vues en coupe transversale (fig. 3) et longitudinale (fig. 4) qui permettent par ailleurs de remarquer que l'architecte prévoyait de séparer les vaisseaux voûtés d'arêtes de la nouvelle nef par deux rangées de colonnes d'ordre toscan supportant des sections d'entablement – colonnes dont

7. René Tournier, *Les églises comtoises, leur architecture des origines au XVIIIe siècle*, Paris, 1956, p. 315-317. Voir également, dans ce même volume, l'article de Cindy Debierre consacré aux réalisations de Jean-Pierre Galezot, p. 241-254.

8. Cette situation est précisément décrite en 1756, quelques années après le démarrage du chantier (Arch. dép. Doubs, 1 C 183).

9. Certains historiens comtois ont cependant cherché à interpréter cette position comme nourrie par un intérêt architectural pour l'ancienne église et son clocher. Voir *La Haute-Saône. Nouveau dictionnaire…*, op. cit. note 1, p. 327 : « Le prieur de Saint-Thiébaud, décimateur et curé primitif à qui incombait l'entretien du chœur s'opposa [à sa réédification] parce qu'il offrait une belle architecture et qu'il était encore solide, unissant ainsi un respect du gothique assez rare à l'époque pour être signalé aux impératifs de ses intérêts bien compris. »

Fig. 5 – Jussey, église Saint-Pierre, Nicolas Lépine, élévation du portail de l'église neuve, par Nicolas Lépine, 1746, plume, crayon et encre sur papier (Arch. dép. Haute-Saône, 292 E dépôt 117).

les fûts semblent particulièrement renflés à moins qu'il ne s'agisse d'une maladresse de dessin –, tandis que de larges baies cintrées devaient assurer un éclairage naturel abondant. Lépine avait aussi dessiné précisément la structure envisagée pour les charpentes de l'édifice, avec la présence d'une ferme dans le chœur et de trois fermes dans la nef. Pour limiter la portée de ces dernières, il était prévu d'édifier dans les combles deux suites d'arcades au droit des piles. La couverture des collatéraux aurait ainsi dû reposer sur de simples pannes entre murs. Cette solution, mise en œuvre sur d'autres chantiers – par exemple à l'église de Vezet, reconstruite entre 1785 et 1790 par Claude-Antoine Colombot –, simplifiait la conception des charpentes tout en intégrant le principe d'un recoupement des combles.

La composition de la façade occidentale projetée par Lépine (fig. 5) soulignait la travée centrale, ouverte par un imposant portail cintré flanqué de deux paires de pilastres d'ordre dorique. Les travées latérales, en retrait, devaient comporter deux niveaux de baies flanquées de pilastres d'ordre colossal. Au second niveau de l'élévation, la travée centrale devait accueillir un cadran d'horloge entre deux paires de pilastres ioniques supportant un fronton triangulaire, accosté de deux murs cachant les rampants du toit – solution qui évoque celle d'églises comme Saint-Maurice de Besançon, dont le chantier fut conduit entre 1704 et 1714 par l'entrepreneur Jean-François Tripard sous la supervision du père oratorien Étienne Dunod [10]. Lépine pouvait aussi s'inspirer de la composition alternant pleins et vides qui avait été développée par Jean-Pierre Galezot à l'église Saint-Georges de Vesoul, achevée depuis 1735.

10. Sur l'histoire de Saint-Maurice de Besançon, voir Pascal Brunet, «L'église Saint-Maurice», dans *La vie religieuse à Besançon*, Pierre Chauve (dir.), Cahiers de la Renaissance du Vieux Besançon, 10, 2011, p. 47.

Matthieu Fantoni

Le programme ainsi défini connut un début d'exécution avec, en août 1747, l'adjudication des travaux à l'entrepreneur Paulin, qualifié d'ingénieur, qui s'employa immédiatement à réaliser les premières excavations pour la mise en place de fondations [11]. Les archives témoignent cependant d'un changement rapide de la situation avec l'arrivée d'un nouveau protagoniste.

11. Arch. dép. Haute-Saône, 292 E dépôt 117.

12. C'est en tout cas la théorie de René Tournier (*Les églises comtoises…, op. cit.* note 7, p. 317). Sur la généalogie des Nicole, voir Paul Brune, *Dictionnaire des artistes et ouvriers d'art de la Franche-Comté*, Paris, 1912, p. 200.

LES NOUVEAUX PROJETS DE NICOLAS NICOLE (1748-1750)

Fils du graveur bisontin Bon-Anatoile Nicole et frère de Claude-François Nicole, graveur actif à Nancy durant la majeure partie du XVIII⁰ siècle, Nicolas Nicole est réputé avoir suivi à Paris l'enseignement de Jean-François Blondel [12]. Dans les années 1730, il se distingua par l'achèvement des travaux du clocher de la cathédrale de Besançon (1735-1736) et par la création dans cette même ville de la chapelle du Refuge (1739-1745), fortement inspirée du collège des Quatre-Nations de Louis Le Vau. Cet architecte confirmé incarnait dans le milieu franc-comtois un courant d'ouverture vers l'architecture contemporaine parisienne, marquée par le style Régence. Son intervention à Jussey s'effectua en deux temps, sans que les documents conservés éclairent les conditions dans lesquelles il remplaça Lépine, un peu moins d'un an après l'adjudication des travaux. Dès le 27 juillet 1748, Nicole fournit en effet aux édiles de Jussey un premier projet de reconstruction alternatif (fig. 6 et 7). Cette proposition reprenait l'économie générale du premier parti, en conservant le type de l'église-halle et les éléments de l'ancien chœur médiéval.

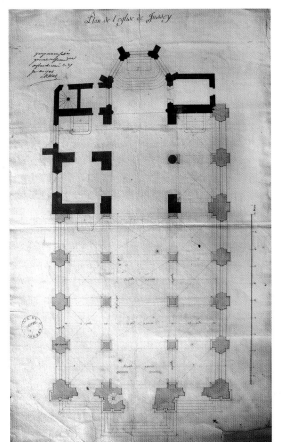

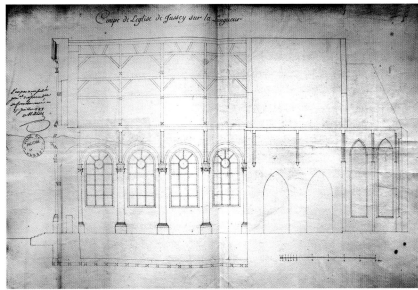

Fig. 7 – Jussey, église Saint-Pierre, Nicolas Nicole, coupe longitudinale de l'église neuve par Nicolas Nicole, première version, 1748, plume sur papier (Arch. dép. Haute-Saône, 292 E dépôt 117).

Fig. 6 – Jussey, église Saint-Pierre, plan de l'église neuve par Nicolas Nicole, première version, 1748, plume et encre sur papier (Arch. dép. Haute-Saône, 292 E dépôt 117).

13. Arch. dép. Haute-Saône, 292 E dépôt 117.

Pour donner plus de profondeur au vaisseau central de la nef, il était toutefois prévu de repousser le maître-autel au fond de l'abside orientale, sur une estrade réduite à quelques degrés. Le principe de voûtement imaginé par Lépine devait être conservé, mais les deux files de piles circulaires furent remplacées par des piles de section carrée surmontées de chapiteaux d'ordre corinthien, plus ornemental. Le mode constructif de l'édifice était lui aussi profondément révisé (fig. 8). Les fondations des piles et des murs devaient être renforcées. La conception de la charpente était également modifiée, en privilégiant une structure à trois niveaux d'enrayure dont la portée maximale devait être équivalente à la largeur totale de l'édifice. Des tirants métalliques, fixés depuis les murs gouttereaux dans les entraits, devaient assurer la pérennité de l'ouvrage. Ces corrections structurelles et les modifications de l'agencement des espaces laissaient en réalité assez peu de place à l'inventivité de Nicole, qui semble s'être contenté de rectifier à la marge le projet de son prédécesseur. Les travaux furent à nouveau soumis à l'adjudication ; celle-ci fut remportée le 25 février 1749 par Nicolas Mathiot, désigné comme architecte, pour la somme de 38 000 livres, ce qui représentait une économie significative (15 %) par rapport au projet de Lépine [13].

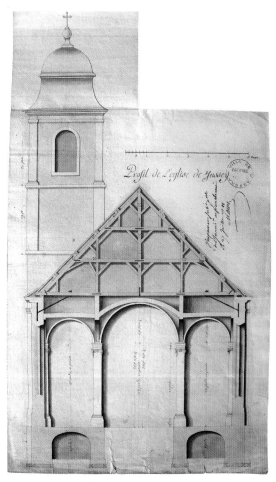

Fig. 8 – Jussey, église Saint-Pierre, coupe transversale de l'église neuve par Nicolas Nicole, première version, 1748, plume sur papier (Arch. dép. Haute-Saône, 292 E dépôt 117).

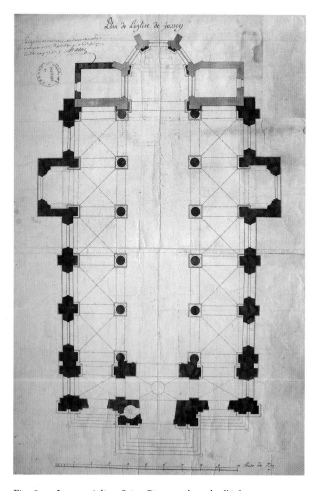

Fig. 9 – Jussey, église Saint-Pierre, plan de l'église neuve par Nicolas Nicole, seconde version, 1750, plume et encre sur papier (Arch. dép. Haute-Saône, 292 E dépôt 117).

Matthieu Fantoni

Fig. 10 – Jussey, église Saint-Pierre, coupe longitudinale de l'église neuve par Nicolas Nicole, seconde version, 1750, plume et encre sur papier (Arch. dép. Haute-Saône, 292 E dépôt 117).

Fig. 11 – Jussey, église Saint-Pierre, coupe transversale de l'église neuve par Nicolas Nicole, seconde version, 1750, plume et encre sur papier (Arch. dép. Haute-Saône, 292 E dépôt 117).

Nicolas Nicole rendit toutefois dans les mois qui suivirent un rapport visant à convaincre les édiles que l'état du chœur ne permettait pas d'envisager sa conservation. Ce constat fut repris dans une délibération du mois d'août 1749 :

> « La tour du clocher de l'église paroissiale et le chœur de ladite église périclit[ent] dans plusieurs endroits, [...] il y [a] des manquements essentiels, en sorte que la reconstruction à neuf de la nef et des collatéraux de la dite église entreprise par le sieur Mathiot deviendrait inutile et dispendieuse [...] il est nécessaire de se pourvoir pour faire reconstruire aussi à neuf le chœur et le clocher de ladite église [14]. »

Le projet devait cependant recevoir l'approbation du décimateur, Matherot de Desnes, qui avait déjà fait la preuve de son tempérament procédurier en attaquant en 1722 l'ensemble des paroissiens devant la chambre des requêtes pour leur imposer la culture du froment, afin d'assurer la valeur de la dîme qu'il pouvait en tirer [15]. Il fallut un peu moins de neuf mois de négociation, jusqu'en mars 1750, pour obtenir l'accord du décimateur. Ce dernier accepta que le chœur et le clocher de l'église fussent reconstruits, à condition toutefois de ne pas dépasser un coût total de 3 000 livres, dont 1 500 qu'il consentait à consacrer sur ses fonds propres au chantier, à raison de cinq paiements annuels de 300 livres [16].

Ce terrain d'entente permit de donner une nouvelle ambition au projet architectural. Les travaux, qui furent de nouveau attribués à Mathiot en mai 1750, représentèrent une enveloppe beaucoup plus élevée, de 54 500 livres au total. Cette augmentation comprenait, outre la plus-value liée à la réédification du clocher et du chœur, les indemnités demandées par Mathiot à la Ville de Jussey pour s'être blessé sur le chantier de démolition de l'ancienne église, où « il avait reçu sur la tête un coup mortel qui lui ôta la liberté de bien parler [17] ». Nicole avait dressé dès la fin de l'année 1749 de nouveaux plans (fig. 9 à 11),

14. Arch. dép. Haute-Saône, 292 E dépôt 15.

15. Arch. dép. Haute-Saône, 292 E dépôt 129. Le procès a été porté jusqu'à la cour d'appel de Metz en 1722.

16. Arch. dép. Haute-Saône, coté 292 E dépôt 15, registre des délibérations. Voir aussi, dans le même registre, la délibération du 22 mars 1750. Les édiles ont un temps envisagé de saisir la chambre des requêtes pour faire réévaluer cette somme, avant d'accepter l'accord sans négociation afin de s'épargner les aléas d'un procès.

17. *Ibid.*

18. Arch. dép. Haute-Saône, 292 E dépôt 15, délibération du 22 décembre 1749.

19. L'œuvre de ce graveur a notamment été étudiée par M. Beaupré, « Notice sur quelques graveurs nancéiens du XVIIIᵉ siècle et sur leurs ouvrages », *Bulletin de la société d'archéologie de Lorraine*, 2, 1867, p. 168-216.

20. Pierre Sesmat, « Lunéville, église Saint-Jacques (ancienne abbatiale Saint-Rémy) » et « Nancy, église Saint-Sébastien », dans *Congrès archéologique de France. Nancy et Lorraine méridionale*, 2006, p. 69-74 et p. 123-129.

pour lesquels il reçut un paiement de 108 livres [18], proposant une rupture plus nette avec le projet de Lépine. De l'ancienne église, seuls devaient désormais être conservés les murs de l'abside et les deux sacristies, tandis que le clocher médiéval et ses chapelles devaient définitivement disparaître pour permettre la création d'une nouvelle tour de clocher au-dessus de la façade occidentale. La nouvelle église devait se présenter comme un vaste édifice à trois vaisseaux, muni d'un transept peu saillant ne comptant qu'une seule travée. Hormis les quatre piles massives destinées à supporter le clocher à l'ouest, les vaisseaux devaient être séparés par des files de piles circulaires à chapiteau ionique dont le dessin, de l'invention de Nicole, est documenté par un gabarit à l'échelle exécuté à la sanguine (fig. 12 et 13). Nicole y reprend le motif des fragments d'entablement du projet de Lépine, élément qu'il avait déjà utilisé de manière plus spectaculaire à la Madeleine de Besançon. S'il était toujours prévu que les deux bas-côtés soient voûtés d'arêtes, le vaisseau central fut redessiné pour être voûté en pendentifs, dégageant ainsi un volume généreux dans l'axe principal de l'édifice (fig. 14). Cette solution, qui offrait une surface homogène à la lumière dirigée vers l'assemblée des fidèles, semble particulièrement révélatrice des liens entretenus par l'architecte avec la Lorraine, où son frère s'était établi depuis les années 1700 [19]. Les églises conçues par l'architecte Jean-Nicolas Jennesson, comme Saint-Sébastien de Nancy et Saint-Jacques de Lunéville, achevées respectivement en 1731 et en 1746, proposaient un voûtement similaire pour leur vaisseau principal, certes propice à un plus grand développement ornemental [20].

Nicole projeta d'intégrer visuellement les vestiges médiévaux conservés dans l'abside en faisant élever des pilastres ioniques entre les grandes baies en arc brisé, dont les réseaux gothiques étaient supprimés. De nouvelles améliorations furent encore apportées à la structure de la charpente, toujours organisée en trois niveaux d'enrayures (fig. 11).

Fig. 12 – Jussey, église Saint-Pierre, gabarit de chapiteau d'ordre ionique par Nicolas Nicole, sanguine (Arch. dép. Haute-Saône, 292 E dépôt 117).

Fig. 13 – Jussey, église Saint-Pierre, nef, chapiteau d'ordre ionique.

MATTHIEU FANTONI

Fig. 14 – Jussey, église Saint-Pierre, nef, vaisseau central vers le chœur.

L'architecte semble avoir pris conscience du fait que sa première proposition sollicitait particulièrement les entraits surplombant l'extrados de la voûte du vaisseau central. Afin d'éviter qu'ils ne subissent un effet de poinçonnement, il projeta dans sa nouvelle esquisse de retrousser les poinçons et de répartir leurs retombées sur deux jambes de force aboutissant au droit des colonnes.

DÉROULEMENT ET IMPRÉVUS DU CHANTIER

Lors de l'adjudication de mai 1750, Mathiot s'était engagé à livrer l'ouvrage dans un délai de cinq ans. Son devis devait couvrir l'ensemble des lots du chantier, à l'exception de l'acheminement des pierres de taille, provenant de Magny et de Cendrecourt. Le transport des matériaux restait à la charge de la Ville qui espérait ainsi réaliser une économie de 4 000 livres. Le financement des opérations était défini par tranches : le maître d'œuvre ayant bénéficié d'une avance de 6 333 livres correspondant au sixième du coût total, il devait recevoir 6 000 livres après avoir fait homologuer par la Ville les premiers ouvrages exécutés au bout d'un an de travaux et ainsi de suite, jusqu'à atteindre la retenue sur solde de 8 000 livres qui ne devait lui être versée qu'après l'achèvement et la réception de l'église [21]. Les «homologations» ou vérifications périodiques de la maîtrise d'ouvrage consistaient à comparer l'ouvrage exécuté aux plans initiaux, à en évaluer la qualité ainsi que le coût, afin de contrôler la gestion des ressources par le maître d'œuvre.

Dès la première homologation annuelle, au mois de juin 1751, les édiles constatèrent un important retard dans l'exécution des travaux [22]. À l'emplacement de la nef, les excavations n'étaient réalisées qu'au tiers, seules les fondations des piles étant plus avancées, et le chœur restait encore à démolir. Alors que la maîtrise d'ouvrage recalculait le rythme des versements à mettre en place pour assurer la poursuite du chantier, le décès soudain de Mathiot fut annoncé par un courrier en date du 10 juin [23]. Sur ordonnance de l'intendant de Franche-Comté, Jean-Joseph Galezot, frère de Jean-Pierre Galezot, fut missionné huit jours après cette

21. Arch. dép. Haute-Saône, 292 E dépôt 15, délibération du 4 juin 1751.

22. *Ibid.*, délibération du 4 juin 1754.

23. Arch. dép. Haute-Saône, 292 E dépôt 15.

nouvelle pour venir expertiser les travaux accomplis et envisager une reprise du chantier [24]. Après dix-neuf jours d'étude, l'architecte bisontin, qui avait notamment dessiné les plans de l'église-halle de Rupt-sur-Saône dont les travaux venaient de commencer, se désista. L'intendant avait aussi invité un tiers expert, qui n'était autre que le Nancéien Jennesson, en sa qualité de premier ingénieur et architecte de Stanislas, duc de Lorraine et ex-roi de Pologne. Le procès-verbal de sa visite, rendu séparément de celui de Jean-Joseph Galezot mais contresigné par ce dernier, livra un toisé rigoureux des ouvrages et conclut à une exécution des travaux relativement bonne, à l'exception de la mise en œuvre des voûtes des caveaux de fondation [25]. Plus que le fond de ce procès-verbal, la personnalité même de l'expert appelé confirme la parenté entre le projet de Jussey et les chantiers conduits dans ces mêmes années en Lorraine. Nicole pourrait avoir lui-même recommandé Jennesson à l'intendant et à son subdélégué afin de bénéficier du soutien et de l'expérience d'un de ses pairs, haut placé dans l'administration, pour défendre son projet et permettre le redémarrage du chantier.

À la suite de ces visites, une nouvelle adjudication – la quatrième en quatre ans – fut rapidement organisée et prononcée en août 1751 au bénéfice des entrepreneurs Philippe Layer, « bourgeois de Jussey », et Charles Lescard, sa caution, qui s'engagèrent à respecter le délai initial d'achèvement des travaux. Dès le mois suivant, la Ville s'interrogea sur sa capacité à assurer le financement des opérations et s'adressa au grand maître des eaux et forêts pour obtenir le droit de vendre sur pied ses coupes ordinaires de bois durant six années [26]. Cette autorisation fut accordée une semaine plus tard [27]. La mobilisation de ces fonds se révéla cependant insuffisante et, en 1753, la Ville dut procéder à une levée d'impôt pour éviter l'interruption des travaux [28].

Malgré le changement de maître d'œuvre, le chantier se poursuivit encore dans de mauvaises conditions. Trois années après la nouvelle adjudication, les édiles de Jussey commandèrent à Nicole et à un architecte bisontin du nom de Marchand deux rapports d'expertise sur la solidité de l'église en train de s'élever. Malgré quelques divergences, les avis, rendus en juillet 1754, formulaient de nombreuses critiques sur les ouvrages, Nicole allant jusqu'à préconiser la démolition des voûtes de la nef et de ses deux bas-côtés qu'il jugeait d'exécution médiocre. Un tiers expert, Jean-Baptiste Thiery, sous-ingénieur des ponts et chaussées en poste à Vesoul, fut désigné à la demande des édiles par l'intendant de Franche-Comté pour trancher certains désaccords entre les deux rapporteurs. Il livra sa propre expertise, tout aussi critique, en septembre de la même année. Un procès fut alors intenté contre les entrepreneurs, ce qui donna lieu à la production de rapports d'expertise supplémentaires. Le jugement, finalement rendu le 16 avril 1756 [29], fut largement défavorable aux maîtres d'œuvre : il enjoignait la démolition à leur frais des voûtes des bas-côtés et du vaisseau central de la nef ainsi que de leurs arcs doubleaux, et leur reprise suivant les devis établis par Nicole. Le jugement précise que les voûtes « seront faites d'un tiers de pendant en pierres dures, et de deux tiers de tuf » afin de diminuer leurs poussées. En outre, les pilastres situés à l'entrée du chœur seraient renforcés et deux vitraux comblés « de bons quartiers de pierre » afin de consolider la structure des murs. Cette dernière intervention fut toutefois financée directement par la Ville de Jussey, car il s'agissait de reprendre des pathologies antérieures à la reprise des travaux par Layer. Pour préciser le traitement de la travée d'entrée de l'église, située sous la tour du clocher, Nicole livra plusieurs relevés complémentaires payés par la Ville [30].

Après une cinquième adjudication, un nouveau maître d'œuvre fut recruté pour conduire les travaux jusqu'à leur terme. Il s'agissait de l'entrepreneur-architecte Hugues Faivre, qui avait mis en œuvre certains projets de Jean-Pierre Galezot ou réalisé entièrement certains chantiers comme celui de l'église de Rupt-sur-Saône. Faivre fut chargé de fournir les pierres de tuf, qui n'étaient pas prévues dans la commande initialement passée à Mathiot et qui firent l'objet d'un paiement en décembre 1757. L'ingénieur collabora avec Nicolas Nicole, qui

24. *Ibid.*, délibération en date du 28 juillet 1751.

25. *Ibid.*, rapport du 26 juillet 1751.

26. Arch. dép. Haute-Saône, 292 E dépôt 15, délibération du 20 septembre 1751.

27. Arch. dép. Haute-Saône B 9371, fol. 33v, ordonnance du 27 septembre 1751.

28. *Ibid.*, délibération du 31 mars 1753.

29. Arch. dép. Doubs, 1 C 183.

30. Arch. dép. Haute-Saône, 292 E dépôt 15, délibération du 22 novembre 1756.

Matthieu Fantoni

continuait de suivre le chantier, en particulier pour le dessin des voûtes dont il livra des plans la même année [31]. Quelques semaines plus tôt, au mois de novembre 1757, la communauté des habitants avait dû adresser une nouvelle demande d'autorisation à la maîtrise des eaux et forêts pour pouvoir vendre sur pied des coupes ordinaires du bois communal durant les six années suivantes [32], preuve que les ressources dégagées en 1751 et en 1753 étaient totalement épuisées.

Les travaux de gros œuvre purent se poursuivre jusqu'à la construction de la façade occidentale de l'église et de son clocher-porche, un ensemble particulièrement spectaculaire qui s'impose aujourd'hui encore dans le paysage urbain de Jussey (fig. 15). Malgré les profondes modifications apportées au dessin de Lépine, le projet de Nicole en conservait quelques lignes directrices. L'architecte avait notamment maintenu le principe d'une travée centrale en avant-corps, ouverte par un imposant portail cintré flanqué de paires de pilastres

31. Les vingt journées de travail nécessaires à cette étude ne seront payées que deux ans plus tard (Arch. dép. Haute-Saône, 292 E dépôt 15, délibération du 4 décembre 1759).

32. *Ibid.*, délibération du 19 novembre 1757.

Fig. 15 – Jussey, église Saint-Pierre, façade occidentale.

Fig. 16 – Cemboing (Haute-Saône), église paroissiale, façade occidentale.

Fig. 17 – Gevigney-et-Mercey (Haute-Saône), église paroissiale, façade occidentale.

doriques supportant un large entablement. Il avait toutefois simplifié l'organisation des deux travées latérales, en substituant aux baies superposées deux hauts portails cintrés, encadrés aux extrémités par des paires de pilastres. À l'ordre colossal et aux effets de clair-obscur en façade fut ainsi préférée une composition épurée, offrant un soubassement massif aux registres supérieurs, plus légers et aériens. Le second niveau de l'élévation ne comporte plus qu'une travée ouverte par une baie cintrée, flanquée de pilastres ioniques et supportant un fronton triangulaire. Elle est accostée de deux généreuses volutes, plus souples que dans le projet initial et ponctuées par deux obélisques qui font écho au faîtage pyramidal du clocher, haute tour de plan carré à angles rabattus couverte d'un dôme à l'impériale aux arêtes saillantes. Ce type de façade à deux niveaux et coiffé par une tour, que l'architecte devait adapter en 1753 à un projet non réalisé pour l'église paroissiale de Lons-le-Saunier [33], était promise à un succès notable dans le doyenné de Jussey où, dans la seconde moitié du siècle, elle fut déclinée sous des formes simplifiées pour les églises de divers villages voisins. Celle de Cemboing, rééédifiée entre 1777 et 1783, est ainsi dotée d'une façade dont le dessin est dû à Claude-Joseph Bretet [34] (fig. 16). Bien qu'elle ne comporte qu'un portail central, elle présente, comme l'église de Jussey, une structure tripartite intégrant indirectement le volume du clocher. Les volutes du deuxième niveau de l'élévation y sont

33. Besançon, Bibl. Mun., Yc Jura. Lons-le-Saunier.1, Elévations et face du portail et clocher de l'église paroissiale de Lons-le-Saunier par Nicolas Nicole [1753].

34. Arch. dép. Haute-Saône, 2 E 1287, m.n. Robin, 24 février, 7 et 18 mai 1780. Je remercie Jean-Louis Langrognet de m'avoir signalé cette source.

Matthieu Fantoni

simplifiées en rampants rectilignes, mais les obélisques sont conservés et font, comme à Jussey, écho au faîtage du clocher. Le dessin de la façade de l'église de Gevigney-et-Mercey, elle aussi due à Claude-Joseph Bretet et qui porte un millésime des dernières années du siècle, apparaît également comme une simplification du modèle de Jussey dont, par ailleurs, il se rapproche davantage avec ses trois portails, ses volutes et ses obélisques transformés en piédouches et répartis sur deux registres superposés (fig. 17).

35. Arch. dép. Haute-Saône, 292 E dépôt 15, délibérations des 30 et 31 janvier 1758.

36. *Ibid.*, délibération du 4 décembre 1759.

37. *Ibid.*, délibération du 7 mai 1758.

38. *Ibid.*, délibération du 4 décembre 1759.

39. *Ibid.*, délibération du 12 novembre 1761.

SECOND ŒUVRE ET DÉCORATION INTÉRIEURE

Parallèlement à l'achèvement des travaux de gros œuvre, Hugues Faivre dirigea les travaux de décoration et d'aménagement intérieurs, parmi lesquels la réalisation, en janvier 1758, des bancs des fidèles, vendus aux paroissiens les plus offrants (bancs encore conservés dans l'édifice)[35], ou la création de tribunes au revers de la façade occidentale, de part et d'autre de la travée occupée par l'orgue, commandé au Dijonnais Bégnine Boillot et payé en décembre 1759[36].

La commande la plus significative revint sans doute au sculpteur Jean Gerdolle, originaire de Lamarche, village lorrain distant d'une vingtaine de kilomètres de Jussey, qui reçut en mai 1758 la mission «de faire construire l'autel principal de la paroisse, la boiserie du sanctuaire et les stalles au nombre de dix[37]». Les travaux qui devaient être réalisés avant novembre 1759 furent estimés à 3 600 livres. Le curé de la paroisse, du nom de Pelletier, contribua à cette création en versant 600 livres au nom de la confrérie du Saint-Sacrement. L'ouvrage fut exécuté dans les temps[38], mais les édiles demandèrent dès 1761 de reprendre le dispositif du maître-autel pour en augmenter la décoration[39]. L'ensemble réalisé – encore bien conservé – comprenait un imposant maître-autel à la romaine en bois doré, des lambris de revêtement et des stalles aux hauts dosserets ajourés et découpés de souples motifs de rubans et chicorés dans l'esthétique rocaille (fig. 18 et 19). Ce langage entre en

Fig. 18 – Jussey, église Saint-Pierre, maître-autel.

Fig. 19 – Jussey, église Saint-Pierre, stalles, côté nord.

parfaite résonance avec l'esprit de l'église conçue par Nicole. C'est donc un édifice au décor harmonieux qui s'offrit à l'exercice du culte dès la fin des années 1750, avant d'être inauguré officiellement en 1763, à l'occasion d'une visite de l'archevêque de Besançon Antoine-Clériade de Choiseul-Beaupré. Le visiteur peut encore aujourd'hui apprécier la cohérence de l'ouvrage jusséen, en dépit de quelques modifications telles que le remplacement, en 1854, des verrières transparentes de l'église par des vitraux figuratifs d'esthétique néo-gothique dus à un maître-verrier du nom de Thevenot.

D'une longueur de 32 mètres pour une largeur totale d'environ 21 mètres, l'église de Jussey présente un volume analogue à celle de Scey-sur-Saône (34 m x 21 m) qui, comme elle, était destinée à une communauté importante en milieu rural. Les édifices commandés pour des paroisses urbaines et auxquels elle a pu être comparée, comme Saint-Georges de Vesoul ou la Madeleine de Besançon, ayant bénéficié de financements plus conséquents, présentent des nefs plus longues (respectivement de 42 m et de 61 m) ainsi que des élévations intérieures plus audacieuses et plus spectaculaires. Pour autant, les fortes parentés observées entre ces monuments d'échelles différentes, notamment dans les choix des ordres et du voûtement, l'inventivité dont fit preuve Nicole pour concevoir le portail monumental de l'église jusséenne et la richesse du mobilier commandé pour en décorer le chœur montrent que les notables haut-saônois du XVIIIe siècle, quels qu'aient été leurs moyens, partageaient une culture commune de l'art de bâtir. Ce goût leur a permis d'exiger, malgré les difficultés matérielles qu'ils purent rencontrer, des ouvrages de qualité auprès d'architectes recherchés, comme l'était Nicolas Nicole.

Crédits photographiques – fig. 1 à 12 : DRAC Bourgogne-Franche-Comté ; fig. 13, 14, 16 à 19 : Jean-Louis Langrognet ; fig. 15 : Marc Sanson.

L'église Saint-Symphorien à Gy :
une architecture « à la grecque »

Jean-Louis LANGROGNET *

Peu après l'achèvement du chantier de la nouvelle église de Gy, le rédacteur des *Affiches et annonces de la Franche-Comté* signalait dans l'édition du 10 juin 1774 la beauté architecturale de l'édifice, mais aussi l'opiniâtreté des habitants et les sacrifices consentis.

* Conservateur honoraire des antiquités et objets d'art de Haute-Saône.

> « S'ils ont fait une église des plus jolies, sans contredit, et des mieux entendues de la province ; une église dans le bon goût, à quelques imperfections près, de la vraie architecture grecque ; une église où un entablement en platte bande règne dans tout le pourtour de la nef sur un péristile d'ordre ionique, et retrace en petit la superbe colonade du Louvre et les magnifiques travées de la Chapelle de Versailles ; cet ouvrage, depuis le chevet du chœur jusqu'au bas de l'église, est uniquement le leur : il est le prix de leur substance. Ils n'avoient du produit de la vente de leur réserve que 14 000 liv., quand ils furent contraints de le commencer, le reste, ils ont été forcés de le tirer annuellement de leurs bourses par la voie de l'imposition. [...] Quoiqu'il en soit, ils ont la douce satisfaction de jouir d'un ouvrage entrepris et presque achevé sans aucun secours étranger [1]. »

En effet, après des années d'hésitations entre réparations plus ou moins importantes de l'ancienne église et « reconstruction à neuf », les officiers municipaux, notables et habitants de la petite ville de Gy, siège de la résidence d'été des archevêques de Besançon, s'étaient finalement résolus à bâtir en 1769 un édifice ambitieux, sur les plans et devis de l'ingénieur en chef des ponts et chaussées de la province, Henry Frignet (1720-1796), tout récemment arrivé de Paris. Ainsi, cette église, sous le titre de Saint-Symphorien, conçue pour une paroisse de 2 200 personnes (fig. 1 et 2), fut la première en Franche-Comté à rompre avec la formule traditionnelle de l'église-halle pour adopter le type basilical à l'antique (fig. 3, 4, 5, 6), mis en œuvre au même moment à Paris par Chalgrin pour l'église Saint-Philippe-du-Roule, par Potain pour Saint-Louis de Saint-Germain-en-Laye ou encore par Trouard pour Saint-Symphorien de Versailles [2].

DES ANNÉES D'HÉSITATIONS ET DE REVIREMENTS

L'ancienne église de Gy, accolée aux vestiges de l'enceinte urbaine, avait souffert du siège de la ville par les troupes françaises en 1640 (fig. 7), mais elle ne bénéficia dans les années suivantes, et jusqu'au milieu du XVIIIᵉ siècle, que de simples réparations et d'un petit nombre d'ornements nouveaux [3]. À partir de 1755, en raison de son mauvais état, l'édifice donna lieu cinq ans durant à de multiples expertises, demandées successivement à des artisans du bâtiment et à plusieurs architectes, sans être suivies d'effets [4]. La situation changea en 1760. À cette date, sollicité par les officiers municipaux, François-Lazare Renaud (1734-1778), « bourgeois de Gy et démonstrateur en mathématiques », dressa enfin les plans et devis d'une intervention sérieuse à engager dans les trois édifices publics de la ville (l'église, la fontaine et les écuries de la grande place) [5]. Liés à un arrêt du Conseil d'État du roi du 13 octobre 1761 autorisant la vente du quart de réserve des bois communaux

1. Besançon, Bibl. mun., PER. C. 6210-1771-1775.

2. Allan Braham, *The Architecture of the French Enlightenment*, Berkeley, 1980 (trad. fr. : *L'architecture des lumières, de Soufflot à Ledoux*, Paris, 1982, p. 123-136).

3. Arch. dép. Haute-Saône, 282 E dépôt 158 et 348.

4. De 1755 à 1765, des expertises sont successivement signées par Claude Jeambard entrepreneur résidant à Pin l'Émagny, Claude François Devosges architecte à Gray, Jean-Charles Colombot architecte à Besançon, Pierre Albert architecte-entrepreneur à Gy, puis par les charpentiers Hugues Bonvalot et Nicolas Chambelland.

5. François-Lazare Renaud, fils de l'entrepreneur bisontin Nicolas Renaud, avait déjà réalisé en 1759 un remarquable « plan du château de Gy et de ses environs » (Arch. dép. Doubs, G 52). Il deviendra rapidement un architecte de talent, très actif dans les vallées de la Saône et de l'Ognon. Parmi les œuvres les plus importantes réalisées au cours de sa brève carrière, citons le clocher de Pesmes en 1773, l'église de Cirey-lès-Bellevaux en 1775, mais surtout, à la veille de son décès, la belle église néoclassique de Grandfontaine (Doubs), aux portes de Besançon. Il n'obtint qu'en 1772 du Magistrat de Gy le paiement de 166 livres d'honoraires pour ses plans livrés huit ans plus tôt (Arch. dép. Haute-Saône, 282 E dépôt 94, délibération du 12 mars 1772).

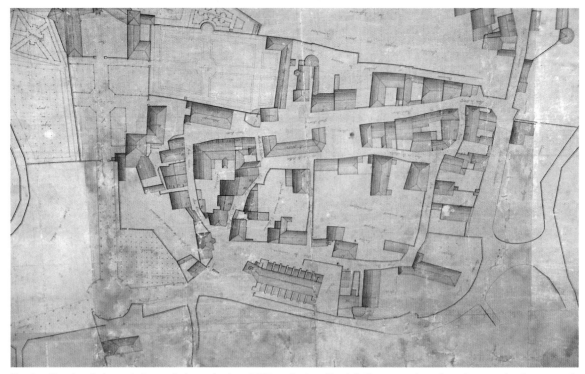

Fig. 1 – Gy, plan de la partie haute du bourg levé en 1787 par le sieur Dard de Bosco, sur lequel on distingue le plan-masse de l'église reconstruite et, au nord, les jardins du château (document conservé à l'hôtel de ville de Gy).

Fig. 2 – Gy, vue aérienne du quartier haut du bourg avec l'église établie le long de l'ancien tracé des remparts (carte postale Combier, vers 1960). On aperçoit à droite l'ancien château des archevêques de Besançon.

JEAN-LOUIS LANGROGNET

Fig. 3 – Gy, église Saint-Symphorien, vue du côté sud avec le clocher de l'église précédente.

Fig. 4 – Gy, église Saint-Symphorien, vue de la nef et du chœur.

Fig. 5 – Gy, église Saint-Symphorien, vue de la nef depuis le chœur.

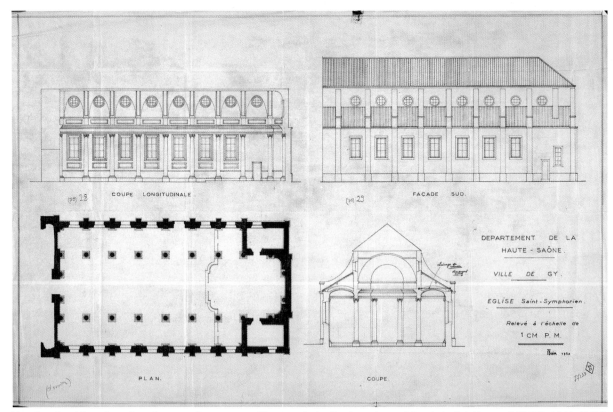

Fig. 6 – Gy, église Saint-Symphorien, plan, coupes, élévation de la façade sud par Marcel André Texier, ACMH, 1950 (MAP, 0082/070/2003).

JEAN-LOUIS LANGROGNET

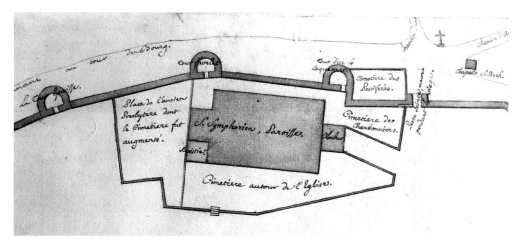

Fig. 7 – Gy, plan-masse de l'ancienne église Saint-Symphorien en 1640 (Arch. dép. Doubs, G [plan] 56).

pour disposer des ressources nécessaires [6], les travaux prévus étaient sur le point de recevoir leur exécution en janvier 1765 [7]. Cependant, sous la pression de l'archevêque du diocèse, Antoine-Clériadus de Choiseul-Beaupré (1707-1774) [8], qui souhaitait orienter le chantier au mieux de ses intérêts, l'architecte bisontin Nicolas Nicole (1702-1784) fut chargé de vérifier et d'amender les plans de Fr.- L. Renaud. Sans grande surprise, il les écarta pour proposer son propre projet, intégrant un agrandissement du chœur et la construction d'un petit oratoire latéral demandés expressément par l'archevêque, promu cardinal depuis peu. Ces dispositions, agréées par le grand maître des eaux et forêts, responsable du bon emploi du prix des bois vendus à la suite de l'arrêt de 1761, furent adjugées en avril 1766 au siège de la maîtrise particulière des eaux et forêts de Gray à l'entrepreneur Claude Jeambard [9]. Les travaux débutèrent aussitôt. Las! quelques mois plus tard, le cardinal se ravisa et renonça aux modifications qu'il avait instamment prescrites [10]. Ce revirement et l'effondrement partiel des voûtes de la nef, déstabilisées par les travaux commencés sur les plans de N. Nicole, entraînèrent l'arrêt du chantier [11]. En novembre suivant, de passage à Gy, l'architecte bisontin Jean-Charles Colombot (1719-1782), réputé pour son honnêteté et sa rigueur, estima que l'église n'était pas susceptible de réparation. Il reçut alors du Magistrat la mission de reconstruire complètement l'édifice, sous réserve d'employer la charpente préparée (et déjà payée) pour le chantier abandonné de N. Nicole [12]. Mais le cardinal de Choiseul, engagé depuis plusieurs années dans la transformation de l'austère château de Gy en une demeure brillante et confortable [13] dans laquelle il aimait recevoir la noblesse comtoise et les grands du royaume [14], n'entendait pas laisser construire une simple église de campagne à peu de distance de sa résidence. Il manœuvra en conséquence et convoqua les principaux notables de la cité pour leur annoncer qu'il avait chargé « M. Frignet ingénieur en chef des ponts et chaussées de cette province » de dresser les plans d'une nouvelle église paroissiale « et de faire quelque chose de beau » [15]. Dans une assemblée extraordinaire du 18 décembre 1766, les membres du Magistrat acceptèrent avec prudence « d'entrer dans les vues de Son Éminence ». Ils prièrent l'ingénieur de faire en sorte que la part de la ville dans la dépense totale de l'édifice n'excédât pas 30 000 livres [16], les frais de la reconstruction du chœur devant être à la charge du cardinal en qualité de seul décimateur de la paroisse.

Henry Frignet se rendit sur place en 1767 pour reconnaître les lieux et évaluer les dimensions à donner à la construction projetée. À cette occasion, il prit acte de la volonté locale de bâtir la nouvelle église sur le cimetière, à l'emplacement de l'ancienne, en

6. Cet arrêt permit la vente des 362 arpents 53 perches du quart de réserve de Gy pour financer les réparations estimées à un peu plus de 23 000 livres (Arch. dép. Haute-Saône, B 9151 fol. 123v). L'adjudication des bois présidée par le grand maître à Gray, le 9 novembre 1762, fut emportée par le négociant graylois Jacques-Albert Dobignies pour 24 508 livres, à raison de 61 livres l'arpent, somme couvrant à peu près la dépense des travaux envisagés (Arch. dép. Haute-Saône, B 9220, fol. 63v).

7. Arch. dép. Haute-Saône, 282 E dépôt 93, délibération du 27 janvier 1765.

8. Primat de Lorraine depuis 1742, A.-Cl. de Choiseul-Beaupré avait été nommé archevêque de Besançon le 17 mars 1755 et fait cardinal en 1761.

9. Claude Jeambard (ou Jambard) était membre d'une famille d'entrepreneurs installée à Gray, qui à elle seule assuma de 1750 à 1780 les chantiers de près d'une trentaine d'églises.

10. Arch. dép. Haute-Saône, 282 E dépôt 94, délibération du 12 juin 1766.

11. Ibid., délibération du 25 septembre 1766.

12. Ibid., délibération du 20 novembre 1766. Nicole obtint néanmoins 300 livres d'honoraires, payées par le receveur des domaines et des bois, sur le produit de la vente du quart en réserve de Gy (Arch. dép. Doubs, B 1333, fol. 187v, 18 juillet 1769).

13. Divers comptes provenant d'un fonds Choiseul (conservé longtemps aux archives du château de Ray-sur-Saône et déposé aujourd'hui aux archives départementales de la Haute-Saône) en donnent une bonne idée. Voir également Richard, Histoire des diocèses de Besançon et de Saint-Claude, Besançon, 1851, p. 420-423, et l'article de Sabrina Dalibard dans le présent volume : « Le bourg et le château des archevêques de Besançon à Gy », p. 65-75.

14. En 1763, par exemple, à l'occasion de la consécration de l'autel de la chapelle du château, avaient été invités pas moins de vingt-et-un évêques, abbés et grands dignitaires ecclésiastiques des diocèses de Nancy, Bâle, Bellay, Dijon, Saint-Claude (Arch. dép. Doubs, 4 E 586/2).

15. Arch. dép. Haute-Saône, 282 E dépôt 263.

16. Arch. dép. Haute-Saône, 282 E dépôt 94, délibération du 18 décembre 1766.

17. Arch. dép. Haute-Saône, 282 E dépôt 263. Cet examen en commun des plans par l'intendant et le grand maître permit aux deux agents royaux de s'entendre sur leurs responsabilités respectives dans le financement de l'église. Le grand maître délivrerait ses ordonnances de paiement à l'entrepreneur sur ce qui restait du produit de la vente du quart de réserve et l'intendant autoriserait une imposition locale complémentaire.

18. Arch. dép. Haute-Saône, 282 E dépôt 96, délibération du 13 novembre 1768.

19. Arch. dép. Haute-Saône, C 148. Devis avec signature autographe de Frignet, paraphé *ne varietur* par l'intendant Ch.-A. de Lacoré. Un second exemplaire, également signé de Frignet, est conservé dans le dossier paroissial de Gy aux archives diocésaines de Besançon.

20. Les plans de la main de Frignet ont tous disparu, mais un relevé établi par le sous-ingénieur Claude Aubert en 1775 pour préciser l'emplacement des bancs fait apparaître en rose pâle le plan de la façade non réalisée, et en gris celui du clocher conservé avec ses murs de liaison (Arch. dép. Haute-Saône, C 148) ; un second plan avec échelle en toise, présent dans une liasse d'archives du XIXᵉ siècle, semble être la copie d'un tout premier projet de Frignet de 1768, avec collatéraux couverts de voûtes d'arêtes (Arch. dép. Haute-Saône, 3 O/291). Ce document donne un plan très précis de la façade alors prévue, que l'architecte graylois Christophe Colard semble avoir utilisé pour établir son propre projet en 1856.

21. Arch. dép. Haute-Saône, 282 E dépôt 469. Dossier du projet de reconstruction du clocher élaboré en 1856 par l'architecte graylois Chr. Colard reprenant le plan au sol de Frignet.

conservant provisoirement pour raison d'économie la tour du vieux clocher. Cependant, après avoir établi ses plans en novembre 1768, plans minutieusement examinés au château de Gy par le cardinal, en présence de l'intendant Charles-André de Lacoré et du grand maître des eaux et forêts François Joseph Legrand de Marizy [17], Frignet tenta de convaincre le Magistrat de l'avantage qu'il y aurait à édifier un clocher neuf en harmonie avec le reste de l'édifice [18]. Essuyant un refus formel, il supprima alors de son devis [19] tous les articles relatifs à l'édification du clocher-porche, avec le portail flanqué de deux paires de colonnes qu'il avait prévu d'intégrer au centre d'une façade monumentale. Seules les indications portées sur deux plans qui nous sont parvenus (fig. 8 et 9) permettent d'imaginer cette façade [20], que la commune forma le projet de réaliser soixante-dix ans plus tard, avant d'y renoncer définitivement [21] (fig. 10 et 11). Signés le 13 décembre 1768 et homologués par l'intendant peu après, les plans et devis d'H. Frignet pour l'église de Gy (avec le clocher désaxé de l'édifice précédent) allaient permettre la construction d'une élégante église basilicale dans le goût nouveau apparu à Paris et en Île-de-France depuis peu d'années et dont la modernité dans le diocèse de Besançon, à cette date, étonna plus d'un visiteur.

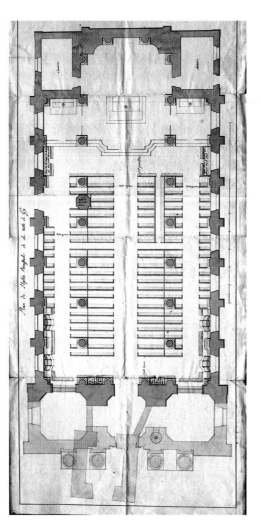

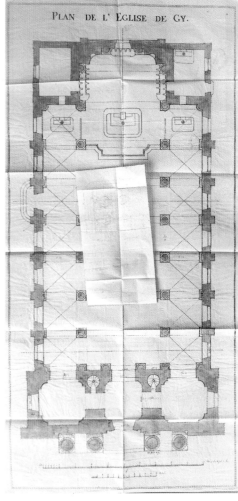

Fig. 8 – Gy, église Saint-Symphorien, plan pour la disposition des bancs dans les trois vaisseaux, signé du sous-ingénieur Jean Claude Aubert, responsable de la conduite des ouvrages, 1775 (Arch. dép. Haute-Saône, C 148).

Fig. 9 – Gy, église Saint-Symphorien, copie d'un premier plan dressé par l'ingénieur Henry Frignet en 1768 (Arch. dép. Haute-Saône, 3 O/291).

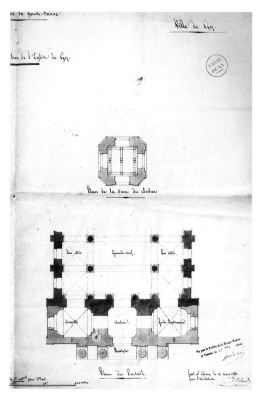

Fig. 10 – Gy, église Saint-Symphorien, plan d'un projet de façade et clocher par l'architecte Christophe Colard, 1856 (Arch. dép. Haute-Saône, 242 E dépôt 469).

Fig. 11 – Gy, église Saint-Symphorien, élévation d'un projet de façade et clocher par l'architecte Christophe Colard, 1856 (Arch. dép. Haute-Saône, 242 E dépôt 469).

Un chantier rapidement mené à son terme

Commencé au début de l'année 1769 et réceptionné en septembre 1774, le chantier, bien documenté [22], dura un peu plus de cinq ans sans connaître de difficultés majeures, si ce n'est quelques tensions lors des paiements réclamés par l'entrepreneur et l'obligation dans laquelle se trouvèrent les officiers municipaux d'intenter un procès au cardinal de Choiseul, puis à son héritier, pour obtenir une légitime contribution à la reconstruction et à l'ameublement du chœur.

L'adjudication des travaux, présidée par l'intendant Ch.-A. de Lacoré, fut donnée le 6 février 1769 [23] à Michel-Antoine Tournier, « maître maçon de Besançon » et « entrepreneur des ponts et chaussées » [24], pour 41 000 livres, somme fixée par le devis estimatif de Frignet [25]. Creusage des fondations et approvisionnement des matériaux allèrent bon train. Dès le mois de mai, l'ingénieur délivrait une attestation à Tournier permettant à ce dernier de recevoir un premier acompte de 9000 livres. Le 12 septembre suivant, le cardinal de Choiseul posait solennellement la première pierre de l'édifice [26].

Dans les premiers jours du mois de septembre 1770, peu avant de rejoindre son nouveau poste d'ingénieur en chef des États de Bretagne à Rennes, Frignet visita une dernière fois le chantier et autorisa le versement d'un second acompte à l'entrepreneur [27]. À partir de cette date, la direction du chantier fut assumée avec probité et compétence par le sous-ingénieur des ponts et chaussées Jean Claude Aubert [28], en poste à Dole et à Gray.

Grâce à un état de situation dressé le 25 juin 1771, nous savons que, dès le début des travaux, les fondations avaient dû être renforcées pour assurer une plus grande solidité à l'édifice [29]. Cet été-là, l'architecte Mique, de Nancy [30], hôte du cardinal au château de Gy,

22. Notamment grâce à la série continue des registres de délibérations du Magistrat de Gy qui permet de suivre l'historique complet de la construction (Arch. dép. Haute-Saône, 2828 E dépôt 96 à 104).

23. Arch. dép. Doubs, 4 E 586/2. Ce PV d'adjudication a été également transcrit au pied des deux devis conservés.

24. M.-A. Tournier venait d'achever, en qualité d'entrepreneur, la construction des thermes de Luxeuil (1762-1768) sur les plans et devis de l'ingénieur en chef des ponts et chaussées Querret. De 1782 à 1784, il conduisit les travaux de l'église Saint-Pierre à Besançon, avant d'être sollicité par la Ville de Saint-Loup-sur-Semouse en Haute-Saône pour donner en décembre 1785 les plans d'une vaste église-halle. Il présenta, comme caution, pour les travaux de Gy, Pierre Ponsardin, entrepreneur de Halle-sur-Avenne (aujourd'hui Halle-sous-les-Côtes dans la Meuse), village proche de Beauclair, où le père de Frignet s'était marié avec une certaine Pétronile Ponsardin…

25. Redoutant les difficultés entraînées par les adjudications publiques données à des entrepreneurs qui proposaient les prix les plus bas pour obtenir des marchés, sans toujours témoigner des compétences nécessaires pour mener à bien les ouvrages délicats, Frignet, deux mois avant l'adjudication, avait recommandé M.-A. Tournier au Magistrat de Gy, en annonçant que ce maître-maçon soumissionnerait l'entreprise de l'église au prix du devis (Arch. dép. Doubs, 586/2, lettre de Frignet, 13 décembre 1768).

26. « L'an mil sept cent soixante neuf le douzième jour du mois de septembre son illustrissime et éminentissime Seigneur Monseigneur Antoine-Clériadius de Choiseul Beaupré cardinal de la Sainte Eglise Romaine et archevêque de Besançon a posé la première pierre de cette église, pour la dite église être construite par le sieur Tournier ensuite des plans et devis donnés par Mr Frignet ingénieur du Roy en Chef des ponts et chaussées de la province, laquelle inscription cy dessus rapportée et gravée sur une plaque de cuivre a été posée sous la base de la colonne du fond du chœur à droite du côté du nord et pareil procès-verbal est inscrit sur les registres de la paroisse. » (Arch. dép. Haute-Saône, 282 E dépôt 96, fol. 38r).

27. Arch. dép. Haute-Saône, 282 E dépôt 159, lettre de Frignet du 9 septembre 1770.

28. Entré à l'École des ponts et chaussées le 19 novembre 1759, J. Cl. Aubert étudia l'architecture chez Blondel. Il fut nommé dans la généralité de Besançon le 1er avril 1766 et finit sa carrière comme ingénieur en chef du Jura de 1791 à 1808 (Arch. nat., F14/2158/1).

29. Arch. dép. Doubs, 4 E 586/2.

30. Il s'agit sans doute de Claude Nicolas Mique, inspecteur des bâtiments de la ville de Nancy depuis 1762 et que le cardinal de Choiseul avait connu lors de son séjour dans la capitale de la Lorraine de 1742 à 1755 en qualité de grand aumônier du roi de Pologne.

31. Arch. dép. Haute-Saône, 282 E dépôt 159. À l'issue de cette visite, N. Nicole donna des dessins et les indications nécessaires «pour rectifier les grands défauts de solidité» observés. Il réclama et obtint 168 livres d'honoraires sur ordonnance de l'intendant du 29 février 1772.

32. Arch. dép. Haute-Saône, 282 E dépôt 96, délibération et marché du 28 août 1773 : « Sur les représentations qui ont été faites que dans les plans et devis de l'église il est question d'aucun ornement dans la voûte et qu'il ne convient cependant pas de la laisser lisse et toute unie, il a été délibéré que l'on fera faire dans le milieu des bonnets et dans les champs des arcs-doubleaux des roses et fleurons convenables, pourquoi il a été traité avec le sieur Marca pour exécuter les ornements [...] pour la somme de 160 livres. » Les travaux s'achevèrent en octobre suivant.

33. Tous les marchés pour les autels provisoires, appui de communion, stalles du chœur, meubles de sacristie, etc. se trouvent cités dans le registre de délibérations des six premiers mois de 1774 (Arch. dép. Haute-Saône, 282 E dépôt 96).

34. Arch. dép. Haute-Saône, 282 E dépôt 339, fol. 162r. Outre le curé de la paroisse, Jean-Baptiste Faivre, étaient présents à la cérémonie deux curés du voisinage et les prêtres familiers de la paroisse, ainsi que le maire entouré de tous les officiers municipaux. La cérémonie est relatée avec précision dans l'article des *Affiches et annonces de la Franche-Comté* du 10 juin 1774, *op. cit.* note 1.

35. Arch. dép. Haute-Saône, C 148. À cette réception, l'entrepreneur graylois Jean-Baptiste Champagne représenta les intérêts de la Ville de Gy, et Antoine Bounder, entrepreneur des ponts et chaussées à Dole, ceux de Tournier.

36. Arch. dép. Doubs, 1 C 172, avis du subdélégué de Gray pour l'homologation par l'intendant du PV de réception, 27 septembre 1774.

37. L'article 21 de l'édit de 1695 précise : «les ecclésiastiques qui jouissent des dixmes, dépendantes des bénéfices dont ils sont pourvus [...] seront tenus de réparer et entretenir en bon état le chœur des églises paroissiales, dans l'étendue desquelles ils lèvent les dites dixmes, et d'y fournir les calices, ornements et livres nécessaires [...].»

38. Arch. dép. Haute-Saône, 282 E dépôt 263. Expertise du 1er avril 1775 conduite par les architectes bisontins Claude-Antoine Colombot, pour le marquis, et Joseph Cuchot, pour le Magistrat de Gy.

39. Arch. dép. Haute-Saône, 282 E dépôt 263.

40. Arrêt du Conseil d'État du 19 janvier 1765 (Arch. nat., F14/229/1).

41. Jean-Marie Aubert, *Les ingénieurs des ponts et chaussées en Franche-Comté au XVIIIe siècle*, DEA d'histoire sociale, université de Franche-Comté, 1983, p. 20-22.

visita le chantier en compagnie du Bisontin Nicolas Nicole [31]. Durant l'année 1772, les travaux avancèrent considérablement. Le gros œuvre s'achevant à la fin du premier semestre 1773, le Magistrat pria alors le stucateur bisontin Charles Marca d'orner de fleurons et de rosaces les arcs-doubleaux du vaisseau central [32].

Dans les premiers mois de l'année suivante, une série de marchés fut passée avec des menuisiers, sculpteurs et serruriers pour la mise en place des éléments mobiliers les plus indispensables [33], si bien que le curé de la paroisse put bénir l'église neuve le 1er juin 1774 [34].

La réception des travaux, quant à elle, n'intervint devant le subdélégué de l'intendant que les 12-13-14 septembre [35]. En comptant diverses augmentations reconnues nécessaires, le coût total de la construction fut évalué à 60 554 livres. Michel-Antoine Tournier ayant fait valoir les pertes qu'il avait subies dans cette entreprise en raison du prix élevé des matériaux, de la difficulté de l'appareillage et du coût de la main-d'œuvre, éléments nettement sous-estimés dans le devis initial de Frignet, les officiers municipaux, particulièrement satisfaits de «la propreté et de la solidité de l'ouvrage», acceptèrent de lui accorder une indemnité complémentaire de 2000 livres [36].

Pour assumer toutes ces dépenses, le Magistrat consomma non seulement le reliquat (14 333 livres) du produit de la vente des bois de réserve faite en 1761, mais dut recourir aussi plusieurs années de suite à une imposition locale (d'un montant de 32 000 livres) pour honorer les paiements dus à l'entrepreneur. La Ville se vit même obligée d'avancer les frais de construction du chœur, face au refus du cardinal de Choiseul d'honorer les obligations auxquelles il était pourtant tenu par l'édit de 1695 sur la juridiction ecclésiastique, en sa qualité de «gros décimateur de la paroisse [37]». Interrompue par la mort du prélat en janvier 1774, la procédure engagée contre lui fut poursuivie contre son héritier, le marquis Claude-Antoine-Clériadus Choiseul La Baume. Après une expertise contradictoire [38], les officiers municipaux de Gy obtinrent finalement gain de cause à la chambre des requêtes du Parlement à Besançon le 19 août 1775. Le neveu du cardinal fut condamné à verser 12 500 livres à la Ville [39].

Saluée dès son achèvement comme un édifice remarquable, l'église de Gy est une œuvre majeure de Frignet. Si cet ingénieur n'a pu diriger le chantier jusqu'à son terme, en raison de son départ prématuré pour la Bretagne en 1770, ses plans établis en 1768 n'en ont pas moins été scrupuleusement suivis grâce au zèle de son ancien subordonné, le sous-ingénieur Aubert. Le parti architectural novateur de l'édifice et celui des techniques mises en œuvre ont indéniablement pour origine la formation reçue à Paris à partir de 1749 par le jeune ingénieur et son affectation en Île-de-France jusqu'en 1765, au moment même où l'architecture, notamment religieuse, connaissait des évolutions décisives.

Un ingénieur des ponts et chaussées au fait de l'actualité architecturale des années 1760

À sa sortie de l'École des ponts et chaussées en 1755, Henry Frignet fut d'abord affecté dans la généralité de Paris. Il y travailla dix années, avant d'être promu ingénieur en chef des ponts et chaussées de Franche-Comté en janvier 1765 [40]. Durant les cinq ans de son séjour à Besançon, il s'attacha à poursuivre l'action de son prédécesseur, Jean Querret, mais en apportant une dynamique nouvelle [41]. Veillant à la gestion rigoureuse du système des corvées et au recrutement de commis des ponts et chaussées compétents [42], il parvint en quelques années à une amélioration des routes de la Comté [43], ainsi qu'à l'achèvement et au lancement de nombreux ponts. Bien avant qu'un arrêt de 1780 attribue plus spécialement aux ingénieurs des ponts et chaussées la construction des édifices et équipements publics, l'intendant Ch.-A. de Lacoré lui avait confié plusieurs projets d'architecture [44], notamment celui du bâtiment de la nouvelle intendance de Besançon dans le courant de l'année 1767. Malgré tout l'intérêt qu'il présentait, le travail préparatoire de l'ingénieur en chef pour cet édifice prestigieux [45], repris et modifié peu après par le célèbre Victor Louis et l'architecte local Nicolas Nicole, a été trop longtemps minimisé [46]. Après son départ pour Rennes à l'automne 1770 [47], Frignet, estimé dans les cercles francs-maçons [48], déploya au service des États de Bretagne une activité particulièrement soutenue – ponctuée d'amères déceptions – jusqu'à sa démission en 1787 [49].

Comme l'attestent l'église de Gy, le projet pour l'intendance de Besançon et les plans donnés pour le palais épiscopal de Rennes [50], Frignet fit toujours preuve dans son activité architecturale non seulement des compétences techniques propres aux ingénieurs des ponts et chaussées, mais aussi d'une connaissance précise des théories et courants stylistiques innovants apparus à Paris et en Île-de-France au milieu du siècle.

Fils d'un entrepreneur en bâtiment, il avait connu dès l'âge de seize ans l'expérience des chantiers avant d'être admis en août 1749 à l'École royale des ponts et chaussées. Au cours de sa formation, « assidu et appliqué », il fit l'objet de nombreuses appréciations positives [51]. Parallèlement aux exercices imposés au sein de l'école (dessins des cartes routières de Chartres à Vendôme et de l'Auvergne au Languedoc, par exemple), il fréquenta durant plusieurs mois l'agence de l'architecte parisien Legrand [52] afin de perfectionner une pratique architecturale à laquelle il demeurait attaché depuis ses jeunes années passées dans l'entreprise paternelle. À la fin de 1751, une trentaine de journées employées à faire des relevés sur le chantier du château et du parc d'Arnouville-lès-Gonesse (Val-d'Oise), en cours d'aménagement [53], lui donna la possibilité de rencontrer l'auteur des plans de cet immense domaine, Pierre Contant d'Ivry (1698-1777) [54]. Cet architecte en vue venait de signer les plans de l'une des toutes premières églises basilicales, à Saint-Wasnon de Condé-sur-l'Escaut (Nord) [55], et devait s'atteler, six ans plus tard, au projet de la nouvelle église de la Madeleine à Paris, projet emblématique avec celui de Soufflot pour Sainte-Geneviève (1757) du renouveau de l'architecture religieuse en Île-de-France [56]. À cette date, théoriciens et architectes « éclairés », nourris des réflexions de l'abbé Laugier, portaient en effet une attention particulière aux formes de l'Antiquité grecque et romaine, mais également aux principes constructifs des églises gothiques [57]. Présent dans la capitale jusqu'en 1765, Frignet s'intéressa à tous les débats qui agitaient alors le milieu des architectes parisiens. Il eut connaissance très tôt des premiers grands projets dans lesquels l'utilisation de colonnades à entablement continu permettait une perception élargie des espaces intérieurs et réduisait les obstacles aux flux lumineux provenant des baies latérales, contrairement aux traditionnelles arcades sur piliers [58]. Le recours à ce type de colonnades se retrouve à l'église de Gy, dont les travaux lancés dès 1769 s'achevaient en 1774, l'année même où commençait véritablement le chantier de Saint-Philippe-du-Roule à Paris…

UNE ÉGLISE BASILICALE « DANS LE GOÛT NÉO-GREC »

Orientée et inscrite dans un rectangle d'environ 40 m de long sur 21 m de large hors œuvre, l'église de Gy se compose d'une nef à trois vaisseaux de sept travées (la dernière travée du vaisseau central formant avant-chœur) séparés par deux files de colonnes ioniques, et d'un chœur d'une travée à chevet plat, flanqué au nord d'une sacristie et au sud d'une chapelle réservée autrefois à l'archevêque. Dans le vaisseau central, une voûte en plein cintre, pénétrée par les lunettes de fenêtres hautes circulaires, est recoupée par des

42. Rigoureux, soucieux d'efficacité et d'économie, Frignet renvoya peu après son arrivée plusieurs commis jugés incapables de conduire des travaux. Son souci de disposer de personnel compétent le conduisit à organiser au sein de son service, lorsqu'il fut nommé ingénieur des États de Bretagne, une petite école, ou plutôt un atelier pour former de jeunes gens susceptibles de postuler à des postes vacants (Isabelle Letiemble, « Les ingénieurs des ponts et chaussées de Bretagne au XVIIIᵉ siècle : un groupe socio-professionnel méconnu », *Annales de Bretagne*, 2000, p. 468).

43. « Arrivant en Franche-Comté j'ai trouvé les routes très négligées, en mauvais état et partout d'une dureté rebutante pour le commerce et le voyageur. J'ai proposé à M. l'intendant une nouvelle forme de conduite de la corvée – en moins de trois ans j'ai rendu presque toutes les routes belles et roulantes et en ai fait ouvrir qui l'ont étonné ; j'ai économisé 15 000 livres par an en frais de conduite, j'ai fait beaucoup d'ouvrages d'art, j'en ai remis pour 300 000 livres en quittant la province » (Arch. nat., F14 2229/1, lettre du 8 mars 1788).

44. Expertise de travaux à faire à Chambornay-lès-Pin en 1768 (Arch. dép. Haute-Saône, C 92) ; dessin de la façade de l'hôtel de ville de Poligny (Jura) [Bibl. École nationale des ponts et chaussées, Ms 1036] ; alignement en 1769 de la place de l'hôpital de Luxeuil (Arch. dép. Haute-Saône, E 311 dépôt 272) ; projet pour un corps de casernes à Ornans (Doubs) [Arch. dép. Doubs, 1 C 2541].

45. Sur les projets et la construction de l'Intendance de Besançon, voir Jacques Barthélemy *et alii*, *Des Intendants du roi aux Préfets de la République. L'Hôtel de la Préfecture de Franche-Comté*, Besançon, 2008.

46. Ce que dénonçait à juste titre Claudette Dérozier : « Aspects de l'urbanisme à Besançon au XVIIIᵉ siècle : projets de l'Intendance et de la rue de Traverse », dans *Mélanges Fiétier*, Besançon, 1984, p. 275-298.

47. « Étant nécessaire de pourvoir à la place de l'ingénieur en chef des ponts et chaussées de la province de Bretagne vacante par la mort du sieur de Chassé, et sur les témoignages avantageux qui nous ont été rendus du sieur Frignet ingénieur du Roi en chef de la province de Franche-Comté, de ses talents distingués dans le Génie et l'Architecture, et des preuves qu'il a données de ses lumières dans la conduite de la partie des ponts et chaussées d'une grande province, nous avons commis et commettons le dit Sr Frignet en qualité d'ingénieur en chef des ponts et chaussées de la province de Bretagne, aux appointements de 6 000 livres par an, à commencer du 1ᵉʳ avril de la présente année. » (Lettre de mission signée par Emmanuel Félicité de Durfort de Duras et François Marie Brune, comte d'Agay, citée par Daniel Kerjan dans *Rennes, les francs-maçons du Grand Orient de France*, Rennes, 2005, p. 32).

48. Frignet fut établi vénérable de la loge de «la Parfaite Union» du Grand Orient de France à Rennes en 1772 (*ibid.*, p. 32).

49. Peu après son arrivée à Rennes, Frignet s'était occupé de moderniser le palais épiscopal, mais il se brouilla avec le prélat qui renâcla à payer les honoraires dus. Deux ans avant sa démission, l'ingénieur dénonçait l'ingratitude des États de Bretagne pour lesquels il avait fait des projets de canaux, sans ménager sa peine ; il souffrit aussi du manque de considération de l'intendant qui lui avait retiré les projets d'un port de mer et d'une salle de spectacle dont les plans étaient pourtant prêts. «Tous les étrangers sont traités ici comme des anglais en temps de guerre», écrivait-il en janvier 1787 (Arch. nat., F 14/2229/1).

50. André Mussat, *Saint Melaine, la mémoire d'un palais*, Rennes, 1986, p. 28-29).

51. Dès 1750, «il sait les éléments d'Euclide, peut résoudre les équations du deuxième degré, entend les calculs des terrasses et un peu la mécanique, […], lève et dessine diligemment les plans, entend un peu l'architecture et le trait» (Bibl. École nationale des ponts et chaussées, Ms 1928/1 et Ms 1911).

52. Sans doute Germain-Éloi Legrand (1693-1751), premier architecte du duc d'Orléans et architecte de première classe à l'Académie.

53. Bibl. École nationale des ponts et chaussées, Ms 1928/1.

54. La construction du château et l'aménagement d'un immense parc, affectant la totalité du village d'Arnouville-lès-Gonesse, avaient été commandés en 1750 par Jean-Baptiste de Machault d'Arnouville, garde des Sceaux et ancien contrôleur des Finances de Louis XV. Selon d'Argenville, «les travaux ont été très considérables et d'une grande difficulté par les obstacles que produit naturellement un terrain inégal où il fallait tout créer. M. Contant en a fait les projets dont la plus grande partie a été exécutée sous ses yeux» (Michel Gallet, «Pierre Contant d'Ivry», dans *Les architectes parisiens du XVIIIe siècle*, Paris, 1995, p. 137).

55. Commandée à Contant d'Ivry par le duc Emmanuel de Croÿ et construite de 1751 à 1756, l'église de Condé-sur-l'Escaut fait partie des premières églises à plan basilical avec plates-bandes sur deux files de colonnes ioniques. Voir Gabrielle Joudiou, *Chevotet-Contant-Chaussard, un cabinet d'architectes au siècle des Lumières*, Paris-Lyon, 1987, p. 153-157.

56. Julien-David Leroy, *Histoire de la disposition et des formes différentes que les chrétiens ont données à leurs temples, depuis le règne de Constantin le Grand, jusqu'à nous*, Paris, 1764, p. 79-82. L'auteur souligne que les architectes des nouvelles églises de Sainte-Geneviève et de la Madeleine, en employant des plates-bandes, «ont formé un nouveau système de décoration pour l'intérieur de nos édifices sacrés», et «ayant formé des divisions générales de leurs églises par des files de

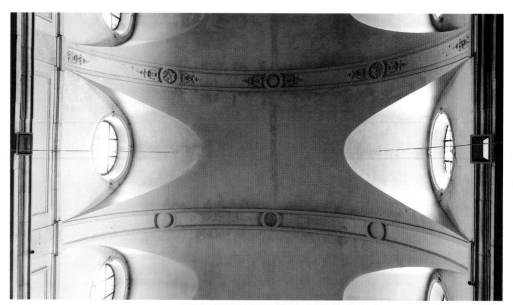

Fig. 12 – Gy, église Saint-Symphorien, détail d'une travée de la voûte du vaisseau central.

Fig. 13 – Gy, église Saint-Symphorien, vue du collatéral nord depuis le vaisseau central.

arcs-doubleaux faiblement saillants (fig. 12). Elle retombe sur l'entablement des colonnes, tandis que, de part et d'autre, des voûtes surbaissées en anse de panier couvrent les bas-côtés. Les murs latéraux, scandés de pilastres ioniques à la retombée des arcs-doubleaux, sont percés de grandes baies rectangulaires à embrasure oblique laissant entrer une abondante lumière (fig. 13). Les deux grandes baies ouvertes initialement dans le pignon du chevet ont été murées dès la fin du XVIIIe siècle lors du déplacement du maître-autel et de l'installation du baldaquin monumental qui le domine. Dressés perpendiculairement à l'axe des vaisseaux, dans le prolongement des arcs-doubleaux, de véritables arcs-boutants dissimulés partiellement dans la toiture des collatéraux viennent contrebuter la poussée du berceau central et prendre appui sur les contreforts en pierre de taille des bas-côtés [59] (fig. 14).

JEAN-LOUIS LANGROGNET

Fig. 14 – Gy, église Saint-Symphorien, extérieur, côté nord.

Outre un accès principal par le porche du vieux clocher, l'église dispose d'une entrée latérale sur la façade nord, dans l'axe d'une petite rue desservant la partie haute du bourg, tandis que la chapelle privée de l'archevêque, avant d'être convertie en sacristie après la Révolution, possédait une porte indépendante (murée aujourd'hui) donnant sur le cimetière.

Conformément au devis [60], le plus grand soin a été apporté à la maçonnerie. À l'extérieur, socle, corniche, entourage des baies et contreforts sont en pierre de taille tirée des carrières de Gy et le reste est « en moellons parmentés par assises d'égale hauteur ». À l'intérieur, colonnes, pilastres, plinthe, entablement, piédroits et linteaux des baies, bandeaux, niches du chœur sont en pierre de taille à grain fin, soigneusement bouchardée (fig. 15). Les colonnes d'ordre ionique à fût lisse et chapiteau moderne [61] (fig. 16) possèdent la hauteur

colonnes, ils y exécutent dans toute leur étendue les ordres grecs avec une très grande magnificence ».

57. En 1755, dans son *Essai sur l'architecture*, le Père Laugier déclarait, p. 177 : « J'ai cherché si, en bâtissant nos églises dans le bon goût de l'architecture antique, il n'y aurait pas moyen de leur donner une élévation et une légèreté qui égalât celle de nos belles églises gothiques. »

58. Louis Hautecœur, *Histoire de l'architecture classique*, tome IV, Paris, 1952, p. 334.

59. Sur chaque arc-boutant, Frignet avait prescrit une rigole terminée par une gargouille au droit du contrefort pour l'évacuation « des eaux du toit supérieur », solution abandonnée au cours du chantier au profit d'une couverture en fer blanc.

60. Arch. dép. Haute-Saône, C 148. Le devis de Frignet, signé le 31 décembre 1768, comprend vingt articles, dont douze concernent la maçonnerie des murs et voûtes. Un additif du 13 janvier 1769 porte sur l'exécution souhaitée par l'archevêque et la paroisse de deux caveaux, destinés à l'inhumation des « prestres et habitans de marque », sous les chapelles à l'extrémité des collatéraux.

61. Ce type de chapiteau ionique s'inscrit dans une tradition antique renouvelée par Scamozzi à la Renaissance. Il est doté de volutes symétriques sur les quatre faces et orné de chutes d'éléments végétaux.

Fig. 16 – Gy, église Saint-Symphorien, nef, détail d'un chapiteau ionique en stuc.

Fig. 15 – Gy, église Saint-Symphorien, nef, détail du socle et de la base d'une colonne.

Fig. 17 – Gy, église saint Symphorien, nef, retombée d'un arc-doubleau du vaisseau principal sur la plate-bande.

62. J.-D. Leroy, *Histoire de la disposition…*, *op. cit.* note 56, p. 79.

63. Voir les articles 6 et 14 du devis. Les plates-bandes des entrecolonnements ont pour centre de leur coupe le sommet du triangle équilatéral renversé, dont la base est fixée par la distance comprise entre deux colonnes. Par ailleurs, Frignet multiplie les précisions sur la manière de construire les cintres et insiste sur la nécessité de leur donner « un pouce de bombement » pour absorber le tassement qui se produit inévitablement lors du décintrement.

64. On regrette la disparition au milieu du XXᵉ siècle des rosaces qui ponctuaient le centre des voûtes. Seules des cartes postales anciennes permettent de connaître les décors disparus.

65. Tuf provenant des carrières réputées du village d'Échenoz-la-Méline près de Vesoul (article 25 du devis).

66. Initialement fixée à 9 pouces d'épaisseur à la clé, la voûte en berceau fut finalement exécutée avec des « pendants » de tuf de seulement quatre pouces et demi de hauteur, comme nous l'apprend une note, non datée, mais postérieure à la réception (Arch. dép. Haute-Saône, C 148).

canonique de neuf diamètres. Elles portent un entablement droit formé d'une plate-bande continue régnant sur tout le pourtour du vaisseau principal et du chœur, et permettent au spectateur « de découvrir tout l'intérieur à la fois [62] ». Une attention particulière a été apportée à l'exécution de cette plate-bande [63], surmontée d'un muret de quatre pieds et demi de hauteur pour recevoir le berceau en plein cintre du vaisseau central (fig. 17). Cachés sous la « gyspserie » de ce muret, des arcs de décharge ont été soigneusement établis entre les naissances de chacun des arcs-doubleaux pour soulager les entrecolonnements d'une trop forte pression de la voûte. Comme il était d'usage, le dessin des chapiteaux et les profils des diverses moulures ont été fournis « en grand » à l'entrepreneur au cours du chantier. Des décors en stuc voulus par la paroisse et non prévus au devis, seuls subsistent ceux qui animent la frise de l'entablement (têtes ailées de chérubins, cartouches accostés de rinceaux) ou ornent les deux premiers arcs-doubleaux du chœur (rosaces et fleurons) [64].

La voûte en berceau, construite en moellons d'appareil jusqu'à six pieds de hauteur (environ 2 m), est continuée ensuite en tuf [65] sur quatre pouces et demi d'épaisseur (environ 12 cm) jusqu'à la clé [66]. Pour les voûtes surbaissées des bas-côtés, l'entrepreneur a employé, avec l'accord de l'ingénieur Aubert, des briques légères à la place des voussoirs en tuf indiqués au devis [67].

Un maître-autel à la romaine en marbre, à la charge de l'archevêque, avait été prévu par Frignet dans la travée précédant le chœur proprement dit et, à la charge de la fabrique, deux

JEAN-LOUIS LANGROGNET

petits autels du même type (placés «au-devant de beaux portiques») pour les chapelles des bas-côtés [68]. Comme nous le verrons, des solutions différentes furent adoptées au cours des années qui suivirent l'achèvement de l'église.

Le dispositif des toitures, conçu avec une volonté de réduire les coûts autant que possible, est des plus simples. Moyennant la présence de petits murs d'appui en tuf sur l'extrados du berceau et des arcs-doubleaux, la charpente du vaisseau principal n'est constituée que de «platteformes, pannes et chevrons», et celle des collatéraux «de platteformes et chevrons seulement», le tout boulonné ou retenu «avec des liens, étriers ou tirans en fer» aux endroits nécessaires. Si la couverture en petites tuiles du grand vaisseau, régulièrement entretenue, n'a pas posé de problème, la faible pente et le défaut d'étanchéité de celle des bas-côtés ont entraîné de multiples interventions d'artisans dès 1776 [69], ainsi qu'une expertise de l'architecte Claude-Antoine Colombot (1747-1821) en 1781 [70].

La vitrerie d'origine, faite de petits losanges de verre blanc a disparu, mais celle qui existe aujourd'hui facilite toujours l'entrée d'une abondante lumière comme le souhaitait Frignet. Jointe aux jeux d'une réverbération changeante selon les heures de la journée et des saisons, elle contribue à dilater l'espace de la nef et à accentuer l'impression de légèreté des voûtes [71].

Avec l'église de Gy, qui concilie l'utilisation d'arcs-boutants dans la tradition gothique et de plates-bandes sur files de colonnes isolées empruntées aux formes de l'Antiquité grecque, Frignet témoigne de sa proximité avec les auteurs des premières églises basilicales construites peu après la fin des années 1750 en Île-de-France. Le souci d'économie dans la mise en œuvre des matériaux, l'emploi de colonnes ioniques à «chapiteau moderne», la qualité d'exécution des voûtes et de leur contrebutement, la recherche d'une intense luminosité invitent à situer l'édifice dans la mouvance des réalisations de Contant d'Ivry beaucoup plus que dans celles de Soufflot ou de Chalgrin.

UN MOBILIER CONFIÉ À DES ARTISANS TALENTUEUX

Pour la cérémonie de bénédiction de l'église le 1er juin 1774, toute une partie du mobilier de l'ancienne église avait été transportée dans la nouvelle [72], en particulier le maître-autel réutilisé provisoirement [73], mais, dès l'année suivante, la paroisse se mobilisa pour doter l'édifice neuf d'un mobilier au goût du jour [74].

Le sculpteur champenois Louis Jorion, présent à Gy pour exécuter le couronnement de quatre confessionnaux [75], fut prié par les officiers municipaux, en mars 1775, de donner non seulement le dessin du maître-autel projeté, mais aussi le modèle d'un imposant baldaquin destiné à le mettre en valeur [76]. Dès le mois de juin suivant, un marché de 3 200 livres était signé avec le marbrier dolois Dominique Pahors pour la construction de cet autel principal et de deux autres plus petits pour les chapelles collatérales, mais aussi pour la fourniture des colonnes en marbre du baldaquin [77], le couronnement en bois sculpté de ce dernier faisant l'objet d'un marché particulier déjà conclu avec L. Jorion. En fait, l'artiste champenois céda presque aussitôt son marché à un sculpteur et doreur bisontin, Jean-Baptiste Michel Deschamps, qui, après la défaillance du marbrier Pahors, se vit chargé de la réalisation complète du maître-autel et du baldaquin, mais en menuiserie marbrée et dorée et non plus en marbre [78].

Particulièrement majestueux, ce baldaquin se compose de quatre colonnes corinthiennes portant de grandes consoles surmontées d'un dais à lambrequins entièrement doré sous lequel est suspendue, dans l'axe du maître-autel, une nuée rayonnante encerclant le triangle

67. Voir le procès-verbal de réception (Arch. dép. Haute-Saône, C 148).

68. La copie du plan de Frignet (voir note 18) fait apparaître l'emplacement initialement prévu pour les trois autels, tandis que le relevé de 1775 signé par l'ingénieur Aubert témoigne des changements intervenus : les autels latéraux sont non plus isolés au centre des dernières travées des bas-côtés, mais adossés.

69. De 1776 à 1780, les délibérations des officiers municipaux sur ce sujet sont particulièrement nombreuses. Ils se résolurent à refaire toute la toiture des bas-côtés en utilisant des «tuiles creuses» sur un lambris cimenté en s'inspirant d'un procédé mis en œuvre à l'abbaye cistercienne Notre-Dame de la Charité, proche de Gy, mais sans le succès espéré (Arch. dép. Haute-Saône, 282 E dépôt 96).

70. Arch. dép. Haute-Saône, 282 E dépôt 97. Charles-Antoine Colombot était le fils de Jean-Charles Colombot, auteur du projet abandonné de reconstruction de l'église de Gy en 1767 (voir note 4 et p. 301).

71. «Tout le dessus de cette église paraît porté en l'air», selon les termes des admirateurs du projet de Soufflot pour la Madeleine.

72. De ce mobilier entreposé dans une chapelle du village (celle de la Confrérie de la Croix) pendant le chantier, puis transféré dans la nouvelle église, subsistent encore aujourd'hui une cuve baptismale et une toile du Rosaire.

73. Arch. dép. Haute-Saône, 282 E dépôt 359, paiement de 36 livres le 20 mai 1774 au menuisier Jean-Antoine Vesseau pour la confection d'un marchepied et la pose de l'ancien maître-autel, sur un socle de pierre exécuté par Claude Perron.

74. L'article 23 du devis initial de Frignet avait prévu un maître-autel «en marbre de la province de différentes couleurs» en se conformant «pour la forme aux desseins choisis et approuvés par son Éminence».

75. Ces confessionnaux, dont deux sont encore présents dans les collatéraux, avaient été confectionnés dans l'hiver 1774-1775 par les menuisiers Guillaume et Joseph Phizotard, en prenant pour modèles ceux de l'église voisine d'Avrigney (Arch. dép. Haute-Saône, 282 E dépôt 350).

76. Arch. dép. Haute-Saône, 282 E dépôt 96, délibération du 10 mars 1775, et dépôt 350 (quittance de L. Jorion de deux Louis «pour honoraires du dessein d'un baldaquin et d'ornements»).

77. Arch. dép. Haute-Saône, 282 E dépôt 96, délibération du 10 mars 1775, et marché du 26 juin suivant avec Dominique Pahors devant le notaire Cordebillot (Arch. dép. Haute-Saône, 2 E 10348).

78. Arch. dép. Haute-Saône, 2 E 10348, marché du 11 août 1775 ; Arch. dép. Haute-Saône, 282 E dépôt 350, PV de réception du baldaquin le 19 juillet 1783 par l'architecte Jean-Claude Disqueux.

79. Le *Martyre de saint Symphorien*, peint par un dénommé Clein pour la somme de 600 livres, n'existe plus aujourd'hui. Il a été remplacé par la toile de Camille Chazal, sur le même thème, «donnée par l'empereur» en 1858 (Arch. nat., F21/408).

80. Arch. dép. Haute-Saône, 282 E dépôt 350, marché du 16 mai 1785. Deschamps reçut du curé J.-B. Faivre la somme de 1366 livres pour les deux retables des chapelles Sainte-Barbe et Saint-Vincent, somme prélevée sur l'argent des confréries et celui des quêtes faites pendant une mission (Arch. dép. Haute-Saône, 282 E dépôt 354).

81. Quittance de 336 livres du 22 mai 1784 pour deux tableaux de sainte Barbe et de saint Laurent (Arch. dép. Haute-Saône, 282 E dépôt 350). Né à Lucerne en Suisse et mort à Vesoul, Xavier Hecht fut actif en Haute-Saône dans le dernier tiers du siècle, où il semble avoir bénéficié de l'appui de l'archevêché de Besançon.

82. Arch. dép. Haute-Saône, 282 E dépôt 96, délibérations du 22 juin 1774 et 9 juin 1775.

83. Sur la famille des Marca, nous renvoyons à la thèse de Mickaël Zito, *Les Marca (fin XVIIᵉ-début XIXᵉ siècle). Itinéraires et activités d'une dynastie de stucateurs piémontais en Franche-Comté et en Bourgogne*, Paulette Choné (dir.), université de Bourgogne, 2013

84. Arch. dép. Haute-Saône, 282 E dépôt 96, délibération et marché de la chaire du 11 octobre 1774 pour la somme de 675 livres. Ch. Marca donna quittance de ses paiements le 19 juillet 1775. Le socle avait été préalablement taillé par le maçon Claude Perron pour 45 livres, tandis que la dorure appliquée sur toutes les moulures de la chaire par Reine Simon de Besançon coûta une somme supplémentaire de 116 livres.

85. Yves Beauvalot, «Recherche sur le néoclassicisme en Bourgogne. Étude comparée des églises de Beneuvre et Vanvey (1765)», *Mémoires de la commission des antiquités de la Côte-d'Or*, tome XXVIII (1972-1973), Dijon, 1974, p. 243-309. Le dessin de la chaire de Vanvey est reproduit page 303.

86. Arch. dép. Haute-Saône, 282 E dépôt 159, marché du 20 avril 1785.

87. Le marché des bancs avait été passé sous l'autorité des officiers municipaux, mais au bénéfice de la fabrique. Leur vente entraîna de graves dissensions au sein de la population de Gy et l'intervention contradictoire des autorités ecclésiastiques et civiles de 1774 à 1782 (Jean-Claude Sidler, *Gy au fil des rues, au fil du temps*, Gy, 2002, p. 59-62).

trinitaire (fig. 18). Sa mise en place en 1783 entraîna le transfert de l'autel au fond du chœur et la suppression des baies du chevet, sur le mur duquel on adossa en 1788 une grande toile du *Martyre de saint Symphorien* [79].

Apprécié pour son talent, Deschamps exécuta également en menuiserie et sculpture les deux retables latéraux souhaités par les confréries [80], ornés chacun d'un tableau du peintre Xavier Hecht (1757-1835) [81] (fig. 19 et 20). Les appuis de communion du chœur et des chapelles sont, pour l'essentiel, une réutilisation des grilles provenant de l'ancien édifice [82].

Fig. 18 – Gy, église Saint-Symphorien, maître-autel, baldaquin et appui de communion, 1776-1783.

Fig. 19 – Gy, église Saint-Symphorien, collatéral nord, retable de la chapelle Sainte-Barbe, 1785.

Fig. 20 – Gy, église Saint-Symphorien, collatéral sud, retable de la chapelle Saint-Vincent, 1785.

Assurément, le meuble le plus original de l'église de Gy est la chaire à prêcher en faux marbre, commandée en octobre 1774 au stucateur Charles Marca [83], « Italien résidant à Besançon », et mise en place au printemps suivant [84]. Posée sur un socle octogonal en pierre entre deux colonnes de la cinquième travée, elle se compose d'une cuve circulaire ornée de balustres et d'un imposant abat-voix en forme de dôme à lambrequins, duquel pendent d'amples draperies en stuc reliées aux colonnes (fig. 21). Son dessin est très proche de celui donné neuf ans plus tôt pour l'église de Vanvey (Côte-d'Or) par l'ingénieur des ponts et chaussées de Dijon, Pierre-Joseph Antoine [85].

Il ne reste rien des stalles du chœur exécutées par le menuisier Jean-Antoine Vesseau [86], ni des bancs de la nef [87] ; seul subsiste le grand buffet réalisé par Joseph Phizotard pour la sacristie [88].

De manière générale, l'intérieur de l'église n'eut pas trop à souffrir des travaux de réfection entrepris par la fabrique au cours du XIXe siècle. On doit même saluer la qualité de la grande composition décorative en grisaille peinte au sommet du chevet en 1859 [89].

88. Arch. dép. Haute-Saône, 282 E dépôt 96, PV de réception du buffet, 31 juillet 1775.

89. La perte des archives de la fabrique n'a pas permis de documenter cette campagne de travaux, mais, après enquête, il semble que le grand décor en grisaille puisse être attribué au peintre Jean-Charles Maurice Jourdeuil (1811-1868). De retour d'un séjour à Saint-Pétersbourg, cet artiste travailla peu après 1855 à la rénovation du théâtre et du palais de justice de Besançon, puis devint professeur d'ornement à l'École des beaux-arts de Lyon. Associé quelque temps à la féconde entreprise bisontine de Jean-Pierre Domange et Sébastien Baldauf, il décora plusieurs églises comtoises de 1858 à 1860.

Fig. 21 – Gy, église Saint-Symphorien, chaire à prêcher, pierre, bois et stuc, 1774.

Conclusion

L'église Saint-Symphorien de Gy s'inscrit dans l'intense campagne de reconstruction des édifices religieux au XVIIIe siècle qui a marqué – et marque encore – profondément le paysage de la Franche-Comté. Son dispositif spatial et son ameublement, comme celui de toutes les églises comtoises bâties depuis la fin du XVIIe siècle, répondent aux prescriptions de la Contre-Réforme et aux injonctions du haut clergé bisontin : visibilité et majesté données au maître-autel dans l'axe du vaisseau central ; chapelles collatérales regroupant les multiples fondations, confréries et autels particuliers ; chaire en surplomb des paroissiens assurant la solennité du magistère de l'Église ; fonts baptismaux à l'entrée de l'édifice ; uniformité des bancs (disparus aujourd'hui) symbolisant l'égalité des paroissiens ; organisation de l'espace facilitant les processions tant à l'intérieur qu'à l'extérieur de l'édifice... Mais le plan basilical adopté et l'emploi de colonnades à l'antique rompent délibérément avec la formule comtoise des églises-halles, en faveur dans le diocèse de Besançon depuis le début du XVIIIe siècle et construites en très grand nombre jusqu'à la veille de la Révolution. Il faut souligner que l'architecte de l'église de Gy, l'ingénieur Henry Frignet, a été appelé et soutenu par le cardinal de Choiseul. Ce prélat, bon connaisseur des personnalités de l'entourage de Louis XV et des évènements parisiens, semble s'être attaché, durant les dix dernières années de son épiscopat, à favoriser l'introduction du courant néoclassique en Franche-Comté. Ne fit-il pas venir, en février 1770, Jean-François-Thérèse Chalgrin pour proposer une modernisation de la cathédrale Saint-Jean de Besançon ? Projet qui, s'il avait été exécuté, aurait transformé le vaisseau central romano-gothique de la cathédrale en vaisseau à la grecque [90]. Vite connue des architectes de la capitale comtoise, l'église de Gy, saluée, on l'a dit en préambule, comme une « vraie architecture grecque [91] », ouvrait la voie. Dans les années suivantes, plusieurs maîtres d'œuvre firent appel dans la construction de leurs églises à des formes et partis constructifs néoclassiques [92]. En 1781, l'architecte bisontin Claude-Joseph-Alexandre Bertrand (1734-1797), collaborateur de Chalgrin lors du passage de ce dernier à Besançon, proposa même de bâtir pour l'hôpital du Saint-Esprit de la Ville une véritable église basilicale avec abside demi-circulaire et berceau orné de caissons [93], directement inspirée de Saint-Philippe-du-Roule, mais en vain. L'église de Gy demeura un exemple d'édifice singulier et précurseur en Franche-Comté, éloigné de la sécheresse, voire de la dureté, vers laquelle tend ensuite le courant néoclassique français. Elle est inscrite à l'inventaire supplémentaire des Monuments historiques depuis 1950.

90. Pascal Brunet, « Une cathédrale à la grecque », dans *La cathédrale Saint-Jean de Besançon*, coll. « Les Cahiers de la renaissance du Vieux Besançon », Besançon, 2006, p. 73-74.

91. Voir note 1.

92. Citons notamment celles de Voray-sur-l'Ognon (Haute-Saône) par Nicolas Nicole en 1774, de Gennes (Doubs) par Joseph Cuchot en 1776, de Cirey-les-Bellevaux (Haute-Saône) en 1775 et de Grandfontaine (Doubs) en 1779 par François-Lazare Renaud (originaire de Gy).

93. Lionel Estavoyer, *L'architecte bisontin Claude-Joseph-Alexandre Bertrand (1734-1797)*, thèse de doctorat, Claudette Dérozier (dir.), université de Franche-Comté, 1982, p. 276-280.

Crédits photographiques – Les clichés sont de Jean-Louis Langrognet à l'exception de celui de la fig. 6 (cl. Bruno Plouidy/MAP).

L'ÉGLISE-HALLE SAINT-ÉTIENNE
À PORT-SUR-SAÔNE

Jean-Louis LANGROGNET *

L'église Saint-Étienne de Port-sur-Saône a été construite de 1781 à 1787 afin de remplacer une église en mauvais état et devenue beaucoup trop petite pour un bourg en pleine expansion. Succédant à plusieurs projets établis par un ingénieur des ponts et chaussées, puis par deux architectes envoyés par l'intendant de Besançon, le projet finalement réalisé est l'œuvre d'un architecte dolois, Anatoile Amoudru (1739-1812), imposé par le grand maître des eaux et forêts du duché et comté de Bourgogne et particulièrement actif dans le ressort des maîtrises particulières de Gray et de Vesoul au cours du dernier tiers du XVIIIe siècle [1].

De dimensions imposantes, cet édifice, financé par la vente du quart de réserve des bois communaux, s'inscrit dans la longue série des églises-halles comtoises du XVIIIe siècle. Il en présente les principales caractéristiques et témoigne du succès d'une formule architecturale bien adaptée aux besoins des paroisses les plus peuplées jusqu'aux dernières années de l'Ancien Régime (fig. 1 et 2).

PLUSIEURS PROJETS DE RECONSTRUCTION ABANDONNÉS

Situé au croisement de deux voies de communication importantes – celle de la Saône qui coule du nord au sud et celle de la route royale reliant Vesoul à Langres –, Port-sur-Saône était au milieu du XVIIIe siècle un bourg important de plus de 400 feux. La paroisse réunissait non seulement les habitants du centre mais aussi ceux de plusieurs faubourgs et hameaux de la périphérie, dont Saint-Valère, Renaucourt et Le Magny. Elle ne disposait pour tout lieu de culte que d'une église médiévale fort insuffisante, enchâssée dans les bâtiments d'un ancien prieuré clunisien, fondé vers 1020 et rattaché depuis 1658 au collège des Jésuites de Vesoul (fig. 3) [2]. Dès 1749, à la requête du curé de Port-sur-Saône, un chanoine de Vesoul mandaté par l'archevêque de Besançon reconnut que cette ancienne prieurale, dont « le chœur menaçait une ruine prochaine [3] », était caduque et « fort vieille ». Quelques réparations suivirent, mais, visitant les lieux en 1772, le subdélégué de Vesoul déplora l'exiguïté du vaisseau réservé aux paroissiens, qui ne pouvait accueillir au plus que 1 000 personnes, alors que la paroisse comptait 1 600 communiants. Étayée de toute part, cette partie de l'église venait d'être abandonnée, obligeant le desservant à célébrer les offices dans une chapelle attenante [4].

De 1772 à 1775, les délibérations de la communauté de Port-sur-Saône visant à améliorer la situation se succédèrent au rythme des expertises et des multiples projets ordonnés par le subdélégué de l'intendant à Vesoul, Gabriel Miroudot de Saint-Ferjeux [5]. L'option d'une « reconstruction à neuf » de l'église ayant été préférée par les habitants à des réparations coûteuses qui, de surcroît, n'auraient pas résolu le problème du manque de place, de vifs débats portèrent sur l'implantation du futur édifice. Il fut assez vite décidé

* Conservateur honoraire des antiquités et objets d'art de Haute-Saône.

1. Denis Grisel et Jean-Louis Langrognet, « L'architecture publique et religieuse en Haute-Saône au XVIIIe siècle », dans *Architectures en Franche-Comté au XVIIIe siècle*, Besançon, 1980, p. 54-62 et p. 100-101.

2. Des vestiges de cet édifice, remontant vraisemblablement aux XVe et XVIe siècles, sont encore visibles rue de l'église, à quelques dizaines de mètres de l'église actuelle. Un rapport de visite de l'architecte vésulien Pierre Beaujard, en juillet 1789, donne de précieuses informations sur le clocher, les trois vaisseaux et les chapelles de cette ancienne église (Arch. dép. Doubs, 39 H 28), avant sa démolition en 1794 (Arch. dép. Haute-Saône, 421 dépôt 19, fol. 105v).

3. Arch. dép. Doubs, 1 C 294. Le rapport du chanoine Castanier du chapitre de Vesoul est cité dans l'avis du subdélégué de Vesoul transmis à l'intendant, le 3 juillet 1749, pour soutenir la requête du curé de Port-sur-Saône et contraindre la communauté récalcitrante à entreprendre les réparations nécessaires.

4. Arch. dép. Doubs, 1 C 312, avis du subdélégué à l'intendant du 24 mars 1772.

5. Arch. dép. Haute-Saône, C 253, fol. 91-95v, enregistrement des ordonnances successives de l'intendant rendues sur les avis du subdélégué de Vesoul. Elles apportent de nombreuses informations sur les débats au sein de la communauté de Port-sur-Saône, les diverses expertises et projets touchant la reconstruction de l'église et celle du presbytère.

Fig. 1 – Port-sur-Saône, église Saint-Étienne, extérieur, vue du côté ouest.

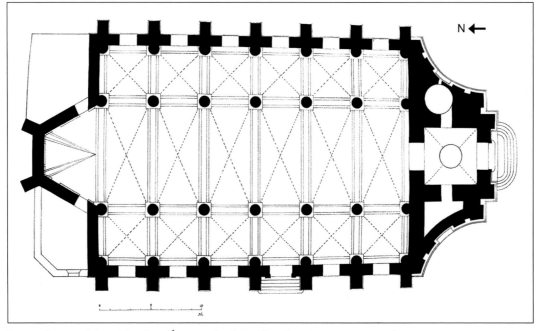

Fig. 2 – Port-sur-Saône, église Saint-Étienne, plan (relevé Jean-Louis Langrognet, 1980).

Fig. 3 – Port-sur-Saône, vestiges de l'ancienne église.

d'abandonner le site de l'ancien prieuré. La forte déclivité du terrain aurait imposé de coûteux travaux de terrassement, ainsi que la destruction de la plupart des bâtiments existants afin de dégager un espace suffisamment vaste pour une nouvelle église [6]. La communauté choisit finalement un emplacement appelé « le carrefour », au centre même de l'agglomération, tout en sachant qu'il serait indispensable d'acquérir et d'abattre plusieurs maisons de particuliers pour obtenir la surface nécessaire à un édifice de grandes dimensions.

Les plans et devis d'un premier projet, prévu pour 2 120 personnes, avaient été dressés en 1772 par le sous-ingénieur des ponts et chaussées Jean-Baptiste Thiery (1721-1774) [7], mais ils furent vite abandonnés, « l'inconstance des paroissiens les ayant rendus nuls », selon les termes mêmes du subdélégué. Deux autres projets lui succédèrent en 1774, ceux des architectes bisontins Louis Beuque (1715-1799) [8] et François-Lazare Renaud (1734-1778) [9], commis par l'intendant. « Le plus beau » se révéla « au-dessus des facultés des habitants de Port-sur-Saône » et l'autre, « quoique moins dispendieux », ne put aboutir, car dépassant lui aussi de beaucoup les ressources que la communauté espérait tirer de la coupe de ses bois.

En effet, n'ayant que de faibles revenus annuels et soucieux d'éviter une imposition locale, impopulaire et difficile à supporter par toute une partie de la population, échevins et « principaux habitants » de Port-sur-Saône n'entendaient pas engager la communauté dans une campagne de travaux sans disposer au préalable de ressources suffisantes. Seul le produit de la vente de tout ou partie du quart de réserve des bois communaux était susceptible de donner les moyens de faire face à un chantier important.

UN DOSSIER ENTRE LES MAINS DE L'ADMINISTRATION FORESTIÈRE

À Port-sur-Saône, comme dans beaucoup d'autres communautés en Franche-Comté au XVIIIᵉ siècle, le mode de financement par la vente du quart de réserve allait conditionner l'ambition et la qualité de l'église à construire, mais aussi donner le contrôle du dossier à l'administration forestière.

Après avoir présenté une requête au Conseil d'État du Roi dès 1769 [10], la communauté de Port-sur-Saône obtint enfin, le 29 octobre 1776, un arrêt autorisant la coupe des

6. *Ibid.* Rapport de l'architecte vésulien Claude-Étienne Chognard, en février 1774, relatif à l'emplacement de l'ancienne église, des bâtiments attenants, notamment du presbytère, et « de la possibilité ou impossibilité de reconstruire une église dans le même emplacement et des moyens qu'il faudrait employer pour y parvenir ».

7. Jean-Baptiste Thiery, formé à l'École des ponts et chaussées dès la création de celle-ci, a été nommé sous-ingénieur en Franche-Comté en 1749, où il déploya vingt-cinq ans durant une intense activité. Outre de très nombreuses expertises, on lui doit plus d'une dizaine de ponts, la caserne de cavalerie de Faverney, divers projets non exécutés pour des églises paroissiales et, à titre privé, les plans du château construit à Saint-Rémy pour la famille de Rosen (voir dans ce même volume l'article de Matthieu Fantoni, p. 00-00).

8. Arch. dép. Haute-Saône, C 253, fol. 91. L'architecte Louis Beuque, formé chez Blondel, travailla sur le chantier de l'église du chapitre de Murbach à Guebwiller, dont il avait donné les plans, jusqu'à son éviction en 1768. On le voit ensuite réaliser pour les communautés comtoises, sur commission de l'intendant de Besançon, nombre d'expertises et projets pour des réparations ou reconstructions d'églises, de presbytères, de maisons d'école et de fontaines. Parmi les églises bâties sur ses plans, citons celle de Montfaucon dans le Doubs en 1773. Il est fort probable qu'il proposa un plan du même type pour Port-sur-Saône en 1774.

9. François-Lazare Renaud est un architecte bisontin, brillant dessinateur, dont l'activité reste encore mal connue. Il est l'auteur du majestueux clocher de Pesmes en 1773 (voir dans ce même volume l'article de Christiane Roussel, p. 00-00) et de deux églises remarquables, celles de Cirey-lès-Bellevaux (Haute-Saône) en 1775 et de Grandfontaine (Doubs) en 1777. Des projets établis conjointement avec Louis Beuque pour Port-sur-Saône, seul celui du presbytère sera exécuté en 1775 par l'entrepreneur Pralon pour la somme de 3 870 livres (Arch. dép. Haute-Saône, C 253, fol. 117).

10. Arch. dép. Haute-Saône, 2 E 15213, délibération devant le notaire J. Cl. Petiet du 18 juin 1769 ; C 267, avis du 9 août 1775 de l'intendant de Besançon envoyé au contrôle général des Finances sur la requête présentée par la communauté de Port-sur-Saône.

11. Arch. dép. Haute-Saône, B 9373, fol. 53v, enregistrement de l'arrêt du Conseil d'État du Roi « tenu à Fontainebleau » le 29 octobre 1769. Instruit par les bureaux du contrôleur général des Finances à Paris, cet arrêt résume la requête de la communauté, fait état du procès-verbal établi le 24 mai 1776 par les officiers de la maîtrise de Vesoul sur la superficie totale des bois et celle du quart de réserve, mentionne la date des avis donnés par l'intendant et le grand maître sur la requête, puis énonce la décision royale portant sur le nombre d'arpents à couper, sur les conditions techniques de l'adjudication, sur le versement du produit à la recette des domaines et des bois et son affectation au paiement de l'entrepreneur de l'église, sous la responsabilité du grand maître et, en outre, ordonne le prélèvement par le receveur général d'un dixième pour « le soulagement des pauvres communautés de filles religieuses ».

12. Jean-Claude Waquet, *Les grands maîtres des eaux et forêts de France de 1689 à la Révolution*, Genève-Paris, 1978, p. 384.

13. Jean-Louis Langrognet, *Anatoile Amoudru (1739-1812) architecte ou les bois devenus pierres*, Dole, 2013, p. 84-90.

14. L'adjudication porta sur 100 arpents et demi (à raison de 537 livres l'arpent) et non sur 85 comme indiqué par l'arrêt, sans que l'on en connaisse les raisons (Arch. dép. Haute-Saône, C 71).

15. Ce maître de forges, comme nous le constatons dans les registres du receveur des domaines et des bois de Franche-Comté, acheta au prix fort, de 1774 à 1781, les quarts de réserve de 11 communautés proches de sa forge pour la somme totale de 253 665 livres. Il convient de souligner l'effet positif pour les communautés villageoises de la concurrence entre les maîtres de forges obligés d'acquérir suffisamment de bois sur pied pour faire « rouler » leurs établissements. Les prix par arpent ne feront que progresser jusqu'à la fin du siècle (*La métallurgie comtoise XVe-XIXe siècles, Étude du Val de Saône*, Cahiers du Patrimoine, 33, 1994, p. 162-172).

16. Arch. dép. Haute-Saône, 2 E 15236, délibération du 30 mai 1779 chargeant un membre de la communauté de traiter avec Amoudru des diminutions à faire au devis pour « ramener le prix à ce qu'il leur reste de la vente de leur bois » ; C 256, fol. 99.

17. Lors d'une assemblée générale de la communauté de Port-sur-Saône le 21 avril précédent, les échevins en exercice, les sieurs Fleurot et Clerc, avaient été désignés pour assister à l'adjudication à Vesoul, et accepter ou refuser les caution et certificateur que présenterait l'adjudicataire (Arch. dép. Haute-Saône, 2 E 15047).

18. Information figurant dans les pièces du contentieux qui opposa les habitants à l'entrepreneur de 1784 à 1785 (Arch. dép. Haute-Saône, 421 E dépôt 5).

85 arpents 58 perches de son quart de réserve, « à la charge par celui qui [s'en rendrait] adjudicataire de remettre le prix de son adjudication es main du receveur général des domaines et bois de la province de Franche-Comté pour être employé, sur les ordonnances du sieur grand maître, au paiement de l'entrepreneur de la reconstruction de l'église paroissiale du dit lieu [11] ».

En vertu de cet arrêt, le grand maître des eaux et forêts des duché et comté de Bourgogne, Bresse, Alsace, Bresse, Bugey, Valromey et pays de Gex, François Joseph Legrand de Marizy (1734-1803) [12], se vit attribuer la responsabilité de la mise en œuvre de toutes les opérations. Dans une ordonnance signée le 2 janvier 1777, il annonça aux officiers de la maîtrise particulière de Vesoul qu'il présiderait lui-même la vente des bois en question, ainsi que « l'adjudication au rabais des ouvrages à faire pour reconstruire l'église […], sur les plans et devis qui en [seraient] préalablement dressés par le sieur Amoudru architecte à Dole ». Anatoile Amoudru, fils d'un arpenteur de la maîtrise particulière des eaux et forêts de Dole, était en effet, depuis 1770, l'architecte attitré du grand maître F. J. Legrand de Marizy. Grâce à la protection de ce grand officier royal, Amoudru eut à établir jusqu'en 1790 les projets d'équipements publics ou religieux (églises, presbytères, maisons de maître d'école et de pâtre, fontaines-lavoirs, fours, ponts…) pour plus de 300 bourgs et villages comtois. Il dressa notamment, en deux décennies, les plans et devis de 55 églises paroissiales, dont 40 furent exécutées [13]…

Organisée le 13 décembre 1777 au siège de la maîtrise de Vesoul, l'adjudication du quart de réserve des bois de Port-sur-Saône à François Moroge, maître des forges de Conflandey situées à peu de distance du bourg [14], rapporta 53 968 livres, somme plus importante que prévu [15]. Jointe au produit d'autres coupes dans les années qui suivirent, elle donna les moyens de bâtir un édifice ambitieux. Informé du montant de la vente des bois par les officiers de la maîtrise particulière de Vesoul, Amoudru se rendit à Port-sur-Saône et élabora en conséquence, durant l'année 1778, les plans et devis de l'église projetée. L'adjudication des travaux, d'abord prévue au printemps 1779, dut être différée en raison des graves dissensions survenues au sein de la communauté d'habitants, portant tout à la fois sur le montant du devis dressé par Amoudru, jugé trop élevé, et sur le coût des maisons particulières à acquérir et à démolir pour agrandir l'emplacement destiné à la future église.

Disputes et controverses agitèrent la communauté de Port-sur-Saône durant toute l'année 1780. La situation ne s'apaisa qu'après les interventions conjuguées du subdélégué de Vesoul et de l'archevêque de Besançon [16]. Une ordonnance de l'intendant, signée le 3 janvier 1781, homologua définitivement la décision de bâtir l'église « au carrefour », face à la route royale, ainsi que la démolition de cinq maisons pour libérer toute la surface souhaitable. Plus rien ne s'opposant à l'adjudication des travaux, celle-ci fut donnée à l'auditoire de la maîtrise de Vesoul le 31 août 1781 [17], sur un devis révisé et réduit par Amoudru le 25 juin précédent à la somme de 58 464 livres [18]. L'entrepreneur Jean Deschamps obtint le chantier « au rabais et moins disant » pour 47 000 livres en cinq termes [19].

LES VICISSITUDES DU CHANTIER

Les plans et devis primitifs d'Amoudru, déposés au début de l'année 1779 au greffe de la maîtrise de Vesoul, n'ont malheureusement pas été conservés, mais nous savons qu'ils firent l'objet de plusieurs modifications avant même le démarrage du chantier. Les habitants avaient ainsi obtenu la suppression d'une travée complète de la nef [20], par volonté d'économie, mais aussi en raison des fortes contraintes du site, limité dans sa plus grande longueur par un rocher abrupt au nord et par la route royale Vesoul-Langres au sud.

Craignant que le clocher n'empiète sur la voie publique, la communauté de Port-sur-Saône et l'entrepreneur Deschamps firent venir l'ingénieur des ponts et chaussées Charles-Étienne Lingée, le 15 juin 1782, pour tracer la limite exacte de la route royale au-devant de laquelle devait s'ouvrir le portail du clocher, ainsi que l'architecte vésulien Claude-Joseph Bretet (1738-1787) pour vérifier la possibilité d'implanter l'église dans la surface disponible [21]. Bretet recommanda l'apport de plusieurs modifications au plan du clocher et l'écrêtement du coteau rocheux à l'arrière du futur édifice pour permettre le passage des processions. Le piquetage de la position à donner au futur édifice s'effectua le 22 juin 1782 [22] ; le lendemain, la communauté fit enregistrer devant notaire toutes les modifications du plan initial d'Amoudru prescrites par Bretet [23].

L'administration forestière ayant validé toutes les dispositions souhaitées par les habitants de Port-sur-Saône, le chantier put enfin commencer. Après la bénédiction de la première pierre le 8 juillet 1782 [24], et malgré quelques difficultés d'approvisionnement, il alla bon train jusqu'à la fin de l'automne 1783.

À cette date, l'édifice en était au quart de sa réalisation et Deschamps avait déjà reçu deux acomptes de 12 000 livres [25] et 10 000 livres [26]. Mais, en désaccord avec la communauté, il ne reprit pas les travaux au printemps 1784. Dénonçant cette interruption de l'ouvrage, les habitants de Port-sur-Saône le poursuivirent, avec «ses caution et certificateur», au siège de la maîtrise de Vesoul [27]. Après plus d'un an d'arrêt du chantier, la communauté obtint la destitution de Deschamps, le 5 février 1785, et l'attribution «à la folle enchère» des travaux qui restaient à faire à un artisan local, Marc Pambet, pour la somme de 43 000 livres [28]. Conduit activement par ce nouvel entrepreneur, l'ouvrage était en voie d'achèvement deux ans plus tard. Le curé de la paroisse, Claude Nicolas Boulard, eut la satisfaction de bénir l'église neuve le 28 octobre 1787 [29].

Une église-halle de l'architecte Anatoile Amoudru

L'église Saint-Étienne de Port-sur-Saône s'inscrit dans la série des églises-halles dues à l'architecte Anatoile Amoudru (20 construites sur 27 projetées [30]). Avec ses 50 mètres de longueur et 22 mètres de largeur hors œuvre et une hauteur sous voûte de plus de 13 mètres, elle apparaît comme la plus importante de celles qui ont été construites sur ses plans et devis [31], et pour laquelle il reçut 2 900 livres d'honoraires [32].

Elle présente un clocher-porche donnant accès à une nef composée de trois vaisseaux de six travées, la dernière formant avant-chœur, suivie d'un chœur peu profond inscrit dans une abside à trois pans (fig. 4 et 5). Deux sacristies flanquent cette abside, celle de droite étant une adjonction du XIXe siècle. Vaisseau central et collatéraux sont couverts de voûtes d'arêtes avec doubleaux saillants en pierre de taille retombant au centre de l'édifice sur une double file de colonnes à chapiteau d'ordre dorique, et sur des demi-colonnes du même ordre au droit des murs latéraux. Une tribune en anse de panier et à balustres de pierre surmonte la première travée tandis que quatorze baies en plein cintre, percées dans les murs gouttereaux des collatéraux et de l'abside, apportent une abondante lumière jusqu'au centre de l'édifice. Seules les baies de la première travée ont conservé leurs châssis, montants et traverses en fer forgé d'origine sur lesquels étaient rivés les panneaux composés de carreaux d'un «beau verre blanc du bief d'Estot» [33]. On accédait à l'église par le portail du clocher et par deux portes latérales ; celle du flanc droit est aujourd'hui murée. Ces trois ouvertures ont permis longtemps le cheminement des processions dans et autour de l'édifice, comme il était d'usage.

19. «Appareilleur» à la compétence reconnue, Jean Deschamps assurait depuis 1775 la direction du chantier du nouveau cloître de l'abbaye de Cherlieu, sur les plans et devis de l'architecte dijonnais Charles Saint-Père. Dans le même temps, outre l'église de Port-sur-Saône, il se rendit adjudicataire de la construction de l'église-halle de Cendrecourt en 1780, de l'église à plan centré de Blondefontaine en 1782, amenda les plans de celle de Neurey-en-Vaux en 1786 et se chargea encore de plusieurs chantiers de réparations dans le même secteur. Ne parvenant pas à assumer tous ses engagements, il fut condamné à la «folle enchère» dans plusieurs dossiers, dont celui de Port-sur-Saône.

20. Arch. dép. Haute-Saône, 2 E 15241, délibération devant le notaire C. F. Bourgoing du 15 août 1781 portant sur les modifications du projet initial d'Amoudru.

21. Arch. dép. Haute-Saône, 2 E 15242, rapport de l'architecte Bretet du 15 juin 1782.

22. Opération effectuée par Cl.-J. Bretet, représentant la communauté de Port-sur-Saône, assisté des architectes Hugues Faivre et C. F. Carteron représentant respectivement l'entrepreneur et le certificateur de ce dernier.

23. Arch. dép. Haute-Saône, 2 E 15242, délibération de la communauté de Port-sur-Saône du 23 juin 1782.

24. Arch. dép. Haute-Saône, 421 E dépôt 15, fol. 23. Bénédiction de la première pierre «placée à l'angle occidental sur le grand chemin» par le curé Claude Nicolas Boulard.

25. Les différentes phases du chantier conduit par J. Deschamps sont bien connues grâce aux délibérations des paroissiens passées devant notaire les 11, 23 août et 8 novembre 1782 (Arch. dép. Haute-Saône, 2 E 152438), le 22 juin 1783 (2 E 15244) et le 13 juin 1784 (2 E 15246), et aux paiements successifs des travaux versés par le receveur des domaines et des bois sur les ordonnances du grand maître (Arch. dép. Doubs, B 1344, fol. 31, 35 et 37).

26. Arch. dép. Haute-Saône, B 9374, fol. 77v, ordonnance du grand maître accordant un second acompte à l'entrepreneur Deschamps, 8 juillet 1783.

27. Lors de l'adjudication des travaux, Georges Lambert, maître des forges de Scey-sur-Saône, avait été agréé comme caution de l'entrepreneur et un négociant de Scey-sur-Saône, Claude François Mouthon, comme certificateur. G. Lambert fera appel de la sentence de la maîtrise de Vesoul à la Chambre souveraine des eaux et forêts du parlement de Besançon, mais sera débouté en 1786 (voir note suivante).

28. Arch. dép. Haute-Saône, 421 E dépôt 5, «Extrait des registres de la chambre souveraine des eaux et forêts du Parlement de Besançon», 1786. Ce document présente un résumé de toute la procédure, tant à la maîtrise de Vesoul qu'au parlement de Besançon.

29. Arch. dép. Haute-Saône, 421 E dépôt 15.

30. J.-L. Langrognet, *Anatoile Amoudru…*, *op. cit.* note 13, p. 85-90.

Fig. 4 – Port-sur-Saône, église Saint-Étienne, vue intérieure de la nef vers le chœur.

Fig. 5 – Port-sur-Saône, église Saint-Étienne, vue intérieure de la nef vers la tribune.

Fig. 6 – Port-sur-Saône, église Saint-Étienne, liaison du clocher à la nef, côté gauche.

31. Parallèlement au dossier de Port-sur-Saône, Amoudru eut à élaborer en quelques années, sur commission du grand maître, les plans et devis des églises-halles de Cemboing (1778), Cendrecourt (1779), Saint-Loup-sur-Semouse (1780) et Saint-Bresson (1781). En 1782 et en 1788, il donna également des projets pour les églises de Champlitte (1782) et de Rougemont (Doubs) qui apparaissent très proches de celui élaboré pour Port-sur-Saône.

32. Le grand avantage d'Anatoile Amoudru, par rapport aux architectes nommés par l'Intendant, était de percevoir directement ses honoraires à la recette des domaines et des bois sitôt après avoir déposé ses plans et devis au greffe de la maîtrise particulière dont dépendaient les communautés concernées par les projets de travaux, avant même leur adjudication. Ainsi, pour Port-sur-Saône, sur présentation d'une ordonnance du grand maître, il obtint le 9 février 1779 la somme de 2 000 livres sur le produit de la vente des bois faite en 1777 et reçut un complément de 900 livres le 9 janvier 1782 (J.-L. Langrognet, *Anatoile Amoudru…*, *op. cit.* note 13, p. 81-82 et p. 388-389).

33. Précisions figurant dans tous les devis conservés d'Amoudru. La verrerie du Bief d'Étoz (Doubs) semble avoir fourni les vitrages d'un très grand nombre d'églises au XVIIIe siècle.

34. Parti adopté par Amoudru pour plusieurs de ses édifices, dont celui de Rougemont (Doubs) en 1788, inachevé au moment de la Révolution, puis détruit ensuite : « Les murs de goutière […] et ceux au pourtour du chœur seront en bonne maçonnerie de moilons d'appareil à bain de mortier en chaux et sable tant en chacun de leurs paremens dans leur intérieur que dans les fondemens qui seront faits aussi proprement que s'ils devaient être vus » (Arch. dép. Doubs, B 17595, Rougemont, devis de l'église, 31 mai 1788, article 83).

35. Pierres mureuses et pierres de taille ont été extraites des carrières de Port-sur-Saône dites « sous la coste » et « chemin de Chargey au dessus de Rimaucourt » (Arch. dép. Haute-Saône, 2 E 15248, marché du 29 mai 1785).

36. Les documents d'archives consultés permettent de penser que ce dispositif a été adopté à la suite de l'expertise conjointe demandée aux architectes H. Faivre et Cl.-J. Bretet par l'entrepreneur et la communauté en 1782, au moment de l'implantation de l'église (voir note 21). On sait que Hugues Faivre avait inauguré, à l'église de Scey-sur-Saône en 1755, cette formule de deux murs concaves pour rattacher le clocher à la nef et que, de son côté, Bretet l'avait mise en œuvre au clocher de l'église de Baulay (Haute-Saône) en 1779.

37. Formule figurant dans la majorité des devis d'Amoudru.

Toute la maçonnerie a été exécutée avec grand soin : les murs de la nef et du chœur sont en moellon d'appareil [34], mais le socle, la corniche en forme de talon renversé, les contreforts et leur couronnement, les ouvertures en plein cintre des baies, ainsi que les murs du clocher sont en pierre de taille appareillée [35]. Reprenant la formule adoptée trois décennies plus tôt pour l'église d'un village voisin, celui de Scey-sur-Saône, deux massifs en arcs de cercle concaves relient le clocher à la nef [36] et sont ornés chacun de deux paires de pilastres d'ordre toscan encadrant une table en légère saillie et portant entablement et muret d'attique (fig. 6). Au second niveau, de part et d'autre du clocher, deux ailerons à courbe et contre-courbe, sommés d'obélisques, masquent les rampants de la toiture. Toute la modénature de la façade a été dessinée suivant les règles de l'ordre toscan, « telles qu'elles se trouvent dans les éditions modernes de Vignole » [37].

Une toiture à l'impériale, surmontée d'un lanternon, couvre la tour du clocher et lui donne cette silhouette devenue familière en Franche-Comté après la construction de plusieurs centaines de clochers de ce type au XVIIIe siècle. À l'origine, cette couverture a pu être, comme Amoudru en laissait fréquemment le choix aux habitants dans ses devis, soit « en tuiles d'une seule et même teinte d'un gris foncé pour imiter la belle ardoise », soit « en tuiles plombées à quatre couleurs » posées en compartiments ou en « point de Hongrie ».

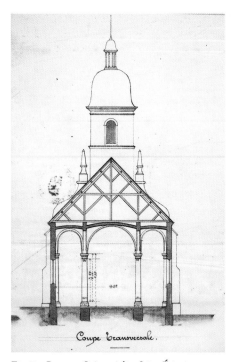

Fig. 7 – Port-sur-Saône, église Saint-Étienne, coupe transversale par les architectes Colard et Humbert, 1877 (Arch. dép. Haute-Saône, 3 O/345).

Fig. 8 – Port-sur-Saône, église Saint-Étienne, charpente de la nef en 1980.

38. Dans son devis pour l'église de Rougemont (Doubs), daté de 1788 et reprenant en grande partie, semble-t-il, celui perdu de Port-sur-Saône, Amoudru précise que ces murets à l'aplomb des colonnes « ont l'avantage d'affermir les piliers des nefs et de les maintenir et conserver dans leurs lignes d'alignement et d'aplomb malgré les charges et poussées inégales des grandes et petites voûtes dont les actions différentes les dérangent presque toujours… » (Arch. dép. Doubs, B 17595).

39. Voir dans ce même volume l'article de Cindy Debierre, p. 241-254.

40. Citons notamment les églises d'Avrigney (1754) et Soing (1758) dans la maîtrise de Gray ; Rosey (1759) et Champagney (1773) dans la maîtrise de Vesoul ; Pouilley-les-Vignes (1757) et Bouclans (1775) dans la maîtrise de Besançon, et Saint-Hilaire (1769) dans celle de Baume-les-Dames.

41. Recommandé par F. J. Legrand de Marizy à Victor Louis, Amoudru acquit rapidement l'estime de ce dernier et l'accompagna en qualité de secrétaire et de dessinateur à Varsovie durant l'été 1765, épisode qu'il relata avec fierté dans son journal, avant de se consacrer les années suivantes à la construction du château du Fresne à Authon, pour le compte du grand maître (J.-L. Langrognet, *Anatoile Amoudru…*, *op. cit.* note 13, p. 20-49).

42. *Ibid.*, p. 360-361 et p. 366-367.

L'ample toiture à deux pans de la nef est portée par une impressionnante charpente formée de très grandes fermes dont les entraits reposent à leurs extrémités sur les murs gouttereaux et, au centre, sur deux murets formant tas de charge à l'aplomb des colonnes [38] (fig. 7 et 8).

En fin de chantier, pour favoriser une intense luminosité dans l'édifice, toute la surface intérieure de l'église avait été couverte « d'une feuille de blanc à bourre relavée à la brosse de deux couches de lait de chaux pour former une teinte d'un beau blanc parfaitement égale ». Par ailleurs, il est fort probable que, selon l'usage et conformément aux indications portées par Amoudru dans tous ses devis, la base des murs ait été revêtue d'un gris foncé sur un pied de hauteur pour former une plinthe, et l'entourage des baies et portes, les arcs-doubleaux et colonnes « imprimés d'un gris tendre […] pour relever l'architecture et la décoration ».

La volumétrie et les principaux aspects de cette église sont semblables à ceux qui se sont imposés dès le début du siècle avec l'apparition des premières églises-halles classiques en Franche-Comté : massivité de murs percés de baies en plein cintre et épaulés par de saillants contreforts, nef de trois vaisseaux « sensiblement de même hauteur », double file de piliers ou de colonnes recevant les arcs-doubleaux des voûtes d'arêtes. À la suite des frères Jean-Pierre et Jean-Joseph Galezot [39], l'architecte bisontin Jean-Charles Colombot (1719-1782) assura à partir du milieu du siècle une large diffusion de cette formule architecturale dans le ressort de plusieurs maîtrises des eaux et forêts [40]. En 1770, de retour en Franche-Comté après un séjour parisien fécond dans l'agence de Victor Louis et sur le chantier du château de F. J. Legrand de Marizy dans le Vendômois [41], Anatoile Amoudru tenta, avec deux projets destinés aux villages haut-saônois de Frasne-Le-Château (fig. 9) et de Leffond [42], d'infléchir ce modèle habituel d'église-halle en adaptant plusieurs partis architecturaux empruntés au néoclassicisme naissant : strict plan rectangulaire, clocher-porche intégré dans une façade monumentale, suppression des contreforts extérieurs, abandon des voûtes d'arêtes sur le vaisseau central au profit de voûtes en berceau plein cintre. Mais seule l'église de Leffond, non loin de Champlitte, a pu être parfaitement exécutée en 1771 selon cette formule de «halle-basilique» – pour reprendre la terminologie proposée par Pierre Sesmat [43] (fig. 10). L'attachement des notables ruraux aux modèles consacrés depuis des décennies et les habitudes techniques des entrepreneurs contraignirent Amoudru à revenir dans les années suivantes, et notamment à Port-sur-Saône, au type d'église-halle popularisée par J.-Ch. Colombot.

L'église de Port-sur-Saône constitue un bon exemple de ces réalisations architecturales comtoises du XVIIIᵉ siècle destinées aux communautés d'habitants pour lesquelles un architecte désigné par l'administration forestière établissait des plans et devis, sans avoir ensuite de véritables responsabilités dans la conduite des travaux. Au cours du chantier, l'attention des communautés d'habitants et de l'autorité de tutelle portait essentiellement, comme on le constate dans de nombreuses délibérations et maints procès-verbaux de

43. Pierre Sesmat, «Les "églises-halles", histoire d'un espace sacré (XIIᵉ-XVIIIᵉ siècle)», *Bulletin monumental*, t. 163-1, 2005, p. 59-60.

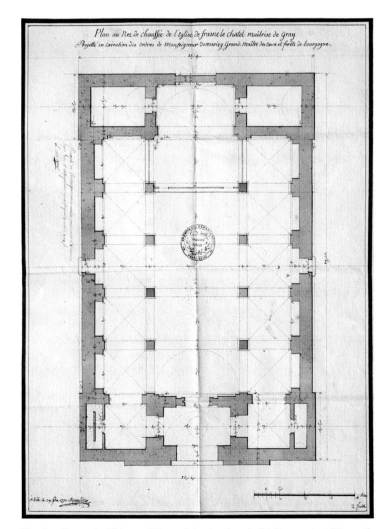

Fig. 9 – Frasne-le-Château (Haute-Saône), plan de l'église, projet d'Anatoile Amoudru, 1770 (Arch. dép. Haute-Saône, B 9327).

Fig. 10 – Leffond (Haute-Saône), église construite sur un plan d'Anatoile Amoudru, 1771.

44. Constat fait également par Pierre Pinon pour les constructions réalisées dans la maîtrise particulière des eaux et forêts de Sens (*Le Sénonais au XVIII*[e] *siècle, architecture et territoire*, cat. exp., Musées de Sens, 1987, p. 58-60).

45. Si le devis de l'église-halle de Frasne-le-Château se compose en 1770 de 41 articles, celui de l'église de Rougemont daté de 1788 en comprendra 256…

46. Arch. dép. Haute-Saône, B 9357.

47. Afin de disposer immédiatement des ressources complémentaires nécessaires, la communauté s'entendit le 14 juillet 1782 pour vendre «un petit terrain communal inutile» (Arch. dép. Haute-Saône, 2 E 15243).

48. Arch. dép. Haute-Saône, 421 E dépôt 5, «plan et élévation d'un lambris d'hauteur dont un côtté est une simple menuiserie, et l'autre côtté est décoré de sculpture et de tableaux projetté pour l'église de Port-sur-Saône. Fait et rédigé à Vesoul, le 18 janvier 1787. Frelet».

49. Après la mise en place dans le chœur de l'église Saint-Georges en 1786 d'un nouveau maître-autel en marbre – offert par les chanoines du chapitre –, la paroisse de Vesoul céda à la communauté de Port-sur-Saône l'ancien maître-autel avec son tabernacle en bois doré, dessiné en 1745 par l'architecte bisontin Nicolas Nicole et exécuté par le sculpteur Charles Garnier (Arch. dép. Haute-Saône, G 200 ; 550 E dépôt 71, fol. 71). Ce tabernacle était surmonté d'une haute niche d'exposition en bois doré accostée d'anges, disparue aujourd'hui, mais parfaitement visible sur les cartes postales éditées au début du XXe siècle.

50. Arch. dép. Haute-Saône, 47 J/11, devis des boiseries du chœur, bancs de chantres, chaire à prêcher par J.-B. Frelet, 18 janvier 1787 ; 2 E 15252, marché pour les boiseries, stalles, chaire à prêcher et travaux divers, 9 mai 1787.

51. Arch. dép. Haute-Saône, 2 E 15252, marché du 24 mai 1787 avec le fondeur A. Costin.

réception, sur ce qui concourait à la solidité de l'édifice et au respect de l'enveloppe financière prévue, bien souvent au détriment de «l'œuvre architecturale» proprement dite [44]. Dans nombre de cas, la qualité d'exécution de l'édifice et le résultat final se sont trouvés fortement dépendants des compétences de l'entrepreneur et de la vigilance ou de l'ambition des fondés de pouvoir des communautés. C'est pourquoi, après plusieurs expériences malheureuses et pour éviter autant que possible l'altération de ses projets, Amoudru s'attacha au fil des années à établir des devis d'une extrême précision [45] et à fournir le dessin et les profils soigneusement cotés des corniches, embrasures, moulures, bases et chapiteaux des colonnes et des pilastres, comme en témoigne le dossier exemplaire de l'église de Vellexon (Haute-Saône), daté de 1774 [46] (fig. 11). Ces documents, enregistrés au greffe de la maîtrise particulière des eaux et forêts, engageaient l'adjudicataire qui était tenu d'en délivrer un double aux échevins de la communauté concernée et de les produire au moment de la réception.

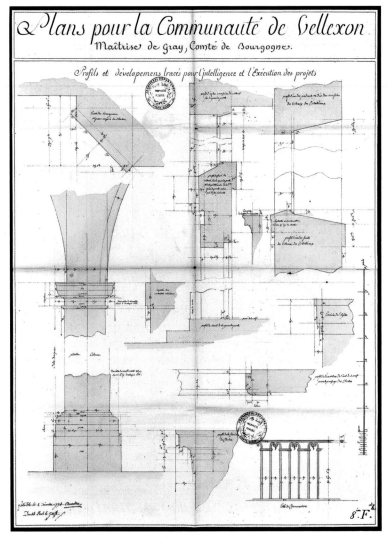

Fig. 11 – Vellexon (Haute-Saône), «profils et développements tracés pour l'intelligence et l'exécution des projets», par Anatoile Amoudru, 1774 (Arch. dép. Haute-Saône, B 9357).

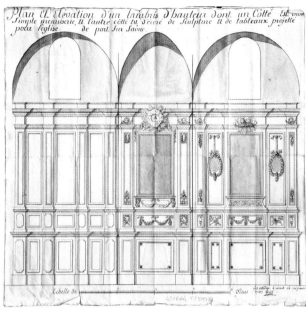

Fig. 13 – Port-sur-Saône, église Saint-Étienne, dessin pour les boiseries du chœur par J.-B. Frelet, 1787 (Arch. dép. Haute-Saône, 421 E dépôt 5).

Fig. 12 – Port-sur-Saône, église Saint-Étienne, boiseries du chœur.

LA MISE EN PLACE D'UN MOBILIER DE QUALITÉ

Avant même l'achèvement du gros œuvre, les habitants de Port-sur-Saône se préoccupèrent de commander à de bons artisans un ameublement au goût du jour [47]. Ils chargèrent ainsi en mai 1787 le meilleur menuisier-sculpteur de Vesoul, Jean-Baptiste Frelet, moyennant 4 000 livres, de tapisser les trois murs du chœur avec de grandes boiseries [48] (fig. 12 et 13), de réparer et placer les retables latéraux et confessionnaux provenant de l'ancienne église, de poser le maître-autel et son tabernacle, achetés récemment à la paroisse Saint-Georges de Vesoul [49] (fig. 14), et enfin d'exécuter une chaire à prêcher digne de l'édifice [50] (fig. 15).

Peu après, ils s'adressèrent à un fondeur de Vesoul, Alexis Costin, pour la réalisation d'un Christ et de six grands chandeliers en cuivre jaune d'un coût de 1 000 livres [51], et passèrent marché avec le peintre Xavier Hecht [52] pour trois tableaux à insérer dans les boiseries du chœur [53].

L'intendant de Besançon, observant qu'« une église de campagne ne [devait] pas être autant décorée qu'une église de ville », dénonça toutes ces dépenses et exigea davantage de modestie et d'économie dans les décors. Embarrassé, le subdélégué de Vesoul eut la délicate mission de l'informer que la communauté de Port-sur-Saône disposait de ressources confortables, obtenues par la vente récente de plusieurs assiettes de ses bois, et n'entendait pas renoncer à ses ambitions [54]. Une ultime « tondaison » de six arpents donna même les moyens d'installer en 1789 une grande horloge et trois cadrans au clocher [55]...

52. Xavier Hecht, né en 1757 à Willisau près de Lucerne, est mort à Vesoul en 1835. Élève du peintre bisontin Melchior Wyrsch, il a travaillé pour Mgr de Durfort, archevêque de Besançon, en 1784 et a réalisé de nombreux tableaux pour les églises des environs de Vesoul jusqu'en 1830, la plupart d'après des gravures d'œuvres connues.

53. Arch. dép. Haute-Saône, 2 E 15257, marché de 600 livres avec X. Hecht, le 8 septembre 1788, pour trois tableaux figurant respectivement saint Étienne, saint Valère et saint Pierre. Aux deux dernières figurations furent finalement substituées celles de l'Adoration des bergers et du Christ au jardin des Oliviers pour encadrer La Lapidation de saint Étienne.

54. Arch. dép. Haute-Saône, C 200, correspondance entre l'intendant de Besançon et le subdélégué de Vesoul, 10 juillet et 2 août 1787.

55. Arch. dép. Haute-Saône, 2 E 12558, marché du 13 avril 1789 avec l'horloger Mansuy Tridon pour la somme de 1 200 livres ; B 9375, fol. 173, ordonnance du grand maître des eaux et forêts du 20 octobre 1789 sur requête des habitants.

Fig. 14 – Port-sur-Saône, église Saint-Étienne, maître-autel, tabernacle et garniture d'autel.

Fig. 15 – Port-sur-Saône, église Saint-Étienne, chaire à prêcher.

Crédits photographiques – Les clichés sont de Jean-Louis Langrognet à l'exception de celui de la fig. 15 (Marc Sanson).

CONCLUSION

Malgré l'absence d'une travée de la nef sur les sept prévues à l'origine et la défaillance du premier entrepreneur, le chantier de l'église Saint-Étienne de Port-sur-Saône a été conduit à son terme avec les meilleurs matériaux possibles et dans le respect des principales dispositions du projet initial de l'architecte Anatoile Amoudru. Expression de la vitalité de toute une communauté et de l'aisance financière apportée par la vente des bois communaux, elle nous est parvenue sans modification majeure depuis son achèvement. S'imposant par sa monumentalité et son austère volumétrie, elle dissimule, à l'instar de toutes les églises-halles comtoises du siècle des Lumières, des espaces intérieurs fluides et subtils qu'une restauration annoncée devrait permettre de rendre encore plus lisibles.

Elle constitue un exemple représentatif de ces édifices issus de l'intense campagne de reconstruction des équipements publics et religieux du XVIIIe siècle, qui ont transformé le paysage bâti de la Franche-Comté et le marquent encore aujourd'hui, et, à ce titre, bénéficie d'une inscription à l'inventaire supplémentaire des Monuments historiques depuis 1946.

L'église Saint-Georges à Confracourt (1855-1866)

Charlotte Leblanc [*]

Il existait déjà au XIIᵉ siècle à Confracourt une église paroissiale, mentionnée dans une bulle d'Innocent II (1130-1143). Cette église fut reconstruite en 1745, en raison de son mauvais état, sur un devis de l'architecte vésulien Pierre Ignace Sallin [1]. Après une modification du projet par l'abbé Pierre Nicolas Humbert, curé du village voisin de Traves, elle comportait un clocher à l'impériale et une coupole à la croisée du transept [2]. Le poids de cette dernière ayant lentement provoqué l'écartement des murs [3], la construction d'un nouvel édifice pour le culte fut envisagée un siècle plus tard, en 1846, étant donné l'état critique de l'église et son exiguïté (un quart de la population, estimée à 700 habitants en 1861, ne pouvait y entrer). La commune de Confracourt était la plus riche en bois du département de la Haute-Saône. Son quart de réserve, alors estimé à plus de 1 000 hectares de bois, lui assurait des revenus substantiels pour ses constructions publiques [4]. Le chantier de construction d'une nouvelle église paroissiale au cœur du village, à quelques mètres plus au nord de l'ancienne église (fig. 1), commença en 1852 et s'acheva en 1866 sous la direction de l'architecte Pierre Marnotte (1797-1882) [fig. 2].

Le choix du néo-gothique pour le concours d'une « église modèle »

Les archives du chantier témoignent de vifs échanges à propos du style à adopter pour une « église de campagne ». Dans les années 1840, ce sont les formules basilicales néo-classiques qui étaient privilégiées par le Conseil des bâtiments civils lors de la sélection ou de l'évaluation des projets transmis par les préfets des départements à chaque nouvelle construction [5]. Pourtant, quelques architectes, et non des moindres, parvenaient déjà à proposer avec succès et à édifier des édifices faisant manifestement référence à l'architecture gothique [6] : François-Christian Gau construisit ainsi l'église Sainte-Clotilde à Paris entre 1846 et 1857, Jean-Baptiste Lassus édifia l'église Saint-Nicolas de Nantes entre 1848 et 1869. En Haute-Saône, les premiers projets néo-gothiques apparurent dans les années 1840 : en mai 1843, l'architecte Christophe Colard (1805-1886) proposa un projet d'église pour Charcenne « dans le style français du XIIIᵉ siècle » ; en 1846, il poursuivit avec un projet néo-gothique pour l'église de la Sainte-Trinité à Bonnevent-Velloreille, consacrée en 1864 [7].

Le choix du style à adopter à Confracourt était d'autant plus déterminant que le préfet Hippolyte Dieu marquait son souhait pour « une église modèle, qu'il puisse envoyer visiter chaque fois qu'il aura quelque autorisation à donner » au sujet d'une construction cultuelle et laissait entendre qu'il préférait « la forme ogivale [8] ». Ce choix lui fut probablement suggéré par l'architecte du département nommé en 1841, François-Jules Février (1811-1892), élève de Léon Vaudoyer et d'Henri Labrouste à l'École des beaux-arts [9]. Afin d'obtenir des projets de qualité, le préfet décida l'ouverture d'un concours d'architecture, lancé le 28 septembre 1852, procédure assez rare à l'époque pour de petites communes. C'est le seul exemple connu d'un concours d'architecture pour la Haute-Saône au XIXᵉ siècle. Le programme du

* Chargée de la protection des monuments historiques, CRMH-Drac de Bourgogne-Franche-Comté, Besançon.

1. Arch. dép. Haute-Saône, B 9384, Maîtrise des eaux et forêts de Vesoul, Pierre Ignace Sallin, devis du 8 mars 1745.

2. Arch. dép. Haute-Saône, 2 E 6083, Pierre Clerc, délibération et marché avec Plaisonnet pour la bâtisse de l'église, 31 octobre 1746.

3. Arch. dép. Haute-Saône, 2 O 1350.

4. Arch. dép. Haute-Saône, 3 O/175.

5. Emmanuel Chateau, *Le Conseil des bâtiments civils et l'administration de l'architecture publique en France, dans la première moitié du XIXᵉ siècle*, thèse de doctorat, Jean-Michel Leniaud (dir.), EPHE, 2016 ; Françoise Boudon, « Les églises paroissiales et le Conseil des bâtiments civils, 1802-1840 », dans *L'architecture religieuse au XIXᵉ siècle. Entre éclectisme et rationalisme*, Bruno Foucart et Françoise Hamon (dir.), Paris, 2006, p. 195-210 ; Pierre Pinon, « Les églises néoclassiques à plan basilical dans le Centre-Est de la France », *ibid.*, p. 253-268.

6. Chantal Bouchon, Catherine Brisac, Nadine-Josette Chaline et Jean-Michel Leniaud, *Ces églises du dix-neuvième siècle*, Amiens, 1993.

7. Dans le deuxième volume des *Annales archéologiques*, jeune revue militante, l'abbé Gattin cite l'église de Charcenne pour illustrer « les progrès des études archéologiques » dans le département (*Annales archéologiques*, t. II, 1844) ; Patrick Boisnard, dossier de protection CRMH-BFC.

8. Besançon, Arch. diocésaines, a.c. 1327, lettre du curé Conrad à l'archevêque, le cardinal Mathieu, 1ᵉʳ mars 1853.

9. *Ibid.* Le curé précise à l'archevêque que l'on doit à Février la rédaction du programme du concours.

concours fut fixé par Février : l'église devait être proportionnée au nombre d'habitants, que l'on fixa à 900 personnes en prévoyant une poursuite de la croissance démographique, et devait privilégier le style ogival. Le coût de l'édifice et de son mobilier ne devait pas dépasser 90 000 francs. Les quatorze projets reçus le 20 avril 1853 furent examinés par un jury composé de six membres, dont Février, Édouard Baille, architecte de Besançon, Christophe Colard, architecte de Gray et des membres du clergé parmi lesquels l'un des vicaires de l'archevêque, le curé de Vesoul et le curé de Confracourt. Le jury retint trois projets qu'il envoya au Conseil des bâtiments civils. Tous furent rejetés, y compris le projet néo-gothique de l'architecte Pierre Marnotte pourtant classé premier, mais considéré par le Conseil comme impossible à exécuter solidement pour le prix proposé. L'architecte fut donc invité à retravailler sa proposition.

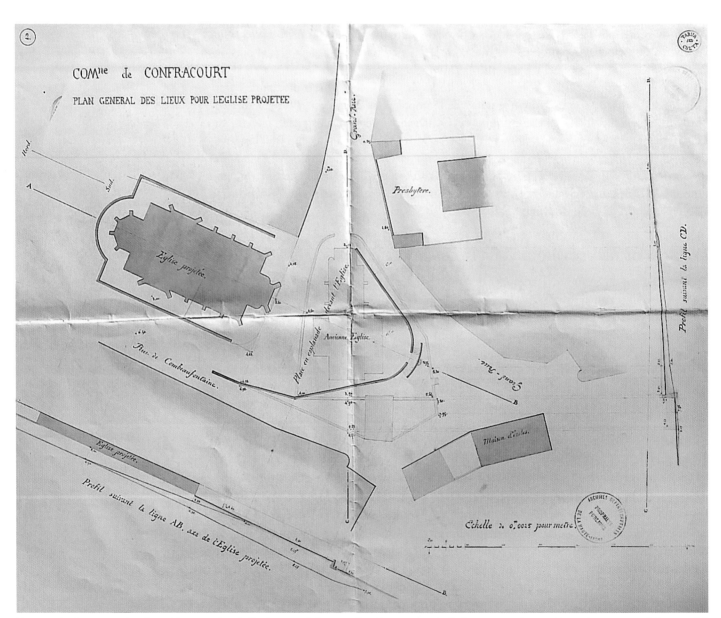

Fig. 1 – Confracourt, église Saint-Georges, plan de localisation de la nouvelle église projetée et de l'ancienne église par Pierre Marnotte, s. d. [vers 1860] (Arch. dép. Haute-Saône, 2/O/1350).

CHARLOTTE LEBLANC

Fig. 2 – Confracourt, église Saint-Georges, vue extérieure sud.

Un clergé impliqué dans la reconstruction des églises de campagne

Le projet de reconstruction de l'église de Confracourt fut activement soutenu par le cardinal Mathieu (1796-1875), archevêque de Besançon entre 1834 et 1875 et grand bâtisseur, qui, dès février 1851, nomma spécialement pour la reconstruction un nouveau curé, Jean-Baptiste Conrad. Le cardinal Mathieu avait une idée précise du style qu'il souhaitait pour les églises de son archevêché. Longtemps réticent au style gothique, il avait privilégié ce qu'il désignait comme le « style moderne », c'est-à-dire le néo-Renaissance, qu'il employa à une échelle monumentale pour son grand projet de reconstruction de l'église Saint-Maimbœuf de Montbéliard initié en 1850 par l'architecte Jean-Frédéric Fallot (1813-1878) [10]. Dans le cas de Confracourt, il estimait que le style ogival nécessiterait « des sommes considérables pour faire du gothique convenable avec les ornements qu'il exige [11] ».

10. René Surugue, *Les archevêques de Besançon*, Besançon, 1931 ; Laurent Ducerf, Vincent Petit et Manuel Tramaux (dir.), *Dictionnaire du monde religieux dans la France contemporaine, Franche-Comté*, Paris, 2016, p. 508-511.

11. Besançon, Arch. diocésaines, a.c. 1327.

12. *Ibid.*

13. *Ibid.*, Séance du Conseil des bâtiments civils, second rapport de Félix Duban, 15 novembre 1859.

14. Arch. dép. Haute-Saône, 3 O/175 (1), Arrêté du préfet, 23 février 1861 ; Besançon, Arch. diocésaines, Archives de la paroisse Confracourt, Rapport au Conseil de bâtiments civils, 17 juillet 1860 : «Rapport du contrôleur général Lambert 14 juillet 60 : Devis de 140 000 ce qui fait 200 f par m² ce qui n'est pas trop pour un édifice conçu en style ogival. »

15. Besançon, Arch. diocésaines, a.c. 1327.

16. *Ibid.*

Le 6 février 1857, l'archevêque convainquit ainsi Marnotte, qui avait vu son premier projet rejeté par le Conseil des bâtiments civils lors du concours, d'élaborer un nouveau projet dans le style néo-Renaissance [12]. Celui-ci fut également rejeté par le Conseil le 15 novembre 1858, tout comme sa version retouchée, rejetée le 15 novembre 1859 [13]. Devant la réticence du Conseil des bâtiments civils envers le style néo-Renaissance, Marnotte finit par envoyer un troisième projet de style ogival, qui, malgré de fortes critiques, fut finalement admis le 7 juillet 1860 avec quelques corrections. Le plan fut autorisé par le préfet le 23 février 1861 pour un budget estimé à 140 000 fr. (fig. 3 à 5) [14]. Les travaux furent adjugés à l'entreprise Monnin frères pour 150 320 fr. Et le curé de s'insurger : «Ne peut-on pas croire que la tendance du Conseil serait de donner la préférence au style ogival sur tout autre style [15] ? »

La commune et le clergé négocièrent également avec l'administration des eaux et forêts. La commune avait largement puisé dans son quart de réserve en 1745, lors de la construction de la précédente église, et au cours de la première moitié du XIXᵉ siècle. Aussi, dès 1853, l'Inspecteur des forêts bloqua-t-il le projet de reconstruction de l'église, afin de mieux gérer les ressources sylvicoles. C'est après avoir eu recours au Sénat que la commune, par décret du 14 juillet 1859, eut l'autorisation de couper le bois communal au profit de l'église [16].

Fig. 3 – Confracourt, église Saint-Georges, élévation de la façade principale par Pierre Marnotte, 20 avril 1860 (Arch. dép. Haute-Saône, 2/O/1350).

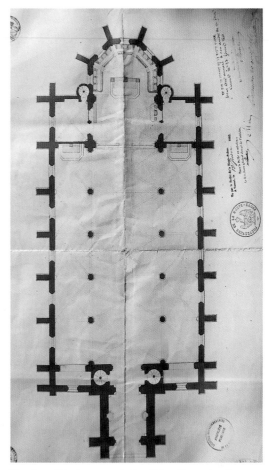

Fig. 4 – Confracourt, église Saint-Georges, plan par Pierre Marnotte, 20 avril 1860 (Arch. dép. Haute-Saône, 2/O/1350).

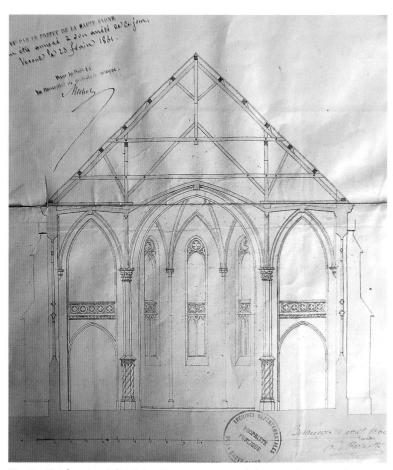

Fig. 5 – Confracourt, église Saint-Georges, coupe sur la largeur, chœur et tribunes par Pierre Marnotte, 20 avril 1860 (Arch. dép. Haute-Saône, 2/O/1350).

Un néo-gothique étranger au goût du Conseil des bâtiments civils

Le parti architectural finalement adopté en 1861 est le suivant : orienté nord-sud, l'édifice est de type église-halle, mesure 46 m de longueur et 21,30 m de largeur, comprend un clocher-porche coiffé d'une flèche octogonale qui culmine à 72 m, une nef à trois vaisseaux de cinq travées voûtés sur croisées d'ogives en tuf qui retombent, à l'intérieur, sur des colonnes élancées monolithes en pierre de Tavaux-Damparis, de section octogonale, un chœur d'une travée voûté d'ogives, terminé par une abside à cinq pans et flanqué de deux sacristies surmontées de tribunes (fig. 6 et 7). En 1866, le gros œuvre était achevé ; on appliqua alors un badigeon intérieur bicolore : nankin (jaune chamois) pour les murs, et gris perle pour la voûte [17] qui fut remplacé par une couleur claire unie en 1912-1913. Dès l'origine, le sol de la nef fut recouvert d'une couche d'asphalte, à l'exception du chœur qui est en pierre polie et forme un dessin alternant des pavés de couleur jaune clair et gris et des petits disques réalisés à la chaux hydraulique comprimée [18]. Une grande partie du mobilier du XVIIIᵉ siècle (autels, chaire, confessionnal, bancs) fut récupéré. Le maître-autel néo-gothique fut installé à son emplacement actuel au début du XXᵉ siècle [19]. En 1884, le ministère de l'Instruction publique et des Beaux-Arts envoya une copie de *la Mise au tombeau* du Titien, réalisée par un artiste du nom de Brounzos (l'œuvre est actuellement déposée à la mairie). Un aménagement urbain théâtral au carrefour de plusieurs routes, constitué d'un parvis, d'une clôture et d'escaliers, fut ensuite construit par Christophe Colard entre 1866 et 1871.

17. *Ibid.*

18. Arch. dép. Haute-Saône, 169 E dépôt 21.

19. Non protégé au titre des objets mobiliers.

Fig. 6 – Confracourt, église Saint-Georges, vaisseau central, vue axiale vers le chœur.

Charlotte Leblanc

Fig. 7 – Confracourt, église Saint-Georges, collatéral nord, vue vers le chœur.

20. Victor Baille, *Notice sur la vie et les œuvres de M. Pierre Marnotte*, Besançon, 1883 ; Odile Foucaud, « De la halle au musée : genèse d'un "palais pour tout faire" », dans *Bibliothèques et musées de Besançon : 1694-1994 : trois siècles de patrimoine public*, cat. exp. Besançon, Musée des beaux-arts et d'archéologie, Besançon, 1995 ; Christiane Roussel, « L'art du décor dans l'architecture privée bisontine selon l'architecte Pierre Marnotte », dans *Maîtres² : une histoire architecturale du Musée des beaux-arts et d'archéologie de Besançon*, Nicolas Surlapierre (dir.), cat. exp. Besançon, Musée des beaux-arts et d'archéologie, Milan, 2018, p. 58-83 ; Sophie Montel, « Marnotte, antiquaire et archéologue », dans *ibid.*, p. 84-109 ; Pascal Brunet, « Pierre Marnotte (1797-1882), *Nulla dies sine linea* », *Mémoires de la Société d'émulation du Doubs*, nouvelle série, nᵒ 60, 2018, p. 291-346.

21. *Discours de réception de Monsieur Marnotte à l'Académie des sciences, belles lettres et arts de Besançon*, séance publique du 29 janvier 1827, p. 9

22. Victor Hugo, *Notre-Dame de Paris*, livre troisième, 1. Notre-Dame, 1831.

23. Arch. dép. Territoire de Belfort, 81 Ed 1 M 3 ; Anne Kleiber, « L'église de Réchésy et ses copies suisses. L'architecte Diogène Poisat », *Coeuvatte, Suarcine et Vendeline*, bulletin annuel, nᵒ 11, 2016, p. 77-84.

24. Besançon, Arch. Diocésaines, a.c. 1327, lettre du curé à l'archevêque du 17 février 1863 : « Vu l'architecte Février. [...] Il ne croit pas non plus que les clochetons et les statues puissent être justifiés archéologiquement. »

25. *Ibid.*, Rapport au Conseil de bâtiments civils, 17 juillet 1860.

26. CRMH, DRAC, Besançon, dossier de protection, Pierre Boisnard. Jacques Esterle, Inspecteur principal des monuments historiques, note sur l'inscription de l'église de Confracourt : « 9/10/90 » ; notice base Mérimée PA00102317, bâtiment et maître-autel.

27. Commission supérieure des Monuments historiques, séance du 11 mai 1992.

Pierre Marnotte, ancien architecte de la Ville de Besançon de 1823 à 1836, compte parmi les meilleurs architectes du XIXᵉ siècle en Franche-Comté [20]. Bâtisseur de nombreuses églises, il n'est venu que progressivement à la citation gothique à l'instar de ses contemporains. En 1827, dans son discours inaugural à l'Académie des sciences, belles lettres et arts de Besançon, Marnotte disait du gothique qu'« une telle architecture qui était sans proportion ne pouvait produire que des bizarreries sans beautés [21] ». L'église de Confracourt, l'un de ses derniers grands chantiers, appartient à la seconde phase de sa carrière, alors qu'il concédait d'abandonner le néo-classicisme. La citation gothique pratiquée par Pierre Marnotte est symptomatique d'un architecte formé à l'école du néo-classicisme. Élève dès 1815 d'Achille Leclère (1785-1853) à Paris, lui-même formé par Charles Percier (1764-1836), Marnotte était pétri de culture antique. Son goût pour la symétrie, le choix des couleurs jaune et grise, que Victor Hugo fustigeait dans son roman *Notre-Dame de Paris* [22], son exagération du décor, particulièrement manifeste dans le développement des feuilles de chou qui vont jusqu'à masquer les personnes situées dans les tribunes, sont autant d'éléments qui trahissent sa formation. Les colonnes torsadées qu'il employa pour la nef sont héritées d'un gothique tardif et rappellent celles du chevet de l'église Saint-Séverin de Paris, construit à la fin du XVᵉ siècle, ou encore une colonne du bras sud du transept de la basilique Saint-Nicolas-de-Port en Meurthe-et-Moselle, construit entre la fin du XVᵉ siècle et le début du XVIᵉ siècle. Il faut par ailleurs noter le maintien du clocher-porche, cher depuis longtemps aux architectes comtois, dans un projet néo-gothique qui ne comporte en façade ni portail, ni tympan développé, ni pinacles ou arcs-boutants. La flèche octogonale est peut-être pour sa part inspirée de l'église Saint-Georges de Lyon construite par Pierre Bossan à partir de 1844 ou encore de l'église de Réchésy, dans le département voisin du Territoire de Belfort, construite à partir de 1850 par Diogène Poisat [23].

Le Conseil des bâtiments civils, qui appelait de ses vœux le respect de « la vérité archéologique [24] », avait souligné le manque de conformisme de Marnotte en matière de citation gothique : « nous exprimons le regret que les bons modèles [gothiques] de cette époque n'aient pas été plus consultés par M. l'architecte et qu'il se soit abandonné à la fantaisie dans une ordonnance architecturale où nous n'avons pas encore acquis le droit d'inventer [25]. » Le Conseil critiquait « la porte principale dont le caractère incertain s'éloigne trop du principe consacré pour cette partie dans les édifices de l'époque ogivale » et pensait « qu'une rose remplacerait avantageusement l'espèce de tribune avec balustrade qui surmonte la baie centrale. Les contreforts du clocher, leur couronnement, les balustrades, la corniche qui pourtoure [ceinture] l'édifice, enfin tous les détails doivent être revus et étudiés avec soin d'après les exemples consacrés et admis d'une période déterminée de l'époque ogivale ».

L'église Saint-Georges de Confracourt, voulue comme une église modèle pour le département, n'a pas eu de descendance en Haute-Saône. Elle a fait l'objet en 1992 d'un classement au titre des Monuments historiques en raison de « son originalité et sa monumentalité » ainsi que d'un « néogothique très précoce et sortant du commun » [26]. La Commission supérieure des Monuments historiques soulignait encore « la qualité de sa volumétrie, la richesse de son décor, la perfection de la mise en œuvre des matériaux [27] ». Elle est aujourd'hui en bon état. Un incendie survenu à la suite d'un orage en 2009 détruisit la partie supérieure et la flèche de son clocher. C'est le choix de la reconstruction à l'identique qui fut adopté dès 2010 avec le projet de restauration de Richard Duplat, architecte en chef des Monuments historiques.

L'eau, le fer, le feu

Un établissement thermal d'exception : Luxeuil-les-Bains

Fabien Dufoulon * et Charlotte Leblanc **

Les sources thermales et minérales de Luxeuil jaillissent d'un banc de grès qui affleure dans une dépression située au nord de la ville (fig. 1). Le site était occupé dès l'Antiquité par des thermes dont les vestiges, retrouvés à partir du milieu du XVIIIᵉ siècle, ont pu susciter l'envie d'égaler la « magnificence des Romains [1] ». Ils sont évoqués dans la *Vie de saint Colomban* (vers 640) de Jonas de Bobbio. Les bains médiévaux sont connus par une première mention de travaux à la fin du XVᵉ siècle [2], puis ils réapparaissent régulièrement dans les délibérations de la Ville à partir de 1601. La résolution de les rebâtir, prise le 30 novembre 1634, fut sans suite en raison de la guerre de Dix Ans (1634-1644). La modestie des travaux réalisés au cours des décennies suivantes suggère que l'établissement thermal, tel qu'il se présentait à la veille de sa reconstruction dans la seconde moitié du XVIIIᵉ siècle, devait être encore largement celui du Moyen Âge et de la Renaissance.

L'ingénieur-géographe Jean Le Michaud d'Arçon leva le plan des bains en 1760 (fig. 2) ; ceux-ci sont également documentés par des descriptions anciennes [3]. Trois d'entre eux étaient contigus : le Grand Bain, le Petit Bain (dit « Bain des Pauvres » ou « Bain des Cuvettes ») et le Bain des Capucins. Deux autres, situés plus au sud, étaient isolés : le Bain des Dames et le Bain des Bénédictins. Chaque bain comprenait une piscine d'eau chaude construite au-dessus des griffons (sources) ainsi qu'une chambre de repos, à l'exception du Bain des Dames [4]. Les élévations sont en revanche difficiles à connaître, et la question de la couverture se pose d'autant plus que la baignade en extérieur était, comme à Bourbon-Lancy (Saône-et-Loire), largement répandue. Dans un discours à l'Académie de Besançon en 1752, Jean-François Charpentier de Cossigny, directeur des fortifications, évoque ainsi la toiture du Grand Bain de Luxeuil : « Il pleuvoit au milieu du bassin par une assez grande ouverture pratiquée exprès au haut du toit pour laisser échapper les vapeurs [5]. »

1761-1768 : reconstruction des bains

La reconstruction des bains par la Ville de Luxeuil se fit à l'initiative de l'intendant Pierre-Étienne Bourgeois de Boyne, peut-être inspiré par l'exemple de Plombières (Vosges) où le Grand Bain et le Bain de la Reine furent reconstruits dans les années 1750. Après le départ de l'intendant en 1761, le projet ne fut pas remis en cause par son successeur, Charles-André de Lacoré.

Du projet à la dédicace : chronologie du chantier

Le premier chantier fut celui de l'étang des Bénédictins, situé au nord, dont les vidanges occasionnaient régulièrement des dégâts aux bâtiments situés en aval ; l'intendant invita l'abbé à l'assécher en 1754-1755. Par ailleurs, un arrêt du Conseil d'État du 4 septembre 1759 et une ordonnance de l'intendant du 18 avril 1760 autorisèrent la Ville à acquérir les

* *Chargé de recherche, service Inventaire et Patrimoine, Région Bourgogne-Franche-Comté.*

** *Chargée de la protection des monuments historiques, CRMH-Drac de Bourgogne-Franche-Comté, Besançon.*

Cette communication s'inscrit dans le cadre d'une enquête thématique lancée par le service Inventaire et Patrimoine de la Région Bourgogne-Franche-Comté dont les résultats sont accessibles sur le portail patrimoine (http://patrimoine.bourgognefranche-comte.fr).

1. « On peut même dire que ce sont les eaux les mieux logées qu'il y ait en France, et peut-être aussi en Europe : ce bâtiment est digne de la magnificence des Romains » (Antoine-Grimoald Monnet, *Nouvelle Hydrologie, ou Nouvelle exposition de la nature et de la qualité des eaux*, Paris, 1772).

2. Arch. dép. Haute-Saône, 311 E dépôt 117, traité entre la Ville, Edmond Pissan et Alexandre Grillon pour la réfection des murailles et du Bain des femmes (février 1492 a.s.).

3. Roger-Louis-Olympe Roux, *Luxeuil-les-Bains d'après un manuscrit inédit du Dr. Constance Camille Jurain (1716)*, Besançon, 1914 ; Augustin Calmet et Léopold Durand, *Traité historique des Eaux et Bains de Plombières, de Bourbonne, de Luxeuil et de Bains*, Nancy, 1748 ; Jean François Clément Morand, « Lettre sur des antiquités trouvées à Luxeuil en Franche-Comté, et sur les eaux thermales de cette Ville », *Suite de la Clef, ou Journal historique sur les matières du tems*, janvier-juin-mars 1756, p. 193-198.

4. Le Petit Bain était composé précisément de deux « cuvettes » et d'un moine, duquel proviendrait l'inscription en pierre à l'angle de la rue des Thermes et de la rue Carnot.

5. Delacroix 1867, p. 126.

Fig. 1 – Luxeuil-les-Bains, établissement thermal, vue aérienne depuis le sud-ouest, cliché Roger Henrard, vers 1950 (MAP, 1999 044).

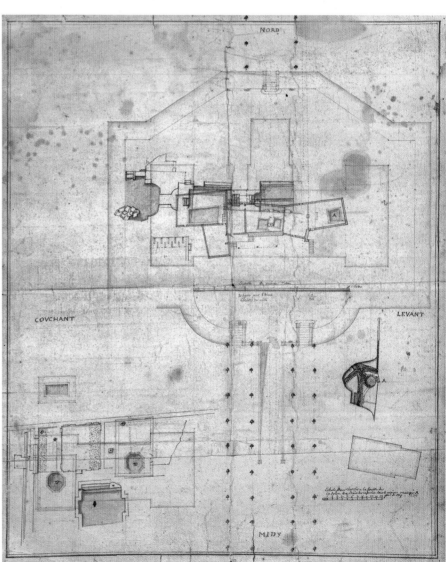

Fig. 2 – Luxeuil-les-Bains, établissement thermal, plan des anciens bains avant leur reconstruction et emprise des bâtiments projetés, Jean Le Michaud d'Arçon, mars 1760 (Arch. dép. Haute-Saône, 311 E dépôt 114).

Fabien Dufoulon et Charlotte Leblanc

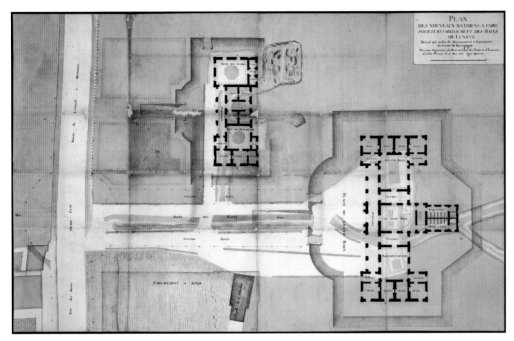

Fig. 3 – Luxeuil-les-Bains, établissement thermal, plan des nouveaux bâtiments à faire pour le rétablissement des bains de Luxeuil, Jean Querret, 10 mars 1761 (Arch. dép. Haute-Saône, C 162).

terrains « reconnus nécessaires pour la construction des bains publics ». Dès lors, les conditions étaient réunies pour engager les travaux de construction [6].

Le 25 juillet 1759, l'intendant ordonna à son subdélégué Antoine Vautherin de visiter les bains en compagnie du médecin Claude Nicolas Massey et de faire procéder à toutes les fouilles nécessaires. Le 21 août 1760, Jean Querret, ingénieur en chef des ponts et chaussées, Jean-Claude Mongenet, sous-ingénieur, et Étienne Mignot de Montigny, membre de l'Académie des Sciences, visitèrent à leur tour le site pour localiser les sources et connaître leur débit et leur température. Le projet du nouvel établissement thermal fut élaboré dans les mois qui suivirent : Querret en signa le devis et le plan le 10 mars 1761 (fig. 3).

L'adjudication fut prononcée en faveur de Michel-Antoine Tournier, entrepreneur à Besançon, le 20 juin 1762, puis confirmée par le Conseil d'État le 1er août. La première pierre de l'édifice fut scellée dans l'angle nord-est du bâtiment nord le 15 mai 1764. Les travaux furent achevés en 1768 : en février de l'année suivante, la Ville donna l'ordre de faire graver l'inscription de dédicace au couronnement de la façade du bâtiment sud (fig. 5) [7].

Le difficile financement d'un projet exceptionnel

Pour l'entretien des bains, avant même que ne fût engagée leur reconstruction, les magistrats municipaux avaient obtenu le droit d'établir un octroi en 1738. Son produit était encore présenté en 1757 comme « la seule ressource pour les charges auxquelles est sujette leur ville [8] ». Il rapportait 3 000 livres chaque année, ce qui était largement insuffisant pour rebâtir des bains.

La Ville se résolut à demander au roi, le 20 avril 1757, l'autorisation de vendre 366 arpents 56 perches de son quart de réserve. Cette autorisation lui fut accordée dans l'arrêt du Conseil d'État du 4 septembre 1759. La vente rapporta 73 300 livres, somme certes considérable mais inférieure au montant du devis de Querret, qui s'élevait déjà à 79 987 livres. En 1766, la Ville dut se résoudre à vendre encore quatre coupes annuelles

6. Arch. dép. Haute-Saône, C 162, 311 E dépôt 112-115, 311 E dépôt 272 et 311 E dépôt 355.

7. L'inscription est encore visible aujourd'hui : « LUXOVII THERMAE / A CELTIS OLIM AEDIFICATAE / A. T. LABIENO JVSSV C. J. CAES.IMP. RESTITVTAE / LABE TEMPORVM DIRVTAE / SVMPTIBVS VRBIS DE NOVO EXSTRVCTAE ET ADORNATAE / PAVENTE D. DELACORE SEQVANORVM PROVINCIAE PREFECTO / REGNANTE ADAMATISSIMO LVDOVICO DECIMO QVINTO / ANNO MDCCLXVIII. » Le nom de l'intendant Lacoré a totalement éclipsé celui de Bourgeois de Boyne. L'inscription célèbre également Louis XV et Labienus, général romain qui passait pour être le « restaurateur » des thermes antiques depuis la découverte en 1755, lors de fouilles, d'une inscription portant son nom.

8. Arch. dép. Haute-Saône, 311 E dépôt 115, lettre de la Ville au roi demandant l'autorisation de vendre son quart de réserve (20 avril 1757).

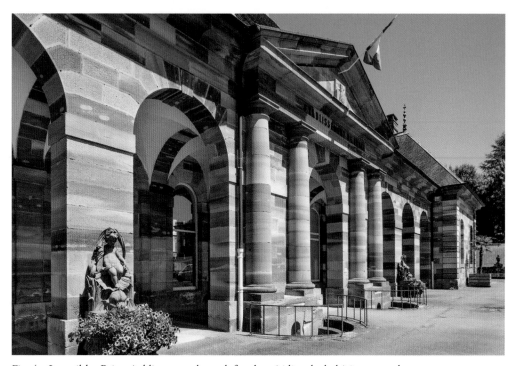

Fig. 4 – Luxeuil-les-Bains, établissement thermal, façade méridionale du bâtiment nord.

qui rapportèrent 22 000 livres. Comme cela ne suffisait toujours pas, le roi l'autorisa à s'endetter par des lettres patentes du 18 septembre 1767. Un premier emprunt de 6 000 livres fut contracté auprès de la communauté des habitants de Villers-Farlay (délibération du 3 mars 1768), un second de 28 000 livres auprès de celle de Mont-sous-Vaudrey (délibération du 10 juillet 1777). L'effort financier fut complété par la participation des habitants : dans son ordonnance du 21 août 1762 reconduite chaque année jusqu'en 1767, l'intendant demanda en effet à la communauté de Saint-Valbert de fournir le nombre de corvéables nécessaires pour les déblais et remblais de terres.

Le palais des « eaux les mieux logées qu'il y ait en France »

Le bâtiment nord regroupait le Grand Bain, le Petit Bain et le Bain des Capucins [9]. La façade en grès des Vosges, avec son portail central à l'antique (colonnes toscanes, entablement et fronton) et ses deux avant-corps latéraux, reflète cette tripartition (fig. 4). Bien qu'elle soit disposée de biais dans sa nouvelle salle, l'ancienne piscine du Grand Bain fut conservée ; on se contenta d'y ajouter deux étuves au-dessus des griffons. De la même manière, les deux cuvettes du Petit Bain furent conservées. Le Bain des Capucins fut celui qui subit le plus de transformations : ces « Bains neufs » furent dotés d'un « très beau bassin carré rempli par une source d'eau chaude » entouré de « cuves pour la commodité des malades qui ne peuvent supporter que les eaux les plus tempérées ou qui veulent se baigner seuls [10] », annonçant un changement progressif dans la pratique du bain. La circulation dans le bâtiment se faisait à partir d'une galerie ouverte en façade (« péristyle ») qui desservait deux vestibules encadrant le Petit Bain. Par ailleurs, le Grand Bain et le Bain des Capucins furent chacun dotés de deux vestibules et de quatre « chambres à feux ». Une « belle et vaste commodité, séparée pour l'un et l'autre sexe, avec des petits cabinets aux extrémités d'icelle, où l'on reçoit les petits remèdes ou lavements [11] » fut aménagée dans une aile située à l'arrière, côté nord, sous laquelle passait le ruisseau canalisé permettant l'évacuation des eaux usées.

9. Arch. dép. Haute-Saône, 311 E dépôt 269, mémoire des eaux de Luxeuil (vers 1770) ; Jean-Joseph de Fabert, *Essai historique sur les eaux de Luxeuil*, Paris, 1773.

10. *Essai…*, *op. cit.* note 9, p. 21.

11. Mémoire…, *op. cit.* note 9, p. 3.

Le bâtiment sud est parallèle au précédent de façon à permettre au visiteur de voir d'un seul coup d'œil les deux façades depuis la ville (fig. 5). Il regroupe le Bain des Dames et le Bain des Bénédictins. Si la piscine octogonale du premier ne subit aucune transformation, celle du second fut entièrement redessinée. L'architecte lui donna un plan en croix nimbée (ou celtique) dont les bras accueillent de petits escaliers d'accès (fig. 6) [12]. Comme dans le bâtiment nord, les piscines sont associées à des antichambres, chambres, cabinets et lieux d'aisance.

12. Cette piscine, la seule à ne pas avoir été couverte au XIXᵉ siècle, est connue grâce à des cartes postales anciennes. Sa margelle est aujourd'hui déposée dans le parc thermal.

Fig. 5 – Luxeuil-les-Bains, établissement thermal, façades méridionale et orientale du bâtiment sud.

Fig. 6 – Luxeuil-les-Bains, établissement thermal, Piscine des Bénédictins, carte postale, [début du XXᵉ siècle].

13. Mémoire…, *op. cit.* note 9.

14. Jean-Marie Pérouse de Montclos, *Les Prix de Rome : concours de l'Académie royale d'architecture au XVIIIe siècle*, Paris, 1984.

15. Arch. dép. Haute-Saône, C 162, avis de Bertrand au sujet de la délibération de la Ville du 25 avril 1779 (1er mai 1779).

Les sols furent pavés de pierre de taille, et les toitures couvertes de tuile. Les salles des bains et les vestibules furent dotés d'un plafond à voussure en chêne peint en gris clair reposant sur une corniche en pierre, qui subsiste encore dans le Grand Bain, le Bain des Capucins et le Bain de Dames. Seules les galeries furent couvertes de maçonnerie – les arcs doubleaux furent construits en pierre de taille, les voûtes en moellons –, ce qui n'alla pas sans poser rapidement problème ; dès 1779, il fallut réparer les plafonds endommagés par l'humidité. Un soin particulier fut enfin accordé aux murs : ceux des salles des bains furent enduits de mortier de chaux, tandis que l'intérieur des chambres et des antichambres était recouvert de tissu.

1784-1786 : CONSTRUCTION DE L'AILE DU BAIN GRADUÉ

Leur construction à peine achevée, les deux bâtiments parurent insuffisants. La présence entre ceux-ci d'autres sources «desquelles on a fait un lavoir mais dont l'on peut faire un bain magnifique [13]» désigna naturellement le terrain sur lequel pouvait se faire l'agrandissement. L'intendant Lacoré avisa l'ingénieur en chef des ponts et chaussées Philippe Bertrand de son intention de les réunir par une nouvelle aile dans une lettre du 5 février 1772. La rivalité entre Luxeuil et Plombières, où le Bain des Capucins fut reconstruit en 1767 et le Bain tempéré en 1772, pourrait de nouveau avoir motivé cette volonté. Surtout, les thermes devinrent à cette époque un programme d'architecture à part entière, et défini comme tel au concours du Grand Prix de l'Académie en 1774 : «Des bains publics d'eaux minérales [14].»

Le dessein de l'aile du Bain gradué dut paraître bien plus complexe que celui des premiers bâtiments. Il s'agissait non plus d'envelopper d'anciennes piscines à l'intérieur de nouvelles façades, mais de créer *ex nihilo* de nouveaux bains, ce qui nécessitait des connaissances en hydrogéologie et en hydraulique. Pour conduire le chantier, l'appel aux ingénieurs du corps des Ponts et Chaussées s'imposait de manière encore plus évidente que lors de la première campagne.

La Ville, l'intendant et l'ingénieur : une ambition architecturale contrariée

L'ingénieur Bertrand est l'auteur d'un premier plan, daté de 1775, dans lequel l'aile est située en retrait de la cour et dotée d'un étage, comme le suggère la présence de deux escaliers (fig. 7). C'est sans doute à ce projet que fait allusion l'ingénieur lorsqu'il écrit que les magistrats «ont applaudi en [sa] présence un projet [...] qui portoit non seulement une mansarde mais un étage carré en attique [15].» Le devis du 12 avril 1777 correspond à une version réduite du projet initial, approximativement celle qui est simplement esquissée au crayon sur le dessin de 1775 ; il présente comme une option la construction d'une aile symétrique sur le côté est de la cour.

Le 5 mars 1779, Bertrand signa un plan et une coupe auxquels on peut rattacher plusieurs autres dessins non signés et non datés. Ils correspondent à un projet encore ambitieux, composé de deux ailes encadrant la cour et doté d'un étage en surcroît. Le projet fut sévèrement critiqué dans la délibération du 28 avril 1779 : l'assemblée jugea inutiles les mansardes («pas habitables si près d'un bain») et souhaita avancer l'aile jusqu'au niveau de l'avant-corps du Grand Bain pour relier le «péristyle» de ce dernier et la nouvelle galerie à bâtir. L'intendant demanda à Bertrand d'élaborer un nouveau projet, dont le devis et le plan furent signés le 5 juin 1779 (fig. 8). Il proposa un consensus : l'étage en surcroît disparaissait mais l'aile restait en retrait par rapport au bâtiment du Grand Bain. Il appartint alors au sous-ingénieur Lingée de finaliser le projet, qui fut définitivement adopté le 13 octobre 1784.

FABIEN DUFOULON ET CHARLOTTE LEBLANC

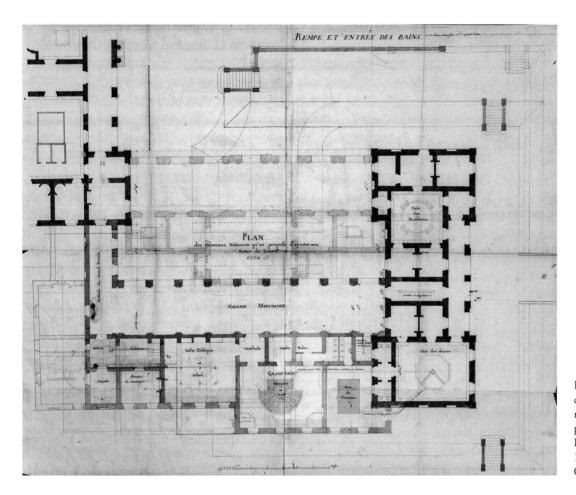

Fig. 7 – Luxeuil-les-Bains, établissement thermal, plan des nouveaux bâtiments qu'on propose d'ajouter aux bains de Luxeuil, Philippe Bertrand, 1775 (Arch. dép. Haute-Saône, C 162).

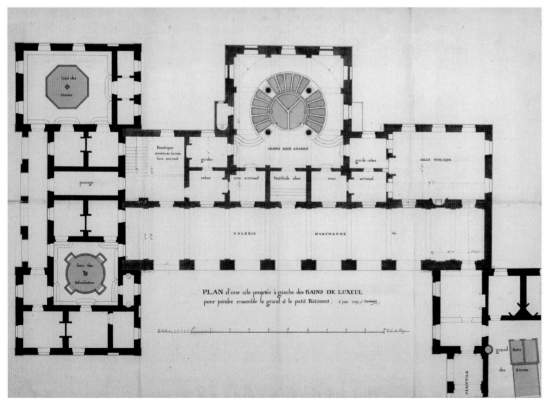

Fig. 8 – Luxeuil-les-Bains, établissement thermal, plan d'une aile projetée à gauche des bains de Luxeuil pour joindre ensemble le grand et le petit bâtiment, Philippe Bertrand, 5 juin 1779 (Arch. dép. Haute-Saône, C 162).

16. Arch. dép. Haute-Saône, C 162, lettre de la Ville à Bertrand (29 avril 1779).

17. Desgranges 1993, t. 1, p. 142. En l'état actuel des connaissances, cette intervention du duc d'Orléans reste difficile à expliquer.

18. Arch. dép. Haute-Saône, C 161, plan des fondations des bâtiments annoté par Mongenet en 1769.

Les travaux exécutés par les entrepreneurs Charles Saunier et Jean-Claude Chognard furent réceptionnés le 15 décembre 1786 ; ils coûtèrent 39 163 livres. La Ville, qui se disait « presque ruinée par les premières constructions des bains [16] », aurait finalement été sauvée par un don exceptionnel du duc Louis-Philippe d'Orléans [17].

Se baigner, se divertir et se promener

La galerie (fig. 9) répondait à un besoin de circulation entre les deux bâtiments construits par Querret, dont Mongenet avait tenu compte dès 1769 lorsqu'il fit creuser une tranchée reliant les deux fossés qui les entouraient, « le public ayant paru désirer une communication de plain-pied d'une cour à l'autre [18] ». La galerie prit de l'importance au fil des projets,

Fig. 9 – Luxeuil-les-Bains, établissement thermal, vue intérieure de la galerie de l'aile du Bain gradué, actuellement salle de sport, prise depuis le nord.

Fig. 10 – Luxeuil-les-Bains, établissement thermal, vue intérieure de la salle du Bain gradué, actuellement jacuzzi, prise depuis le sud.

FABIEN DUFOULON ET CHARLOTTE LEBLANC

Fig. 12 – Luxeuil-les-Bains, établissement thermal, coupe sur la ligne AB de la nouvelle salle des bains de Luxeuil, Lingée, 1780 (Arch. dép. Haute-Saône, 311 E dépôt 355).

Fig. 11 – Luxeuil-les-Bains, établissement thermal, plan de la nouvelle salle des bains que l'on propose de construire en la ville de Luxeuil comprenant six cuvettes graduées réunies en un seul bassin et en outre quatre grandes garde-robes dont deux à cheminées et neuf cabinets à balonges, Lingée, 20 décembre 1780 (Arch. dép. Haute-Saône, 311 E dépôt 272).

puisqu'elle passa de 90 pieds de longueur en avril 1777 à 114 pieds en juin 1779. À cette date, il fut précisé que « la galerie sera tout à la fois la jonction et communication des deux bâtiments actuels, la promenade couverte des buveurs et l'étalage des marchands forains ». Elle devait desservir un escalier, des garde-robes entresolées et une salle publique. Toutefois, par souci d'économie, Lingée les sacrifia dans le projet final.

Au centre de la galerie, une porte donnait sur la salle du Bain gradué (fig. 10). Dans le devis d'avril 1777, il était prévu de créer un bassin circulaire de 14 pieds de diamètre divisé en six cuvettes de températures différentes ; dans celui de juin 1779, un bassin de 12 pieds est entouré de quinze baignoires. Lingée fit la synthèse des deux projets, tout en prenant en compte la nécessité de réintégrer des garde-robes qu'il avait supprimées (fig. 11 et 12). Il dégagea d'abord l'espace en remplaçant les quatre colonnes centrales par huit colonnes périphériques. Il simplifia ensuite le plan du bassin en le réduisant à quatre compartiments et il cloisonna enfin le pourtour de la salle en quatre garde-robes et neuf cabinets dotés de baignoire, ce qui confirme l'engouement pour le bain individuel. Le bassin était alimenté par une source située devant la galerie, les baignoires par l'eau du Grand Bain et du Bain des Dames. La salle possédait deux cheminées contre le mur de refend ; leur manteau fut déplacé contre le mur nord au XXᵉ siècle.

Les problèmes qu'avaient posés les plafonds en bois encouragèrent à voûter les intérieurs. La galerie fut couverte de voûtes d'arêtes en brique enduite de mortier et blanchie à la chaux, ce qui permet aux arcs en pierre de taille – doubleaux en anse de panier et formerets en plein cintre – de souligner son volume. La salle fut, quant à elle, couverte d'une grande voûte d'arêtes à grands et petits quartiers alternés, flanquée de quatre voûtes en berceau et cantonnée de quatre voûtes d'arêtes.

19. Arch. dép. Haute-Saône, 3 O 323 ; 311 E dépôt 355 ; 5 M 161.

20. Arch. dép. Haute-Saône, 311 E dépôt 355 ; 311 E dépôt 367 ; 5 M 160 ; 5 M 162.

XIXᵉ SIÈCLE : NOUVELLES PRATIQUES, NOUVELLES SOURCES

Les architectes des XIXᵉ et XXᵉ siècles ont été relativement respectueux des façades sur la cour de l'Ancien Régime, qui ont pour l'essentiel été conservées, à l'exception du clocheton du bâtiment nord, démoli en 1817. Les principales transformations tiennent, d'une part, à l'évolution du programme, en particulier à l'engouement renforcé pour le bain individuel, d'autre part, au couvrement désormais systématique des espaces. Entre 1822 et 1831, le Bain des Fleurs, qui disposait de baignoires individuelles, fut construit par Louis Moreau à l'arrière de l'aile occidentale, entre le Bain des Dames et le Bain gradué [19]. Trente ans plus tard, en 1859, il fut reconstruit par Félix-Hercule Grandmougin (fig. 13-14).

À partir des années 1830, l'établissement thermal périclita. Pour le sauver, un décret impérial autorisa en 1853 la Ville à le céder à l'État, qui entreprit les travaux d'agrandissement à l'emplacement des anciens lieux d'aisance [20]. Le Bain ferrugineux, prévu dès 1843 par les architectes Pierre Mougenot et Charles-Antoine Monnier et l'inspecteur des Bâtiments civils Charles-Pierre Gourlier, fut construit en 1855-1856. En 1857-1858,

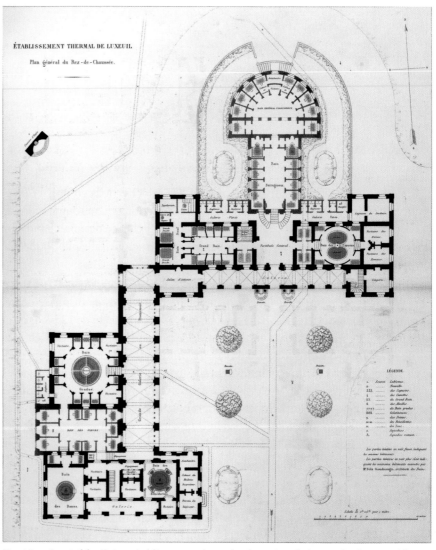

Fig. 13 – Luxeuil-les-Bains, établissement thermal, plan général du rez-de-chaussée (d'après Grandmougin et Garnier 1866).

Fabien Dufoulon et Charlotte Leblanc

Fig. 14 – Luxeuil-les-Bains, établissement thermal, Bain des Fleurs, carte postale, [s. d.].

21. *Sept ans d'effort. La Restitution de l'établissement thermal à la ville de Luxeuil-les-Bains. La restauration des thermes par le Conseil municipal de Luxeuil-les-Bains*, 1936, p. 19.

22. Arch. dép. Haute-Saône, 5 M 162 ; Luxeuil-les-Bains, Arch. mun.

après une visite de Napoléon III, il fut complété par le Bain impérial ferrugineux de l'architecte Félix-Hercule Grandmougin. Ces deux bains étaient dédiés à des pratiques individuelles : douches et bains (fig. 15). Bâti sur un plan en hémicycle, le Bain impérial ferrugineux était couvert en laves. Les nouveaux bains furent alimentés par des sources anciennes jusque-là peu utilisées (Source du Puits romain et Source du Temple). Les travaux de captage furent effectués sous la direction de l'ingénieur des Mines Jules François.

1937-1939 : MODERNISATION ET DÉCORATION

En 1922, la société qui exploitait les thermes de Luxeuil pour l'État depuis 1886 fit faillite. La commune se substitua à elle, puis le maire, André Maroselli, négocia le rachat des thermes à l'État pour une somme de 245 000 francs dont les habitants furent finalement exonérés [21]. Redevenus propriétés de la Ville en 1936, les bains de Luxeuil connurent une importante transformation d'ensemble dans le but de relancer l'activité thermale et de lui faire regagner son prestige passé. Le ministère de la Santé publique envoya l'architecte Michel Roux-Spitz à des fins d'expertise. Le premier grand prix de Rome alerta sur l'état de délabrement des thermes en raison de la corrosion provoquée par les eaux et recommanda la démolition de la plupart des bâtiments ainsi que la réfection des captages. Avec le soutien de Louis-Oscar Frossard, ministre du Travail et député de Lure, la Commission nationale des Grands Travaux, au titre de la lutte contre le chômage, alloua 700 000 francs à de nouveaux forages. On construisit alors des canalisations souterraines en béton pour acheminer l'eau dans tout l'établissement [22]. Des crédits des Grands Travaux furent également réservés pour la restauration des bâtiments, à hauteur de 5 025 000 francs. Dès 1862, les « thermes et inscriptions antiques » de Luxeuil avaient été portés sur la liste des Monuments historiques. On confia donc à un architecte en chef des Monuments historiques, Robert Danis – qui venait de restaurer et de reconstruire le Bain national de Plombières –, l'importante campagne de modernisation de

Fig. 15 – Luxeuil-les-Bains, établissement thermal, Bains ferrugineux, carte postale, [s. d.].

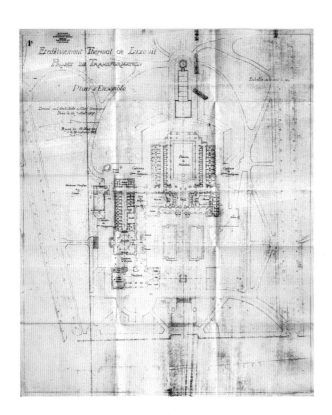

Fig. 17 – Luxeuil-les-Bains, établissement thermal, voûte en béton armé construite par Robert Danis.

Fig. 16 – Luxeuil-les-Bains, établissement thermal, projet de transformation, plan d'ensemble du rez-de-chaussée, Robert Danis, 20 juillet, 10 août et 30 septembre 1937 (Luxeuil-les-Bains, Arch. mun.).

l'établissement menée de 1937 à 1939 (fig. 16-17). Les travaux furent exécutés par l'architecte belfortain Paul Giroux. Si l'enveloppe des bâtiments du XVIIIᵉ siècle fut conservée, de même que les salles des bains voûtées, les espaces intérieurs furent totalement revus tant dans leurs fonctions que dans leurs distributions et leurs décors. Dans le bâtiment sud fut aménagé un grand vestibule (fig. 18). Dans le Bain des Fleurs fut projetée une garderie d'enfants. Le Bain gradué fut transformé en buvette (abandonnée dans les années 1960). Une nouvelle aile fut construite dans le prolongement de celle du Bain gradué pour y installer des cabines individuelles. Les Bains ferrugineux du XIXᵉ siècle furent détruits au profit d'une piscine extérieure (comblée en 1970, reconstruite en 1991 par ARCH-ID, Hubert Valancogne), encadrée par deux ailes parallèles en béton armé surmontées de pergolas (fig. 19). Pour les décors, Danis fit appel au peintre Jules Adler qui réalisa en 1939-1940 pour le nouveau vestibule du bâtiment sud sept toiles marouflées (dont une est aujourd'hui perdue) sur le thème de la baignade [23]. L'origine antique des thermes de Luxeuil est rappelée par la représentation devant une fontaine de la déesse Hygie qui « préside à la distribution de l'eau bienfaisante » à des allégories incarnant les âges de la vie [24]. Les scènes de femmes et d'enfants se baignant dans de vastes piscines à l'ombre d'un parc arboré évoquaient quant à elles les nouveaux thermes de Danis. Les cinq bas-reliefs en grès cérame qui ornent la nouvelle façade du bâtiment nord, visibles depuis la piscine, illustrent notamment la légende de Léda et du Cygne; ils sont l'œuvre des sculpteurs Pierre Poisson et Ernest-Charles Diosi. Par ailleurs, chacune des deux colonnes hors œuvre supporte une statue également en grès cérame : Hygie, œuvre de Paul Cornet, et Labienus, dû à Charles-Alexandre Malfray, deux artistes qui venaient de s'illustrer au parvis du Trocadéro et au palais de Chaillot. Enfin, la plupart des espaces intérieurs reçurent un décor de mosaïque et de carrelage d'Alphonse Gentil et Eugène Bourdet, deux céramistes associés, qui étaient alors à la fin d'une longue carrière dont le succès ne faiblissait pas (fig. 20). Danis, à Luxeuil plus encore qu'à Plombières en 1938, se montra respectueux des bâtiments du XVIIIᵉ siècle qu'il traita comme une enveloppe dans laquelle il développa un projet décoratif dans le goût de l'Art déco particulièrement réussi.

23. Jean-Louis Langrognet, « Une œuvre trop méconnue de Jules Adler : les toiles décoratives de l'établissement thermal de Luxeuil (1938-1940) », dans *Jules Adler, 1865-1952 : peindre sous la Troisième République*, cat. exp., Milan, 2017.

24. Lettre de Jules Adler à Lucien Barbedette, juin 1939, cité par Jean-Louis Langrognet, *ibid.*, p. 195.

FABIEN DUFOULON ET CHARLOTTE LEBLANC

Fig. 19 – Luxeuil-les-Bains, établissement thermal, piscine extérieure, carte postale, [années 1960].

Fig. 18 – Luxeuil-les-Bains, établissement thermal, vue intérieure du vestibule du bâtiment sud à l'emplacement de l'ancien Bain des Bénédictins, mosaïques de Gentil et Bourdet, peintures de Jules Adler.

Fig. 20 – Luxeuil-les-Bains, établissement thermal, vue intérieure du vestibule du bâtiment nord à l'emplacement de l'ancien Bain des Cuvettes, mosaïques de Gentil et Bourdet.

Quatre-vingts ans après les vestiges des thermes antiques, les façades et les couvertures des bâtiments du XVIIIe siècle furent classés au titre des Monuments historiques en 1942. L'ensemble de l'établissement est inscrit depuis 2011, y compris le parc et les vestiges archéologiques, en raison notamment de la rareté des établissements thermaux antérieurs à la Révolution aujourd'hui conservés et de l'intérêt des phases d'aménagement ultérieures. L'établissement thermal appartient à la Chaîne thermale du Soleil depuis 1999.

BIBLIOGRAPHIE

Chapelain 1857
Jean-Pierre Chapelain, *Luxeuil et ses bains, propriétés physiques, chimiques et médicinales des eaux minéro-thermales de Luxeuil, avec quelques recherches historiques prouvant l'importance de cette ville et de ses bains dans l'Antiquité et le Moyen Âge*, Paris, 1857.

Delacroix 1867
Émile Delacroix, « Luxeuil, ville, abbaye, thermes », *Mémoires de la Société d'Émulation du Doubs*, 4e série, 3e volume, 1867, p. 59-184.

Delaporte 1865
A. Delaporte, *Hydrologie médicale : bains de Luxeuil (Haute-Saône). Histoire des eaux de Luxeuil et des maladies dans lesquelles on les emploie, eaux ferro-manganésifères, eaux salino-thermales*, Paris, 1865.

Desgranges 1981
Bernard Desgranges, *Histoire des thermes de Luxeuil. De l'Antiquité à la conquête de la Franche-Comté*, Luxeuil-les-Bains, [1981].

Desgranges 1993
Bernard Desgranges, *Luxeuil, pas à pas*, Luxeuil-les-Bains, 1993, 2 vol.

Desjardins 1880
Ernest Desjardins, *Les Monuments des thermes romains de Luxeuil*, Paris, 1880.

Grandmougin et Garnier 1866
Félix-Hercule Grandmougin et Auguste Garnier, *Histoire de la ville et des thermes de Luxeuil (Haute-Saône) : depuis les temps les plus reculés jusqu'à nos jours*, Paris, 1866.

Roussel 1924
J. Roussel, *Luxovium ou Luxeuil à l'époque gallo-romaine*, Paris, Besançon et Luxeuil-les-Bains, 1924.

L'architecture des forges de Baignes

Pascal Brunet *

Les forges de Baignes sont situées à 14 km au sud-ouest de Vesoul et à 34 km à l'est de Dampierre-sur-Salon, sur le cours de la rivière Baignotte et du canal de dérivation qui part directement de «La Fond», une exsurgence profonde de 17 m constituant un magnifique miroir d'eau circulaire de couleur turquoise (fig. 1). Par la force et la qualité de leur architecture, ces forges, reconstruites entre 1795 et 1807 à la demande de Claude-François Rochet, comptent parmi les plus étonnantes réalisations de l'architecture comtoise de la fin du XVIIIe siècle. À ce titre, elles ont fait l'objet d'une série d'études, dont les plus importantes sont celles conduites par François Lassus[1] et Sophie Jeannenot[2]. Si ces recherches n'ont, hélas, pas permis de découvrir le nom de l'architecte, elles ont néanmoins permis d'émettre une hypothèse étayée que nous évoquerons[3].

* Historien de l'architecture ; responsable des collections patrimoniales des Bibliothèques de l'université de Franche-Comté.

L'usine de Baignes et la famille Rochet

Comme le rappellent ces spécialistes, pendant des siècles, et tout particulièrement aux XVIIIe et XIXe siècles, la métallurgie a été l'un des piliers économiques du comté de Bourgogne :

«On trouve les premières traces d'une industrie métallurgique en Franche-Comté à la fin du XIIe siècle. [...] Riche en bois, en eau et en minerai de fer, le val de Saône réunit les conditions nécessaires à l'établissement d'usines sidérurgiques. Cette industrie connaît un véritable essor dans cette région au XVIe siècle. C'est dans ce contexte qu'apparaissent, dans la première moitié du XVIe siècle, les forges de Baignes [...].

Il semble que, dès l'origine, les forges de Baignes soient composées d'un haut fourneau, pour transformer le minerai en fonte, et d'une forge d'affinerie, pour transformer la fonte en fer ; le haut fourneau étant situé immédiatement à la source de Baignotte (La Fond), et la forge à quelques centaines de mètres en aval. Cette disposition ne changera pas au cours des siècles[4].»

Les recherches de Fr. Lassus, reprises ensuite par S. Jeannenot, ont notamment permis de suivre les liens de la famille Rochet avec le site de Baignes :

«[...] en 1682, Edme et Gédéon Rochet, deux cousins aciéristes issus d'une famille de métallurgistes suisses [sont accueillis à Baignes par Gabriel Bois, maître de forges]. Persécutés à cause de leur religion, ils doivent quitter Baignes au bout de quelques mois, mais reviennent bientôt. Vraisemblablement, ils sont employés à la forge d'affinerie comme maîtres ouvriers [...]. Ils quittent finalement Baignes en 1689 pour prendre une forge à leur propre compte, à Aubertans. [...] Dès 1725, Gédéon Rochet achète des terres sur le territoire de Baignes. Il semble également qu'il possède «une maison consistant en cuisine, poisle et chambre à côté du poisle, et dépendances d'icelles[5].»

En 1726, il achète le fourneau puis, en 1733, a lieu un échange de propriétés entre les Rochet et les Humbert. Cette transaction fait des «héritiers de Gédéon Rochet [les] propriétaires de l'ensemble des forges de Baignes : usines, dépendances, outils, cours d'eau etc. [...][6]».

1. Lassus 1980 et 2009 ; *La métallurgie comtoise* 1994.

2. Jeannenot 2004.

3. Cette notice doit beaucoup à Fr. Lassus ainsi qu'à S. Jeannenot, que nous remercions très chaleureusement, ainsi que G. Dhenin pour l'ensemble des photographies réalisées pour illustrer cette publication.

4. Jeannenot 2004, p. 10-11.

5. Lassus 1980, p. 123.

6. Lassus 1980 et Jeannenot 2004, p. 15-16, 20.

Fig. 1 – Baignes, forges, vue de la maison du maître de forges, de «La Fond» et de l'usine, depuis le parc de la demeure.

Au milieu du XVIIIe siècle, les forges de Baignes produisaient un peu plus de 74 tonnes de fer, et 244 tonnes de fonte en 1772 puis 440 tonnes en 1788, à la veille de la Révolution. L'usine travaillait notamment pour les salines royales de Salins et de Montmorot (Jura) et écoulait une partie de sa production de fonte sous forme de bombes et de boulets. À la suite du retrait des affaires de Jean-François Rochet dit «de Grandvelle» (1708-1797) et du partage familial qui fut effectué entre ses enfants en 1789, l'aîné, Claude-François Rochet (1747-1814), racheta à ses frères et sœur leurs parts des usines et dépendances de Baignes [7]. Propriétaire alors d'une belle demeure néoclassique qu'il avait fait construire à Dampierre-sur-Salon vers 1785 [8], Claude-François Rochet, confronté à la vindicte des habitants de cette commune qui l'accusaient de menées contre-révolutionnaires, fut contraint, en novembre 1793, de choisir Baignes comme nouveau lieu de résidence. Il y accomplit d'importants travaux de transformation.

7. Jeannenot 2004, p. 35.

8. Sur la demeure de Claude-François Rochet à Dampierre-sur-Salon, voir, dans ce volume, notre article p. 365-378.

PASCAL BRUNET

Un contexte professionnel et personnel favorable

Les enquêtes menées par Fr. Lassus permettent de comprendre que la période révolutionnaire a constitué une période faste pour les frères Rochet, en particulier pour l'aîné Claude-François. Dès 1790, ces derniers obtinrent du prince de Montbéliard le renouvellement de leur bail des forges de la principauté. Ils s'empressèrent de modifier la structure des entreprises, «en regroupant notamment à Audincourt la totalité de la fabrication du fer»[9]. Ils favorisèrent ensuite l'annexion de la principauté par la France révolutionnaire, ce qui leur permit, à la fin de 1797, de se porter acquéreur de nombreux biens nationaux dans ce territoire (usines et bois) – en particulier autour d'Audincourt – pour cinq millions de francs[10], mais aussi – avec la complicité du conventionnel Bernard de Saintes – des meubles et objets précieux lors de la vente du château princier d'Étupes[11]. Comme le remarque Fr. Lassus, «l'occupation française de Montbéliard [constitua] pour les Rochet, fermiers généraux du prince, l'occasion d'augmenter leurs affaires». Il relève ainsi que Claude-François et son frère Jean-François Rochet tenaient, à eux deux, à l'aube de l'Empire, «la totalité des usines sidérurgiques du nord-est de la Franche-Comté[12]». Sur le plan personnel, cette période économiquement faste pour Cl.-Fr. Rochet coïncida avec les noces de sa fille Claude-Françoise Mélanie († 1836), le 18 novembre 1797, avec François-Cyprien Renouard de Bussierre (1773-1828)[13] puis avec son propre remariage[14], le 2 décembre suivant, avec Marie-Othille Vetter (ou Wetter), fille d'aubergistes aisés de Porrentruy, de vingt-deux ans sa cadette et qui lui apporta, semble-t-il, «une dot confortable»[15].

Les travaux de Baignes et l'interrogation sur leur architecte

La détermination de la période des travaux de transformation du site de Baignes a été rendue possible par l'examen des registres d'état civil de la commune[16]. Cet examen a permis de découvrir que

> «c'est autour de 1795 qu'apparaissent les noms d'artisans étrangers à la commune, résidant à l'usine, comme ces deux maçons de la Creuse, dont l'un décéda au domicile de Rochet en 1798, ou ce tailleur de pierre qui disait la même année habiter ici depuis deux ans[17]. En 1802, alors que les travaux n'étaient pas achevés, Claude François Rochet vendit sa maison de Dampierre : ses affaires commençaient à péricliter et sans doute avait-il besoin de liquidités pour terminer le chantier entrepris. Il avait exclu de la vente bois d'œuvre, pierres de taille, trumeaux et glaces, matériaux dont il n'avait pu se servir à Dampierre et qu'il comptait à l'évidence utiliser à Baignes. En 1805, l'usine avait pris une telle extension que le conseil municipal s'en alarma : trois hectares de terrain avaient été usurpés à la commune pour construire haut fourneau, halle à charbon, colombier, bâtiments ouvriers[18]. Un plan de 1807[19] nous montre enfin le tout achevé».

En raison de la quasi-absence d'archives, l'identité du ou des architectes demeure incertaine. En 1994, Christiane Claerr-Roussel, s'appuyant sur la présence, en 1802, de l'architecte Jean-Antoine Guyet, témoin lors de la vente de la maison de Cl.-Fr. Rochet à Dampierre, et sur l'environnement professionnel des frères Guyet dans la Comté de la fin du XVIIIe siècle, a émis l'hypothèse de l'implication de ce maître d'œuvre dans les travaux de la nouvelle usine de Baignes : «On peut raisonnablement penser que si cet architecte était en relation étroite avec Claude-François Rochet à cette date, c'était parce qu'il travaillait pour lui sur le chantier de Baignes[20].» Né à Oiselay (Haute-Saône) le 24 février 1750, Jean-Antoine, «tailleur de pierres», est le fils de l'entrepreneur Claude-François Guyet, et le frère de l'entrepreneur Jean-Pierre Guyet, également né à Oiselay en 1741. Les recherches de Chr. Claerr-Roussel ont montré qu'en 1778 Jean-Antoine apparaissait dans un marché «en tant qu'appareilleur lors des travaux de construction du château d'Arlay[21]».

9. Lassus 1980, p. 267.

10. Lassus 1980, p. 274.

11. Lassus 1980, p. 270 et Sahler 1905. Léon Sahler affirme que ces meubles d'apparat ont ensuite «été vendus à Bâle, avec la complicité de Bernard qui aurait fourni des chevaux d'artillerie pour le transport pour trois voitures, Rochet fournissant lui-même les attelages pour deux autres».

12. Lassus 1980, p. 255, 280-281.

13. Arch. dép. Haute-Saône, 2 E 876. Étienne Cyprien, père du marié, avait acheté, peu avant la Révolution, les terres du marquisat de Châteaurouilleau, avec le château de Roche-sur-Loue à Arc-et-Senans (Lassus 1980, p. 289).

14. Il était veuf depuis 1781.

15. Lassus 1980, p. 289.

16. Arch. dép. Haute-Saône, 3 E 47/1 et 2, dans *La métallurgie comtoise* 1994, p. 233. «[...] entre 1794 et les premières années du XIXe siècle, [apparaissent dans les registres] toute une série d'artisans, qu'ils soient témoins ou acteurs. Citons en 1794 André et Sébastien Pascal, maçons de la Creuse, apparemment chargés de construire le nouveau canal de la forge. L'année 1798 révèle les noms de trois autres tailleurs de pierre, dont l'un est Bisontin, ainsi qu'un charpentier venu du Vernois. Entre 1799 et 1801, autre mention d'un tailleur de pierre "aux forges", et d'un menuisier. Enfin, en 1807, au mariage du sommelier de Cl.-F. Rochet, assistait Nicolas Robert de Dampierre-sur-Salon, qui était présenté comme "l'entrepreneur des bâtiments"» (*La métallurgie comtoise* 1994, note 81, p. 359).

17. *La métallurgie comtoise* 1994, p. 233.

18. Arch. dép. Haute-Saône, 3 K 23, dans *La métallurgie comtoise* 1994, p. 359, note 84.

19. Arch. dép. Haute-Saône, CP 731.

20. *La métallurgie comtoise* 1994, p. 233 et note 90, p. 359-360.

21. Arch. privées du château d'Arlay, II, n° 5.

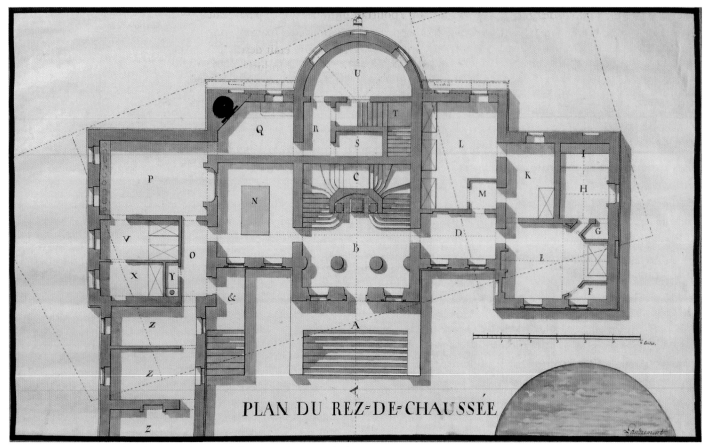

Fig. 2 – Baignes, forges, plan du rez-de-chaussée de la maison du maître de forges, vers 1797 (Arch. dép. Haute-Saône, 1 J 291-2).

Trois ans plus tard, c'est son frère Jean-Pierre qui paraphait le devis de la reconstruction du château de Champlitte, dû au Bisontin Alexandre Bertrand [22]. Enfin, en 1791, nous retrouvons Jean-Antoine Guyet en qualité d'architecte chargé de la restauration de l'église de Champlitte [23], alors que son frère Jean-Pierre était actif peu avant sur le chantier de l'église Saint-Pierre de Besançon comme entrepreneur [24].

Les frères Guyet sont des collaborateurs d'Alexandre Bertrand et d'Antoine Colombot [25], les deux grands maîtres du néoclassicisme comtois de la fin du XVIIIe siècle. Ils sont également, comme en témoigne la présence de Jean-Antoine à la vente de la maison de Dampierre en 1802, proches (ou parents?) des frères Rochet. Alexandre Rochet (1765-1817), l'un des frères de Claude-François, et sa femme Françoise-Sophie Muguet (1773-1805) habitaient la maison de Jean-Pierre Guyet à la fin du XVIIIe siècle. Fr.-S. Muguet y décéda en 1805 [26]. Cependant, à l'occasion de ses propres recherches achevées en 2004, Sophie Jeannenot a découvert l'existence de dessins d'une belle demeure, jusqu'alors inédits [27], signés «Landremont» pour les uns et «Jacques Montenoise fils» pour l'autre. Ils semblent correspondre à des projets, non réalisés, de reconstruction d'un logis de maître de forges lors de celle de l'usine. Les plans définitifs de ce projet ambitieux sont signés au recto «Landremeont»; le plan de l'étage porte en outre au verso l'indication «plan de bâtisse Mr Landremont» (fig. 2). Comme l'a remarqué Fr. Lassus, une indication peut être tirée du titre de l'un des dessins : «Élévation de la façade sur la cour, d'une maison à construire à l'usine de Baigne appartenant au Cen Rochet fils aîné».

22. Arch. dép. Haute-Saône, E 798. Voir également, dans ce volume, notre article sur le château de Champlitte, p. 107-143.

23. Briffault 1869, p. 152.

24. Besançon, Arch. mun., DD 17.

25. En 1775, c'est A. Colombot qui dessine le projet puis l'élévation construite de la maison de Jean-Pierre Guyet, act. 27 rue de la Préfecture à Besançon.

26. Besançon, Arch. mun., 1 E/575.

27. Arch. dép. Haute-Saône, 1 J/291-2.

PASCAL BRUNET

En effet, cette manière de désigner le commanditaire «pourrait indiquer que le père, Jean François Rochet, est encore vivant» et que les plans de cette nouvelle maison sont antérieurs à 1797 [28]. Ils montrent très clairement que la nouvelle demeure était destinée à se raccorder, au moyen d'une aile basse en rez-de-chaussée, aux bâtiments industriels de l'usine. «Jacques Montenoise fils» a, quant à lui, signé un «Plant dune volliere a construire Pour Monsieur Rochet Proprietaire Des forges et fourneaux de Baigne Etc Pour l'année 1803 [29]».

LES NOUVELLES CONSTRUCTIONS

«La pierre employée, légèrement rosée, évoquait par sa couleur et sa mise en œuvre des morceaux de minerai de fer. On ne pouvait oublier que l'on était ici sur un lieu de labeur, sensation pesante, qu'on ressent encore aujourd'hui en visitant le site [30]. »

En réalité, cette couleur rose des constructions, si évocatrice des activités métallurgiques de l'usine, bien plus que celle du calcaire local de couleur ocre jaune, est essentiellement celle des joints des moellons, dont le mortier a été obtenu à partir de sables ferrugineux et qui semble indiquer que l'épiderme des façades n'était donc pas, malgré l'usage, destiné à être enduit. Par contraste avec la rusticité de ces moellons, l'architecte a composé en pierres de taille l'intérieur de grandes arcades rythmant les deux magasins en quart de cercle, ce qui n'est pas sans rappeler le parti adopté par Al. Bertrand dans la cour des écuries du château de Moncley (Doubs) [fig. 3]. Pour reconstituer l'aspect général des nouvelles constructions de l'usine commandées par Cl.-Fr. Rochet, nous disposons d'un plan établi en 1807 [31] (fig. 4) ainsi que de trois élévations lithographiées conservées au Musée comtois de la Citadelle de Besançon [32]. Ce plan de 1807 est capital, car il assure que le bâtiment en quart de cercle, à présent détruit, avait bel et bien été construit :

28. Date de la mort de Jean-François Rochet dit «de Grandvelle».

29. Arch. dép. Haute-Saône, 1 J/291-2.

30. *La métallurgie comtoise* 1994, p. 233.

31. Arch. dép. Haute-Saône, CP 731.

32. Reproduites par Fr. Lassus en 1980 et conservées sous les cotes 1961-03-021, 1961-03-022 et 1961-03-023, ces lithographies, datées de 1832-1833, sont donc postérieures à la destruction du magasin sud en quart de cercle.

Fig. 3 – Moncley (Doubs), cour des écuries du château.

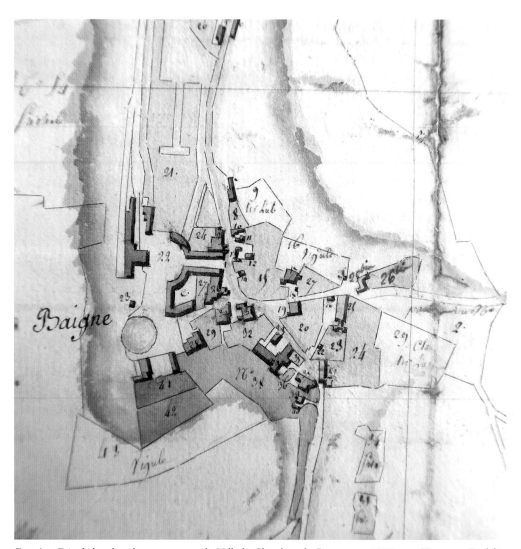

Fig. 4 – Détail du plan des communes de Velle-le-Châtel et de Baignes en 1807, par Houry et Dodelier géomètres (Arch. dép. Haute-Saône, CP 731).

« On accédait [...] au cœur du dispositif – le haut fourneau – entre deux logements ouvriers parallèles formant une rue, « la rue Neuve », qui débouchait sur une place en hémicycle. Celle-ci était bordée de deux corps de bâtiments en quart de cercle, au fond de laquelle se tenait le haut fourneau [33] ».

« La reconstruction de l'ensemble a entraîné un remodelage complet du plan masse, et il ne reste rien des bâtiments antérieurs ; le haut fourneau [34], notamment, a été déplacé du cours de la Baignotte pour être placé plus en amont, sur le canal. Le haut fourneau de Baignes [...] alimente les forges de ce village et celles de Grandvelle [...]. C'est la tour même de ce haut fourneau qui se situe exactement, dans les nouvelles constructions, au centre géographique des bâtiments. Depuis la grille d'entrée, au bout de l'allée bordée de logements d'ouvrier, c'est lui qui apparaît, point central d'une large place demi-circulaire [...]. De chaque côté de cette place, deux échappées, fermées par des grilles : à gauche vers la maison du maître et ses dépendances à droite vers les jardins et plus loin la forge. La tour du fourneau s'appuie sur un large bâtiment adossé lui-même, au versant de la vallée, halles servant à l'entrepôt des charbons et du minerai qui se trouvent ainsi au niveau même de la bouche du fourneau, dont le chargement est ainsi très simplifié. Le plan des nouveaux bâtiments du fourneau présente donc, par son adaptation au terrain, des innovations certaines [35]. »

33. *La métallurgie comtoise* 1994, p. 233.

34. Aujourd'hui en grande partie disparu.

35. Lassus 1980, p. 230-231.

PASCAL BRUNET

Un second plan, présentant les forges dans la première moitié du XIXᵉ siècle [36] (fig. 5), nous permet de décrire chacune des constructions depuis la grille d'entrée, détruite en 1852.

Les logements ouvriers nord et sud

Situés à l'entrée du site, ces logements sont construits en miroir de part et d'autre d'une rue (fig. 6). Ils se composent d'un rez-de-chaussée et de chambres à l'étage, que l'on peut rejoindre par un escalier de bois, et qui sont éclairées par de petites fenêtres horizontales. Les seules ouvertures sont celles donnant sur la rue. Les bossages soulignent les arêtes ainsi

36. Ce plan est de Joëlle Maillardet d'après celui de Fr. Lassus lui-même tiré d'un original conservé aux Arch. dép. Haute-Saône, 300 S 3. Il a initialement été publié dans *Vieilles maisons françaises* 1984, p. 68.

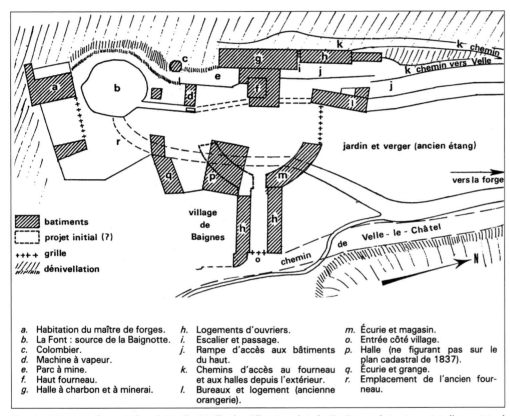

a. Habitation du maître de forges.	*h.* Logements d'ouvriers.	*m.* Écurie et magasin.
b. La Font : source de la Baignotte.	*i.* Escalier et passage.	*o.* Entrée côté village.
c. Colombier.	*j.* Rampe d'accès aux bâtiments du haut.	*p.* Halle (ne figurant pas sur le plan cadastral de 1837).
d. Machine à vapeur.		
e. Parc à mine.	*k.* Chemins d'accès au fourneau et aux halles depuis l'extérieur.	*q.* Écurie et grange.
f. Haut fourneau.		*r.* Emplacement de l'ancien fourneau.
g. Halle à charbon et à minerai.	*l.* Bureaux et logement (ancienne orangerie).	

Fig. 5 – Baignes, forges, plan de Joëlle Maillardet (d'après celui de Fr. Lassus lui-même tiré d'un original conservé aux Arch. dép. Haute-Saône, 300 S 3).

Fig. 6 – Baignes, forges, façade de l'aile nord du logement des ouvriers.

37. Les couvertures sont actuellement en tuiles mécaniques.

38. Besançon, Musée comtois, 1961-03-023.

39. *Ibid.*, 1961-03-021.

que les baies. Ils sont employés également pour former une ligne de soubassement ainsi qu'une corniche sous le toit [37]. L'une des trois lithographies du Musée comtois présente l'élévation de l'aile nord de ces logements [38]. Une autre [39] témoigne de la présence d'une seconde grille, aujourd'hui disparue, identique à celle qui s'ouvrait du côté du village, et qui fermait le passage entre les logements ouvriers et la place devant le haut fourneau. À l'origine, chaque corps de bâtiment comprenait certainement quatre logements : deux de quatre pièces et deux de deux pièces. En 1829-1831, ils ne comportaient plus que trois logements de quatre pièces chacun.

Les magasins en quart de cercle nord et sud

Le magasin en quart de cercle nord, le seul conservé, comprend trois niveaux dont un étage attique doté de petites fenêtres horizontales (fig. 7). Il est coiffé d'une toiture de laves. Sa façade, incurvée, est rythmée par trois hautes arcades, soulignées de puissants bossages. Une quatrième arcade orne le pignon sud du magasin (fig. 8). Le pignon nord est, quant à lui, percé de six fenêtres. Dans les arcades, les baies, portes et fenêtres sont percées à cru

Fig. 7 – Baignes, forges, façade du magasin nord.

PASCAL BRUNET

Fig. 8 – Baignes, forges, détail du pignon sud du magasin nord.

dans les murs en pierres de taille. En 1829, il renfermait « un vaste magasin à fer avec un grenier au-dessus, à côté, un double étage de très spacieux greniers à blé auxquels [conduisait] un escalier en pierre avec deux écuries pavées et une sellerie au-dessous [40] ». Après la reconversion de l'usine en 1832-1833, le bâtiment a été transformé en ateliers au rez-de-chaussée, en magasins de stockage des moules dans les niveaux supérieurs, et en bureaux complétés d'un logement. Quatre nouvelles fenêtres ont été percées au rez-de-chaussée pour répondre aux nouveaux usages [41].

La disparition du magasin sud en quart de cercle est sans doute la conséquence d'incendies successifs : le premier eut lieu en 1807. Provoqué par la foudre, il détruisit le bureau et les archives de Cl.-Fr. Rochet [42]. Un second incendie se produisit en 1821. Comme on le voit sur le plan de 1807, l'édifice était alors prolongé par un bâtiment en forme de L qui longeait l'allée principale de l'usine et se terminait par une aile perpendiculaire vers le sud. Des vestiges de la façade ouest de cette aile, figurant sur l'une des lithographies du Musée comtois [43], sont toujours visibles sur le site.

40. Voir la licitation Blum de 1929-1931 reproduite dans Mathieu-Laurents 1987 et cité par Jeannenot 2004, p. 42.

41. Deux des trois lithographies du Musée comtois conservent le souvenir de l'élévation initiale.

42. Arch. dép. Haute-Saône, 5 K 94 ; Jeannenot 2004, p. 48.

43. Besançon, Musée comtois, 1961-03-021. Un alignement de peupliers venait alors remplacer les constructions disparues.

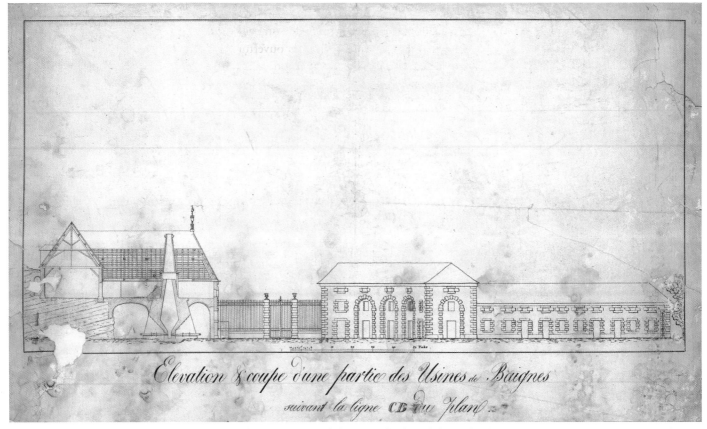

Fig. 9 – « Elevation & coupe d'une partie des Usines de Baignes suivant la ligne CD du plan », lithographie (Besançon, Musée comtois, 1961-03-023).

Le haut fourneau

Bien qu'ayant en grande partie disparu, le haut fourneau figure sur deux des trois lithographies du Musée comtois, notamment sur celle intitulée « Élévation de l'usine de Baignes du côté du fourneau & suivant la ligne AB du plan [44] ». Ce document nous montre une large façade de deux travées sur deux niveaux. Les angles ainsi que les baies hémisphériques de l'étage attique sont soulignés par les puissants bossages. D'autres bossages composent un bandeau séparant le rez-de-chaussée, marqué par deux hautes arcades aux chambranles en saillie, de l'étage attique, ainsi qu'une corniche sous la toiture. Un petit corps de bâtiment situé en retrait sur la gauche du fourneau possède, au-dessus d'une arcade en anse de panier, une troisième baie demi-circulaire ponctuée de forts bossages. La haute croupe du toit du haut fourneau était alors couronnée d'un élégant épi de faîtage. La lithographie intitulée « Elevation & coupe d'une partie des Usines de Baignes suivant la ligne CD du plan [45] » permet de découvrir l'ampleur et la structure précise de ce haut fourneau (fig. 9).

La halle à charbon et à minerai

D'après les lithographies du Musée comtois, la halle à charbon, en 1832-1833, ne comprenait qu'un seul étage, avec un toit imposant à deux pans. Elle fut surélevée, et des logements furent aménagés à l'étage dans la partie sud du bâtiment, lors de sa reconversion en fonderie.

44. *Ibid.*, 1961-03-022.
45. *Ibid.*, 1961-03-023.

PASCAL BRUNET

Le bâtiment de logements ouvriers à l'ouest

Ce corps de bâtiment, situé au nord de la halle à charbon et à l'arrière de l'orangerie, est composé d'un rez-de-chaussée et d'un étage sans circulation verticale. Les ouvertures du rez-de-chaussée donnent directement sur la rampe d'accès à la halle à charbon, et celles de l'étage sur un chemin qui court à l'arrière du bâtiment. Toutes sont bordées de bossages rustiques.

La grille du potager-verger

Identique aux deux autres grilles aujourd'hui disparues, elle s'élève entre l'orangerie et le magasin nord. Elle figure sur l'une des lithographies [46] et prend appui sur deux piliers carrés striés de bossages, dont un sur deux est rustique, surmontés de vases Médicis en fonte (fig. 10). Une série de piques ornées de houppes accompagnent la hallebarde placée au centre du portail qui s'ouvre sur l'ancien potager-verger [47].

46. *Ibid.*

47. Celui-ci, qui attend d'être un jour restauré, remplace un ancien étang ensuite asséché.

Fig. 10 – Baignes, forges, portail du potager-verger.

48. Besançon, Musée comtois, 1961-03-022.

49. Jeannenot 2004, p. 52.

50. Besançon, Musée comtois, 1961-03-022.

51. *La métallurgie comtoise* 1994, p. 233.

52. Brunet 2007, p. 272-274 ; Brunet 2016, p. 418-422.

Fig. 11 – Baignes, forges, orangerie.

L'orangerie (puis logements et bureaux)

Seule la façade sud de ce bâtiment, tournée vers l'intérieur du site, est traitée de la même façon que les autres bâtiments (fig. 11). Les ouvertures d'origine sont visibles sur l'une des lithographies [48]. Celles qui ont été percées depuis témoignent de fonctions différentes données à ce petit bâtiment.

La machine à vapeur

Construit à la demande d'Isaac Blum en 1825 [49], cet édicule en moellons, et autrefois enduit, présente des baies en plein cintre aux chambranles en pierres de taille. Il apparaît sur l'une des lithographies [50], précédé de sa roue à présent disparue.

Le colombier

« Isolé sur un éperon rocheux, entre haut fourneau et maison de maître, visible de tous côtés, se dressait le colombier. Son emplacement et sa mise en œuvre, encore plus soignée que pour les autres édifices, en faisait un symbole, aussi fort que celui dévolu au haut fourneau. Que voulait prouver Claude-François Rochet, en pleine période post-révolutionnaire, en mettant ainsi en évidence cet emblème nobiliaire d'un temps désormais révolu [51] ? »

Fig. 12 – Baignes, forges, colombier.

Cette petite construction, à la réalisation particulièrement soignée (fig. 12), est en effet un véritable manifeste politique. Par cette commande, Cl.-Fr. Rochet, poursuivi et emprisonné en 1793 à la demande des habitants de Dampierre-sur-Salon en raison de ses agissements contre-révolutionnaires, et qui venait de marier sa fille à un aristocrate, affichait aux yeux de tous son attachement aux privilèges réservés à la noblesse jusqu'à la nuit du 4 août 1789. Une fois encore, cet édicule n'est pas sans rappeler les pigeonniers construits au château de Moncley vers 1780 par Al. Bertrand avec le même sens symbolique et dans une esthétique très proche [52].

PASCAL BRUNET

La maison du maître de forges et ses dépendances

Enfin, deux des lithographies déjà citées [53] présentent la maison du maître de forges, qui existe toujours, et certaines de ses dépendances dans la cour. Bien qu'il ait formé le projet, comme on l'a vu, de la détruire et de la remplacer par une demeure plus ambitieuse, Cl.-Fr. Rochet conserva cette maison du milieu du XVIIIe siècle et l'occupa. Transformée au XIXe siècle, notamment pour la famille Tiquet [54], elle est aujourd'hui entretenue avec soin par ses propriétaires actuels.

LA QUESTION DES BOSSAGES

On s'est plu avec raison à souligner les liens de parenté visuels qui relient les forges de Baignes aux célèbres salines royales de Chaux édifiées de 1775 à 1779, entre les villages d'Arc et de Senans, sur les dessins de Claude-Nicolas Ledoux. Un souci moderne d'efficacité et de rationalité a en effet présidé à la conception de ces deux usines, et leur similitude architecturale tient beaucoup à l'abondante utilisation des bossages. À la saline royale, aux côtés des urnes aux eaux pétrifiées – symboles parlants des activités de l'usine –, Ledoux a joué des bossages pour animer et rythmer les façades des divers pavillons, mais aussi pour souligner la vocation industrielle des divers bâtiments. Comme l'ont déjà remarqué plusieurs observateurs, la filiation entre l'architecture de Ledoux et celle de Baignes est à rechercher du côté d'Alexandre Bertrand. En effet, c'est à Alexandre Bertrand (1734-1797), architecte néoclassique bisontin de talent, que les dessins de Claude-Nicolas Ledoux avaient été confiés pour la réalisation du théâtre de la capitale comtoise [55]. Il s'est assez fidèlement acquitté de sa mission entre 1778 et 1784, alors qu'il dirigeait dans le même temps les chantiers des châteaux de Moncley et de Champlitte. L'influence de Ledoux sur l'architecte bisontin est manifeste, mais Bertrand ne se montra jamais servile et fit toujours preuve d'originalité dans des emprunts qui résonnent comme des hommages rendus au maître. En témoignent plusieurs de ses réalisations, comme celles de l'orangerie du parc de l'hôtel Chifflet à Besançon (1787), des communs du château des Hennezel à Beaujeu (Haute-Saône), de la cour des écuries et de la ferme du château de Moncley, ou encore de la façade du pavillon de l'administration des bois de Rivotte à Besançon.

Comme on l'a vu, la participation de Jean-Antoine Guyet au chantier de Baignes est une hypothèse sérieuse. Son frère et lui collaborant régulièrement avec Alexandre Bertrand, décédé en 1797, ont pu s'imprégner, à leur tour, de cette esthétique, puissante et parlante des bossages rustiques [56], mise en œuvre à Baignes dans les différents bâtiments de l'usine, de l'orangerie et du colombier.

LES FORGES DE BAIGNES AU XIXe ET AU XXe SIÈCLE

Sous l'Empire, les affaires de Cl.-Fr. Rochet connurent de graves difficultés. Il dut vendre la quasi-totalité de ses propriétés et mourut très endetté en 1814. Philippe Rochet, son héritier, fut contraint de céder les forges de Baignes à Isaac Blum, de Belfort, l'un des créanciers. L'usine devint ensuite successivement la propriété de Louis de Pourtalès, de 1833 à 1857, puis de Pierre Tiquet et Joseph-Aimé Pergaud jusqu'en 1870, de Pierre Tiquet seul jusqu'en 1881, et enfin de Marie-Jean Tiquet à partir de 1903. L'usine ferma définitivement ses portes en 1961 [57].

Devenus propriété du Département de la Haute-Saône, les bâtiments ont été inscrits et classés partiellement au titre des Monuments historiques à partir de 1978 puis de 2007 à 2012.

53. Besançon, Musée comtois, 1961-03-021 et 1961-03-022.

54. En 1871 et en 1872, le paysagiste comtois Brice Michel (1822-1889) a redessiné pour cette famille le parc pittoresque (Arch. privée, Baignes).

55. Estavoyer 1982, p. 352-357.

56. Chez Ledoux, comme chez ses disciples comtois, cet emploi constitue un hommage aux bossages *bugnato* de la Renaissance italienne : ceux de Michelozzo au soubassement du palais Médicis de Florence (1444-1460), de Giulio Romano au Palazzo Te de Mantoue (1525-1536), ceux du traité d'architecture de Sebastiano Serlio (1536) et des palais d'Andrea Palladio à Vicence ou à Vérone. Ils dialoguent également avec certains modèles français du XVIe siècle, comme la grotte des Pins de Fontainebleau (1543) et les bossages du château de Maulnes (1566-1573) dans l'Yonne.

57. Jeannenot 2004.

Crédits photographiques – fig. 1 et 3 : Pascal Brunet ; fig. 6, 8, 10 à 12 : Gérard Dhenin ; fig. 7 : Jean-Louis Langrognet.

BIBLIOGRAPHIE

Briffault 1869
Abbé Briffault, *Histoire de la seigneurie et de la ville de Champlitte*, Langres, 1869.

Brunet 2007
Pascal Brunet, «Les références symboliques et médiévales au château de Moncley», *Mémoires de la Société d'émulation du Doubs*, 2007, p. 265-276.

Brunet 2016
Pascal Brunet, «Continuité et réinvention de signes féodaux dans deux châteaux comtois du XVIIIe siècle : Ray-sur-Saône et Moncley», dans *Fortifier les demeures du XVIe au XVIIIe siècle*, Actes du cinquième colloque international au château de Bellecroix, 16-18 octobre 2015, Nicolas Faucherre, Delphine Gautier et Hervé Mouillebouche (dir.), Centre de castellologie de Bourgogne, 2016, p. 409-423.

Estavoyer 1982
Lionel Estavoyer, *L'architecte bisontin Claude-Joseph-Alexandre Bertrand (1734-1797), sa vie, son œuvre complet*, thèse de doctorat, Maurice Gresset (dir.), université de Besançon, 1982.

Jeannenot 2004
Sophie Jeannenot, *Les forges de Baignes. Synthèse historique, en vue de la revalorisation du site par le Conseil général de la Haute-Saône*, Musée des techniques et cultures comtoises, 2004.

La métallurgie comtoise 1994
Jean-François Belhoste, Christiane Claerr-Roussel, François Lassus, Michel Philippe et François Vion-Delphin, *La métallurgie comtoise XVe-XIXe siècle, étude du Val de Saône*, Besançon, 1994.

Lassus 1980
François Lassus, *Métallurgistes franc-comtois du XVIIe au XIXe siècle : les Rochet. Étude sociale d'une famille de maîtres de forges et d'ouvriers forgerons*, thèse de doctorat, Maurice Gresset (dir.), université de Franche-Comté, 1980.

Lassus 2009
François Lassus, *Claude-François Rochet aîné maître de forges constructeur, Dampierre-sur-Salon, Baignes*, document provisoire, Institut d'études comtoises et jurassiennes, université de Franche-Comté, 2009.

Mathieu-Laurents 1987
Florence Mathieu-Laurents, *L'usine de Baignes au XIXe siècle : des forges Rochet à la fonderie Tiquet (1814-1914)*, mémoire de maîtrise en histoire contemporaine, université de Franche-Comté, 1987.

Sahler 1905
Léon Sahler, «Notes sur Montbéliard», *Mémoires de la Société d'émulation de Montbéliard*, 1905, p. 165-324.

Vieilles maisons françaises 1984
Patrick Blandin, Christian Jacquelin et François Lassus, «Baignes un site industriel en voie de réhabilitation», *Vieilles maisons françaises*, n° 105, 1984, p. 66-69.

La demeure de Claude-François Rochet, maître de forges, à Dampierre-sur-Salon

Pascal Brunet *

* Historien de l'architecture ; responsable des collections patrimoniales des Bibliothèques de l'université de Franche-Comté.

Transmise depuis sa vente en 1802, d'une famille à une autre, la demeure édifiée vers 1785 à Dampierre-sur-Salon pour le maître de forges Claude-François Rochet a été léguée, miraculeusement intacte, par Charlotte Couyba, sa dernière propriétaire, à la commune de Dampierre-sur-Salon qui l'a fait classer au titre des Monuments historiques en 1993 et la restaure peu à peu depuis lors [1]. Cette réalisation architecturale est l'une des plus accomplies de la fin de l'Ancien Régime en Franche-Comté. La distribution du rez-de-chaussée, constituant le niveau de réception, et celle de l'étage, qui abrite les chambres destinées aux membres de la famille et aux invités, ainsi que la qualité des aménagements et des décors sculptés, boiseries et stucs peuvent en effet être comparées aux plus beaux exemples d'hôtels aristocratiques de Besançon, capitale parlementaire du Comté de Bourgogne, ainsi qu'aux plus beaux châteaux qui lui sont contemporains, tels que Moncley (Doubs) ou Champlitte [2] (Haute-Saône), dessinés et construits par Alexandre Bertrand, l'un des deux plus talentueux architectes du néoclassicisme comtois.

Les recherches menées par François Lassus sur la famille Rochet et sur l'histoire de la métallurgie comtoise à l'Époque moderne [3] éclairent brillamment le contexte dans lequel la construction de cette superbe demeure a vu le jour. Pendant des siècles, et jusqu'à la seconde moitié du XIXᵉ siècle, le rôle de la métallurgie a été fondamental dans l'économie comtoise, en particulier dans le bailliage d'Amont, la Haute-Saône actuelle. Les destructions liées aux guerres qui ravagèrent la Franche-Comté pendant le terrible XVIIᵉ siècle furent suivies dès les deux premières décennies de la « paix française » du relèvement et d'un développement considérable de la sidérurgie comtoise. Jusqu'en 1789, la Franche-Comté a ainsi pu tenir le deuxième rang parmi les provinces françaises pour la production de fonte et de fer.

Le commanditaire, héritier d'une dynastie de maître de forges

Claude-François Rochet aîné naquit à Baignes (Haute-Saône) le 8 mars 1747 et y décéda le 6 février 1814. Maître de forges à Dampierre-sur-Salon en 1772 [4] puis à Baignes, fermier général avec son père des terres françaises des princes de Montbéliard, et fermier puis propriétaire des forges d'Audincourt (1797-1809), il appartient à une importante dynastie de métallurgistes, les Rochat [5]. Cette dynastie remonte au XVᵉ siècle :

> « Les Rochat sont métallurgistes dès le XVᵉ siècle : Vinet Rochat quitte Rochejean (Doubs) en 1481 pour s'installer dans la Vallée de Joux, en Suisse, où les moines prémontrés l'avaient appelé pour y installer une forge sur la Lionnaz ; ses descendants y deviennent extrêmement nombreux et exploitent plusieurs établissements sidérurgiques, qu'ils créent successivement en appliquant les techniques qui se transmettent dans la famille essentiellement aciérage et forgeage [6]. »

Nous savons que, veuf de sa première épouse en 1781, Claude-François Rochet maria sa sœur Catherine (1752-1844) en 1782 avec le maître de forges Claude-Pierre Dornier (1746-1807), seigneur à Dampierre-sur-Salon [7]. Il est fort probable que la demeure

1. Le texte de cet article doit beaucoup au soutien très amical de Jean-Louis Langrognet et de François Lassus. Qu'ils en soient chaleureusement remerciés. Je tiens également à remercier Richard Duplat, ACMH, pour la mise à disposition des plans et élévations de la demeure.

2. Sur le château de Champlitte, voir, dans ce même volume, notre article p. 107-143.

3. Lassus 1980 et Lassus 2009.

4. Il y exploite alors le fourneau de Joseph de Mallarmey, comte de Roussillon, fondé au XVᵉ siècle par l'abbaye de Theuley (Lassus 1980, p. 246-247).

5. Fr. Lassus a déterminé que leur nom ne devient Rochet, en Franche-Comté, qu'après 1700.

6. Lassus 2009, p. 3 et 8.

7. Lassus 1980, p. 246-247. Conventionnel, Cl.-P. Dornier a voté la mort de Louis XVI.

8. Lassus 1980 et Blandin 1989.

9. Lassus 2009, p. 14. Catherine Rochet-Dornier est la sœur de Claude-François Rochet.

10. Lassus 2009, p. 15.

11. 16 km séparent les deux lieux.

ait été construite peu après ces deux évènements, sans doute vers 1785 [8]. Nous ne connaissons malheureusement pas le nom de l'architecte. En l'absence d'archives relatives au projet et au chantier, seule une analyse stylistique de l'édifice et de ses décors intérieurs nous permet actuellement d'appréhender l'ambition de cette réalisation et son inscription dans l'histoire de l'architecture comtoise de la fin du XVIIIᵉ siècle.

UN PARTI ARCHITECTURAL NÉOCLASSIQUE

Portail et dépendances

La cour de la demeure est séparée de la rue par une grille en fer forgé qui s'appuie sur un mur-bahut ainsi que sur deux courtes et puissantes colonnes dotées de quatre bagues rustiques et de «chapiteaux» carrés (fig. 1). Fr. Lassus rapproche ce portail de celui des forges de Chenecey-Buillon (Doubs), mais aussi de celui élevé vers 1830 au château des forges de Pesmes (Haute-Saône) par l'architecte Champonois pour Catherine Rochet-Dornier [9]. Deux portes piétonnes sont disposées latéralement tandis que le portail central, par sa qualité d'exécution, témoigne d'un savoir-faire ancestral et de la personnalité de son commanditaire. Stylistiquement, il offre l'illustration de la transition de formes rocaille vers celles d'un néoclassicisme triomphant : frise de grecques, volutes angulaires «à la grecque», entrelacs et losanges, etc.

Pour Fr. Lassus, les dépendances, «nettement séparées du corps d'habitation principal», et «qui abritent à droite remises et écuries, peuvent avoir été occupées par des bureaux et des logements de commis [10]» (fig. 2). Construits de part et d'autre de la cour qu'ils encadrent, ces deux bâtiments, hauts d'un étage, sont en moellons recouverts d'un enduit ancien, en partie préservé, de couleur ocre rose. Les couvertures ont également conservé leurs tuiles canal d'autrefois, particularité locale qui s'explique notamment par la proximité de Dampierre avec Gray [11], grand port commercial sur la Saône en lien avec le Sud de la France.

Fig. 1 – Dampierre-sur-Salon, maison Rochet (aujourd'hui dite maison Couyba), portail sur la rue Carnot.

PASCAL BRUNET

Fig. 2 – Dampierre-sur-Salon, maison Rochet, façade sur cour et bâtiments des communs.

Le corps de logis principal

À l'extérieur, un corps de logis, de plan rectangulaire [12], précédé par les deux ailes de dépendances, tient tout à la fois de l'hôtel urbain entre cour et jardin et de la gentilhommière rurale. Il s'élève sur trois niveaux : un rez-de-chaussée, l'étage, et un attique qui abrite le grenier. Les élévations, sur cour à l'est et sur jardin à l'ouest, sont sensiblement identiques et ne diffèrent que par le nombre de travées de fenêtres : sept pour la façade sur cour et neuf pour celle sur jardin (fig. 3). À l'exception des pilastres d'angles, des chambranles des fenêtres, du perron et des balcons, du bandeau séparant le rez-de-chaussée de l'étage, de l'architrave séparant l'étage de l'attique et de la corniche sommitale, ce logis est construit en

Fig. 3 – Dampierre-sur-Salon, maison Rochet, façade sur jardin.

12. Le corps de logis mesure environ 22,5 m par 13,75 m.

moellons recouverts d'un enduit ocre rose peint, sur les deux grandes façades principales, d'un faux appareil de refends continus [13].

Bien que le niveau de réception soit le rez-de-chaussée, les deux élévations principales privilégient le premier étage, que ce soit par la hauteur des baies et par la qualité de leurs chambranles, ou par les balcons sur consoles et les corniches en talus, en particulier celles des fenêtres axiales. Côté cour, au rez-de-chaussée, seul le chambranle de la porte d'entrée est mis en valeur par des fasces. Ceux des fenêtres sont constitués d'un simple ruban lisse. Les menuiseries, restaurées en 2014-2015 [14], présentent des fenêtres à petits carreaux [15], à l'exception de celles de la chambre située sur la gauche de la façade qui possèdent des grands carreaux en raison de la noblesse de sa destination. Les allèges des fenêtres du premier étage reposent sur des consoles en modillons creusées de diglyphes, ornées de gouttes, de disques et de volutes carrées à la grecque, tandis que le garde-corps [16] de la porte-fenêtre axiale repose sur un balcon à très faible saillie avec revers orné de quatre carrés sur pointes et d'un carré aux angles rabattus. L'ensemble est supporté par deux puissantes consoles ornées de triglyphes avec gouttes. La corniche en talus de cette porte-fenêtre repose, quant à elle, sur deux élégantes consoles amorties en pommes de pin.

Placées comme dans une frise entre architrave et corniche, les petites fenêtres de l'étage attique, dans l'axe des baies des niveaux inférieurs qu'elles couronnent, sont traitées comme des métopes d'un entablement dorique. Elles sont représentatives de l'architecture vernaculaire du pays graylois où elles sont très courantes [17].

En dehors du nombre de travées et à l'exception de quelques détails, l'élévation de la façade sur le jardin est quasiment identique à celle sur cour.

DES AMÉNAGEMENTS INTÉRIEURS AUX DÉCORS SOIGNÉS

Le sous-sol

« La maison est construite sur une cave monumentale, à laquelle (outre des escaliers traditionnels de chaque côté de la maison) on peut accéder de plain-pied par un passage donnant sur la rue qui longe en contrebas l'arrière de la propriété. Dans cette région où la vigne est loin d'être absente, même si elle n'a pas la même importance que dans d'autres centres proches comme Champlitte, une telle cave ne surprend pas. Sa taille fait penser que Claude-François Rochet était propriétaire de vignes et, selon le mode habituel à l'époque, les faisait exploiter à mi-fruit, engrangeant et traitant la part de récolte qui lui revenait [18]. »

Constituant le soubassement du corps de logis principal, cette cave, voûtée d'arêtes sur piliers (fig. 4), est composée de cinq travées en largeur et de deux en profondeur. Comme le précise Fr. Lassus, on y accède notamment, depuis la rue du Champ Martin, par un large tunnel carrossable, voûté en berceau sous le jardin, ainsi que par deux escaliers latéraux, depuis le logis principal.

Le rez-de-chaussée et sa distribution

Selon l'usage de certains hôtels entre cour et jardin ainsi que de nombreux châteaux, le rez-de-chaussée est le niveau de réception de la demeure (fig. 5). Depuis la cour, un vestibule donne accès, sur la gauche, à une chambre avec cabinet et, sur la droite, à un office et à la cuisine. Au centre, il introduit le visiteur dans une vaste antichambre-salle à manger ouverte sur le jardin, communiquant, d'un côté, avec un cabinet et la chambre du maître des lieux, et, de l'autre, avec le grand salon de la demeure.

13. Ce dispositif, conforme à l'état d'origine, a été restitué, au printemps 2011, sous la direction de Richard Duplat, architecte en chef des Monuments historiques.

14. Sous la direction de R. Duplat, ACMH.

15. Ces fenêtres éclairent la grande cuisine et l'office.

16. La ferronnerie actuelle, en fonte, date sans doute du milieu du XIXᵉ siècle.

17. « Comme dans la plupart des maisons du bourg, l'étage est surmonté d'une sorte d'attique ouvert de fenêtres basses. Il s'agit d'ouvertures percées dans le mur élevé au-dessus du plancher des combles. Ce système, qui crée un espace de hauteur suffisante pour utiliser les combles sous des toits à faible pente, semble avoir été conçu en raison d'une couverture en tuiles canal : on le retrouve dans certaines régions de Lorraine, marquées par ce type de matériau de couverture. (Si la maison elle-même est aujourd'hui couverte de tuiles mécaniques, les dépendances de la cour ont conservé des tuiles canal.) » (Lassus 2009, p. 12-13).

18. Lassus 2009, p. 15.

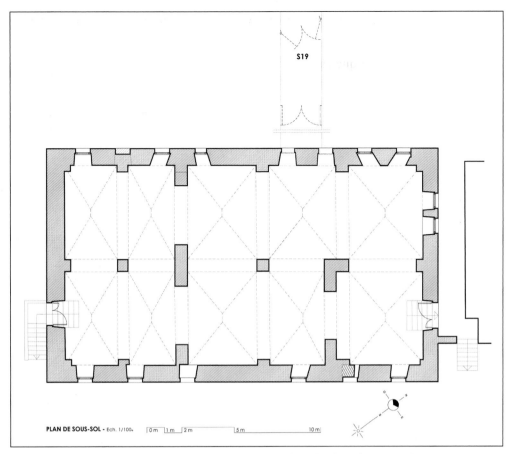

Fig. 4 – Dampierre-sur-Salon, maison Rochet, plan du sous-sol (Richard Duplat, ACMH).

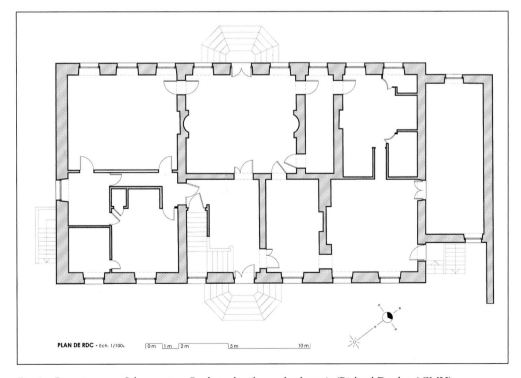

Fig. 5 – Dampierre-sur-Salon, maison Rochet, plan du rez-de-chaussée (Richard Duplat, ACMH).

Le vestibule et l'escalier d'honneur

Le vestibule abrite aussi le grand escalier qui dessert les chambres de l'étage (fig. 6). Les décors sont intégralement conservés : dans la continuité du parti adopté pour les façades extérieures, les murs sont striés de refends continus en stuc que complètent les tables en bossages ornant le plafond au revers de la galerie. Un soin tout particulier a été apporté au calepinage de ces bossages, en particulier dans les angles, de même qu'au droit des portes du rez-de-chaussée et de l'étage où les refends deviennent des claveaux. Une console néoclassique vient s'inscrire à l'angle du mur d'échiffre et du limon. Elle est ornée de triglyphes et de trois gouttes, d'un disque et d'une volute angulaire à la grecque. Deux portes sont surmontées de corniches supportées par des consoles cubiques à triglyphes et gouttes.

Fig. 6 – Dampierre-sur-Salon, maison Rochet, escalier d'honneur.

PASCAL BRUNET

Fig. 7 – Dampierre-sur-Salon, maison Rochet, portique ionique de l'escalier.

Fig. 9 – Dampierre-sur-Salon, maison Rochet, garde-corps de l'escalier et palier supérieur.

La partie supérieure de la cage d'escalier forme un portique constitué de deux colonnes ioniques, monolithiques, lisses et sans bases [19], complétées latéralement par deux pilastres (fig. 7). Ce portique donne sur le couloir central tandis que le palier en angle droit, dallé en damiers gris et ocre, distribue les pièces sur cour. L'entablement ne comprend qu'une architrave à caissons, surmontée d'une corniche scandée de sorte de modillons qui se prolonge au sommet des murs de la cage. Deux des portes donnant accès aux chambres situées derrière ce portique présentent des frontons curvilignes.

Au centre du plafond, le motif décoratif d'où part la chaîne de la lanterne est d'une très grande originalité parfaitement adaptée à la profession du maître des lieux. Il s'agit en effet d'une sorte de dragon ailé au corps enroulé et noué, appelé « vouivre » en Franche-Comté, qui symbolise le feu des forges (fig. 8). Par comparaison avec de nombreuses réalisations comtoises, dont celles qui ornent le château de Moncley (Doubs), cette rare sculpture peut être attribuée à un membre de la talentueuse famille de stucateurs d'origine piémontaise, les Marca [20].

Les trois volées de l'escalier en pierre tournent à droite. Le garde-corps en fer battu est particulièrement élégant, comme il se doit pour un maître de forges. Il est constitué d'un motif d'enroulements continus en postes, ascendants et ornés de feuillages d'acanthe en tôle repoussée (fig. 9).

Le sol du vestibule est formé de grandes dalles taillées dans le même calcaire blond que celui employé pour la maçonnerie de la demeure.

La cuisine et l'office

Située à l'angle sud-est de la demeure en communication avec la cour et le sous-sol, la vaste cuisine dallée a conservé sa cheminée à hotte ainsi qu'une plaque de fonte millésimée 1793 et des motifs révolutionnaires (faisceaux à bonnet phrygien, coqs et œil rayonnant). Elle communique avec l'office, plus étroit, donnant sur le vestibule ainsi que sur l'antichambre-salle à manger, et possède toujours ses très nombreux placards le long des murs.

19. Entre les colonnes, les actuels garde-corps, en fonte, datent de la seconde moitié du XIXe siècle.

20. Zito 2013.

Fig. 8 – Dampierre-sur-Salon, maison Rochet, motif décoratif de la vouivre de l'escalier.

21. Situés sous les fenêtres, deux petits placards abritaient une partie de la vaisselle. Les feuilles de pierre qui les surmontent servaient, quant à elles, de dessertes.

22. À l'image du dallage de la galerie et de la salle à manger du château de Champlitte, dû à l'architecte Alexandre Bertrand, vers 1781. Voir, dans ce même volume, notre article sur le château de château de Champlitte, p. 107-143.

23. Cinq de ces portes permettent de distribuer d'autres pièces, les deux dernières étant des placards pour ranger la vaisselle.

24. Il en est de même dans le château de Moncley (Doubs), contemporain de cette demeure.

25. Elle abrite actuellement une statue de Bacchus en plâtre mise en place par les Couyba.

26. Cet ornement doit être comparé avec ceux des plafonds d'un salon de l'abbaye de Cherlieu (Haute-Saône), de la sacristie de la cathédrale Saint-Jean de Besançon (Al. Bertrand architecte, vers 1772), et d'un salon de l'abbaye Saint-Vincent de Besançon (attribué à Al. Bertrand, architecte, vers 1775).

27. Très comparable, notamment, aux rosaces, contemporaines du château de Moncley.

Fig. 10 – Dampierre-sur-Salon, maison Rochet, face sud de la salle à manger.

L'antichambre-salle à manger

Située au centre de l'enfilade côté jardin, cette vaste pièce rectangulaire est abondamment éclairée par deux fenêtres [21] qui encadrent une porte-fenêtre s'ouvrant, via un perron, sur le jardin. Le sol présente des dalles carrées sur pointes faites alternativement d'un calcaire gris-bleu et d'un second de couleur ocre jaune, tous deux comtois [22].

La pièce est scandée par douze pilastres ioniques, colossaux, cannelés et rudentés, par sept portes [23] et leurs dessus, ainsi que par deux niches (fig. 10). La plupart des décors sculptés sont en stuc et doivent, sans aucun doute, être attribués à l'atelier des Marca.

Deux niches se font face, placées chacune au centre des deux petits côtés de la pièce [24]. Celle du sud abritait le poêle, traditionnel dans une antichambre-salle à manger, tandis que celle du nord abritait sans doute une fontaine [25]. Au-dessus de ces deux niches, les panneaux en écoinçons sont ornés de guirlandes de chêne enrubannées posées sur des patères. Les dessus-de-porte de la face est sont ornés de guirlandes de fleurs et de fruits ; la porte centrale, donnant accès à la pièce depuis le vestibule, est ornée d'un vase encadré de rinceaux d'acanthes. Sur les petits côtés, les dessus-de-porte évoquent les saisons : panier tressé chargé de fleurs avec houlette et râteau pour le printemps, écrin de fleurs et vasques aux anses en serpent pour l'été, fruits pour l'automne, pot à feu à panse glyphée, torche, violon et masque de comédie pour l'hiver (fig. 11). Un faisceau de baguettes enrubannées [26] règne au pourtour du plafond et une rosace centrale, typique de l'art des Marca, offre un décor tournoyant d'acanthes, de fruits et de fleurs [27].

La chambre de Claude-François Rochet

Un étroit cabinet éclairé d'une fenêtre donnant sur le jardin sert de transition entre l'antichambre-salle à manger et la chambre du maître des lieux. Au nord, dans une sorte d'exèdre, l'alcôve du lit est encadrée par les portes d'un cabinet de toilette et d'un espace de

Fig. 11 – Dampierre-sur-Salon, maison Rochet, détail du décor sculpté de la face nord de la salle à manger : vasque symbolisant l'Hiver.

garde-robe, ce qui génère un motif inspiré d'une serlienne (fig. 12). Les panneaux des dessus-de-porte sont sculptés de trophées d'instruments de musique, suspendus par des rubans à des patères. La moulure du chambranle de la niche de l'alcôve est complétée d'une frise de perles. Deux rosaces ornent les angles. Au-dessus de cette alcôve, un panneau bordé d'un ruban tournant est sculpté de deux guirlandes de fleurs encadrant un médaillon central orné du chiffre du propriétaire : *C F R*. Lorsqu'il fit construire sa demeure, Claude-François Rochet était veuf de sa première épouse Claude-Françoise Faivre, décédée en 1781. Il ne se remaria qu'en décembre 1797, avec Marie-Otille Vetter, fille d'Ignace Vetter et de Marie-Anne Voissard, propriétaires de l'auberge du Soleil à Porrentruy.

Face à l'alcôve, la cheminée en calcaire poli de Franche-Comté, incrusté de marbres blanc et rouge, est surmontée d'un trumeau, orné entre deux pilastres d'un panneau portant le bas-relief d'une allégorie de l'Amour (couple de colombes, torche enflammée, arc et carquois). Une corniche en stuc, sculptée d'oves, de dards et de rais-de-cœur, couronne les murs de la pièce tendus autrefois de tissu ou de papier peint. Cette chambre communique par une porte de service avec la cuisine, mitoyenne à l'est.

Fig. 12 – Dampierre-sur-Salon, maison Rochet, alcôve en serlienne de la chambre de Claude-François Rochet.

Le grand salon

Au sud, l'antichambre-salle à manger ouvre sur le grand salon. Élégant et original, celui-ci se présente comme un temple circulaire ionique sans base, une *tholos* inscrite dans une pièce rectangulaire. Les colonnes de bois sont simples de part et d'autre de la cheminée puis jumelées tout autour de la pièce (fig. 13). L'absence, inhabituelle, de bases pour ces colonnes ioniques [28] constitue sans doute une piste qui permettra, un jour, de retrouver le nom de l'architecte.

Comme dans la salle à manger voisine, les échines des chapiteaux ioniques sont ornées d'oves et de dards tandis que les abaques et l'architrave de l'entablement sont sculptés de rais-de-cœur. Un soin tout particulier a été apporté à la sculpture des feuillages qui habillent balustres et ruban tournant des chapiteaux. Tout aussi raffiné est le travail de sculpture réalisé sous l'architrave (lignes de perles et entrelacs néoclassiques), ainsi que sur l'ensemble de la corniche (oves, dards, rosaces, denticules).

L'architecte a également soigné les ornements de la niche, traitée en perspective, en vis-à-vis de la cheminée. Au tympan, deux branches d'olivier au naturel s'entrecroisent à travers une couronne de laurier, tandis que les deux rangs de caissons nus de la voussure concave conduisent à l'archivolte dont les glyphes sont chacun rudentés d'une perle [29] (fig. 14). Une même qualité d'exécution préside au traitement du trumeau de la console [30], situé au centre du mur face aux fenêtres. De part et d'autre de ce trumeau, les portes sont surmontées de frontons curvilignes. Les murs sont actuellement peints en trompe-l'œil d'un placage de marbre blanc veiné de vert. À l'intérieur de la colonnade, le parquet est constitué de compartiments en chêne garnis de sapin.

28. Une pseudo-base a été peinte au XXᵉ siècle à la même hauteur que la plinthe, ce qui dénature l'idée initiale de l'architecte créateur.

29. Ce traitement constitue l'une des signatures de l'architecte Al. Bertrand, en particulier au château de Champlitte.

30. La console actuelle, d'époque rocaille et dotée d'une feuille de pierre marbrière de Sampans (Jura), est sans doute un achat de la famille Couyba. La niche en perspective et ce trumeau sont actuellement chacun décorés d'un fragment de papier peint panoramique en grisaille.

Fig. 13 – Dampierre-sur-Salon, maison Rochet, face sud du grand salon.

Fig. 14 – Dampierre-sur-Salon, maison Rochet, détail de la niche de la face sud du grand salon.

31. Le sculpteur Luc Breton l'emploie pour le tombeau de La Baume-Montrevel à Pesmes (1775-1779) ainsi que pour la chapelle de la Pietà de l'église Saint-Pierre de Besançon (1785-1791).

32. « 1- Jean-Baptiste de Flagy, né à Baignes le 2 juin 1772, décédé au même lieu le 22 mars 1810, ancien officier de la garde nationale, propriétaire à Baignes avec son père, puis à Montigny-sur-Meuse. Marié à Vesoul le 23 juin 1797 avec Elisabeth Charlotte Thévenot de Savigny (1772-?), fille de Claude François Thévenot de Saules ou de Savigny (1723-1797), avocat général du Parlement d'Orléans pendant la période de la réforme de Maupéou. Sans postérité. 2- Claude Françoise Mélanie (1774-1848), mariée en 1797 avec Etienne Cyprien Renouard de Bussierre (1773-1838), propriétaire de l'ancien marquisat et du château de Roche-sur-Loue puis du château de Roset-Fluans, fils d'Etienne-Cyprien R. de B., diplomate, et de Marie-Suzanne Doucet de Surigny, postérité. Cyprien Renouard de Bussierre (ou Bussière) est parent avec les négociants strasbourgeois du même nom, alliés au XIXᵉ siècle avec le ministre Humann, et actionnaires dans la Cie des Forges d'Audincourt; la postérité de Bussierre-Rochet est aujourd'hui représentée en ligne directe au château de Roset par les Guerrier de Dumast, et ailleurs par les Gramont, Martel, de Charnacé, de Bonfils… 3- Philippe-François, né à Dampierre-sur-Salon le 31 décembre 1780, décédé à Besançon le 3 février 1842, propriétaire au château de Boursière et à Besançon. Marié en août 1813 avec Claude-Françoise Bressand de Raze (1787-1869), fille de Pierre-Joseph B. de R., avocat à Besançon, député de la Haute-Saône. Quatre enfants. » (Lassus 1980, Annexe 1, p. 14).

Très originale, la cheminée, sculptée dans des blocs de beau calcaire comtois gris pâle, utilise une référence antique appréciée des créateurs néoclassiques : le tombeau d'Agrippa [31] (fig. 15). Afin de pouvoir adapter cette forme à l'usage d'une cheminée, le sculpteur a réduit la hauteur du sarcophage et allongé les piédroits glyphés.

La chambre sur cour

À l'arrière du grand salon et donnant sur la cour, se trouve la seconde chambre à alcôve du rez-de-chaussée. Dotée d'un cabinet de toilette et garde-robe, cette chambre possède une cheminée en pierres comtoises polychromes. Elle communique directement avec le vestibule de l'escalier d'honneur par le biais d'un corridor de service qui dessert également le grand salon.

Le premier étage et sa distribution

Au sommet de l'escalier d'honneur, deux galeries perpendiculaires desservent les six chambres principales de l'étage (fig. 16). Destinées aux invités, ces chambres recevaient notamment les enfants du propriétaire et sa parenté. François Lassus indique en effet que, sur les six enfants nés du premier mariage de Claude-François Rochet, trois survécurent [32]. À l'instar des chambres d'invités du château de Moncley, chacune de ces chambres, qui n'ont pas subi de modifications notoires, possède sa propre forme géométrique et son identité décorative. Quatre possèdent une alcôve et cinq un trumeau sculpté en stuc. Plusieurs d'entre elles forment de véritables petits complexes avec leur cabinet de toilette et

Fig. 15 – Dampierre-sur-Salon, maison Rochet, cheminée en tombeau d'Agrippa du grand salon.

33. C'est notamment le cas des chambres donnant sur la cour, dont la belle chambre elliptique.

34. Était-ce la chambre de la fille unique du propriétaire ?

35. L'ensemble des papiers peints de la demeure sont actuellement ceux mis en place par la famille Couyba au XXᵉ siècle.

leur garde-robe ; certaines possèdent un espace supplémentaire réservé à un domestique [33]. La distribution s'opère de manière complémentaire : par un couloir central et le palier, ou par des portes en enfilade.

Située à l'angle sud de la demeure, côté cour, l'une des plus belles chambres prend la forme d'une ellipse [34] (fig. 17). Boisée à hauteur d'appui, cette pièce devait, dès l'origine, être décorée d'un papier peint [35]. Deux portes, dont celle d'un cabinet de toilette, encadrent l'alcôve en formant une sorte de serlienne. Cette serlienne trouve un écho dans la cheminée et son trumeau encadrés de deux portes et dans la niche rectangulaire de la fenêtre, flanquée également de deux portes plus basses. La cheminée est sculptée dans un calcaire comtois gris. Ses piédroits, glyphés, sont surmontés de disques de marbre blanc qui dialoguent avec la plaque incrustée au centre du linteau tandis que deux autres petites plaques de marbre rose en décorent les extrémités. Le trumeau prend la forme d'un arc, surmonté de deux feuilles d'acanthe en écoinçons et sculpté en son tympan d'un brûle-parfum à l'antique dont les anses sont formées de volutes grecques carrées et dont la panse est ornée d'une guirlande de laurier. De forme elliptique et cerné par une corniche de perles surmontée d'une frise de glyphes, le plafond possède en son centre une rosace de stuc formée de quatre feuilles d'acanthe alternant avec quatre cornets de fleurs. Il est possible, là aussi, d'en attribuer l'exécution à l'atelier bisontin des Marca.

La seconde des chambres remarquables est située au centre de l'enfilade du côté jardin, au droit de la salle à manger. Ce qui la distingue est le traitement convexo-concave du mur d'entrée depuis la galerie. En effet, de part et d'autre de la niche en arcade surmontant la porte d'entrée, sont placés deux placards en quart de cylindre convexes qui l'encadrent à la manière d'une serlienne (fig. 18). Comme les autres chambres, cette pièce est boisée à hauteur d'appui et ses murs revêtus autrefois d'un papier peint ou d'un tissu.

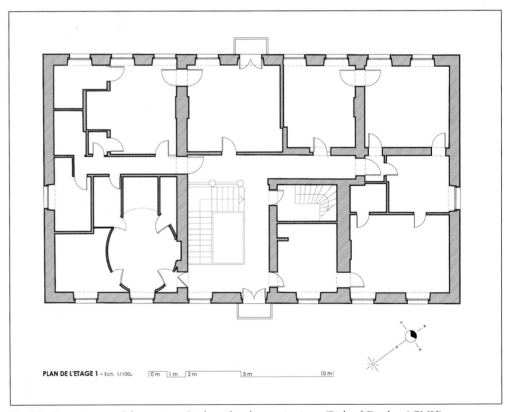

PLAN DE L'ÉTAGE 1 - Ech. 1/100.   0 m 1 m 2 m   5 m   10 m

Fig. 16 – Dampierre-sur-Salon, maison Rochet, plan du premier étage (Richard Duplat, ACMH).

PASCAL BRUNET

Fig. 17 – Dampierre-sur-Salon, maison Rochet, alcôve en serlienne de la chambre en ellipse de l'étage.

Fig. 18 – Dampierre-sur-Salon, maison Rochet, serlienne aux placards en quart de cylindre de l'une des chambres de l'étage.

Surmontant la cheminée en pierre calcaire comtoise de couleur beige incrustée de rosaces d'albâtre et d'une plaque de marbre noir, le trumeau de stuc est composé de deux pilastres doriques cannelés encadrant deux panneaux avec serviette antique retenue par des rubans (fig. 19). La corniche, puissante et sobre, adopte et souligne les formes complexes de cet espace [36].

Les autres chambres, côté cour et côté jardin, se distinguent chacune par la forme de leur alcôve, leur couleur et les ornements de leur cheminée et trumeau.

36. Cette chambre, plutôt austère et masculine, était sans doute celle de l'un des fils du propriétaire.

37. Drac de Bourgogne-Franche-Comté.

38. Arch. dép. Haute-Saône, 219 L 1.

Le grenier

On accède au grenier au moyen d'un escalier de service en bois, au garde-corps à balustres, placé dans un espace étroit où l'on arrive par une porte de la galerie, au débouché de l'escalier d'honneur. Ce grenier, dallé de tommettes en terre cuite, est abondamment éclairé par la série de fenêtres de l'attique. Subdivisé, ce vaste espace était multifonctionnel. Il abritait notamment une partie des domestiques et permettait l'étendage du linge et le stockage d'éléments nécessaires à la vie de la maison.

LE DESTIN DE LA DEMEURE DEPUIS 1793

Le dossier de protection de l'édifice au titre des Monuments historiques, établi par Patrick Blandin [37], apporte de multiples informations sur les propriétaires successifs des lieux, de 1793 à nos jours. Nous savons ainsi que, lors de la Révolution, Claude-François Rochet fut accusé par des citoyens de Dampierre de fréquenter des émigrés et de recevoir chez lui des contre-révolutionnaires [38]. Emprisonné à Champlitte le 20 octobre 1793, il fut libéré le 3 novembre suivant sur l'intervention directe du conventionnel Bernard de Saintes. Ce dernier, après avoir imposé l'annexion de la principauté de Montbéliard où les Rochet

Fig. 19 – Dampierre-sur-Salon, maison Rochet, détail du trumeau de la cheminée de l'une des chambres de l'étage.

39. Arch. dép. Haute-Saône, 3 Q 1234 et 2 E 87. L'un des témoins est l'architecte Jean-Antoine Guyet, demeurant à Champlitte, et qui signe Guyet cadet. Muguet est l'un des beaux-frères de Cl.-Fr. Rochet.

40. Sans aucun doute locataire de la demeure depuis 1793.

41. Arch. dép. Haute-Saône, 3 P 795.

42. Arch. dép. Haute-Saône, 2 E 8645 et 3 P 795.

43. Arch. dép. Haute-Saône, 3 P 795.

44. Ibid.

45. Arch. dép. Haute-Saône, 3 Q 1074.

46. Arch. dép. Haute-Saône, 3 P 796.

47. Arch. dép. Haute-Saône, 3 P 794.

48. Pirolley-Drouhot 2001.

dirigeaient les usines d'Audincourt et de Chagey, s'était déjà employé à les défendre devant la Convention en les qualifiant d'«excellents patriotes» qui avaient «mis leurs usines au service de la Nation»… Après sa libération, Cl.-Fr. Rochet fut assigné à résidence au village et forges de Baignes. Avant de s'y installer, il démeubla sa maison de Dampierre, et, vraisemblablement, la loua.

Ce ne fut que le 29 décembre 1802 qu'il vendit à Charles Tabouret, marchand cafetier et officier de santé, toutes ses propriétés de Dampierre, Autet et Denèvre, pour 50 000 F. Une réserve concernait cependant «les bois façonnés et non employés qui se [trouvaient] dans lesdites maisons et dépendances, […] les trumeaux avec leurs glaces, […] plus les pierres de taille en quoi elles puissent consister qui se [trouvaient] soit au sein desdites maisons soit au derrière de celle du citoyen Muguet[39]». Le 13 janvier 1803, Charles Tabouret donna procuration à deux négociants pour revendre ces domaines «à l'exception de la grosse maison occupée actuellement par le citoyen Coutecheu [?][40]». Veuf, Charles Tabouret mourut le 17 mars 1843[41]. La maison de Dampierre revint à François Isidore Tabouret, son neveu, chirurgien habitant Denèvre (Haute-Saône)[42].

Elle fut transmise en 1846 à Pierre Beauvalet, marchand de vin et maire de Dampierre[43], puis, en 1888, à Françoise Têtevuide veuve Beauvalet[44]. Après le décès de cette dernière le 11 mai 1894, la demeure passa à ses neveux Henry et Arsène Ravy et à Mme Brulant,[45] qui la vendirent par morceaux. Une partie de la maison échut en 1905 à Emma Brulant tandis qu'une autre fut attribuée à Émilie Vieille, veuve d'Hippolyte Couyba. Cette dernière, devenue propriétaire de l'ensemble en 1906[46], en assuma la transmission à Charles Couyba (1866-1931) trois ans plus tard[47].

Agrégé de philosophie, conseiller général du canton de Dampierre-sur-Salon (1895), député de la Haute-Saône (1897), ministre du Commerce (1911-1912) et du Travail (1914), sénateur-maire de Dampierre, Ch. Couyba est surtout connu comme chansonnier au Chat Noir sous le pseudonyme de Maurice Boukay. Auteur des *Chansons d'amour*, préfacées par Verlaine, et des *Chansons rouges*, il milita pour le développement du théâtre populaire et des arts à l'école[48]. Sa fille Charlotte, décédée en 1988, légua généreusement la maison à la commune de Dampierre-sur-Salon.

En 1993, «le corps de logis en totalité et la grille de la cour d'entrée» furent classés au titre des Monuments historiques, ce qui permit de lancer, de 2010 à 2015, une restauration exemplaire de la couverture, des enduits et des menuiseries, sous la direction de Richard Duplat, architecte en chef des Monuments historiques.

BIBLIOGRAPHIE

Blandin 1989
Dossier de protection de la maison Rochet au titre des Monuments historiques instruit par Patrick Blandin, documentaliste à la CRMH, DRAC Bourgogne-Franche-Comté, 1989.

Lassus 1980
François Lassus, *Métallurgistes francs-comtois du XVIIe au XIXe siècle : les Rochet. Étude sociale d'une famille de maîtres de forges et d'ouvriers forgerons*, thèse de doctorat, Maurice Gresset (dir.), université de Franche-Comté, 1980.

Lassus 2009
François Lassus, *Claude-François Rochet aîné maître de forges constructeur, Dampierre-sur-Salon, Baignes*, document provisoire, Institut d'études comtoises et jurassiennes, université de Franche-Comté, 2009.

Pirolley-Drouhot 2001
Karine Pirolley-Drouhot, *Charles Couyba-Maurice Boukay : itinéraire d'un homme politique et d'un poète sous la Troisième République*, mémoire de maîtrise, Olivier Dard (dir.), université de Franche-Comté, 2001.

Zito 2013
Mickaël Zito, *Les Marca (fin XVIIe-début XIXe siècle). Itinéraires et activités d'une dynastie de stucateurs piémontais en Franche-Comté et en Bourgogne*, thèse de doctorat, Paulette Choné (dir.), université de Bourgogne, 2013.

La fontaine monumentale de Confracourt (1835-1836)

Jean-Louis Langrognet *

Les fontaines avec puisoir, bassins de lavoir et d'abreuvoir ont constitué un élément majeur de l'équipement des communautés villageoises en Franche-Comté au XVIIIe siècle, mais plus encore au XIXe siècle au cours duquel on assiste à leur multiplication [1]. Une production plus abondante et moins coûteuse des conduites en fonte a permis en effet de répondre aux besoins de quartiers éloignés des sources et mal desservis jusqu'alors [2].

À côté de la tradition des bassins en ligne précédés d'un édicule de puisage, on vit apparaître des combinaisons plus complexes, ainsi qu'un plus grand souci d'assurer la protection des laveuses contre les intempéries ou les ardeurs du soleil. Grâce à la tutelle d'une administration éclairée, au talent de plusieurs architectes et aux importantes ressources communales apportées par l'exploitation des bois mis en réserve, nombre de villages, notamment dans le département de la Haute-Saône [3], ont pu, comme à Confracourt en 1834, se doter de véritables petits monuments [4] (fig. 1).

Après une période d'abandon et de dégradations due à la perte de leurs fonctions dans les premières décennies du XXe siècle, les plus intéressantes de ces constructions qui ponctuent encore l'espace public suscitent aujourd'hui une attention méritée.

Un projet de l'architecte Théodore Lebeuffe

Jusqu'en 1830, Confracourt, commune de près de 800 habitants, ne possédait qu'une seule grande fontaine, établie le long du ruisseau qui traverse le bas du village [5], ce dont ne manquaient pas de se plaindre tous les résidents de la partie haute. En effet, composant près d'un tiers de la population, ces derniers étaient contraints, pour leur alimentation en eau potable, d'emprunter des rues en forte déclivité, le plus souvent impraticables en hiver. Ils ne disposaient pour abreuver leur bétail que d'une eau tirée «avec peine d'un puits très profond» et se trouvaient complètement démunis en cas d'incendie. Le 10 mai 1831, afin de remédier à tous ces inconvénients, le conseil municipal prit la décision de construire une nouvelle fontaine sur une petite place du quartier le plus élevé du village [6], en captant les eaux d'une source très éloignée située dans les bois communaux. Pour ce faire, le maire fut invité à faire appel à «un architecte des plus instruits».

L'architecte choisi, Théodore Lebeuffe (1805-1871), tout récemment sorti de l'École des beaux-arts de Paris où il avait fréquenté l'atelier Guénepin [7], déposa en novembre 1832 un projet de fontaine circulaire qui reçut l'approbation du conseil municipal et fut transmis au préfet, mais aussi à l'administration forestière pour justifier une demande de coupe des bois communaux devant permettre de faire face à la dépense prévue [8].

Installé en Haute-Saône depuis 1830, Th. Lebeuffe fut appelé à travailler pour des dizaines de communes avant de devenir, au milieu du siècle, l'architecte attitré de la ville de Vesoul [9].

* Conservateur honoraire des antiquités et objets d'art de Haute-Saône.

1. Denis Grisel, *Les fontaines-lavoirs de Franche-Comté*, Besançon, 1986, rééd. Lons-le-Saunier, 2022.

2. *Ibid.* Grâce à l'atlas cantonal publié en 1858 par le préfet Hippolyte Dieu, on sait que la Haute-Saône comptait alors 1128 fontaines, 519 puits publics, 723 lavoirs et 787 abreuvoirs, ce qui, en additionnant fontaines et lavoirs, revient à plus de 1 850 grandes fontaines.

3. *Ibid.* Le préfet de la Haute-Saône constatait en 1858 que, depuis trente ans, la vente des quarts en réserve des communes avait rapporté la somme considérable de 41 322 000 francs, affectée pour l'essentiel aux travaux portant sur les églises, presbytères, mairies, écoles et fontaines.

4. Denis Grisel, «Les fontaines-lavoirs en Haute-Saône au XIXe siècle», *Monuments historiques*, no 122, septembre-octobre 1982.

5. Fontaine construite sur les plans et devis de l'architecte graylois Jean-Claude Disqueux en 1801.

6. Arch. dép. Haute-Saône, 169 E dépôt 9, délibération du 10 mai 1831.

7. Edmond Augustin Delaire, *Les architectes élèves de l'École des beaux-arts (1793-1907)*, Paris, 1907. Né à Arbois (Jura) en 1805, décédé à Échenoz-la-Méline (Haute-Saône) en 1871, Charles-Vincent Théodore Lebeuffe a été formé dans l'atelier Guénepin, comme trois autres architectes comtois de la promotion de 1828 (Alphonse Delacroix de Besançon, Antoine-Charles Monnier de Luxeuil et Joseph Mougenet de Lure).

8. Arch. nat., F3/II/15, copie de la délibération de la commune du 5 novembre 1832.

9. Outre de nombreuses fontaines, on lui doit l'une des plus élégantes églises basilicales du département, l'église d'Arbecey (1837), construite selon la formule prisée par le Conseil des bâtiments civils.

10. «Des diverses matières qui composent ordinairement les tuyaux de conduite d'eau…», dans *Société des Architectes de la Haute-Saône*, Vesoul, 1868.

11. Arch. nat., F21/1899/3020; INHA. Ressources. Outils documentaires. Conseil des Bâtiments civils (CONBAVIL). Dépouillement analytique des procès-verbaux des séances du Conseil (1795-1840). Bases de données.

12. Denis Grisel et Jean-Louis Langrognet, *Fontaines monumentales du pays des 7 rivières. Cantons de Rioz et de Montbozon*, Vesoul, 1998, p. 23-24.

13. En 1844, Th. Lebeuffe était associé à l'architecte vésulien Adrien Renahy et cosigna avec lui, le 3 janvier, les plans et devis de la fontaine de Semmadon.

Reconnu par ses confrères pour sa compétence, il contribua à la création de la Société des architectes du département en 1861 et publia de savantes études sur la conduite des eaux et la qualité des tuyaux disponibles sur le marché, fruit de son expérience locale, mais aussi de son goût pour les études théoriques et de son attention portée aux techniques et aux matériaux [10].

Les plans originaux de la fontaine couverte de Confracourt approuvés par la commune en 1832 sont aujourd'hui perdus, mais leur relevé sur calque en 1835 [11] (fig. 2), ainsi que les devis donnés pour deux autres fontaines construites sur un modèle identique, à Bouhans-lès-Montbozon en 1834 [12] (fig. 3) et à Semmadon dix ans plus tard [13] (fig. 4), ont été conservés. Ils éclairent parfaitement le programme voulu pour Confracourt : rassembler dans un seul édifice de plan circulaire les différents types de bassins (puisoir, abreuvoir, lavoir, rinçoir), de façon à économiser l'espace public utilisé et à rendre aisée la circulation des hommes et du bétail aux abords des bassins. Le dispositif imaginé était le suivant : un bassin central en pierre de forme circulaire, entouré d'une galerie des laveuses, fermée au nord par un mur plein demi-circulaire. De part et d'autre, deux édicules à l'antique de plan carré diamétralement opposés avaient pour fonction d'abriter respectivement le bassin du puisoir et celui du rinçoir. Au sud, ces deux édicules étaient reliés entre eux par un ample bassin d'abreuvoir demi-circulaire, appuyé sur un mur-bahut protégeant les laveuses des

Fig. 1 – Confracourt, fontaine-lavoir, le côté ouest au début du XXᵉ siècle (carte postale, coll. J.-L. Langrognet).

JEAN-LOUIS LANGROGNET

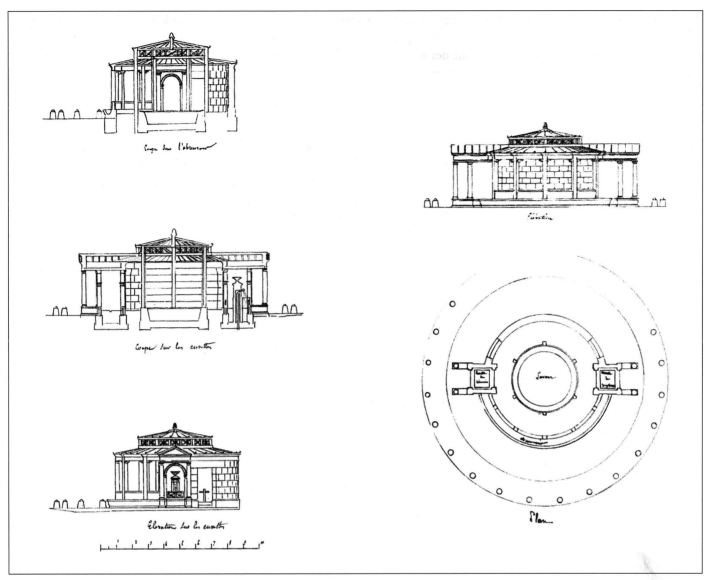

Fig. 2 – Confracourt, fontaine-lavoir, plan, élévations et coupes, mars 1835, calque du Conseil des bâtiments civils (Arch. nat., F21/1899/3020).

Fig. 3 – Bouhans-lès-Montbozon (Haute-Saône), fontaine-lavoir construite par Th. Lebeuffe, 1834.

Fig. 4 – Semmadon (Haute-Saône), fontaine-lavoir construite par Th. Lebeuffe et A. Renahy, 1844.

mouvements du bétail. Une toiture à lanterneau prévue pour abriter l'espace central reposait au nord sur le mur demi-circulaire de la galerie et, au sud, sur de robustes piliers carrés. Le lanterneau, destiné « à l'évacuation des vapeurs d'eau qui se cantonnent à la partie supérieure de l'édifice », ne devait pas être trop ouvert pour éviter d'offrir « un accès trop facile aux pluies et aux neiges qui pourraient le pénétrer et tomber sur les laveuses » [14]. Enfin, un pavé rayonnant en légère pente visait à faciliter l'entretien des abords, et des chasse-roues devaient être solidement ancrés dans le sol pour protéger l'édifice du passage des chariots et autres véhicules.

DU PROJET AU CHANTIER

Le projet resta en sommeil durant plusieurs mois faute de réponse de l'administration forestière à la demande de coupe des bois. Il fallut attendre une nouvelle délibération, le 5 mai 1834, pour que le conseil municipal, rappelant l'urgence de donner satisfaction aux habitants, réclamât fermement l'exécution de la fontaine sur les plans précédemment approuvés de Th. Lebeuffe. Afin de prévenir toute opposition de l'administration, les conseillers municipaux proposèrent au préfet une réalisation en deux temps [15] : mise en place de la longue conduite en fonte nécessaire, financée par l'argent disponible en caisse dans une première étape, puis attente du résultat de la vente du quart de réserve pour lancer les travaux de la fontaine proprement dite avec tous ses bassins.

Avant de se prononcer, le préfet, inquiet du montant total du projet (34 191 francs) qui dépassait celui d'églises paroissiales bâties récemment dans le département, chargea trois personnalités étrangères à la commune d'enquêter sur la nécessité de cette fontaine et la pertinence de l'emplacement choisi [16]. Prenant appui sur l'avis favorable de cette commission [17], sur celui de l'inspecteur-voyer de l'arrondissement [18], et après vérification de l'exacte capacité financière de la commune, le préfet accepta finalement d'adresser les plans et devis au ministère de l'Intérieur, le 18 février 1835 [19], « pour être soumis, sous le rapport de l'art, à l'examen du Conseil des bâtiments civils », comme il était de règle depuis 1821 pour tous les travaux communaux dépassant 20 000 francs.

Communiqué au Conseil des bâtiments civils le 2 mars 1835, le dossier de la fontaine de Confracourt fut examiné dans la séance du 13 mars 1835. Après avoir fourni quelques informations générales sur le projet, le rapporteur, Jean-Marie Dieudonné Biet [20], souligna le coût particulièrement élevé de la conduite en fonte (27 000 francs), mais, rompant avec les critiques sévères habituellement formulées depuis le début du siècle à l'égard des projets communaux du département, il analysa favorablement la proposition de l'architecte Lebeuffe :

La composition de la fontaine, du lavoir et de l'abreuvoir est agréable et d'une conception originale. Cette originalité est achetée cependant au prix de quelques irrégularités d'ajustement dans la disposition des piliers supportant la couverture du lavoir et des portes qui y donnent entrée. J'en ai conféré avec l'auteur qui est venu me voir. Il a convenu avec moi de la possibilité de rectifier certaines parties : il en motive les autres à raison de la nature des matériaux qu'il doit employer. […] Au surplus comme ces variantes ne sont point de nature à compromettre la solidité de la construction et qu'elles ne consistent qu'en des combinaisons d'ajustements qui tiennent au goût, je n'en présenterai pas ici le détail, persuadé que la révision que l'auteur en doit faire y apportera les perfectionnements dont ils sont susceptibles. Je me borne à déclarer que les devis étant bien détaillés et les dessins bien entendus, il doit résulter de cet accord une exécution intéressante [21].

Se rangeant à l'avis du rapporteur, le Conseil adopta le projet. Plans et devis furent renvoyés au préfet de la Haute-Saône le 6 avril suivant [22], en lui faisant toutefois remarquer

14. Précisions extraites du devis de la fontaine de Semmadon (Arch. dép. Haute-Saône, 3 O/485).

15. Arch. nat., F3/II/15.

16. *Ibid.*, désignation par le sous-préfet de Gray, le 15 mai 1834, de MM. Quatrenvaux, membre du conseil général, Flouquet, maire de Fédry et Humbert, propriétaire à Grandecourt.

17. *Ibid.*, avis du 24 mai 1834 : « Après examen du tout et de l'emplacement désigné […], déclarons à l'unanimité que la fontaine projetée est d'une utilité évidente, et que l'emplacement désigné est avantageux par la raison que toute la partie haute du village qui forme environ le tiers de la population est éloignée des fontaines existantes. »

18. *Ibid.*, consulté sur le tracé de la canalisation, l'inspecteur-voyer écrivait en juin 1834 : « Nous avons examiné attentivement le projet […] et de plus, vérifié le nivellement. Nous avions pensé qu'il serait plus convenable de suivre le cours du ruisseau […], mais d'après les explications verbales que nous a données M. l'architecte et l'examen des lieux, nous pensons que son projet de conduite peut être approuvé. »

19. *Ibid.*

20. Ancien élève de Percier à l'École des beaux-arts, Jean-Marie Dieudonné Biet (1785-1857), entré au Conseil des bâtiments civils en 1820 comme attaché, puis membre, devint inspecteur général en 1837. À partir de 1830, on peut observer qu'il est rapporteur de la plupart des projets d'édifices haut-saônois soumis à l'avis du Conseil.

21. Rapport transcrit dans le registre des procès-verbaux des séances du Conseil (Arch. nat., F21/2531, n° 122). Un exemplaire signé de Biet figure également dans le dossier de Confracourt en F3/II/15.

22. Arch. dép. Haute-Saône, 2 O/1350/11.

une grave erreur de calcul découverte dans le devis par le service de contrôle. Le préfet reçut bien l'autorisation de faire adjuger les travaux au siège de l'arrondissement concerné, mais sur une mise à prix rectifiée à 31 650 francs, avec obligation d'adresser au ministère copie du procès-verbal d'adjudication.

Plusieurs entrepreneurs de travaux publics et deux maîtres de forges adressèrent leurs soumissions à la sous-préfecture de Gray pour le 29 avril 1835, jour de l'ouverture des plis cachetés [23]. La meilleure offre s'étant élevée à 29 598 francs, les soumissionnaires présents furent invités à proposer de nouveaux rabais. Au quatrième feu, le maître de forges de l'usine de la Romaine (commune de Neuvelle-lès-La-Charité), Jacques-Antoine Viry-Viry, emporta l'adjudication pour 29 200 francs et s'associa avec un entrepreneur de bâtiments de Renaucourt, Denis Prennat. Le chantier démarra ensuite très rapidement, mais il connut d'importantes difficultés et des retards, liés pour l'essentiel à des éboulements dans la tranchée de 1 200 mètres creusée pour abriter la conduite de fonte, à son encaissement entre des murs parfois hauts de six mètres et à sa couverture en dalles de pierre. Néanmoins, les travaux s'achevèrent en septembre 1836, date à partir de laquelle la population put enfin jouir de la nouvelle fontaine. Ultime péripétie, un contentieux opposa l'entrepreneur à la commune sur le chiffrage final de la dépense lors de la réception des travaux en 1838. Il fut tranché au profit de la commune par le tribunal civil de Gray deux ans plus tard [24].

L'ÉDIFICE CONSTRUIT

Bien que de dimensions modestes, la fontaine de Confracourt possède un aspect monumental qui doit beaucoup à l'articulation réussie de son espace central avec les pavillons de puisage et de rinçage disposés symétriquement et traités en forme de temple domestique prostyle (fig. 5 et 6). Ces édicules présentent chacun une façade fermement dessinée, à deux colonnes d'ordre dorique portant un entablement avec architrave à deux fasces, frise nue et corniche denticulée, surmonté d'un fronton triangulaire (fig. 7). Ils abritent un petit vestibule donnant accès par une arcade moulurée au bassin carré du puisoir ou du rinçoir. Ponctuant l'axe est-ouest du complexe, ils sont réunis, au nord, par le mur demi-circulaire en pierre de taille de la galerie des laveuses, couronné d'une frise nue et d'une corniche saillante, et, au sud, par le bassin demi-circulaire en pierre de l'abreuvoir, au profil particulièrement étudié [25]. L'étagement calculé des quatre bassins de la fontaine

23. *Ibid.*

24. Arch. dép. Haute-Saône, 5K/171, pièces sur le contentieux entre l'entrepreneur et la commune (1839-1840) et délibérations du conseil municipal des 20 juin 1843 et 1er août 1844 (Arch. dép. Haute-Saône, 169 E dépôt 31).

25. Dans son «mémoire explicatif» pour la fontaine de Semmadon, Lebeuffe écrit : «L'abreuvoir vaste en longueur est d'une faible capacité, l'eau qu'il contient se renouvelle par conséquent constamment, sa propreté est plus grande et la vitesse qui se maintient dans les auges ne permet pas un abaissement de température qui favorise la formation des glaces ; son élargissement à sa partie supérieure annule les efforts de la poussée de l'eau congelée résultant de son augmentation de volume par les surfaces obliques contre lesquelles elle agit» (Arch. dép. Haute-Saône, série O, travaux communaux, Semmadon, devis du 3 janvier 1844).

Fig. 5 – Confracourt, fontaine-lavoir, côté est.

Fig. 6 – Confracourt, fontaine-lavoir, côté nord.

Fig. 7 – Confracourt, fontaine-lavoir, édicule prostyle du puisoir.

Crédits photographiques – fig. 2 : Archives nationales ; fig. 3 à 9 : Jean-Louis Langrognet.

permet un écoulement continu et régulier de l'eau : du puisoir qui la reçoit, elle passe dans l'abreuvoir puis dans le rinçoir, et, enfin, par une rigole en pierre, dans le lavoir proprement dit, d'où le trop-plein s'évacue par un déchargeoir.

La toiture couverte en zinc sur lambrissage est ornée à son sommet d'une pomme de pin en fonte. La charpente rayonnante repose sur une enrayure de deux poutres entrecroisées, soutenue par une colonne de fonte dressée au centre du lavoir (fig. 8 et 9). Le lanterneau, supprimé dans le courant du XXᵉ siècle, a été rétabli en 1986. Il se compose d'une succession de claustras en bois, matériau que Th. Lebeuffe abandonnera par la suite pour ses autres fontaines au profit de grilles en fonte réalisées sur ses propres dessins. La corniche et les piliers en bois de chêne équarri, qui soutiennent la toiture au sud, étaient vraisemblablement peints à l'origine (couleur pierre ?), mais on ne peut l'affirmer.

Harmonie de la composition et des proportions, mise en œuvre soignée des pierres de taille appareillées provenant de carrières de calcaire à grain fin, emploi d'une modénature néoclassique délicatement sculptée «d'après les modèles en grand» donnés par l'architecte à l'entrepreneur, tout concourt à faire de cette petite construction édilitaire, à la fonctionnalité reconnue, une œuvre architecturale représentative de la qualité des équipements communaux réalisés en Haute-Saône de 1830 à 1850. Elle bénéficie d'une inscription au titre des Monuments historiques depuis 1979.

Fig. 8 – Confracourt, fontaine-lavoir, charpente de la toiture.

Fig. 9 – Confracourt, lavoir circulaire et colonnette de fonte portant le poinçon de la charpente.

Table des auteurs

TABLE DES SITES

Bourse SFA jeunes chercheurs

La bourse 2020 a permis à ces quatre lauréates de participer
au 179ᵉ Congrès archéologique de France, *Haute-Saône*, du 10 au 15 septembre 2020 :

Berger (Amélie)
Doctorante en Histoire de l'art et archéologie, centre Lucien Febvre (EA 2273), université de Franche-Comté.

Courrier (Romain)
Doctorant en Histoire de l'art, centre Lucien Febvre (EA 2273), université de Franche-Comté.

Debierre (Cindy)
Doctorante en Histoire de l'architecture, université de Nantes.

Savary (Clément)
Doctorant en Histoire de l'art, laboratoire Histara (EA 7347), EPHE-PSL.

ÉDITIONS A. ET J. PICARD

Éditeur, diffuseur, libraire depuis 1869

Archéologie, architecture, histoire de l'art, histoire

LA LIBRAIRIE PICARD & EPONA

vous accueille du lundi au vendredi
de 9h à 17h
et sur le site internet : www.librairie-epona.fr
Tél. : 01 43 26 85 82

Bulletin *Archéologie quoi de neuf ?*

(envoi sur demande)
vpc@librairie-epona

Toutes les commandes de fascicules du *Bulletin monumental*
et des volumes du *Congrès archéologique de France* sont à adresser aux Éditions Picard

Achevé d'imprimer sur les presses
de l'imprimerie Corlet
à Condé-en-Normandie
en octobre 2022

N° d'impression : : 22070146
Dépôt légal : octobre 2022